PULP FICTION

BATTLE
バトル・ロワイアル
ROYALE

KOUSHUN TAKAMI
高見広春

太田出版

装幀：中山 泰＋古賀幸恵（NYC）
本文デザイン：Shimizu Natsuo Graphix

バトル・ロワイアル　目次

僕の愛する人々すべてに捧げる。
あまりありがたくないかも、知れないけれども。

生徒はミカンじゃないんです

坂本金八(小山内美江子作「3年B組金八先生」より)

**しかしそれまでは、俺たちは
走り続けなければならない。
そのように生まれついたようだ**

ブルース・スプリングスティーン「明日なき暴走」

愛することってむずかしい

佐野元春「愛することってむずかしい」

そこで私が過ごした最後の数週間、
まちには歪んだ、
不吉な雰囲気が漂っていた。
疑い、恐れ、心もとなさ、
そして覆い隠された憎悪の気配だ。(中略)
しじゅう、カフェの隅、話し声をひそめながら、
隣のテーブルにいる誰だかは
警察のスパイではないかと疑って
時を過ごしているような感じだ。

その彼の行為が私の心をどれほど動かしたか、
うまく伝えられないかも知れない。
些細なことに聞こえるかも知れない。
しかし、そうではないのだ。
そのころの雰囲気を考え合わせる必要がある。
疑いと憎悪の、恐ろしい空気を。

ジョージ・オーウェル「カタロニア賛歌」

香川県城岩町立城岩中学校三年Ｂ組クラス名簿

【男子】

1番　赤松義生（あかまつ・よしお）

2番　飯島敬太（いいじま・けいた）

3番　大木立道（おおき・たつみち）

4番　織田敏憲（おだ・としのり）

5番　川田章吾（かわだ・しょうご）

6番　桐山和雄（きりやま・かずお）

7番　国信慶時（くにのぶ・よしとき）

8番　倉元洋二（くらもと・ようじ）

9番　黒長博（くろなが・ひろし）

10番　笹川竜平（ささがわ・りゅうへい）

11番　杉村弘樹（すぎむら・ひろき）

12番　瀬戸豊（せと・ゆたか）

13番　滝口優一郎（たきぐち・ゆういちろう）

14番　月岡彰（つきおか・しょう）

15番　七原秋也（ななはら・しゅうや）

16番　新井田和志（にいだ・かずし）

17番　沼井充（ぬまい・みつる）

18番　旗上忠勝（はたがみ・ただかつ）

19番　三村信史（みむら・しんじ）

20番　元渕恭一（もとぶち・きょういち）

21番　山本和彦（やまもと・かずひこ）

【女子】

1番　稲田瑞穂（いなだ・みずほ）

2番　内海幸枝（うつみ・ゆきえ）

3番　江藤恵（えとう・めぐみ）

4番　小川さくら（おがわ・さくら）

5番　金井泉（かない・いずみ）

6番　北野雪子（きたの・ゆきこ）

7番　日下友美子（くさか・ゆみこ）

8番　琴弾加代子（ことひき・かよこ）

9番　榊祐子（さかき・ゆうこ）

10番　清水比呂乃（しみず・ひろの）

11番　相馬光子（そうま・みつこ）

12番　谷沢はるか（たにざわ・はるか）

13番　千草貴子（ちぐさ・たかこ）

14番　天堂真弓（てんどう・まゆみ）

15番　中川典子（なかがわ・のりこ）

16番　中川有香（なかがわ・ゆか）

17番　野田聡美（のだ・さとみ）

18番　藤吉文世（ふじよし・ふみよ）

19番　松井知里（まつい・ちさと）

20番　南佳織（みなみ・かおり）

21番　矢作好美（やはぎ・よしみ）

前口上（ある異なる世界で、一人のプロレスファンの話）

　えっ、バトルロイヤル？　バトルロイヤルが何かっての？　何だ、あんたそんなことも知らないの？　それでよくプロレスなんか見にくるね？　え？　ワザの名前？　チャンピオンシップの名前？　違うよ、バトルロイヤルってのは、プロレスの一つの試合形式なんだ。え、今日？　今日、ここでかい？　いや、そんなのはプログラムにないよ。ああいうのは大会場で、何かのお祭りのときにやるもんだからさ。あ、ほら、見なよ、井上貴子さんだぜ、きれーだよなー。あ、ああ、悪い悪い。そう、バトルロイヤル。今でも、全日本プロレスなんかじゃやってるよ。つまり、バトルロイヤルってのはさ、うーん、普通はさ、プロレスってのはさ、一対一とかさ、あるいはチーム組んで二対二とかさ、そういう形で試合するだろう。けど、バトルロイヤルってのは、十人とか二十人とか、とにかく大勢が一緒にリングに上がるんだ。それで、誰が誰に突っ掛かってってもいい、一対一でも、一対十でも、それはおかまいなしだ。とにかく、何人がかりでもいい、フォールされたやつは――え、フォールも知らないの？　マットに肩が着いて、ワン、ツウ、スリー、三つカウント叩かれたら負けなんだ。これは普通の試合でも同じだよ。まあ、ほかにギブアップとか、たまにノックアウトとかもあるけどね。ああ、それからリングアウトっていうのもある。反則負けもあるしね。まあ、バトルロイヤルの場合はフォールで決まるよ、ふつう。あ、貴子さん、行

け！　やっちゃえ！　あ、ああ、ごめんごめん。とにかく、フォールされたやつは負けで、リングから降りなきゃならない。その調子で試合を続けて、選手が減っていくわけよ。最後にはもちろん、二人になるね。一対一、そこは真剣勝負さ。そしてそのうちの一人がやっぱりフォールされる。そしたら、最後に一人だけがリングに残っている。そいつの勝ちさ。優勝だ。でっかいカップが渡されて、優勝賞金が出たりもする。わかったかい。えっ、いつも仲良しのやつはどうかって？　いや、そりゃ、最初は協力するよ。だけど、最後はそいつともやり合わなきゃならない。それがルールなんだから。おかげで、バトルロイヤルの最後になるとめったに見られないカードがおがめることもあったね。例えば、その昔、ダイナマイト・キッドとデイビイ・ボウイ・スミスのタッグパートナーどうしとか。アニマル・ウォーリアー、ホーク・ウォーリアーのタッグパートナーどうしが残ったこともあった。まあ、この時はどっちだったか、わざとリングアウトになってもう一方を勝たせて、兄弟愛を見せつけた、俺はちょっと不満だったけどね。ああそれにね、そういういつも仲良しってわけじゃないやつと協力してももちろんいいんだ。しかし、こいつと組んであいつをやっつけよう、と思ったとこで、あっさりそのこいつ、の方に裏切られてやられるなんてこともあるね。そうさね、今見たいバトルロイヤルかい？　今はいろんな団体が乱立してるから、各団体トップクラスのバトルロイヤルなんてのはぜひ見たいやね。武藤敬司、橋本真也、三沢光晴、川田利明、高田伸彦、船木誠勝、前田日明、グレート・サスケ、

ハヤブサ、高野拳磁、それに天龍源一郎と長州力、藤波辰爾と木村健悟もまだやれるな。安生洋二とスペル・デルフィンも加えた方が楽しいな。案外その二人が残るかも知れないよ。女子なら貴子さんだろ。アジャ・コングに豊田真奈美に井上京子、堀田祐美子、北斗晶、ブル中野、もちろんダイナマイト関西にキューティー鈴木と福岡晶、尾崎魔弓、神取忍と長与千種とそれから――えっ、何だって、みんな知らないって？ あんた、ほんとにプロレス見にきたの？ あっ、だめだだめだだめだ貴子さん返せ！ 貴子さん！ よーし。

プロローグ　政府連絡文書

政府内部連絡文書一九九七年度第〇〇三八七四六一号（部外秘取扱注意特一級）

総統府官房特殊企画部防衛担当官並専守防衛陸軍幕僚監部戦闘実験担当官発

共和国戦闘実験第六十八番プログラム一九九七年度第十二号担当官宛

五月二十日一八一五時、同日定期点検中デアッタトコロノ共和国政府中央演算処理センターニテ演算機器ニ外部侵入ノ形跡ヲ確認。侵入ハ三月十二日未明デアッタモヨウデ、現在ソノ後ノ再侵入ノ形跡等、鋭意調査作業中。

被疑者ノ身元、目的及ビ流出情報ノ大要ニツイテモ現在確認中デアルガ、被疑者ノ侵入方法ハ極メテ高度ノ技術ニヨルモノデアリ、被害全容ノ解明ニハ相当ノ時間ヲ要スル見通シ。

総統府官房特殊企画部防衛担当係並ビニ専守防衛陸軍幕僚監部戦闘実験担当部デハ、別ケテモ「第六十八番プログラム」関連情報ニ被害ガ及ンデイル可能性モコレヲ排除デキナイトノ報告ヲウケ、同プログラム一九九七年度第十二号ノ延期ニツキ急遽検討ヲ行ッタ。

シカシナガラ、協議ノ結果、第十二号ハスデニソノ準備ヲ終エテイルコト、マタ、関連情報ノ一般人民間ヘノ流出ノ形跡ガ現在マデ見ラレナイコトナドヨリ、予定通リ実行スベキト結論。一方、第十三号以降ノ実施時期、殊ニ〝ガダルカナル〟ノ設計変更ニツイテハ急ギコレヲ研究スル方針デアル。

但シ貴殿第十二号担当官ニアッテハ、実験ノ実行監督ニ当タリ、細心ノ注意ヲ払ワレタシ。

ナオ、同センター侵入事件ニツイテハコレヲ特一級極秘扱トシテ対処シテオリ、ソノ旨留意スルコト。

(以上)

第1部

試合開始

Now 42 students remaining.

0

バスが県庁所在地の高松市に入り、車の外の風景が、田園地帯から徐々に市街らしく変わり始めた。色とりどりのネオン、流れていく対向車のヘッドライト、消え残っているオフィスビルの明かり。タクシー待ちをしているのか、沿道の飲食店の前で話している、会社の仲間らしいぱりっとした服装の男女たち。清潔そうなコンビニの駐車場、座り込んでたばこをふかす、疲れた感じの若者たち。横断歩道で信号待ちをしている、これは肉体労働者然とした自転車のおじさん。五月にしてはまだ肌寒い夜で、そのおじさんが、くたびれたジャンパーをひっかけているのが目に付いた。しかしもちろん、そのおじさんも、ほかの雑多な印象と同様、バスの低いエンジンの唸りのうちに、すぐに車窓の後ろへ流れていった。バスの運転手席の上のデジタル表示が、ふっと八時五十七分に、変わった。

七原秋也（香川県城岩町立城岩中学校三年B組男子十五番）は左側の席、窓際に座って荷物をごそごそいじっている国信慶時（男子七番）の横顔ごしにその夜の風景をしばらく眺めた後、座席間の通路に出した右足、ケッズのスニーカーのつま先を少し伸ばした。昔はそうでもなかったらしいが、今はだいぶ探さないと入手できない靴で、秋也のそれも右かかとの内側のキャンバスが裂け、ほつれた糸が猫のひげみたいに飛び出している。メーカーはアメリカ、製造はコロンビア。一九九七年現在、この大東亜共和国はけして物資不足というわけではなかった。むしろモノはあふれていたと言っていいが、とにかく、輸入ものというのが極端に入手しにくかった。まあ、準鎖国政策を取っているんだから無理はないが。そしておまけにアメリカは（政府の連中はそれを米帝と呼ぶし、教科書にもそう書いてある）——敵性国家ときている。

バスの比較的後ろ寄りのその席から、車内をひとわたり見回すと、天井の、くすんだパネルから落ちるにぶい蛍光灯の明かりの下、二年からクラス換えなく進級した四十一人のクラスメイトたちは、まだまだ元気におしゃべりを繰り返していた。中学のある城岩町を出発してまだ一時間弱だ、当然だろう。初日が車中一泊という修学旅行もなんだか安上がりというか強行軍というかひどい気もするが、やがて車が瀬戸大橋を渡り目的地の九州へ向けて山陽自動車道を踏むころになれば、少し静かになるはずだ。

前の方でにぎやかなのは、担任の林田先生を囲んだ女の子たちだった。おさげの髪がよく似合う委員長の内海幸枝（女子二番）に、その幸枝と同じバレー部で、女の子にしてはかなりの長身の谷沢はるか（女子十二番）。町議の娘らしくお嬢さんっぽい金井泉（女子五番）、優等生で、ボストンタイプの眼鏡がちょっとクールな感じの顔に似合う野田聡美（女子十七番）、いつも大人しくて目立たない松井知里（女子十九番）——他。まあ、女子の主流派、あるいは中間派グループと言っていい。女の子はよくグループをつくるというけれど、城岩中学三年B組にはまあ、あまり目立った女子グループがなかったから、そう呼ぶのもおかしいかも知れない。あるとしたらむしろ——少し崩れた感じの、ありていに言うと不良娘系の、相馬光子（女子十一番）のグループだろう。光子に——それと、清水比呂乃（女子十番）、矢作好美（女子二十一番）の三人だが、秋也の位置からはどこに座っているのか見えない。

一番前、運転席の後ろに、少し高くなった座席があって、そこだけ低い背もたれの上から、二つの頭が並んで見えていた。山本和彦（男子二十一番）と小川さくら（女子四番）だった。クラスで一番仲のいいカップルで、何かおかしいことがあるのか、その二人の頭が、時々小さく揺れた。でもまあ、あのつつましい二人のこと、ささいな話が二人でいるととてもおかしいのかも知れない。

少し手前に目を転じると、巨大な学生服が通路にはみ出しているのが見える。赤松義生（男子一番）だ。体はクラス一大きいのだが、気が小さくて、何かというといじめ半分にからかわれたりするタイプだった。今は、大きな体を小さく前に屈めて、流行りの、ミニチュア・コンピュータゲームを抱え込んでいた。

通路を挟んで大木立道（男子三番、ハンドボール部）、新井田和志（男子十六番、サッカー部）、旗上忠勝（男子十八番、野球部）らの体育会系男子がまとまって座っているようだ。秋也自身も小学校ではリトルリーグに入っていたし（天才ショートストップと言われていた）、忠勝とも仲が良かったのだが、今はなんとなく付き合わなくなってしまった。秋也があるちょっとした理由から野球をやめたのももちろんだが、代わりにエレクトリックギターなどという反政府印の趣味に凝り始めたせいもあるのかも知れない。なんだか忠勝のお母さんはそういうのにうるさいタイプだったような記憶がある。

そう、ロック音楽は禁止されている、この国では（もちろん、抜け道というのは、あったけれども。秋也のエレクトリック・ギターには、きちんと〝この楽器は退廃音楽に使用してはいけません〟という政府の認証ステッカーが貼ってある。退廃音楽というのは、ロックのことだ）。

そう言えば親しく付き合う連中もだいぶ変わったな――。秋也は思った。

低い笑い声がして、赤松義生の後ろの席に、短い髪と、美しい細工のピアスリングを着けた左の耳たぶがのぞいた。そう、あれがその一人だ。三村信史（男子十九番）。二年になってから同じクラスになったのだけれど、秋也もそれ以前から、バスケ部に〝第三の男〟と呼ばれる天才ガードがいることは聞いていた。もちろん、かつてのリトルリーグの天才ショートストップ、秋也と並ぶ抜群の運動能力を誇っていて（でも信史はこう言うに違いない、「俺が

上だよ、ベイビ」)、クラス換え早々のクラスマッチで秋也と絶妙のコンビネーションを見せた、それで意気投合したという部分もあったのだけれど、信史にはそれ以上のものがあった。数学と英語以外の成績はお世辞にもいいとは言えなかったが、知識の幅が恐ろしく広く、ものの見方が中学生離れしていた。この国では普通入手できない海外の情報に至るまで、訊けばおおよそ何でもすぐに答えてくれたし、何かで行き詰まったときには、適切なアドバイスをくれた。しかも、それで驕るようなところは全くなかった。いや、その独特のおどけた調子で、たとえば「俺がかしこいのは周知の事実だぜ。知らなかったのか?」と言ったりはするけれども、けして嫌味なところはなかった。要するに——すごくいいやつだったのだ、三村信史は。

その信史はどうやら、これは信史の小学校時代からの友人の瀬戸豊(男子十二番)と並んで座っているようだった。豊はクラス一のお調子者だから、信史が笑っているのは豊がまた何か冗談でも言ったのだろう。

それに——その後ろの席にいる、杉村弘樹(男子十一番)。細身の長身を狭い座席に何とか畳んで、文庫本を読んでいる。無口なうえに拳法の道場に通っていて、強面のイメージがあるし、あまり人づきあいをしない男だったが、話してみると、シャイでいい男で、秋也とは妙に気が合った。読んでいるのは、ごひいきの中国の詩集だろうか(中国の文献は翻訳物でも比較的入手しやすい、まあ当然だ、共和国は中国を〝わが国固有の領土〟と主張している)。

前にペーパーバックで読んだアメリカの小説(古本屋の隅で見つけて辞書を引き引き読んだ)の中に、〝友達はでき、また、離れていく〟という一節があった。そういうものなのかも知れない。忠勝と付き合わなくなったように、信史や弘樹とも、また離れるときがくるのだろうか。

——そんなこともないか。

秋也は隣でまだ荷物をごそごそやっている国信慶時をちらっと見た。秋也はとにかく、国信慶時とはずっと一緒で、これまで来たのだ。そして、それはこれからも変わらないだろう。まあ、〝慈恵館〟というやや大仰な名前のカソリック系の施設――親を失ったか、〝事情〟で親と暮らせない子供たちをあずかる施設――で夜中にふとんを濡らしていたころからの友達だ、これは腐れ縁と呼んだ方が正しいかも知れないが。

ついでに、宗教のことを説明した方がいいかも知れない。〝総統〟と呼ばれる最高権力者を頂点とした特殊な国家社会主義を敷いているこの国には（いつか三村信史が顔を歪めてささやいた、〝これはな、成功したファシズムってやつなのさ。こんなタチの悪いものが世界のどこにある？〟）、しかし、少なくとも、国教というようなものはない。あるとすると、ただ、その体制への信奉だけだが――特にそれが、既成の宗教と抵触するというわけでもない。従って、宗教活動は度を越さない限りで自由ではあるが――その代わりに、それに対する保護も一切なかった。なので、ただ、信心深い人々が、細々と、その活動を続けていた。秋也自身は宗教的感情というのはほとんど持ったことがないが――少なくとも、その宗教のおかげで、あまり不自由せずに、そして、恐らくはまともに、育ってこれたことだけは間違いない。それは、きっと、感謝すべきことだろうと、思う。

国立の孤児院もあるにはあるが――聞くところでは、それは、どうしようもないひどい設備と体制で、悪名高い専守防衛軍兵士の養成所と化しているらしい。

秋也はまた首を反対側へ向け、後ろへ視線を流した。最後尾の横長の席の辺り、笹川竜平（男子十番）や沼井充（男子十七番）といった、ワルぶった連中が座っている。そして――秋也の位置からは顔は見えなかったが、シートの間、右の窓際のところに、後ろ髪を長く伸ばした、一風変わったオールバックの頭がのぞけていた。自分の左で（といっても

隣の笹川竜平は座席二つ分開けて座っているようだったが）少し下卑た話と粗野な感じの笑いが続いているにもかかわらず、微動だにしていなかった。眠っているのかも知れないが、恐らくは、さっきまでの秋也と同じように街の明かりにじっと目を注いでいるのだろう。

その男――桐山和雄（男子六番）が修学旅行などというガキのレクリエーションにきちんと顔を出したことが、秋也にとって一番の謎だった。

桐山は、竜平や充はもちろん、近円一帯の不良学生のカリスマみたいになっている男だった。けして体は大きくなく、せいぜい秋也と同じぐらいの中背だったが、高校生をやすやすとねじふせ、地元のやくざ組織と渡り合い、その存在は県下一円でほとんどひとつの伝説になっているとも聞く。親が県内トップ企業の社長だという後ろ盾もあるのだろうが（もっとも庶子だという噂もあった。秋也は興味はないので確認したことはないが）――もちろん、それだけではないだろう。知的で端正な顔と、さしてトーンが低いわけではないのにどこか威圧感のある声、学年トップクラスで、B組ではせいぜい男子委員長の元渕恭一（男子二十番）が寝る間も惜しんで勉強してようやく比肩しうるだけの成績。運動をやらせても、ほとんど誰よりも優雅でうまかった。本気でやりあったとして、城岩中で辛うじて並ぶのはそう、かつての天才ショートストップ秋也と、あるいは現在の城中バスケ部の天才ガード、三村信史だけだろう。桐山和雄はどこから見ても完璧な男だった。

しかし、なぜそのような完璧な男が、不良学生のトップに収まるようなことになったのか？　それは秋也の与かり知るところではなかったが、――ただ、秋也にもわかることがあったとすると、それは桐山から伝わる、一種肌触りに近いような、ある種の違和感だ。それが何なのだ、という指摘まではできない。桐山は、けして学校で悪さをするわけではない、

笹川竜平辺りが時々赤松義生にするようにいじめをするかというと間違ってもやらない、しかし――何かが――希薄に過ぎる、といえばいいだろうか。そんなような、感じ。

　学校に来ないことも多かった。大体、桐山が〝おべんきょう〟をしている、などというのは、世界で一番おもしろい冗談だ。桐山は、どの授業のときにもただじっと席に座って、静かに、何か全く違うことを考えているように見えた。多分、かくもうるさく義務教育を押しつける強力な政府がなかったら、ぜんぜん学校になんか来ないんじゃないだろうか。いや、気まぐれでよく来るかも知れない、わからない。とにかく修学旅行なんではさっさとパスするかと思えたのだが、きちんと現れていた。これも気まぐれなのだろうか。

「秋也くん」

　天井の照明パネルを見つめてぼんやり桐山のことを考えていた秋也は、明るい声で現実に引き戻された。通路を挟んで隣の席、中川典子（女子十五番）がぱりっとした感じの透明なセロファンの包みを両手で差し出していた。典子の手の中に収まるサイズのその袋は天井からの白い光を水のようにたたえ、そしてその向こうに、薄茶色の小さな円盤が――クッキーだろう――たっぷり入っているのが見えた。金色のリボンが口をきりっとくくって蝶ネクタイ型の結び目をつくっている。

　中川典子も内海幸枝らと同じ中間派の女の子だった。優しそうな、やや黒めがちの目が目立つごく女の子らしい丸顔と肩までの髪、小柄で、まずまずおちゃめで、まあ、平均的な女の子だ。特記することがあるとすると、国語が得意で作文がクラス一うまいことかも知れない（その点で秋也は比較的典子とよく話をすることがあった、秋也はよく休み時間、オリジナルの曲を書こうと詞をノートの端に書きつけていて、典子が時々それを見たがったので）。いつもは幸枝らと一緒にいることが多いのだけれど、

今日は少し集合時間に遅れて、空いていたその席に座ったようだった。

　秋也が手を半ば出しながら不思議そうに眉を持ち上げると、典子はなぜかちょっと慌てた感じで口を開いた。

「あの、今日弟にせがまれちゃって、つくったの。あまりものなんだけど、時間が経ったらおいしくなくなっちゃうから、良かったら、ノブさんと食べて」

　ノブさん、というのは国信慶時の愛称だ。愛敬のあるぎょろりとした目、にもかかわらず、時々妙に達観したようなオヤジくさいところのある慶時のパーソナリティにはふさわしいかも知れない。女の子はあまり使わない呼称なのだが、典子は大方、気軽に男子の愛称を口にする。そして、それでカドがたつことも違和感を感じさせることもないのが典子らしいと言えば典子らしいところだった。どこか、ふんわりした女の子。そして、秋也は愛称らしい愛称を持ったことがなかったのだけれど(実のところ小学校時代から、ちょっと妙な、ある煙草の銘柄と同じ〝通り名〟だけはあるのだが、それは、三村信史の〝第三の男〟と同じようなもので、呼びかけに使われたりはしない)、——思った、俺のこと名前で呼ぶ女の子は、このこだけだな、前から思ってたけど。

　やりとりを聞いていた慶時が、急き込んだように割って入った。

「ほんと？　いいの？　うれしいなあ。典子サンがつくったんならきっとうまいよな」

　秋也が伸ばした手の先からすっと慶時が袋をかすめ取り、金色のリボンを手早く解いて一個つまんだ。

「ああ。めちゃくちゃうまいや」

　自分の体ごしに慶時が典子に賛辞を送るのを聞きながら、秋也はちょっと苦笑いした。全く、慶時ときたら露骨もいいところだ。大体、典子が秋也の隣に座ったときからそっちをちらちら見たり、妙に胸

をそらせて姿勢を正したりとフツウではなかったのだけれど。

　そう、ちょうどひと月半ほど前の春休み、街の水源のダム湖で二人でブラックバスを釣っていたとき、慶時は秋也にぽつっと言ったのだった、「なあ秋也、俺、ちょっと、好きなこ、できた」。秋也が「へえ。誰だ」と訊くと、「中川」と慶時がこたえた。「うちのクラスの？」「そう」「どっちだ？　二人いるじゃんか。有香サンの方か？」「おまえ。俺、おまえみたいに太った女の子、好みじゃないぞ」「失礼なやつだな。和美さんが太ってるってのか？　ちょっとふっくらしてるだけだ、彼女は」「悪い、悪かった。とにかく、そう、うん、典子サンの方だ」「ふーん。ま、いいこだよな」「そう思うだろ？　思うだろ？」

「わかったわかった」

　そう、全く露骨だ。しかし、にもかかわらず、典子はその慶時の気持ちには全く気づいていないようだった。にぶいのか、何なのかよくわからない。あるいはそういうところが、いかにも典子らしいのかも知れない。

　秋也は慶時の手の中の袋からクッキーを一個とって、目の前にかざした。それから、典子を見た。

「時間が経つとおいしくなるって？」

「うん」典子が不思議に張り詰めた目で、小さく二度、あごをひいた。「そう」

「ということは、少なくとも基本的にはおいしいという自信があるわけだ」

　このての皮肉なもの言いは、三村信史から感染したのか、最近、秋也のよくやるところで、たまにそれに腹を立てる人間もいるのだけれど、典子は何だかとても幸福そうにうふふ、と笑った。

「そうね」

「おまえ」また慶時が割って入った。「うまいって言ってるじゃんか、俺が。なあ、典子サン」

　典子が「ありがとう。ノブさん優しいね」と笑むと、慶時は急に電極に指を突っ込んだみたいに硬直

し、押し黙ってしまった。黙って膝の辺りに視線を落とすと、クッキーをばりばり食べ始めた。

秋也はまた苦笑いして、クッキーを口に押し込んだ。ふんわり甘い味と香りが、口中に広がった。

「うまいや」

秋也が言うと、じっと見守っていた典子が「ありがとー」と声を弾ませた。気のせいかも知れないが、何だか慶時に「ありがとう」と言ったときとはトーンが違うような気がした。いや――そう、少なくとも、彼女は秋也がクッキーを口にするのをじっと見ていた、とても真剣な目で。本当にこのクッキーは彼女が弟につくったあまりものなんだろうか？　彼女は〝誰か〟に食べてほしくてつくってきたんじゃないんだろうか？　いや、やっぱり気のせいかも知れない。

秋也は脈絡なく、〝和美さん〟のことを考えた。音楽部で去年まで一緒にいた、一つ年上の女の子だ。

およそ大東亜共和国の学校の部活動でロック・ミュージックが演奏会のレパートリーに上がることは絶対になかったが、それでも、顧問の宮田先生がいないときには、部員たちは勝手にロックを演奏して時間をつぶしていることがよくあった。そういうやつの集まりだったとも言える。そして、新谷和美は女子部員では唯一のサックスプレイヤーだったのだけれど、ロックサクソフォンを吹かせるとほかの男子部員の誰よりもうまかった。背が高めで（百七十センチの秋也とほとんど同じぐらいあった）、ちょっと太めで、しかし、首の横でざっとまとめた髪、ちょっといつも世間ずれした感じの大人びた表情でアルトサックスを手にしたところは、めちゃくちゃにかっこよかった。秋也をどきどきさせた。そして、秋也に難しいギターコードの押さえ方を教えてくれた（「あたしもちょっとやってたのよ、サックス始める前にね」）。秋也は、それから昼夜の別なくギターをいじり、二年の半ばまでには、部で一番うまくなった。それもこれも、誰よりも和美さんに聞いて

ほしかったからだった。

　そして、あるとき、たまたま二人きりになった放課後の音楽室で秋也が〝サマタイム・ブルーズ〟を歌入りでやってみせたとき、彼女はほめてくれた、「すごいな、秋也ちゃん。かっこいいよ」。秋也はその日、初めて缶ビールを買って一人で祝杯を上げた、めちゃくちゃにうまかった。しかし、それから三日ほどのち――秋也が彼女にはっきり「あの、俺、あなたが好きです」と言った日、彼女もはっきり言った、「ごめん、あたし、付き合ってる人、いるのよ」。そして彼女は卒業してしまった、その〝付き合ってる人〟と同じ、音楽科のある高校に入った。

　そう言えば、あの春休みのダム湖で、慶時が典子のことを言った後秋也に訊いた、「おまえ、例の先輩のこと、まだ好きなのか？」。秋也は答えた、「ああ。好きだね。死ぬまで好きだと思うぜ」。慶時は困惑したような表情を見せた。「だっておまえ、その先輩、相手、いるんだろ？」。秋也はオーヴァ・スロウの要領で銀色のルアーを思い切り遠くに飛ばしながら答えた、「関係ねー」。

　秋也は相変わらず俯いている慶時からクッキーの袋を取り上げた。「おまえばっか食ってるなよな、典子サン、食べられないじゃないか」

「あ、ああ。ごめん」

　秋也は袋を典子の方に戻した。「ごめんよ」

「ううん、いいの、あたしは。秋也くんたち、食べて」

「そう？　しかし俺たちだけもらうってのも――」

　秋也はそこで初めて、典子の向こうに座っている男に目をやった。男――川田章吾（男子五番）は、学生服に包まれた大柄な体を窓ガラスに寄せかけ、腕を組んで、静かに目を閉じていた。眠っているのかも知れなかった。ほとんど坊主頭に近いぐらい短く刈り込んだ髪、なんだか縁日のテキ屋のお兄ちゃんを思わせるその顔に、かすかに不精髭みたいなものが浮いている。不精髭だ、みなさん！　中学生に

しちゃ、老け過ぎてやしないか？

　しかしまあ、納得できる事情が一つあった。Ｂ組のクラスは二年のときから同じメンバーだったけれど、川田章吾は四月に神戸から越してきた転校生だ。そして――川田章吾は怪我だか病気だかで（病気をするタイプには見えないから多分怪我だ）、半年以上学校を休んでいたため留年した――つまり、ほんとうは秋也たちよりは一年先輩に当たるのだという話だった。本人がそう言ったわけではないが、とにかくそう聞いた。

　はっきり言って、川田についてはあまりいい話を聞かなかった。前の学校ではどうしようもない不良で、学校を休んだケガというのも、ケンカが原因だという噂もあった。そして、それを裏づけるように、川田には全身に傷があった。左眉の上に走っている大きな刀傷みたいなものもそうだが、体育の時間で着替えるときなど、秋也はその腕にも背中にも（余談だが男の秋也が見ても見事な、まるきりミドル級のボクサーみたいな体だった）、同じような傷を見つけてぞっとしたものだった。左の肩口などには、何か得体の知れない丸い傷跡が二つ、並んで付いていた。まるきり、銃で撃たれたような傷だった、いくらなんでもそんなことがあるとは思えないが。

　そんなこんなの噂が出るたび、「いつか桐山とやり合うんじゃないの」といったことがささやかれてもいた。事実、川田の転入直後、おっちょこちょいで気取り屋の笹川竜平が、ちょっと川田にちょっかいを出したことがあったらしい。その経緯と同様結果も又聞きだが――竜平は、真っ青な顔で戻った、そして桐山に泣きついた。――が、桐山は興味なさそうにその竜平を一瞥し、何も言わなかった、ということだ。まあ、そんな具合で、当の二人が険悪な雰囲気に陥る場面は、少なくともこれまで起きていない。桐山は川田に興味がなさそうだった。川田も桐山には興味がなさそうだった。おかげでＢ組は平穏だった、めでたしめでたし。

とにかく、歳が違う上にそうした噂もあって、クラスの連中は川田を避けているようなところがあった。しかし、秋也は噂話で人を判断するのは嫌いだった。誰かが言っていた、自分の目で見られるなら、他人の話に耳を貸す必要はない。

秋也は、典子に向けてあごで川田を指してみせた。

「カレは寝てるのかな」

「うん――」典子は川田の方をちらっと振り返った。「うん、あたしも、起こすの悪いと思って」

「クッキー食べるタイプじゃないか、どっちにしても」

典子がくすっと笑い、秋也も笑いかけたとき――ふいに、「俺はいい」という声が聞こえた。

秋也は川田の方に視線を戻した。

低く、張りのある声の残響が、耳に残っていた。秋也にはあまりなじみのない声だったが――しかし、それは明らかに、川田が発したもののようだった。

川田は相変わらず目を閉じているが、眠っていなかったらしい。同時に、秋也は、もう川田が転校してきてから一カ月以上経つのに、その声をほとんど聞いたことがなかったことに気づいた。

典子がまた川田の方をちらっと振り返り、それから秋也に目を戻した。秋也は肩をすくめてみせ、クッキーをもう一枚、頬ばった。

そのあと、しばらくは典子や慶時と雑談を交わしていたと思ったのだが――

十時が近づいたころだった。秋也が妙なことに気づいたのは。

車中の雰囲気がおかしかった。左側にいる慶時がいつの間にか、静かに寝息を立てていた。三村信史の体が、座席から通路側にだらしなく傾いている。中川典子も、目を閉じていた。誰の話し声もしなかった。全員が眠っているようだった。もちろん、ひどく健全なやつならベッドに入る時間かも知れないが――しかし、お楽しみの修学旅行の出発直後、み

んなちょっと眠るには早過ぎやしないか？　歌でも歌えよ、カラオケとかいう俺の大嫌いな俗悪な装置を積んでんだろ、このバスは？

そして何より問題なのは――秋也自身がものすごい眠気に襲われていることだった。もうろうと辺りを見回し――それから、首を動かすのもだるくなって、シートの背にもたれた。視線が泳ぎ、この狭い空間の一番前、闇に溶け込んだ大きなフロントグラスの中央にルームミラーが見え――秋也はその中に、運転手の上半身が小さく小さく映っているのを認めた。

その顔、口元をマスクのようなものが覆っていた。そこから下へ向けて、何かホースみたいなものが伸びている。耳たぶの上下を横切って巻きついた、幅の細いバンド。あれはなんだろう？　ホースが下から伸びていることを除けば、それはまるきり航空機の緊急用酸素吸入器みたいだった。

バスの中で息ができないってのか？　皆さん、このバスはエンジントラブルで緊急着陸いたします、ベルトをしっかりお締めのうえ、乗務員の指示に従って酸素マスクをご着用ください？　ははは、お笑いだぜ。

右側でかりっと何かをひっかくような音がして、秋也は随分苦労してそちらに首を傾けた。何か透明のゲルの中を動くように体が重かった。

シートから腰を浮かせた川田章吾が窓ガラスを開けようとしていた。しかし、窓はさびついているのかロックが壊れているのか開かないらしかった。そのうち、川田が左の拳をガラスに叩きつけた。割ろうとしているのだ、ガラスを。なんでまた？

しかし、ガラスは割れなかった。もう一度ガラスを殴りつけようとした川田の手から力が失われ、だらんと落ちた。体がシートにどさっと落ちた。かすかに、ついさっき聞いたその低い声が「ちくしょう」というのが聞こえたような気がした。

秋也もすぐに、眠りに落ちた。

同じころ、城岩町にある彼らの家々を黒塗りのセダンに乗った男たちが訪れていた。深夜に何事かと応対に出た彼らの両親たちは、桃印の押された政府の書類を示されて一様に絶句したはずだ。

そして大抵の場合、親たちは黙って頷き、恐らく二度とは戻らない子供たちの顔を思い浮かべるにとどまったが、中には食ってかかるものもあった。その際、彼らは特殊警棒の一撃で昏倒するか、あるいは、運が悪ければ、サブマシンガンから吐き出されたほかほかの鉛を食らって、愛する我が子よりひと足早くこの世界にお別れを告げたと思ってもらってよい。

城岩中学三年B組の修学旅行バスはとっくにほかのバスの列を離れ、高松市に向けてUターンしていた。市街へ戻り、入り組んだ道をもうしばらく走った後、静かにエンジンを止めた。

四十年配の、いかにも好人物らしい半白髪の運転手は、いささかくたびれた皮膚に酸素マスクを食い込ませたまま体をひねり、かすかに哀れむような視線でB組の生徒たちを振り返った。しかし、すぐに窓の下に別の男が現れると、きりっとした表情に戻って、共和国標準の、一風変った挙手の礼を行った。そして、スイッチ操作でドアを開け、そこから戦闘服にマスクを着けた男たちがわらわらと乗り込むうちに、視線を少し、遠くへ動かした。

月明かりの下、骨のように青白いコンクリートの埠頭の向こうに黒々と海が広がり、〝選手〟を運ぶための船がゆらゆら揺れていた。

【残り42人】

1

一瞬、慣れ親しんだ教室にいるという錯覚が、秋也を包んだ。

もちろん、その部屋はいつもの三年B組の教室ではなかったけれど、教壇があり、色あせた黒板があり、その左、高いところに大型テレビを置いた台があり、鉄パイプに合板を張り付けた机と椅子が並んでいる。〝秋也が座っている席の机の隅には〝総統は軍服の女にコーフンする〟という、政府にあてこすったらしい落書きが、何か鉄筆のようなもので彫り込まれていた。そして、何より、詰め襟の学生服を着た男たち、そしてセーラー服を着た女の子たち、つい先程まで（少なくともそう思える）一緒にバスに乗っていた四十一人のクラスメイトたちが、その席にきちんとついている。ただ――みんな思い思いに机や椅子に寄りかかり、眠っている様子なのは別にしても。

秋也は、廊下側（ここがほんとに学校と同じ構造ならだ）、スリガラスの窓の横の席から辺りをそろそろと見回した。どうやら、目を覚ましているのは秋也だけらしかった。秋也の少し左前、教室の中央近くで国信慶時が、そしてその後ろの席で中川典子が、慶時の向こうの席で三村信史が、ぐったり机に伏して眠っている。左の窓際には、杉村弘樹の大柄な体も、机の上に預けられていた（秋也はそれでようやく、席の配置が城岩中三年B組の教室での席順そのままなのに気づいた）。そして、ちょっとした違和感の原因にも気づいた。弘樹の体の向こう、本来窓があるところが、黒い板のようなもので覆われている。鉄板――だろうか？　天井に並んだ蛍光灯から落ちてくるくすんだ光を、その表面が冷たくはね返している。廊下側のスリガラスの向こうも黒く沈んでいるが、これも廊下の窓が同じように目隠しされているのかも知れない、昼夜の別はわからない。

秋也は腕時計を見た。時計は一時ちょうどを指していた。午前？　午後？　日付は〝THU／22〟。と、いうことは、時計が操作されたんでもない限り、バスの中で秋也が妙な眠気を感じてから三時間あまり経った翌日未明か――それとも、翌日午後という

ことになる。オーケイ、まあそれはいい。が、
秋也は目を周囲のクラスメイトたちに振り戻した。

何かがおかしかった。まあ、全体的におかしいのだが、それにしても、何かが違っている。

すぐに、秋也はその原因に気づいた。机に伏している典子のセーラーの襟元に、銀色の、ぴったり首に巻きつく金属性の帯みたいなものがのぞいていた。国信慶時の方は学生服の詰め襟のせいで見えにくかったが、しかし、同じものがのぞいていた。三村信史にも、杉村弘樹にも、そしてほかの全員の首にも、同じものがあった。

それから、秋也ははたと気づいて、自分の首筋に右手を差し入れた。

硬く冷たい感触が伝わった。――秋也の首にも、同じものが巻かれているに、違いなかった。

秋也はそれを少し引っ張ってみたが、がっちり食い込んでいて外れなかった。そこにそれがあると気づいた途端、何だか息苦しくなった。首輪！　首輪だ、ちくしょう、犬じゃあるまいし！

秋也はしばらくそれをいじった後、あきらめた。それよりも――

修学旅行はどうなったんだろう？

秋也はそう考え、足元の床の上に、自分の荷物を詰め込んだスポーツバッグが置かれているのに気づいた。昨日の夜、着替えやタオル、見学のために学校側で用意されたノート、それにバーボンの入ったスキットルなどを適当に詰め込んだ代物だ。みんなの足元にも、同じように荷物が置かれていた。

突然、教室の、教壇側の入口が大きな音をたてて開き、秋也は顔を上げた。

男が一人入ってきた。

男は背はやや低いががっしりとした体つきで、胴体のおまけに添えられたように脚が短かかった。地味なカーキのスラックスとグレーのジャケット、エンジ色のネクタイを締め、黒のローファーを履いているが、どれもくたびれた印象だ。ジャケットの

襟元には、政府関係者であることを示す桃色のバッジ。とても血色のよい顔。そして、何より特徴的なのは、その髪形だった。まるで妙齢の女性がそうするように、肩口まで、まっすぐ髪を伸ばしているのだ。秋也はヤミで手にいれたジョーン・バエズのテープ、粒子の荒いコピーを使ったそのジャケット写真を思い出した。

男は教壇の位置に立ち、教室を見渡したが、その視線は、教室のやや後ろ寄りでただ一人目を覚ましている（これが夢でなければだ）秋也の顔に止まった。

秋也と男はたっぷり一分は見つめ合っていたに違いない。しかし、そのうち、ほかのみんなも目を覚まし始めたのか、教室の中に少し緊張した息遣いが広がり始め、男は秋也から視線を外した。誰かすっかり眠り込んでいた者がいるのか、起こすような声もした。

秋也も教室を見渡した。目を覚まし始めたクラスメイトたちは皆、一様に焦点の定まらない目付きをしていた。何が起こったのかさっぱりわからないのだ。首を振り向けた国信慶時と目が合った。秋也が首輪を指さして首をかしげてみせると、慶時は慌てて自分の首筋に手を当て、ぎょっとした表情を見せた。それから、どういう意味なのか、何度か首を左右に振ってみせ、教壇の方に視線を戻した。同じように、中川典子がぼんやりした目で秋也の方を見た。秋也は肩をすくめることしかできなかった。

やがて全員が目を覚まし、男が言った。快活な声だった。

「はーい目が覚めましたかー？　よく眠れましたかー？」

誰もひとことも喋らなかった。男子女子それぞれのお調子者代表みたいな瀬戸豊や中川有香（女子十六番）ですら、何も言わなかった。

【残り42人】

2

教壇の長髪の男は、にこにこしながら言葉を続けた。

「はいはいはいはい、それじゃ、説明しまーす。まず、私が、新しい皆さんの担任です。サカモチキンパツといいます」

サカモチと名乗った男は、黒板に向き直ると、白墨で大きく縦に〝坂持金発〟と自分の名前を書いた。ふざけた名前だ。それとも、状況からすると偽名なのだろうか？

突然、前の方で女子委員長の内海幸枝が立ち上がり、「よくわかりません」と声を上げた。みんなの視線が幸枝に集中した。長い髪をきっちり二本の三つ編みにした幸枝は、やや張り詰めた表情だったが、それでもしっかりした口調だった。もっとも、幸枝は、クラス全員が事故に巻き込まれたか何かして気絶していたのだとか、そういうようなシナリオを、多少無理にでも頭に描いたのかも知れない。

幸枝は続けた。「どういうことなんですか。私たち、修学旅行に行くところだったんです。ねえ、みんな」

幸枝が首を回してぐるりとみんなを見渡し、それが引き金になって、ほぼ全員がてんでに喚き始めた。

「ここどこ？」

「ねえ、あなたも眠ってた？」

「今何時だおい？」

「みんな眠ってたの？」

「ち、おれ時計もってねーよ」

「バス降りてここに来たこと憶えてる？」

「なにもんだあのオッサン」

「ううん、あたし何も憶えてない」

「いやよ一体何なの、あたし怖い」

秋也は坂持が黙って聞いているのを確かめてから、静かに教室を見回した。何も喋っていない人間がほ

かにも何人か、いた。

まず目についたのは、秋也の斜め後方、真ん中の列、最後尾の席にいる桐山和雄だった。オールバックにした髪の下、静かな目が、まっすぐ教壇の男を見ている。にらんでいる、という言い方も似つかわしくないほど静かな視線だった。周りに陣取った取り巻きの笹川竜平や沼井充、黒長博（男子九番）、それに月岡彰（男子十四番）が話しかけるのにも、全然構っていなかった。

それに――窓際の席の前から二人目、相馬光子だ。あの、ちょっと崩れた感じの女の子。彼女は〝グループ〟の他の二人――清水比呂乃とも矢作好美とも席が離れており、当然、その二人のほかに彼女に話しかけようなどという女の子は――男も、いなかった（比呂乃と好美は、秋也の左の方で席が並んでおり、二人で何事か話していた）。彼女は、顔立ち自体はアイドルスターみたいに愛くるしいのに、どこかかすかにけだるそうないつもの表情を浮かべ、セーラーの腕を組んで坂持を見つめていた（ちょうどその後ろが杉村弘樹だったが、弘樹は隣の旗上忠勝と話していた）。

それから、窓際の列の後ろから二番目、川田章吾の姿が目に入った。その川田も、黙って教壇の坂持を見ていた。しかし、秋也が見ているうちに、ポケットからガムを出して嚙み始めた。視線は正面に据えたまま、あごのラインがゆっくりと動いた。

秋也はそれから前へ顔を戻し、中川典子が首を振り向かせ、相変わらずじっと自分の方を見つめているのに気づいた。典子のやや黒めがちの目が、不安そうに震えていた。秋也はその典子の前の席の慶時の方をちらっと見たが、慶時は、隣の席の三村信史と何事か話し込んでいた。秋也はすぐに典子に目を戻し、わずかにあごを引いて、頷いてみせた。典子の目が少し安堵したようだった。

「はいはいはい静かにしなさーい」坂持が手を何度かぱんぱんと叩き、注意をひきつけた。ざわめきは

急速に静まった。「じゃ説明しまーす。みんなにここに来てもらったのはほかでもありませーん」

そして、言った。「今日は、皆さんにちょっと、殺し合いをしてもらいまーす」

今度はざわめきは起こらなかった。全員の動きが、スチル写真にとらえられたように止まった。ただ――秋也は気づいた、川田だけがガムを噛み続けている。その表情にはいささかの変化もなかった。ただ少し――苦笑いに似た表情が、その面貌をかすめたような気もした。

坂持は相変わらずにこにこしながら続けた。「皆さんは、今年の〝プログラム〟対象クラスに選ばれました」

誰かが、うっとうめいた。


【残り42人】

3

およそ大東亜共和国の中学生で、〝プログラム〟を知らない者はいないだろう。それは、教科書においても、小学校四年生向けから登場する。ここではもう少し詳しい大東亜共和国政府監修のコンパクト百科事典から引用すると――

プログラム(ぷろぐらむ)名詞。一、出し物の名前と順序などを書いたもの(中略)四、わが国専守防衛陸軍が防衛上の必要から行っている戦闘シミュレーション。正式名称は戦闘実験第六十八番プログラム。一九四七年第一回。毎年、全国の中学校から任意に三年生の五十学級(四九年以前は四十七学級)を選んで実施、各種の統計を重ねている。実験そのものは単純で、各学級内で生徒を互いに戦わせ、最後の一人になるまで続けて、その所要時間などを調べる。各学級の最終生存者(優勝者)には生涯の

生活保障と総統陛下直筆の色紙が与えられる。開始初年に人民の一部過激派から起こった抗議・煽動行為に対して、当時の第三百十七代総統が行った「四月演説」は有名。

ちなみにその「四月演説」は中学一年の教科書に登場する。引用すると――

「革命と建設に邁進する親愛なる同志人民の皆さん。（拍手と歓声で偉大なる三百十七代総統の言葉は二分間中断）皆さん。（一分間中断）わが共和国を脅やかさんとする恥知らずな帝国主義の輩が未だ世界に群れをなしています。彼らは本来我々の同志となるはずだったそれぞれの国家人民を搾取し、騙し、自らの帝国主義の尖兵として洗脳し、ほしいままに操っています。（聴衆一同義憤の涙）そして、隙あらば世界のうちでも最も前進した革命国家である我が共和国の国土を侵略し、我が民族を滅ぼさんと、その狡猾さを剥き出しにし、奸計をめぐらせているのであります。（聴衆のあちこちから怒りの声）さて、〃六十八番プログラム〃は、そうした情勢下にあるわが国には、ぜひとも必要な実験であります。確かに、十五歳のうら若い命が幾千幾万と散ってゆくことについては、私自身も血涙をしぼらずにはおられません。しかし、彼らの命がこの瑞穂の国、我ら民族の独立を守るため役立つならば、彼らの失われた血は、肉は、神の御世より今に伝えられました美しきわが郷土に同化し、未来永劫、生き続けるとは言えないでしょうか。（拍手、歓声の渦。一分間中断）ご存じの通りわが共和国には徴兵制がありません。専守防衛陸海空軍はいずれも憂国の志、革命と建設への強靭な意志に燃える若き志願兵たちで構成され、彼らは日夜最前線で危険に身をさらしているのです。プログラムを、一種の、そしてわが国唯一の徴兵制と考えていただきたい。国を守るためには――（後略）」

そんなごたくはさておき（「お兄ちゃん、カツ丼食べない？」が決まり文句の専守防衛軍入隊係のお

っさんを駅前でよく見かける)、秋也が初めて〝プログラム〟を知ったのは小学校四年生よりも前のことだ。両親が交通事故で死に、父親の知人の手回しで入った〝慈恵館〟にもようやく慣れ始めたころ(親戚の誰一人として秋也を引き取ってはくれなかった。秋也の両親がかつて反政府活動に一枚嚙んでいたからだ、という話もあるが、秋也は確認したことはない)——秋也は五歳ぐらいだったと思う。秋也より早くに慈恵館に入所していた国信慶時と並んで、遊戯室でテレビを見ていた。ごひいきのロボットアニメが終わって、今は施設の館長をしている安野良子先生が(前館長の娘だった彼女は当時まだ高校生だったと思う。ちなみに職員はみんな先生と呼ばれていた)、チャンネルを変えた。秋也は何の気なしに画面を見続けていたのだけれど、しゃちこばったスーツ姿の大人の男が画面に向かって喋っているので、どうやら〝ニュース〟と呼ばれるひどくつまらない番組らしい、あの、どのチャンネルでもときどきやるやつ、と認識した。

男は原稿を読み上げていた。秋也はその内容は憶えていないが、どうせいつだって同じような感じなのだ、再現するなら次のようになるだろう。

『三年ぶりに香川県で行われていた〝プログラム〟が昨日午後三時十二分に終了したと、先程、政府及び専守防衛軍より発表がありました。対象となっていたクラスは善通寺市の善通寺第四中学三年E組です。発表されていなかった実施会場は、多度津町沖四キロの志高島でした。優勝者決定までの所要時間は三日と七時間四十三分でした。なお、本日遺体の回収、検死が行われたとのことで、それによると、死亡した生徒三十八人の推定死亡原因は次の通りです、銃弾による死亡十七人、刃物による死亡九人、鈍器ようのものによる死亡五人、窒息死三人……』

画面にはどうやら〝優勝者〟らしいぼろぼろのセーラー服の少女が映し出され、専守防衛軍兵士二人に両側から挟まれて、引き攣った顔をカメラに向け

ていた。ほつれたロングヘアの右こめかみの横辺り、赤黒いものがべったり付いていた。奇妙だったのは、秋也はその映像をよく憶えているのだが、その、引き攣った少女の口元に、なぜか、ときどき、笑みに似た歪みが走ることだった。

今思えば恐らく、それは秋也が初めて目にした、狂人の顔だったのだと思う。しかし、当時はそんな区別まではつかず、秋也はただ、なんとなく、おばけを見ているような、怖い気持ちになった。

秋也は「先生、なに、これ?」と訊いたと思う。安野先生はただ首を振って、「なんでもないのよ」と言った。少し秋也から顔を背けた安野先生の口元から「かわいそうに――」という言葉が洩れた。国信慶時は画面からとっくに目を離してミカンを食べていた。

歳を経るにつれて、平均二年に一度のペース、特に定まった時期もなく突然告げられる同じローカルニュースが、秋也には徐々に脅威となり始めた。それは全国の中学三年生のうち、実に五十クラス、四十人学級とすれば二千人、いや正確には千九百五十人の生徒たちに、毎年確実に訪れる死の宣告だ。しかも、単に殺されるだけじゃない、よく見知ったクラスメイトと互いに殺し合うのだ。たった一つの、生き残りの椅子をかけて。そう、史上最悪の、椅子取りゲーム。

しかし、――それに抗する方法があるはずもなかった。およそこの大東亜共和国で政府のやることに逆らえるわけがない。

そこで、秋也は開き直ることにした。それは、この国の多くの中学三年生予備軍の子供たちが取っている方法だろう。オーケイ、わが国唯一の徴兵制?ミズホの国の美しき郷土?　共和国中に中学がいくつあると思う?　少子化が進んでいるとはいえ、大方確率八百分の一以下。香川県だと、〝当たる〟のはせいぜい二年に一回、ひとクラスだ。はっきり言って交通事故で死ぬのと大して違わない確率だし、

およそクジ運のない自分にそんなものが当たるとはとても思えない。自慢じゃないが俺は商店街の福引きだってティッシュしかもらったことがない、だとすると——、誰がそんなもの構うっていうんだ？ ファック・オフ。

それでもたまに、クラスの誰か、特に女の子なんかが「いとこがプログラムで——」とか何とか泣きながら話しているのを聞いたりするたび——秋也の胸にもその黒い恐怖が再来した。同時に、怒りも覚えた。つまり、誰が、あのかわいらしい女の子を悲しませる権利があるのか？ といった具合に。

しかし、——しばらくふさぎこんでいたその女の子も、何日かすると、また笑顔を見せるようになる。同時に、秋也の中の恐怖も、そして怒りも、徐々に薄まり、去っていった。ただ、政府に対する、ごく曖昧模糊とした不信感と、無力感だけを残して。

そんなものだ。

そしてついにその中学三年になった今年も、秋也は——そして、恐らくはほかのB組の仲間たちも、自分たちだけは大丈夫だと、信じていた。いや、信じずにはいられなかった。

今の今まで。

「そんなばかな」

椅子をがたがたんと鳴らして誰かが立ち上がり、うわずった声を上げたので、秋也は顔をそちら——杉村弘樹の後ろの席へ向けた。男子委員長の元渕恭一だった。顔がほとんど青を通り越して灰色になり、銀縁の眼鏡とシュールなコントラストをなしていた。美術の教科書に〝米帝の退廃芸術〟として紹介されていたアンディ・ウォーホルのシルクスクリーン作品みたいだった。

クラスメイトの何人かが、このとき恭一に、何か合理的な反論をしてくれるものと期待したかも知れない。昨日まで仲よくしていた友達と殺し合う？ そんなことできるわけがない。これは、何かの間違

れ。

いだ。委員長、そのへんきちんと説明してやってく

しかし、恭一が言い出したのはごくつまらないことだった。

「ぼっ、僕の父は県政府の環境部長なんだ。僕が入っているクラスがプ、プログラムにえっ、選ばれるわけなんか――」

恭一は、震えているせいで、いつもより余計に神経質に聞こえる声でそれだけ言った。

坂持と名乗った男は苦笑いして首を振った。長い髪が揺れた。「あのね、君は元渕くんだよね」

何だかねばつくような口調だった。

「平等っていうことがどういうことか、知らないわけじゃないだろ？　いいですかあ、人間は、生まれながらに、平等なんです。親が県政府の役人だからって、その人が特別扱いを受けていいわけがありません。その子供だってもちろん同じです。いいですか、君たちにはそれぞれ境遇があります。お金持ちの家の人も貧乏な家の人も、そりゃあいまーす。だけど、そんなふうに自分にはどうしようもないことで君たちの価値は決まったりしないんです。君たちは、自分たちの価値を自分たち自身で見つけなきゃならない。だから元渕くんも自分だけが特別だなんてそんな勘違いを――するんじゃない！」

いきなり一喝されて、恭一はぺたんと腰を下ろした。坂持はしばらく恭一をにらみつけていたが、すぐににこにこ顔に戻った。

「朝にはニュースで君たちのことが流れまーす。もちろん、プログラムは秘密の実験ですから、終了まで詳しいことは発表されません。えーと、けど、お父さん、お母さんには連絡済みでーす」

まだみんな、どこか茫然とした表情をしていた。クラスメイトどうしで殺し合い？　まさか？

「何だーまだ信じられないのか君たちはー」

坂持は困ったなというように、頭をかいた。それから、入口の方に向けておもむろに呼びかけた。

「おまえたちー、入ってきてくれー」

　呼びかけに応えて、再び入口の引き戸ががらっと開き、三人の男がどやどやと入ってきた。三人とも、迷彩模様の戦闘服にコンバットブーツ、桃のマークを正面にプリントした鉄製のヘルメットを身につけており、専守防衛軍の兵士たちだ、とわかった。肩にはアサルトライフルを吊り、腰のベルト、ホルスターに自動拳銃の銃把が見える。一人は妙な癖毛で長身、やたらへらへらした印象、もう一人は中背で童顔の二枚目、最後の一人はちょっとにやけていて、ほかの二人に比べるとやや影が薄かった。三人は中腰になっていて、何か厚手のビニールでできた大きな、黒い寝袋みたいなものを抱えていた。パイナップルでも詰め込んだように、ところどころいびつに突っ張っていた。

　坂持が窓際の方へ寄り、三人が袋を教壇の上に置いた。教壇の上板から両端が大きくはみ出していたが、中に入っているものは幾分やわらかいものなのか、特に窓際を向いた方が下へたわんだ。

　坂持が言った。「紹介します。皆さんのプログラムを助けてくれる田原くん、近藤くん、野村くんです。さっ、見せてあげて下さい」

　田原というらしい〝へらへら〟が廊下側の方から袋のジッパーに手をかけ、ぎゅっと横へ引いた。何か赤い液体にまみれた……

「きゃあああああああ」

　まだジッパーが十分開かないうちに誰か最前列の方にいた女子生徒が叫び、すぐに何人かが唱和した。「え、何？」という声とともにがたがたんと机や椅子が動く音がし、すぐにソプラノのコーラスが膨れ上がった。

　秋也もごくりと唾を飲み込んだ。

　今や半分方開けられた袋の中から、B組担任の林田昌朗先生がのぞけていた。いや、もと担任か。いや、それは、〝もと〟林田先生ですらあった。

　薄っぺらなブルーグレーのスーツは、血にまみれ

ていた。〝とんぼ〟という愛称のもとになった黒縁の大きな眼鏡は、左半分しかなかった。そりゃそうだろう、頭が左半分しか残ってないんだから。一枚だけのレンズの下、真っ赤に染まったビー玉みたいなどよんとした目が天井の方をにらんでいた。残った髪の毛に、点々と、脳みそらしい灰色のゼリーが付着している。腕時計を巻いた左腕が、狭いところから出られてせいせいしたとでも言うように、袋からはみ出し、教壇の前に垂れ下がっていた。最前列の者には、その秒針が動いているのさえ見えたかも知れない。

「はいはいはい、静かに静かに。静かにしなさーい、全くおまえたちはー」

坂持が手をぱんぱんと叩いたが、女子生徒たちの金切り声は収まらなかった。

突然、近藤というらしい童顔の兵士が拳銃を抜いた。

天井に向けて威嚇射撃か、と秋也は思ったが、兵士は片手で林田の入った袋をひっつかむと、その袋を教壇から引きずり降ろした。林田の頭が上に向く形で、自分の顔の高さに掲げた。いささか、巨大ミノムシと格闘するSF映画の主人公に見えなくもなかった。

兵士は、そのまま林田の頭へ二度、引き金を絞った。林田の頭の残骸が吹き飛んだ。脳や骨の破片が、高速弾のエネルギーで血と一緒に霧状になり、最前列の生徒たちの顔や胸に降りかかった。

銃声の反響が収まると、林田にはもう、頭がほとんど残っていなかった。

兵士が教壇の脇に林田を投げ出すと、悲鳴はもう、止んでいた。

【残り42人】

4

立っていた者たちがほとんどおそるおそるといっ

た感じで腰を下ろした。一番端にいた影の薄い兵士が林田の袋を教室の隅へ引きずっていくと、他の二人に並んで、教壇の脇の方へ立った。坂持が教壇の前へ戻った。

再び沈黙が落ちたが、誰か、後ろの方で、苦しそうなうめき声が上がり、吐瀉物が床にぶちまけられる湿った音が続いた。やがて匂いも届いてきた。

「いいかー林田先生は、君たちをプログラムの対象とすることにだいぶほら、反対したんだよ」坂持が髪をかきあげながら穏やかに言った。「まあ、突然だったし、こっちも悪かったとは思うけどなー」

部屋はしん、と静まりかえっていた。全員が認めたのだ。これは現実で、間違いや冗談では、ない。自分たちはこれから、殺し合いをさせられるのだ。

――しかし、秋也はようやく、必死で頭を働かせようとしていた。コトの成り行きの非現実性にどこかぼんやりしていた頭が、林田の凄惨な死体のおかげで、そしてその死体が一役買ったひどいショーのおかげで、覚醒した感じだった。

何としても、これから逃げなければならなかった。どうすれば――そう、とにかく慶時や――それに、三村や杉村と相談することだ。しかし、プログラムというのは実際にはどういうふうに進むのか？　そのの詳細は、一般には全く公開されていない。武器を与えられて殺し合うと聞いているが、お互いに話はできるのか？　政府はどうやってその進行を管理――

「お、俺――」という声で、秋也の思考は中断された。顔を上げ、目を見開いた。

国信慶時が中腰に立ち上がり、果たして後を続けたものかどうか判じ兼ねたように坂持をぼんやり見つめていた。その気もないのに言葉が口をついて出てしまった、という感じだった。秋也の体がぎりっと緊張した。余計なことを言っちゃだめだ、慶時！

「はーいなんですかーなんでも聞きなさい」

坂持がにこやかにほほえみ、慶時は操り人形のよ

うに続けた。

「俺――親がいない。誰に連絡したんだ？」

「ははあ」坂持が頷いた。「そう言えば福祉施設で暮らしている人がいたなあ。七原くんだったかな、君。えーと内申書によると思想的に問題ありと。それで――」

「七原は俺だ」秋也は半ば叫ぶように割り込んだ。

坂持はちらっと秋也を見ると、また慶時に目を戻した。慶時もその、どこかぼんやりした顔のまま、秋也をちょっと、振り返った。

「ああ、ごめんごめん。もう一人いたよな。君は国信くんだよね。そう、君たち二人については君たちが住んでる施設の館長さんにきちんと連絡しました。そう――きれいな女の人だったなあ」

坂持は、自分自身が彼女を見てきた、というニュアンスでそう言い、にやっと笑った。その笑みは、ごくごく明朗なものであるにも拘わらず、どこか不快なところがあった。

秋也の顔が歪んだ。「この――安野先生に何か……」

「林田先生と同じだよ、七原。君たちのことで抵抗するもんだからさー。大人しくなってもらうために、ちょっと、まあ――」坂持は平然と続けた。「婦女暴行しちゃったよ。あー心配しないでいいからなー、死んだりしてないから」

赤い色付きの怒りが秋也の中で跳ね上がったが、しかし、秋也が何か言おうとするよりも慶時の「ぶっ殺してやる！」という声が聞こえる方が早かった。

慶時が立ち上がっていた。顔つきが変わっていた。いつもみんなに愛想がよく、何があってもおよそ腹をたてるところなど想像のつかない慶時が、ほんのときたま、ほんとうに心から憤りを感じたときだけに見せる表情だった。クラスの連中は見たことがないかも知れないが、秋也は長年一緒に暮らすうちに二度ほどその顔に出くわしたことがある。一度は〝慈恵館〟の飼い犬〝エディ〟が門の前で自動車に

ひかれ、そのまま走り去ろうとしたそのドライバーを追いかけていった小学校四年生のとき、もう一回はほんの一年前、慈恵館の借金をタテに安野先生をしつこくくどいていた男が、何とか金を工面した安野先生に結局フラれた後、わざわざ秋也たちの目の前で安野先生に汚い言葉を投げつけたときだった。秋也が止めなかったら、慶時は自分が大怪我をしてもその男の前歯ぐらいはいただいていただろう。慶時はとても、とても優しく、自分が馬鹿にされようがこづかれようが大抵のことは笑って許してしまうやつだったけれど、自分が心から愛するものが傷つけられたときだけは、激しく反応した。そして、秋也はそんな慶時がとても好きだったのだ。

「殺してやるぞ、ちくしょう！」慶時が叫び続けていた。「殺して肥溜めにぶちこんでやる！」

「ふーん」坂持はおもしろそうに笑っていた。「国信、本気で言ってるのか、それ？　いいですかあ、人間は自分の言葉に責任を持たなきゃいけない」

「ふざけるな！　絶対殺してやるぞ、憶えとけ！」

「慶時！　よせ！」

秋也は叫んだが、慶時は耳に入らないようだった。

坂持が、今度はなだめるような、奇妙に優しい声で言った。

「あのなあ、国信。おまえが今言ってるのは、政府にたてつくってことなんだぞ」

「殺してやる！」慶時は一歩も引かなかった。「殺してやる殺してやる殺してやる！」

秋也がたまりかねてもう一度叫ぼうとする前に、坂持が首を振って、教壇の横に立っている三人の専守防衛軍兵士に向けて手をすっと動かした。

フォア・フレッシュメンかなんか、とにかくコーラスグループのようだった。田原、近藤、野村、三人の迷彩服の男が、全く同じポーズで右手を上げたのだ。サビの部分、情感たっぷりのポーズ。ただしもちろん、その手には拳銃が握られていたけれども。

コーラスは例えばこんな感じ。ベイビプリーズ、べ

イビプリーズ、スペンドズィスナイトウイズミイ——。

慶時のぎょろりとした目が、一瞬、さらに大きく見開かれるのを、秋也は斜め後ろから、見た。

三丁の自動拳銃が一斉に火を噴き、机の列の間に半ば足を踏み出すように立っていた慶時の体が、大方ブガルーに近いダンスを踊った。

慶時のすぐ後ろの中川典子をはじめ、全員が体をすくませるひまもない、一瞬の出来事だった。

そして銃声の反響が消えないうちに、慶時はゆっくり体を右に傾がせ、自分の席と右側の金井泉の席の間に、どさっと倒れ込んだ。金井泉が「ひっ」と声をもらした。

三人組が、右手を水平に伸ばしたポーズのまま、立っていた。その銃口から、これまた全く同じように細い煙が立ち上っていた。奇妙に部屋の中は、静まり返っていた。そして秋也は見た、机の脚の間、見慣れた顔が、ちょうど自分の方を向いているのを。

ぎょろりとした目が、開かれたまま、すぐ下の床の一点を見ている。その床に、すうっと鮮やかな血だまりが拡がり始めていた。体の脇に投げ出された右の肩口から下、指先までが引き攣るように震え始めた。

——慶時！

秋也は席を立って駆け寄ろうとしたが、すぐ後ろの席の中川典子の方が早かった。「ノブさん！」と悲鳴を上げて、慶時のそばに屈み込もうとした。

その典子に、今度は〝へらへら〟一人が引き金をひいた。典子が足元をすくわれたように前のめりに倒れ、なお痙攣を続けている慶時の体の上に、ばたんと倒れた。

〝へらへら〟は、すぐに秋也に銃口を向けた。秋也はますます混乱しながら、しかし、席を立ちかけた姿勢のまま、体を凍りつかせた。視線だけを動かし——見た、慶時の上に四つんばいになった典子の右ふくらはぎから、血がほとばしり出ていた。

「勝手に席を立つもんじゃないぞ」典子に向けて坂持が言った。秋也の方へ視線を動かした。「君もです、七原。席につきなさい」

　秋也はみるみる血に濡れていく典子の脚、そしてその向こうの慶時から目を引きはがし、坂持の顔をばっと真正面から見た。ショックで自分の首の辺りの筋肉が引き攣っているのがわかった。

「冗談じゃねえぞ！」〝へらへら〟が相変わらず自分の眉間をまっすぐ狙っており、秋也は体は動かせないまま、ほとんど泣きそうな声で叫んだ。「何しやがるんだ！　慶時を――慶時を手当てしなきゃ――典子サンだって――」

　坂持は渋面をつくって首を振った。そして繰り返した。「いいから席に着きなさい。えーと、君、中川も」

　自分の体の下の慶時を見つめて青ざめていた典子が、坂持の方へゆっくり顔を上げた。撃たれた傷はひどく痛いに違いなかったが、それよりも、怒りの方が大きいようだった。きっと眉をつり上げていた。「国信くんを」一言ずつ、はっきり言った。「手当てしてください」

　慶時の体、その右腕はなお痙攣を繰り返している。しかし、見守るうちにも、その動きは急速に緩慢になりつつあった。即座に処置をしなければ、致命的な傷なのは明らかだった。

　坂持がはぁ、とため息をつき、「確認してください、田原くん」と、〝へらへら〟に向けて言った。

　何を？　思う間もなく、〝へらへら〟がまた銃を動かし、少し下へ向けてぱん、と一回引き金を絞った。国信慶時の頭がびくっと一回跳ね、その頭から飛び散った何かが、典子の顔に降りかかった。

　口を開いて茫然とした感じの典子の顔に、点々と赤黒いものがついていた。

　秋也も、自分の口がぼけっと開いているのがわかった。

　頭の一部が欠けたにもかかわらず、慶時の視線は

全く同じ、床の一点を見ていた。ただ、もはや痙攣はしていなかった。何もしていなかった。

「ほら」坂持が言った。「もう死んでたんだよ。わかったら二人とも席につきなさい」

「あ……」慶時の、その変形した頭を見下ろして、典子が声をもらした。「……こんな……」

秋也もまた、茫然としていた。机の脚の間、転がった慶時の顔に、目を奪われていた。まるで自分自身が脳みそを吹き飛ばされたかのように思考回路が麻痺しており、そのぼうっとした頭の中を、慶時と過ごした時間の記憶がぐるぐるぐるぐるぐる流れていた。キャンプや川下りといったささやかな冒険、古びたボードゲームに熱中した雨の日、ヤミで出回っていたアメリカ映画〝ブルース・ブラザーズ〟が（不思議なことにきちんと吹き替えになっていた。ヘタクソな声優だったが）やはり孤児院出身の二人を主役にしていて、しばらく〝ジェイクとエルウッドごっこ〟に興じたこと、そして、ついこの間、〝俺、好きなこできてさ〟と言ったときの慶時の表情、それから……

「聞こえないのかあ、二人とも」

坂持が繰り返したが、そう、秋也には聞こえていなかったのかも知れない。ただ、慶時の顔を見つめていた。

典子も同じだった。そして、そのままだったら二人とも、すぐに国信慶時の後を追うことになっていたかも知れない。坂持の隣、〝へらへら〟は典子に、そして残りの二人が秋也に、銃を向けていた。

だが、「センセセンセセンセー」という落ち着いた――むしろ能天気な声で、秋也は我に返った。いや、少なくとも、声のした方にぼんやり顔を向けた。

空席になった慶時の席の向こう、三村信史が手を上げていた。典子も、ようやくそっちの方を見た。

「んー、えーと、君は三村くんか。なんですかあ？」

信史は手を下ろして、言った。

「中川さん、怪我したみたいだから、席に戻るの、手伝ったげてぃーですか？」

異常な状況であるにもかかわらず、それは、全くいつもと変わらない、〝第三の男〟の口調だった。

坂持はちょっと眉を上げたが、納得したように頷いた。

「いいよ。そうしてやってくれ。先生、早く進めたいから」

それで、信史は頷き、席を立つと、典子の方に歩いた。歩くうちにポケットからきれいに畳んだハンカチを出し、慶時の死体と典子の間に屈み込むと、先に、慶時の血が飛び散った典子の顔を拭いた。典子はほとんど無反応だった。信史はそれから、「さ、立て、中川」と言い、典子の右腕の下に手を入れて、典子が立つのを手伝った。

そして、坂持に背を向けた信史はそうしながら、なお中腰に立っていた秋也の方を見た。しゅっと上に走った眉の下、いつもはちょっとユーモアのある目が、今は真剣になっていた。右側の眉だけを持ち上げてかすかに首を振るようにあごを動かし、空いている左手を、ぐっと下に押し下げるように動かした。秋也にはその意味がわからなかった。信史がもう一度そうした。

秋也はそれで、なお茫然としてはいたものの、信史が、落ち着け、と言っているのだとわかった。信史の目を見返し――そして、ゆっくり、ぺたんと、椅子に腰を落とした。

信史が小さく頷き、典子を席に戻すと、背を向けてすっと自分の席に戻った。

席についた典子のぶらんと椅子から垂れた右脚、傷口からざあっと血が流れ出して、白いソックスとスニーカーが真っ赤に染まっていた。まるきり右足だけサンタクロースのブーツを履いたような具合だった。

だが、典子はようやく頭を少し整理したのか、信史に礼を言いかけるように見えた。しかし、信史が、

まるで後ろが見えるかのように、肩をゆすってそれを制した。典子は、それで、体を後ろへひくと、また、自分の右手に転がっている慶時に目を落とした。じっと見つめたまま、声は上げなかったけれど、目元に涙がにじんでいるように、見えた。

秋也も、机の間に切れ切れに見える国信慶時の死体に、もう一度目をやった。そう——それは、死体だった。疑いなく。まだうまく飲み込めないが、それは、死体だった。自分が十年来一緒に過ごしてきた人間の、それは死体だったのだ。

その慶時の相変わらず見開かれた目を見ているうちに、怒りは、秋也の心の中、何か徐々に大きくなる拍動のように、少しずつ、そして決定的にやってきた。そしてついにはどくんどくんと秋也の全身を圧し、揺り動かすかに思えた。ショックで阻まれていた感情が戻ってきたのかも知れない、秋也は歯を剝いて、坂持の方に顔を捩じ向けた。

坂持は、秋也の方を面白そうに見ていた。許せなかった。絶対に。ぶち殺してやる！

もう少しで、秋也は慶時と全く同じように喚き散らしていたかも知れない。だが——

ぎりぎりのところ、三村信史が、今、自分に落ち着けと言った——サインを送ってきたばかりだということを思い出した。そう——もちろん、今ここで喚き散らせば、自分は慶時の二の舞いになるのだ。そして、——そう、ほかならぬ慶時が好きだった女の子、中川典子は今、ひどい怪我をしていた。自分が死んでしまったら——中川典子はどうなってしまうのか？

秋也は努力して、その坂持から目を引きはがした。机の上を見た。やるせなかった。出口を見つけられない怒りと哀しみのために、自分の心が壊れてしまいそうだった。

坂持がふふっと笑って、秋也から視線を外したようだった。

秋也は、放っておいたら震えだしそうになる体を

何とか落ち着かせようと、机の下で、両の拳をぎゅっと握り締めた。強く、強く、握り締めた。それでも、すぐ目と鼻の先に慶時の死体が転がっている状況で、無理矢理気持ちを切り替えるのは容易ではなかった。

ほんとうに、うまく飲み込めなかった。一体そんなことがあるのだろうか？ ある人間が失われる——自分がよく知っている誰かが失われるというようなことが？

だって、慶時は、ずっと俺と一緒にいたじゃないか。そりゃあ大した経験じゃなかったかも知れない、しかし、二人で川遊びしていて慶時がおぼれそうになったときは俺が助けたんだったし、遊び半分にバッタを集めすぎ、狭い箱に押し込んでほとんど全部死なせてしまったときは二人で反省したし、犬の〝エディ〟がどっちによりなついているかでけんかしたし、いつだかちゃめっけを起こして学校の職員室の屋根裏に忍び込み、危うく見つかりそうになったときだって何とか二人で逃げおおせて後で大笑いしたし——慶時は、ほんとうに、俺と一緒にいたのだ。いたということは事実なのだ。

しかし、失われた、のか？

信史が「もう一つあります、せんせー」と手を上げた。

「またかあ、三村。——はい、なんですか？」

「中川さん、怪我してます。プログラムってやつ、やるようですけど、不公平じゃないですか」

坂持がそれで、ちょっと面白そうに笑んだ。

「うん。まあ、そうだけど、それで、何だ、三村」

「だから、中川さんの手当てして、治るまでちょっと延期にしません、これ？」

激しい感情を抑えようと懸命になっていた秋也だったが、三村信史のその落ち着きぶりには、別の意味で驚嘆した。驚嘆する余地がまだあるのが不思議だったが。そう、確かに、三村信史は、秋也なんかよりずっと冷静だったのだ。その通り、もしそんな

ことができるのなら、自分たちに時間の余裕ができるなら、これから脱出することができるかも知れなかった。

坂持があはは、と破顔した。

「面白いこと言うなあ、三村」

しかし、坂持は、別の解決策を提出した。

「じゃ、さ。中川も殺してさ、公平にするか?」

典子本人はもちろん、教室中に再びぐっと緊張が満ち、信史の背中、学生服の下の筋肉もぎりっとこわばるのがわかった。

すぐに信史が言った。

「撤回、撤回。やだなあ、もう」

そのおどけた口調に坂持がまた破顔し、〝へらへら〟が、早くもホルスターに伸ばしていた右手を、肩から背中側へ吊ったライフルのストラップに戻した。

それから、また坂持がぱんぱんと手を叩いた。

「はい、いいですかあ、もともと君たちは能力が違いまーす。知能とか体力とかいろいろありますがー不公平なのは最初からでーす。だから、中川の手当てもしませ――うらーそこ! 私語をするんじゃない!」

坂持は突然叫ぶと、秋也の前方、委員長の内海幸枝に隣の席から何ごとか話しかけようとしていたらしい藤吉文世(女子十八番)に向かって何か白っぽいものを投げつけた。チョークか? と秋也は一瞬思ったのだが、もちろんそれは場違いな空想だった。

どつっ、と柩のクギ打ちのような音がして、文世の、色白でやや広めの額の真ん中に細身のナイフが生えていた。

幸枝が、一瞬目を見開いて、それを見た。妙なことに、文世は文世で、額に生えているそのナイフを必死で確認しようとするように、視線を上げようとしているように見えた。それにつられて、首が上を向いた。

次の瞬間、横ざまにどさりと倒れた。倒れるとき、

隣の幸枝の机に文世の左のこめかみ辺りが引っ掛かり、幸枝の机が、がたっと動いた。

今度は確かめるまでもなかった。額にナイフを生やして、誰が生きていられる?

もう、誰も動かなかった。誰も何も言わなかった。ただ、幸枝が息を呑んだ様子でその文世をじっと見下ろしていた。典子もそっちの方を茫然とした表情で見ていた。三村信史も、唇をすぼめて、慶時と同じく机の間に倒れ込んだ文世を見ていた。

やたらかさかさしたのどへ唾を飲み込みながら、秋也は思った。気分次第、ってことなのだ。気分次第だ、クソ！　俺たちの生死はこいつ、このサカモチとかいうクソ野郎に握られている！

「あー、やっちゃったーごめんなー、先生が殺しちゃルール違反だよなー」坂持が目をぎゅっとつむり、頭をかいた。すぐに真顔に戻って、言った。「だけど、もう勝手なことは厳禁でーす。私語もだめだぞー。私語をするやつには、先生、つらいけどナイフ投げるぞー」

秋也は歯を食いしばり、ただ、待つんだと自分に言い聞かせていた。既に二人のクラスメイトの死体が転がっている異常な空気の中、何度も何度も言い聞かせた。

それでも、どうしても慶時の顔に目が吸い寄せられて、うまくいかなかった。ほんとうに、自分が今にも泣きそうになっている、と思った。


【残り40人】

5

「それじゃルールを説明しまーす」

坂持は快活な声に戻って言った。林田〝とんぼ〟先生の乾いた血とは違う、国信慶時の新鮮な血の匂いが猛烈に漂い始めていた。藤吉文世の顔は秋也の位置からは見えなかったが、どうやらほとんど血は流れていないようだった。

「知ってると思いますが、ルールは簡単です。お互い、殺し合ってくれればいいだけです。反則はありませーん。そして――」坂持はにこっと笑みを広げた。「最後に残った人だけは家に帰れます。総統陛下の色紙がもらえるんだぞー。すごいだろー」

秋也は胸の中で唾を吐いた。

「君たちはひどいルールだと思うかも知れませーん。しかし、思いもかけないことが起きるのが人生です。いいですか、アクシデントに対応するためには、まず自分をしっかり持つこと。今回はその、練習だと思ってくださーい。思ってくださーい。それから、男女平等ですからー、男女のハンデもありませーん。でも女子の人たちにうれしいお知らせでーす。これまでのプログラムの実施結果を見ると、実に、優勝者の四九パーセントは女子でーす。彼も人なり、我も人なり。恐れることはありませーん」

坂持が指示し、迷彩服トリオが廊下から黒のナイロン地の、大ぶりなデイパックを教室内に運び入れ始めた。すぐにそれが、林田先生の死体袋の横に山になった。中には、何か棒状のものが入っているのか、斜めに突っ張っているものもあった。

「さて、一人ずつここを出てもらうんですがー、それぞれ出発する前にこの荷物を渡しまーす。中には多少の食料と飲料水、武器が入ってます。武器はそれぞれ違うものが入ってまーす。えー、さっきも言ったようにい、君たちはもともと能力が違いまーす、ですから、これで、少し、不確定要素、えー、難しいかなあ、どっちに転ぶかわからない要素を増すわけでーす。ただしい、誰にどれを配るかは決めてませーん。上から順番に取って、渡しまーす。それから、この島の地図と磁石、時計も入ってまーす、時計を持ってない人いるかー。んーいないのかなー。――ああ、先生言い忘れてたけど、ここは島でーす。周囲が六キロぐらいでー、プログラムの会場になるのは初めてですけどー、住民の人たちには出て行ってもらってまーす。誰もいませーん。それでー」

坂持は黒板に向き直るとチョークを握り、〝坂持金発〟と自分の名を書いた隣に、丸みを帯びたひし形をざっと大きく書いた。右上に上向きの矢印と〝N〟の字を書き入れ、ひし形の中ほど右寄りに×印を書いた。チョークを黒板に当てたまま、顔だけ振り向かせた。

「いいかー、ここはこの島の分校です。この図を島とすると、分校はここ、わかったかー?」坂持は×印をチョークの先でどんどんと叩いた。「先生、ここにずっといるからなー。みんながんばるの、見守ってるからなー」

坂持はさらに、島を示すひし形の回り、ちょうど東西南北に散らばる形に紡錘形を四つ書き入れた。

「船です。海に逃げた人を射殺する大事な役目です」

今度は、島の上に縦横に平行線が何本も引かれた。島を示すひし形は何だか歪んだ焼き網みたいになった。坂持はその焼き網の目の中に、左上からA=1、A=2、……という記号を順に書き入れた。次の列はB=1、B=2、……という具合だった。

「これはざっとした図ですけどー、荷物の中にある地図はこういう感じでーす」坂持はチョークを置き、ぱんぱんと手を払った。

「さて、いいですかあ、ここを出たら、どこへ行っても構いません。けど、午前、午後の零時と六時に、全島放送をします。一日四回なー。そこで、この地図に従って、何時からこのエリアは危ないぞー、って先生が知らせます。地図をよく見て、磁石で地形と照らし合わせて、速やかにそのエリアを出てください。なんでかというとー」

坂持は教壇に手をついてみんなの顔を見渡した。

「はい、それは、みなさんの着けている首輪です」

それで、何人かが初めてその首輪の存在に気づいたらしく、自分の首筋に手をふれてぎょっとした表情を見せた。

「それはあ、わが共和国のハイテク技術を結集してつくったものです。完全防水、耐ショックでーあー

ほらほらだめだめ、絶対外れない、絶対外れない。それに無理に外そうとしたりすると――」坂持はちょっと息を吸った。「爆発するぞ」

首輪をいじっていた何人かが、慌てて手を離した。

坂持はにやっと笑って続けた。「その首輪はあ、君たちの心臓の電流パルスをモニターしてえ、君たちが生きているか死んでいるか、この分校にあるコンピュータまで電波で知らせてくれるようになってます。同時に、君たちが島のどこにいるかもわかるようになっててえ、はい、そこでさっきの地図です」

坂持は右腕を後ろへ伸ばして黒板の地図を指さした。

「先生がこのエリアは危ないぞーと言うエリアは、同じコンピュータがランダムに選んだエリアです。それでー、時間を過ぎても残ってる人がいたら、ああ、もう死んだ人は関係ないぞー、生きてる人が残ってたら、コンピュータが自動識別して、君たちのその首輪に逆に電波を送ります。そうすると――」

秋也にはその先が予測できた。

「その首輪はやっぱり爆発します」

予測通りだった。

坂持はちょっと言葉を止め、全員の顔を見渡した。それから、言った。

「ああ、何でそんなことをするかって？　それはね、みんなが一箇所に隠れてたら、ゲームが進まないだろ。だからあ、皆さんには動いてもらいまーす。同時に、どんどん、動けるエリアを狭めまーす。そういうことでーす」

坂持はそれを〝ゲーム〟と呼んだ。適切だった、クソいまいましいが。そして、誰も何も言わなかったが、事情は了解されたようだった。

「いいかだからあ、建物の中にいてもだめだぞお。穴掘って隠れても電波は届きまーす。あーそうそう、ついでですがー、建物の中に隠れるのは勝手でーす。でも、電話は使えませーん。お父さんお母さんに連

絡はできませーん。君たちはみんな独りぼっちで戦わなきゃなりませーん。でも、人生は常にそうでーす。はい、それと、さっき言ったように最初はその首輪が爆発する禁止エリアはありませんがー、この分校のあるエリアだけは例外でーす。全員が出発した二十分後に禁止エリアになりまーす。だからまずここから離れてくださーい。そうですね、二百メートルは離れてくださーい。いいですかあ。はい、それでえ、放送では、それまでの六時間で死んだ人の名前も読み上げます。原則、放送は六時間ごとですが、最後の一人になったら、その人に放送で連絡します。あーそれと、もう一つ。タイムリミットがあります。いいですか、タイムリミットでーす。プログラムではどんどん人が死にますがあ、二十四時間にわたって死んだ人が誰も出なかったらあ、それが時間切れでーす。あと何人残っていようとお――」

秋也にはその先も予測できた。

「コンピュータが作動して、残ってる人全員の首輪が爆発しまーす。優勝者はありませーん」

予測通りだった。

坂持が黙ったので、また教室に沈黙が落ちた。相変わらず国信慶時の血の匂いが濃厚に漂っていたが、みんなまだ茫然としているように見えた。怯えてはいるけれど、うまく飲み込めないのだ、自分たちがこれから殺人ゲームに投げ込まれるという事態が。

坂持がその雰囲気を察したように、ぱんぱんと手をたたいた。

「はーい、ややこしい説明はそこまでです。これからもっと大事なことを言います。先生からアドバイスです。いいですか、クラスメイトどうし殺し合うなんて無茶苦茶だと思う人がいるかも知れませーん。しかしい忘れないようになー、ほかのみんなはやる気になってるぞー」

秋也はたわごとだ！　と叫びたかったが、さっきの〝藤吉文世＝私語により処刑〟のことがあったので我慢するしかなかった。

そして、相変わらず、誰も何も言わなかったのだけれど、ただ、このとき、ある変化が起こり、秋也はそれを確かに見た。

　誰からともなく周囲に目を配り、互いが互いの青ざめた顔に視線を走らせたのだ。そして、そうした者は皆、誰かと目が合うと慌てて顔を坂持の方に戻した。わずか数秒の間のことだったが、ただ、それぞれの顔に浮かんだその表情は変わってはいなかった。引き攣った、疑心暗鬼に満ちた表情は。目の前にいるこいつはもうやる気になっているのではないかと、疑っている表情は。なお落ち着いて見えるのは、三村信史や、その他数人だけだった。

　秋也はまた奥歯を噛み締めた。クソ、それじゃ連中の思うつぼじゃないか！　みんなよく考えろ――俺たち、仲間だぞ、殺し合いなんてできるわけないじゃないか！

「はーい、それじゃ、確認かくにーん。机の中に紙と鉛筆が入ってますから、出しなさーい」

　みんながもぞもぞと紙と鉛筆を出した。秋也もとりあえず言う通りにした。

「それじゃ書きなさーい。何か暗記するときは書くのが一番です。書きなさい、私たちは、殺し合いを、する。三度書きなさい」

　鉛筆が紙を叩く音がし始めた。典子も、暗い表情のまま、鉛筆を握るのが見えた。秋也もその狂ったフレーズを書きなぐったが、途中で、机の間にのぞける、転がったままの慶時の死体を見やった。いつかの、慶時の朗らかな笑顔が蘇った。

　坂持が続けた。「はい、やらなきゃやられる、これも三度書きなさい」

　藤吉文世の方も、もう一度見た。セーラーの袖口からのぞいた白い手の指が、ゆるやかなお椀型をつくっていた。クラスの保健委員で、もの静かだが、面倒見のいい、女の子だった。

　そして、坂持の方を見上げた。

　――クソ野郎、この鉛筆を心臓に突き刺してや

る！

【残り40人】

6

「さーてそれじゃ一人ずつ、えー、二分間隔で、教室を出てもらいまーす。ここの戸口を出て右に廊下を歩くと分校の出口がありまーす。出発したらすぐにその戸口を出ていくことー。廊下でうろうろしてる人は撃ち殺しまーす。それで誰から出発するかですけどー、一応プログラムのルールで、誰かまず一番の人を決めて、その人から後は出席番号順です。男女、男女、ね。で、最後まで行ったら、またアタマからです。それで」

そこまで聞いて、秋也は、中川典子が女子十五番なのを思い出した。自分と同じだ。と、いうことは、少なくとも、自分は典子とほとんど一緒にここを出られる（典子が最初で自分が最後、ということでなければだ）。しかし――典子は歩けるだろうか？

坂持が懐から封筒を取り出した。

「一番の人はくじで選んでここにその結果が入ってまーす。ちょっと待てなー」

坂持はポケットからピンクのリボンが付いた鋏を取り出し、気取った手つきで封筒の端を切り取り始めた。

そのとき、桐山和雄が声を上げた。これまた三村信史と同じく平静な、しかしこちらは、少し冷たい感じの、りんと響く声だった。「いつ始まるのかな、このゲームは？」

みんなが桐山のいる最後列の席を振り返った（川田だけが振り返らなかった。川田は相変わらず、ガムを噛んでいた）。

坂持が手を動かしながら答えた。「ここを出たらすぐだよ。だから、とりあえずみんな、身を隠してそれぞれ作戦を練った方がいいかも知れないなー。今ちょうど夜だしなー」

桐山は特に返事をしなかったが、それでようやく、秋也は今が真夜中、午前一時――いや、既に一時半近くなのだとわかった。

坂持が鋏を入れ終わり、中から白い紙を引っ張り出した。開いた。ほ、というように口を丸くすぼめると、「偶然ですね。男子一番、赤松くん」と言った。

窓（鉄板）際の列、一番前にいた赤松義生が、それを聞いて顔をこわばらせた。身長百八十センチ、体重九十キロ、体こそ大きいが、真っ正面のライトフライを受け取れず、長距離ではトラック一周目でへばりと、体育の授業ではいつもへまばかりしている義生の厚ぼったい唇は、真っ青になっていた。

「赤松くん、早くしなさーい」

坂持が言い、義生は修学旅行のために準備してきた自分の荷物を抱えて、よろよろと立ち上がった。前に進み出ると、今はもうライフルを腰だめに構えた迷彩三人組に促されてデイパックを受け取り、闇に向けて開いた戸口に立った。一瞬、こわばった顔でみんなを振り返ったが、次の瞬間、戸口の向こうに消えた。二、三歩歩く足音がし、すぐにどたどたと走る音に変わり、それも遠ざかった。一度、転ぶような音がしたが、また走りだしたようだった。

静かな教室の中、何人かの押し殺したようなため息が流れた。

「じゃあ、二分のインターバルを置きまーす。次、女子一番の稲田さんなー」

その調子で、点呼とスタートが容赦なく、延々と、続き始めた。

ただ、これはそのスタートの最初の方、女子四番の小川さくらが出発するとき、秋也はあるものを見た。さくらは、秋也の二つ後ろ、最後尾の席だったのだけれど、教室の前の出口まで歩くうち、秋也のすぐ前、恋人の山本和彦の席に手をつくような仕草で、何かの紙片を置いたのだ。〃私たちは殺し合いを、する〃と書いたあの紙に、何かメッセージを走

り書きしたのかも知れない。

それを見たのは、秋也だけかも知れなかった。少なくとも、坂持が気づいた様子はなかった。和彦は、その紙片のようなものをさっと手の中に入れると、机の下でぎゅっと握り締めた。秋也は、まだ狂気に完全に支配されたわけじゃない、と少し安堵した。愛しいものへの絆はまだ保たれている。

しかし——そのメッセージというのは、なんなんだろう？　さくらが部屋を出てから秋也は思った。もしかしたら——黒板の坂持の地図が目に入った——あの記号を書きつけたのだろうか？　そこで待ち合わせようと？　しかし、あの地図はいくらなんでもおおざっぱ過ぎる——第一、支給される地図があの通りだとは限らない。方角とか距離とか——そういうことだろうか？　それに——二人で待ち合わせをする、ということは、要するにほかのみんなを信用していない、ほかの連中は自分たちを殺そうとするに違いないと思っている、ということなのだ。

それは——坂持たちの思うつぼだ。

秋也は考えた。ここを出たところがどうなっているのかわからないが、とにかく、自分の後から出てくるやつを待って話をすることはできるはずだ。坂持の言ったルールの限りでは、別にそれを止められることもないだろう。みんな疑心暗鬼になって混乱しているかも知れないが、きちんと話をすれば、善後策を話し合える。それで——典子は——自分のすぐ後だ（典子は歩けるだろうか？）。三村信史も後。杉村は先になるが——。

秋也は杉村弘樹にメモか何かを渡せないかと考えたが、しかし、席が遠すぎた。それに、下手な真似をしたら藤吉文世の二の舞いになる。

すぐに、杉村弘樹の出発の順番が来た。教室の前の引き戸を出る寸前、秋也と、ちらっと目が合ったが——しかし、それだけだった。秋也は胸の中、ため息をついた。ただ思ったのは、弘樹も自分と同じように考えて、外で待っていてくれないだろうかと

いうことだった。他の連中も引き止めておいてくれれば——。

前後して、川田、桐山、相馬光子といった、先程〝黙っていた〟連中が次々に出発した。

川田は、ガムを噛みながら、淡々とした表情で出発した。坂持や迷彩トリオには目もくれなかった。

桐山も、静かに出ていった。光子も同じだった。

そう、坂持が、〝ほかのみんなはやる気になってるぞ—〟と言った。そして、恐らく、その三人は、クラスの連中が真っ先に疑った者たちであったかも、知れない。つまり、そいつらは、〝ワル〟だから。自分が生き残るためにほかの連中を殺すなんて何でもない——。

しかし、秋也はまず桐山について、そうではない、と思った。桐山には仲間がいる。しかも、へたな仲良しグループよりも、その連帯はずっと強固だ。黒長博に笹川竜平、月岡彰、それに沼井充。このゲームのルールでは自分以外は全員敵になるが、まさか、この五人が互いに殺し合うとは思えなかった。それに、この点、秋也は注意して見ていたのだが、桐山が出発するとき、桐山の席の周り、その桐山の取り巻きたちは、妙に取り澄ました表情をしていた。そう、恐らく、桐山は、自分の仲間たちに、何かメモでも回したのだ。そして多分、その五人のチームで逃げ出すつもりだ、ということなのに違いない。桐山になら、政府を出し抜けるだけの力量は十分あった。ただもちろんそれは、桐山が、自分の仲間以外は信用していないということでもあるのだが。

相馬光子にも同じように仲間がいる。こっちは清水比呂乃、矢作好美とは席が離れていて、メモを渡すようなことはできなかったはずだ。しかし——相馬光子は何といっても女の子だ。まさか。こんなゲームに乗るわけがない。

ただ——川田のことだけが、秋也の胸にひっかかった。

川田章吾には、クラスに仲間と呼べるような人間

が一人もいなかった。そもそも、転校してきて以来、クラスの連中とろくに口をきいたこともない。しかも、川田には確かに得体の知れないところがあった。噂は別にしても、あの全身の傷――。

まさか――もしかしたら川田だけはこのゲームに乗る――のだろうか？ 少なくともその可能性があるのだろうか？ ――一瞬、そう思った。

もちろん、疑心暗鬼に陥ったら政府に負けることになると思って、すぐにそれを打ち消しはしたが――ただ、それでも、胸のどこか、一抹の気がかりのようなものは、残った。

時間が経過した。

女の子の中には、泣きながら出ていく者も多かった。

ひどく短く思えたが、計算上は一時間近く経ったはずだった（ただし、国信慶時の分、二分だけは短くなっていたが）。女子十四番の天堂真弓が戸口の向こうに消え、坂持が「男子十五番、七原秋也くん」と呼んだ。

秋也は荷物を持って立ち上がった。少なくとも教室を出る前にやることだけは、考えていた。

出口の方へまっすぐ進まず、左へ出た。典子が、首を振り向かせ、近づいてくる秋也をじっと見つめた。

「七原」坂持がナイフを掲げて秋也に声をかけた。「方向が違うよ」

秋也は一旦足を止めた。三人の兵士も、銃に手をかけていた。それで、少し自分ののどがこわばっているとは思ったが、気を張り詰めて、言った。

「国信慶時は俺の友達だ。目ぐらい閉じさせろ。総統の教育論語にだって死者には礼を尽くせって書いてあるじゃないか」

坂持は一瞬迷ったような表情を見せたが、結局、ふふっと笑ってナイフを下ろした。

「わかったよ。七原は優しいなあ」

秋也はかすかに息をつくと、また歩を進めた。典

子の席のすぐ前に転がっている慶時の死体のところで、立ち止まった。

そして、自分で目を閉じさせろと言ったにもかかわらず、少し、立ち尽くした。

間近でみると、〝へらへら〟が実行した手荒な死亡確認のおかげで弾けた慶時の耳の上、血にもつれた短めの髪の中に、薄い、赤い肉と――そして、白いものが見えた。骨だ、とわかった。頭の中に弾が食い込んだおかげで、慶時のぎょろりとした目は、ますます飛び出して見えた。どこか茫然としていて、上目使いで、食料配給を受ける飢餓難民の目みたいだった。わずかに開いた口から、ゆるっと、唾液と血が混じったピンク色の液体が流れ出している。鼻腔からは、濃い色の血が流れている。それらが、顔の下、胸から流れ出した大量の血の海にゆったりと流れ込み、溶け込んでいた。――ひどかった。

しかし、荷物を傍らに置くと、屈み込んだ。俯せに倒れた慶時の体を起こした。学生服の胸の布地が三個所で破れていてどす黒くなっていたが、秋也が抱き起こすのにつれて、つうっとそこから血が落ち、床に跳ねた。ひょろりと痩せたその体は、ひどく軽かった。血が――流れ出したからだろうか。

その慶時の軽い体を抱えているうちに、秋也の頭の中が、すうっと冷えていった。哀しみよりも、怖さよりも、怒りが勝っていた。

慶時――おまえのケリはつけてやる。絶対に、つけてやる。約束する。

時間はあまりなかった。顔についたその血をてのひらでぐいっと拭うと、そっとそのまぶたを閉じた。体を再び横たえ、胸の上で、両手を組み合わせた。

それから、荷物を再び手に取るのに手間取ったフリをして、典子の顔の横に口を寄せると、素早く「歩けるか?」とささやいた。

それだけで専守防衛軍の三人組が銃に手をかけたが、典子が頷くのを秋也は確認した。秋也は顔を坂持と三人組の方に向け、ただ、典子にわかるように

低い位置でぎゅっと拳を握り、出口に向けて親指を倒した。待ってるぞ。外で待ってる。

秋也は典子の方は見なかったが、視界の端、もとの慶時の席の向こう側で、三村信史が目は前へ向けて腕組みしたまま、かすかに口元を笑ませたような感じがした。秋也の仕草に気づいたのかも知れない。秋也もそれでさらに、気持ちを落ち着かせることができた。三村だ。三村が一緒にいれば、逃げられる、十分。

だが――実は、三村信史はそのとき、秋也よりはよく事情を了解していたのかも知れなかった。その笑みは、これでさよならかもな、七原、という笑みだったのかも、知れない。ただ、秋也は、そんなことはそのときは、考えもしなかった。

そのまま歩を進めた。黒いデイパックを受け取る前に少し考え、藤吉文世の死体に近づくと、同じように目を閉じた。額からナイフを抜いてやりたかったが、それはあきらめた。

戸口の向こうに踏み出すときになって、やっぱり抜いてやればよかったと、少し、後悔した。


【残り40人】

7

戸口を出た廊下に照明はなく、教室からの明かりが板張りの床を照らしていた。目を向けると、廊下側の窓にも、教室内と同じように黒い鉄板が張られている。多分これは――秋也と同じようにゲームからの脱出を考え、抵抗を試みる生徒が、坂持たちのいるここを襲ってきたときの防壁だ。それでなくても、出発後は〝禁止エリア〟とやらでここには近づけないはずだったが。

右へ顔を向けると、今、秋也が出て来た部屋と同じような部屋が隣にもう一つ、さらにその向こうにもう一つ、あった。その先が出口なのか、観音開きのドアが闇に向かって開かれている。そして逆に左

側、廊下の突き当たりに、もう一つ部屋があった。

それはこの分校の職員室だっただろうか？　そのドアは開いていて、明かりも点いていた。そして——秋也はその向こうに見た、安物の長机の前、パイプ椅子に座って、専守防衛軍兵士がうぞうぞとたむろしているのを。二十人？　三十人？　いや、それはほとんど三年B組と同じぐらいの人数に見えた。

実のところ、秋也は、もし自分の手にしたデイパックの中に銃でも入っているのなら（可能性はある、〝プログラム〟のニュースではいつも、〝刃物による死亡〟〝絞殺による死亡〟などと並んで、〝銃弾による死亡〟者の数が告げられていた）、あるいは、分校の前で待っていてくれる連中がいて、そのうちの何人かが銃を手にしていたら、それを使って、全員が出発する前に、つまり、〝禁止エリア〟とやらにここが入ってしまう前に、坂持たちを急襲することも考えていたのだ。しかし、その望みは大方絶たれてしまった。兵士は坂持と一緒に現れた三人だけではなかったのだ。考えてみたら当然のことなのだろうが。

兵士の一人が、首を傾けて、手にした湯呑みごしに秋也をちらっと見た。教室の中にいる三人と同様、奇妙に表情がなかった。

秋也はすぐに踵を返して、出口へ急いだ。焦燥が頭を占めていた。とにかく——もう、とにかく、みんなが合流することを考えるしかない。いや——もしかしたら、外にも兵士たちがいて、後から出てくるやつを待つなどということはできない状態なのだろうか？　いや、だとしても——

秋也は足早に暗い廊下を抜けると、出口の観音開きのドアを出た。三、四段の短い階段があり、それを降りた。

建物の外には、月明かりの下、がらんとした、テニスコートが三面とれるぐらいの運動場が広がっていた。その向こうに、林が見える。左手には小高い山が迫り、右手は視界が開けていて、その向こうに

黒々とした闇が見えた。――海だ。そしてその海の中、はるか彼方に点々と見える小さな明かり。陸地だろう。〝プログラム〟は、選ばれた生徒たちのその中学校のある、都道府県内で行われるのが原則だったはずだ。それは、時には周りに高圧電流の柵をめぐらした山で行われることも、取り壊し前の刑務所で行われることもあると聞いているが、香川県の場合は大抵島だった。秋也がこれまでに見た香川のローカルニュースでも（ただしその会場というのはいつも、ゲーム終了後のニュースで明らかになるのだが）、島以外で行われたというのはなかったと思う。そして今回も。坂持は島の名前を言わなかったが、島の形を地図で確認したら、どの島か見当が付くかも知れない。あるいは、島の名前を示す建物とかがあるかも知れない。

弱い風に乗って、潮の匂いがした。五月の夜の割に気温は低かったが、我慢できないほどではなかった。もっとも、眠るときには気を付けなければ体力を消耗してしまうだろう。

だが、そんなことより何より――

そこには、誰もいなかった。兵士の姿もなかったが、秋也が期待したように誰かが待っているというようなことも、また、なかったのだ。みんな坂持の言った通り、どこかに身を隠してしまったのだ。杉村弘樹の姿さえなかった。ただ、潮の匂いの交じった微風が、運動場の土の上を渡っていた。

クソ。秋也は顔を歪めた。ばらばらになってしまったら、政府の思うツボなのだ。小川さくらと山本和彦が恐らくはどこかで待ち合わせたのだろうように、あるいは桐山のグループもそうするのだろうように、親しい連中で集団をつくるのならまだいい。だが、一人一人が隠れていて、そのうち一対一で出くわすことになったら、――その混乱の中では何が起こるかわからない。そして、その混乱こそが、このゲームを成立させる要素ではないのか？

そうだ。少なくとも俺は、ここで後の連中を待と

う。まず中川典子を待つことだ。

秋也はちらっと校舎の中の闇を振り返った。〝校舎からさっさと出ていかない人は撃ち殺します〟と言っていたが、廊下の突き当たりの部屋の兵士たちは、特に秋也の方を見たりはしていなかった。雑談するでもなく、だらっと椅子に腰掛けている。武器も、手にしていない。

秋也は唇をなめ、とにかく扉からは離れた方がいいだろうと考えて、また外に目を向けた。

それで、気づいた。

さっきは風景を見てとるのに気をとられて見なかった足のすぐ先、何かゴミ袋みたいなものが転がっているのに。

秋也は、誰かが荷物を落としていったのだろうか、と思ったが、すぐに目を見張った。

ゴミ袋でも荷物でもなかった。一方の端に毛が生えていた。

人間だった。髪の毛が。セーラー服を着た。体がくの字に折れて横たわり、顔は俯せだったが、秋也はその、一本に編んだ髪形と、それに結んだ幅広のリボンに見覚えがあった。無理もない、つい三分ほど前にその背中を見送ったのだ。ぴくりとも動かないその体は、女子十四番の天堂真弓だった。

そして、その真弓のセーラー服の背中、ロブスターのように編み上げた髪のすぐ脇から、銀色に鈍く光る棒が、二十センチほど、トランジスタラジオのアンテナみたいに、斜めに突き出していた。棒の先には、小さな小さな、戦闘機の尾翼みたいなものが四枚付いていた。

何だ――これは――?

ほんとうはすぐにも身を隠すべきだったのに、秋也は、愕然として、一瞬、その場に立ち尽くした。

頭の中に、ゲームがいつ始まるのかという桐山の質問に答えた坂持の言葉が蘇った。〝ここを出たらすぐだよ〟。

まさか――誰かがこれをやったのか？　先に出た

誰かが戻ってきて、出てきたばかりの天堂真弓を――？

そこまで考えて、秋也は、慌てて腰を低くし、辺りを見回した。

どういうわけか――襲撃者の影は無かった。大体、一瞬ぼうっとしていたはずの秋也に向けて、矢なんか飛んできていない。なんでだ？　天堂真弓一人を片づけただけで満足して逃げたのか？　それとも――もしかして、これは一種の〝サクラ〟なのか？　やる気になっているやつがいると思い込ませるために、もしかしたら、あの廊下の突き当たりの連中がやったのか？　しかし、それにしては――

秋也はそれから、もしかしたら、天堂真弓はまだ死んではいないのではないか、と気づいた。重傷を負って気を失っているだけかも知れない。とにかく様子を――。

動かしかけた足を、しかし、〝そのこと〟に気づいてぎりぎりのタイミングで止めなければ、秋也は早くもこのゲームを退場することになっていたに違いない。つまり――

ヒュンと鋭い音がして、秋也の眼前を銀色のものがかすめた。そう――上から下へ向けて。地面に新しいアンテナが生えていた。

秋也は戦慄した。典子を待つために建物の出口すぐの位置にいるのでなかったら、とっくにやられていたに違いない。襲撃者は建物の上にいたのだ。

秋也は口をぎゅっと引き締めるととっさにその矢を地面からつかみとり、右へ走った。ほとんど無意識に、しかし、恐らく襲撃者が予想しないだろう方向を選んでいた。体を反転させ、上を見上げた。平屋建ての分校の切り妻屋根の上、月明かりにほの明るい空を背景に、黒い、大柄な影が見えた。

あれは――まさか、川――

考えている余裕はなかった。影は、手にしたものをこちらに向けつつあった。

秋也は、手の中の矢を影に向かって投擲した。と

にかく相手の意表をつければと思ったのだが、矢はひどく速く、美しい軌跡を描いて一直線に影に向かって飛んでいた。この点は、かつての天才ショートストップ、秋也ならではだったかも知れない。

影は「うっ」とうめいて顔の辺りを押さえ、中腰になったと思うと、その体をゆらりと揺らした。そしてそのまま——落ちてきた。

秋也は少し身を引きながら、その影がゆったりと時間をかけて三メートル強の距離を落ち、地面にどすん、と音を立ててぶつかるのを見た。その手にしていたものが、がしゃっとそばに転がった。

建物の出口から洩れる明かりで、秋也は見た。学生服を着て地に伏したその大柄な影は、一番最初に脅えた表情で出発したあの赤松義生だった。義生は気を失ったのか、ぴくりとも動かなかった。そしてその手の先——ライフルに弓矢を組み合わせたようなもの——ボウガンというやつか？——が転がっている。義生の足元の方に落ちたデイパックが半分ほど開いていて、銀色の矢が束になっているのが見えた。

秋也は、血の気がひくのを感じた。疑いない、こいつは始まっている！ 少なくとも、赤松義生は始めたのだ。武器を手にして、戻ってきて、天堂真弓を殺したのだ！

ちょうどそのとき、背後に人の気配がした。

振り返った秋也は、中川典子が状況を見てとってはっと息を吞むのを見た。秋也はその典子の顔から再び天堂真弓に視線を落とし——ざっと真弓に駆け寄ると、首筋に手を当てた。死んでいた。間違いなかった。

脳が何かの導火線の塊になって、じりじり焼けているような感じがした。義生以外にも、同じことを考えるやつがいるかも知れない、そして、そいつは、どこかからふらりと戻ってくるそいつは、今度は銃を手にしているかも知れなかった。

秋也のこのゲームに対するスタンスは、もはや強

引に変更させられていた。こういうことだったのだ。坂持が、〝ここを出たらすぐだよ〟と言ったのは、こういう意味だったのだ。

秋也はすぐに立ち上がり、典子に駆け寄って、その手をとった。「走るぞ！　せいいっぱいでいいから走れ！」

秋也は脚を怪我している典子の体を半ばひきずるように、走りだした。どっちへ――。

正確な判断を下している暇はなかった。とにかく、目に付いた林の方へ向かった。一旦林に身を隠して――一瞬、そう思いかけたが、それも打ち消さざるをえなかった。今の典子の状態では、誰かに襲われたらひとたまりもない。この付近でうろうろしているのは、危険極まりなかった。

建物の前にとどまってみんなを待つという考えなど、消し飛んでいた。典子を急き立て、林の中に入った。高木、低木が入り交じり、足元にはシダのような植物が生い茂っていた。

秋也は振り返って、まだ十一人が残っている（男女とも二十一人のクラスで秋也と典子の出席番号からすると残りは十二人のはずだったが、藤吉文世は除外しなければならなかった）建物に向けて何か警告のようなことを呼びかけようかとも考えたが、それを振り捨てた。恐らく、みんなバカじゃない。そう、自分のようにバカじゃない。出てきたら、一目散に逃げ出すはずだ。おまけにあの天堂真弓の死体が転がっていればば。秋也は多少強引にそう、結論づけた。三村信史の顔がちらっと浮かんだが――それも振り捨てた。きっと、何か方法がある、後で合流する方法があると、これも強引に結論づけた。とにかく、一秒でも長くここにいたくなかった。

ただ、中川典子の体をしっかり抱き抱えたまま、闇雲に茂みの中を進んだ。何かの鳥が、すぐ近くでけけけけっと鳴き、ばさばさと飛び立つ音がした。姿は見えなかったが、どっちにしても見る余裕はなかった。

【残り39人】

8

赤松義生は、ほとんど間を置かずに意識を取り戻したのだけれど、ひどく頭を打って失神した彼にとって、その時間はほとんど熟睡に近いものだった。

初めに気づいたのは、頭がものすごく痛い、ということだった。もうろうとしていた。一体なんなんだろう、昨日遅くまでファミコンをやりすぎたんだろうか？　――てことは昨日は土曜日だったんだっけ、それとも日曜日かな――すると今日は月曜日で学校に行かなきゃならないのに今は一体何時――暗いな、まだ――もう少し眠っても――。

天地が九十度傾いた状態で、視界を、なぜかがらんとした空き地が埋めていた。その向こうには夜空よりもさらに濃い弓形の影――山がある。

途端に、何もかもが戻ってきた。坂持、林田先生の死体、出発、とりあえず身を隠した小屋みたいなところでデイパックの中にボウガンを見つけたこと、戻ってきたこと、ちょっときつい感じの、しかし美しい顔を今はこわばらせた千草貴子（女子十三番）が、その陸上部エースの足で全力で逃げていくのを見送り、建物脇の細い鉄梯子を伝って必死で分校の屋根の上に出たこと。あたふたとボウガンに最初の矢をつがえる間に、月岡彰（男子十四番）もまた、取り逃がしてしまったこと。そして――。

首を回すと、セーラー服の女の子が転がっているのが目に入った。

義生自身にはちっとも不思議なことではなかったのだが、この際、記憶と一緒に戻ってきたのはクラスメイトを殺してしまったという罪悪感ではなく、恐怖感だった。その恐怖はさしずめ義生の心の中の荒涼とした土地に突っ立っている巨大なビルボードといったところだったかも知れない。〝おまえを殺してやる！〟という血文字がその表面を埋め、背景

でクラスメイト全員が斧やピストルを構えて、３Ｄ方式の映画さながら、ボードの前に立っている義生に襲いかかろうとしていた。

そりゃあ、クラスメイトを殺すなんていけないことだろう。それに、どっちにしたってゲームの時間切れがきたらみんな死ぬんだから努力するなんてばからしいとも言える。しかし、それはただの理屈だ。義生は死にたくなかった。自分に向けて牙を剝くだろうクラスメイトたちが、ただただ恐ろしかった。考えてもみてくれ、自分の周りを殺し屋たちがうぞうぞうろつくんだ。

――というわけで、もっとも効率よく、その〝敵たち〟を減らせる方法を選んだのは、彼の思考ではなく、もっと深いところにある死への恐怖だった。誰が敵で誰が味方だといったような判断はなかった。みんな敵のはずだ。自分が笹川竜平辺りにいじめられているときすら、みんな見てみぬフリをしていたじゃないか。

義生は慌てて身を起こした。まず目の前の七原秋也なのだ。そうだ七原秋也はどこに――。ボウガンだ、ボウガンを拾わなければ、ボウガンはどこに――。

途端、その義生の首筋に、後ろから棍棒で殴られたような感覚が跳ねた。

義生はどさっと前のめりに倒れ込んだ。体がくの字に曲がり、顔が幾分湿った土をこすって、額と頰の皮がずるりと剝けたが、彼自身には関わりないことだった。倒れ込んだときにはもう、絶命していたので。

その義生の首の後ろに、彼自身が天堂真弓に撃ち込んだのと同じ、銀色の矢が生えていた。


【残り38人】

9

中川典子から二分遅れで建物から出てきた新井田

和志（男子十六番）は、ぶるぶる震えながらそのまましばらく立っていた。赤松義生の体のそばに転がっていたボウガンには、矢が装塡されたままになっていた。拾い上げはしたものの、撃つつもりは無かった。しかし、義生が立ち上がった瞬間、反射的に指が引き金をひいたのだ。

和志は混乱した頭を何とか動かそうと努めた。そうだ、まずここから逃げなくてはならない、それがもっとも先決だ。そもそも、赤松義生や天堂真弓の死体なんかにかかずらわず、とっとと逃げ出すべきだったのだ。そう——義生をやってしまったのは仕方がない、状況から見れば、明らかに天堂真弓を殺したのは赤松義生なのだ。自分は悪いことをしたわけじゃない。

彼はたいへん言い訳のうまい男だったが、そう考えると、痺れたようになっていた頭の一部にようやく感覚が戻ってきた。

和志はボウガンをすっと下ろすと、矢が詰まった義生のデイパックをほとんど無意識に拾い上げた。そのまま足を動かしかけ、しかし、立ち止まると、天堂真弓のデイパックも拾い上げた。それから、急いで走り始めた。

【残り38人】

10

十分近くも走っただろうか。秋也は典子の体に回した腕から典子に制止の意図を伝え、同時に足を止めた。頭上を覆う梢を通して落ちてくる不鮮明な月明かりの下、典子が自分の顔を見上げるのがわかった。自分たち二人分の荒い息遣いがほとんど圧倒的な音の壁のように感じられたが、秋也はその壁を通して、闇に包まれた四方に別の物音を聞き取ろうと耳をそばだてた。

追跡者の足音はなかった。ぜいぜい喘いでいてため息をつく余裕はなかったが、とにかく少し安堵し

てもいいようだった。

右肩に担いでいた二人分の荷物を下ろすと、肩がぎしっと悲鳴を上げた。運動不足だ。エレクトリック・ギターはバットよりは重いが、しかし始終振り回すわけじゃない。そうしておいてから、少しひざに手をついて、休んだ。

秋也は典子を促して、闇に包まれたその藪の中に腰を降ろさせた。もうしばらく四方の音に注意をめぐらした後、秋也も典子の隣に腰を落とした。尻の下で、分厚い草がひしゃげる音が、小さく、した。

随分走ったように感じられたが、藪の中をジグザグに、しかもどちらかというと山を登るように迷走してきたことを考えると、あの分校からは数百メートルも離れていないかも知れない。しかし少なくとも、あの建物から洩れる人工的な光はもう、確認できなかった。ゆるやかな山の起伏のせいか、あるいは折り重なった木々のせいかはわからなかったが、とにかく今は、より深い闇の中にいる方が安全なような気がした。一瞬の判断だったが、少なくとも開けた海側へ出るよりは安全なはずだ。

典子の方を見やり、ささやくように訊いた。

「大丈夫か?」

典子は「うん」とかすかに答え、小さくあごをひいた。

秋也はしばらくそのまま座っていたいという欲望を感じたが、そうもいかなかった。まず自分に支給されたデイパックを開いた。手を突っ込んで探ると、水らしいボトルの奥で、何か固い、細長いものが手に触れた。

秋也はそれを引っ張り出した。革らしい感触の鞘と、そこから突き出した革巻きのグリップ。軍用ナイフだった。坂持は〝武器が入っています〟と言っていたが、これがそうなのだろうか。もう少しデイパックを手探りしたが、パンらしき包みや懐中電灯があるだけで、ほかにそれらしいものはなかった。

秋也は鞘のスナップを外してナイフを抜き出し、

刃渡りが十五センチ程度であることと、一応使えることを確かめると、鞘に戻し、スナップを外したまま学生ズボンのベルトに差し込んだ。学生服の一番下のボタンを外し、グリップをすぐに握れるようにした。

　秋也は典子のデイパックを引き寄せ、勝手にジッパーを開いた。女の子の持ち物を覗くのはご法度だが、別に、典子が用意したものじゃない。

　妙なものが出て来た。V字型に湾曲した、全長四十センチほどの棒だった。固い、なめらかな木の手触りだった。ブーメラン、というやつだろうか？未開人が使う戦闘・狩猟用の投げ棒だ。アボリジニ辺りの村内狩猟チャンピオンが使えば風邪でふらふらしているカンガルーぐらいは仕留められるのだろうが、こんなもので何をしろというのだろう。秋也は息をついて、それを典子のデイパックに戻した。

　瀕死の病人のようだった息がようやく落ち着いて来た。

「水、飲む？」と秋也は典子に訊いた。

　典子は頷き、「少し」と答えた。

　秋也はとりあえず自分のデイパックからプラスチックボトルを取り出し、ねじ込み式の封を切って、匂いを嗅いだ。少し手にこぼして、慎重に嘗めた。さらにひと口飲み、異常がないことを確かめてから、典子に渡した。典子はボトルを受け取り、ほんとうにひと口だけ、こくっと飲んだ。恐らく水が貴重になるかも知れないことを、わかっているのだろう。ボトルは、わずかに一リットル程度の容量で、一人に二つずつしかなかった。坂持が電話は使えないと言っていたが――水道は、どうなんだろうか？

「脚の具合、見せてくれ」

　秋也が言うと、典子は頷いて、スカートの下に畳んでいた右脚をゆっくり伸ばした。秋也はデイパックの中から懐中電灯を取り出し、光が広く洩れないように用心しててのひらで囲みながら、それで典子の脚の傷を見た。

傷は、ふくらはぎの外側にあった。上から下へ、肉が深さ一センチ、長さ四センチほどにわたってこそぎとられている。ピンク色の肉がのぞく傷口の端から、血はまだ細い流れになってあふれていた。本当なら、縫合が必要な傷に見えた。

秋也はすぐに懐中電灯を消すと、デイパックではなく、自分のスポーツバッグを引き寄せた。バーボンの入ったスキットルと、旅行のため予備で持ってきた清潔なバンダナを二枚取り出して、スキットルの蓋を開けた。

「ちょっと痛いぞ」

「うん、大丈夫」

典子はそう言ったが、秋也がスキットルを傾けてバーボンで傷口を消毒すると、小さく息を洩らした。秋也は一枚のバンダナを畳んだまま傷口に押し当て、もう一枚を広げて帯状に畳み、包帯代わりに強く巻き始めた。当座の止血だけなら、これで何とかなるだろう。

ひと通り巻きつけたバンダナの両端をぎゅっと絞り、結びながら、秋也は「ちくしょう」と呟いていた。

典子が静かに訊いた。「――ノブさんのこと?」

秋也はぎりっと歯を噛んだ。

「慶時のことも赤松のことも、それもこれもみんなだ。俺は気に入らないよ。最高に気に入らない」

秋也は手を動かしながら典子の顔をしばらく見つめた。すぐに視線を下げ、バンダナを結び終えた。

典子がありがとう、と言ってそっと脚を引いた。

「真弓は――あれは、赤松くんが――」典子の言葉が少し震えた。「――やったのね?」

「そうだ。あいつは出口の上にいて、俺が矢を投げたら落ちてきたんだ」

秋也はそのことについて考え、そしてようやく、赤松義生をそのまま放置してきたことに思い当たった。気絶して当分起きないと、さっきは多分、ほとんど無意識にそう思ったのだが――しかし案外、す

ぐに起き上がったのかも知れない。そしてまたあのボウガンを手に屋根の上に上り、人殺しを続けているかも知れなかった。

またしても、俺は甘かったのでは、ないだろうか？　俺はいっそ——やつをあそこで殺しておくべきだったのか？

秋也はそれで気づいて、腕時計を月明かりにかざした。国産の服部半蔵時計店謹製の古い型のダイヴァーズ（これはもらいものだ、施設で暮らしている秋也の持ち物の多くがそうだが）は、二時四十分過ぎを示していた。もう、ほとんど全員が教室を出たかも知れない。残っているとしても二、三人だ。赤松義生があの後どうなったのかはともかくとして。少なくとも、三村信史はもう——信史は、少なくとも赤松にやられるようなことはないはずだった。それはほぼ、確信できる——もう、出発してしまっただろう。

秋也は少し頭を振った。今さらながら、みんなでまとまって何とかしよう、などと考えていた自分が、ひどいバカのように思えた。

「あいつがあんなやつだとは思わなかった。自分が生き残るためにみんなを殺そうとするなんてな。このゲームのルールなら俺もわかってるよ。だけど、本当にやるやつがいるなんて、俺は思わなかった」

「それは——ちょっと違うのかも知れないわ」と典子が言った。

「えっ？」

秋也は月明かりだけでよくうかがえない典子の顔を覗き込んだ。

典子が続けた。「ほら——赤松くんって気が小さいじゃない。怖かったんじゃないかしら。きっと。だって、誰が自分に向かってくるかわからないのよ。ううん、赤松くんは、間違いなくみんなが向かってくると思ったのかも知れない。すごく怖かったんだと思うわ。それできっと、じっとしてたら殺……されるだけだと思ったんじゃ——」

それで、秋也は典子がそうしているように手近の木の幹に背を預け、ゆっくり脚を伸ばした。

脅えた者は殺し合おうとするかも知れない――その論理自体は秋也が考えた通りだったが、ただ、秋也は脅えたやつは基本的には隠れるものだとばかり思っていた。しかし、もっと極度に脅えたら、ほかのやつに自分から向かっていくことだって確かにあるかも知れなかった。

「――そうか」

「うん」典子が頷いた。「それにしたって有無を言わせずっていうのはひどいと思うけど」

しばらく、二人とも何も言わなかった。

それから、秋也は思いついて言った。

「なあ、じゃあもし、俺たちが二人でいるのを見たら、赤松は攻撃してこなかったかな？　二人でいたら、やる気はないっていう証明になるだろ」

「そうね。そうかも知れない」

それで、秋也はちょっと考えた。典子の話どおり赤松も単に疑心暗鬼になっていただけだったのだとしたら――。

あのとき一瞬、自分は、やる気になっているやつがいるのだと思った。だから、逃げた。しかし、やっぱりそれは違うのかも知れない。クラスメイトを殺すなんて、そんなばかなことがどだいできるわけがないんじゃないか？　だとしたらやはり、自分はあそこでほかの連中を待っているべきではなかったのだろうか？　赤松をどうするかはさておくにしても？

だがそれは、どっちにしても済んだことだった。今から戻っても、全員が出発した後だろう。――それに、ほんとうにそうか？　赤松はほんとうに脅えていただけなのか？

わけがわからなくなってきた。

「典子サンさ」

典子が顔を上げた。

「どう思う？　俺――赤松と同じようなやつがいた

ら困ると思って、さっき、とにかくあの分校を離れなきゃと思ったんだ。けど――あいつだって脅えてただけだとするんなら――つまり、ほんとにこんなゲームに乗るやつなんていると思うかい？　つまりさ、――俺、みんなを集めてこのクソゲームから脱出できないかと思ってたんだ。どうだろう？」

「みんな？」

「うん」

典子は押し黙り、スカートの膝を引き寄せた。それから、「あたしっていやなオンナなのかな」と言った。

「え？」

「とても、だめ。幸枝とか――」

典子は委員長の内海幸枝の名前を出した。秋也も、幸枝のことは小学校のころから知っている。

「いつも一緒にいるこなら信用できる――と思う。けど、他のこはとてもだめだわ。とても一緒になんか、いられないわ。――そうじゃない？　赤松くんがほんとにどんな気持ちだったのかわからないけど、あたしだって、ほかのみんなが怖いわ。だって――あたし、初めて気づいたけど、何も知らないわ。みんなのこと。ほんとはどんな人なのか。だって――心の中なんて、覗けないじゃない」

何も知らないわ。みんなのこと。

――その通りだった。学校で昼間一緒にいるだけの連中の、一体俺は何を知ってる？　秋也はまたにわかに、やはり敵がいるのか？という気がしてきた。

典子が続けた。「だからあたし――きっと疑ってしまう。よっぽど信用してるこじゃなかったら、一緒にいたりしたら、疑ってしまう、そのこが――あたしを殺そうとしてるんじゃないかって」

秋也はため息をついた。ろくでもないゲームだ。しかし、あまりにもよくできている。結局、確信を持てないのなら、誰でもかれでも仲間に引き込むべきじゃないのだ、もし――もし万一、寝首をかかれるようなことがあったら？　自分だけじゃなく、

典子まで危険にさらしてしまうことになる。そう――先に出発した連中が早々に姿を消したことこそ、当然だったのだ。現実的だったのだ。

――。

「ちょっと待てよ」

秋也が言うと、典子がすっと秋也の方に視線を上げた。

「――ってことは、俺たち二人でいても、敵意がないってことの証明にはならないな。俺も疑われる、いつか典子サンも――殺そうとしているって」

典子が頷いた。「そうね。あたしも疑われるわ、同じように。二人でいたら向かってはこないかも知れないけど、一緒にいようって言っても、向こうも嫌がるわ、多分。人によるけど」

秋也は唾を飲み込んだ。「怖いもんな」

「うん。とても怖いもの」

結局、分校の前から逃げたのは正しかったのかも知れなかった。少なくとも、自分にとって重要なのは、中川典子を、慶時の好きだった女の子を、ここから無事に救い出すことだった。それで、今、中川典子が無事に自分のそばにいるのだから、そのことだけでも満足すべきなのかも知れない。自分は、最も安全な方法をとったのだ。しかし――。

「けど俺――」言った。「最低、三村だけでも一緒にって思った。三村ならきっと、何かうまい手を思いつくはずなんだ。――典子サンだって、三村なら心配ないだろ?」

典子は「もちろんよ」と頷いた。普段秋也とよく話している分、典子も三村信史と話す機会が結構あった。それに――

秋也は、信史が典子を立たせ、自分に落ち着け、とサインを送ってくれたことを思い出した。今考えてみれば、信史があそこでああしてくれなかったら、自分も典子も、ぼうっとしたまま、慶時と同じように撃たれていたのかも知れなかった。

典子が、そのことを、そして当然それに至る経緯

を思い出したのか、俯いた。静かに言った。

「ノブさん——もういないのね」

「——ああ」秋也も不思議に、静かに答えた。「そうだな」

それで、またしばらく、二人とも黙った。思い出話をすることはできるが、多分そんな場合じゃないんだろうし、それに、秋也にしてみれば、慶時のことはいいかげんな思い出話で語るには重すぎた。

「どうしたらいいかな、これから」

典子が口元を引き締め、黙って首を傾けた。

「何とか三村とか、ほかの——信用できそうな連中を集められないかな」

「それは——」

典子はしばらく考えたようだったが、結局、そのまま黙ってしまった。そう——そんな方法は思いつけなかった。少なくとも、当座は。

秋也は結局また、ため息をつかざるを得なかった。

頭上の梢の間、月明かりでぼうっとグレーがかったような夜空が見えた。八方ふさがり、というのはこういうことを言うのだろう。誰でも仲間にできるのなら、大声を上げて歩けばいい。しかし、それでは、〝敵〟に殺してください、と言っているのと同然だ。もちろん、そんなやつはいないことを祈ってはいるのだけれど。だが——俺も、やっぱり、恐ろしい。

それで、ちょっと思い当たったことがあった。典子の方に向き直り、訊いた。

「俺のことは、怖くなかったの？」

「え？」

「俺が君を殺そうとするとは思わなかったのかい？」

月明かりだけでよくうかがえなかったが、典子は少し、目を見開いたようだった。

「秋也くんがそんなことするわけないもの」

秋也は少し考えた。それから、言った。「けど——人間の心なんて、わからない。さっき君が言っ

たぜ」

「ううん」典子は首を振った。「あたしにはわかる、秋也くんだけはそんなことしない」

　秋也は正面からその典子の顔を見た。多分、ねぼけた表情だったに違いない。「わかる――の？」

「うん――わかる。――あたしは」典子はちょっと言葉を切った。しかし、続けた。「秋也くんのことを、ずっと、見てる――から」

　それは、本来だったらもう少し、硬い口調で口にされたはずの言葉だったかも知れない。できればもうちょっと、ぜいたくは言わないが、もう少しばかりは、ロマンチックな状況で。

　とにかく、それで、秋也の頭に、ライトブルーの便せんに綴られた、差出人名のないラブレターのことが浮かんだ。それは、四月のある日、自分の机の中に投げ込まれていたのだ。かつてのリトルリーグの天才ショートとしては、あるいは、現在の自称（ときたま他称）城岩中のロックンロールスターとしては、ラブレターをもらうのは初めてではなかったが、幾分、それは印象に残ったし、大事にとってあった。多分、書いてあった詩のような言葉が気に入ったからだと思う。

　〝嘘でもいいから、夢でもいいから、どうか振り向いて〟と、それは始まっていた。〝嘘じゃない、夢じゃない、ある日のあなたの笑顔は／でも私の嘘かも知れない、でも私の夢かも知れない、それが私の方に向けられていたというのは／けれど嘘にはならない、夢にはならない、あなたが私の名前を呼んでくれた日には〟。そして、〝嘘だったことはない、夢だったことはない、私は、あなたが、とても、好きです〟。

　あれは――典子の手紙、だったんだろうか？　そもそも字が似ているし、あるいはそのような詩みたいな言葉は――とは思ったけれど、やはり？

　秋也は一瞬、その手紙のことを今ここで訊いてみようかと思ったが、――やめた。そんな場合じゃな

いし、大体、自分にはそれを話題にする資格はないだろう、何せ、自分といえば、新谷和美に、ライトブルーの便せんから言葉を借りれば、決して〝振り向いて〟くれるはずのない女の子にすっかりのぼせていて、大方ほかの女の子のことも、当然そのラブレターのことも眼中になかったのだから。そして、今の自分にとって大事なことというのは、そう、〝国信慶時が好きだった女の子〟のことだ。その彼女を、無事に守ることだ。〝自分を好きでいてくれる誰か〟のことじゃない。

それで、また、いつかの慶時のはにかんだ表情が蘇った。〝秋也、俺ちょっと、好きな子、できた〟。

今度は逆に典子が訊いた。「秋也くんこそ、あたしが怖くない？　ううん、どうしてあたしを助けてくれたの？」

「そりゃ――」

秋也はまた一瞬考えた。慶時のことを言おうかと。君は俺の一番の友達が好きだった女の子なんだぜ。だから俺、君だけは助けないわけにはいかない。当然だ、そんなの。

これもやめておいた。いつか、ゆっくり話すべきことだ、それは、多分。いつか、があればだけれど。

「典子サン怪我してたしさ。ほっとけるわけないじゃんか。それに俺、典子サンなら信用してるよ、少なくとも。典子サンみたいなキュート・ガールを信用しなかったらバチが当たるよ」

典子がちらっとかすかに笑ったように見え――秋也も少し努力して笑顔を返した。ひどい状況にもかかわらず、笑いの形に筋肉が動くことに少し安心した。

秋也は言った。「とにかくよかった。俺たちだけでも、一緒にいられて」

典子が「うん」と頷いた。

しかし――一体これからどうすればいいのか？

秋也はとにかく荷物をまとめ始めた。仮に一時休息して何か考えを練るとしても、見通しのいい場所

がいい。繰り返しだが、ほかの連中がどんなつもりでいるのかわからない。しかし、少なくとも用心だけは、しなければならなかった。それが現実的だ、ということなのだ。ろくでもない話だが。

地図と磁石、懐中電灯を手元に残した。史上最悪のオリエンテーリングだ、とちらっと思った。

「まだ歩けそうかい?」

「大丈夫」

「じゃあ、もう少し動こう。落ち着ける場所を探そう」

【残り38人】

11

沼井充(男子十七番)は、月明かりに照らされた幅十メートルくらいの狭い砂浜と、その砂浜に迫る林の狭間を慎重に進んでいた。支給のデイパックと自分のバッグを肩からかけ、右手にはそのデイパックの中にあった小型のオートマチックピストルを(これはワルサーPPK九ミリで、このゲームで支給された武器の中ではアタリの部類だったと言ってよい。当節のプログラムで使われる銃器のご多分にもれず、この国の側、対する〝米帝〟ほか敵国側、いずれにもくみしない第三国経由で大量・安価に輸入されたものだった)握り締めていた。充はその銃のモデルガンを見たことがあったので、添付のマニュアルを読むまでもなく、使い方は十分わかっていた。引き金をひく前に撃鉄を起こす必要がないことすら知っていた。弾丸も一箱分ついており、既に装塡していた。

拳銃の感触はささやかな安心感を与えてくれたが、もっと重要なものが左手の中にあった。これも支給された磁石だ。秋也が手にしたのと同じ安物のブリキ製だが、当座の役には立った。充自身より四十分以上早く分校の教室を出る前、彼の偉大なリーダー、桐山和雄(男子六番)が手渡したメモにはこうあっ

たのだ、〝ここが本当に島なら、南の端で待っている〟と。

もちろん――このゲームでは、誰一人として味方になるものはない、それがルールだ。しかし、〝桐山ファミリー〟には、絶対の絆があった。たとえ〝ワル〟というレッテルを貼られていようとも、それがその絆の強さについて何ほどの意味を持つものでもない。

とりわけ、沼井充と桐山との関係には特別なものがあった。なぜなら――現在の桐山和雄をつくったのは、ある意味で充だったからだ。それこそ、七原秋也のような一般の生徒は与かり知らないところだろうが、桐山和雄は――少なくとも中学に上がるまでは、〝不良〟などではなかった。充の知る限り。

充は、初めて桐山和雄に会った日のことを鮮明に憶えている。それは、忘れようとしても忘れられない、鮮烈な、記憶だった。

充自身が小学生のときから相当なワルだった。ただし、暴虐な君主であったことはない。ただ、つまらない家庭に育った彼にとって、そして、勉強もできず何の才能もなかった彼にとって、ケンカをすることが唯一の自己証明だった。〝強さ〟ということだけが、彼の価値基準だったのだ。そして、彼は、その証明をし損ねたことはなかった。

その彼が、中学に上がったその日、町内の他の小学校から入学してきた連中の中の〝はねっかえり〟を押さえ込むことに力を傾けたのに無理はない。もちろん、それ以前にも街の小さな盛り場で出会ったやつらの力量から、他の小学校に大したやつがいないのはわかっていた。しかし、まだ自分のことを知らないやつがいるかも知れない。王は一人でいい、それが秩序というものを保つ方法だから。――もちろん彼がこのような言葉で考えたわけではなかったが、しかし、そういうものだ、ということはわかっていたのだ。

案の定、そういうはねっかえりが二、三おり、そ

れは入学式が終わり、教室でのガイダンスも終わった、放課後、最後の一人を片づけているときだった。

人通りのない美術教室の前で、充はそいつの胸ぐらをつかみ、壁に押しつけていた。既に、そいつの目の上には青痣ができており、目元には半分涙がにじんでいた。全然問題にならなかった。たった二発のパンチで、コトは済んだのだ。

「わかったかよ。いいか、俺に向かってえらそうにするのはやめろ」

そいつは、いやいやをするように首を動かした。要するにもう放してくれと言いたかったのだろうが、はっきり言質をとっておく必要がある。

「わかったのかって訊いてんだよ！」

言いながらぐっとそいつの体を強靱な左腕一本で持ち上げた。

「返事しろよ。この学校で一番強いのは、俺だ。わかったのか？」

充は、なお相手が返事をしないので苛立ってさらに高く持ち上げようとしたが、そのとき、そいつの目が、自分の後ろを見ているのに気づいた。

充はぱっと振り返った。急に手を放されて、締め上げていたやつは床に落ちた。それから、すぐに逃げ出したが、追うわけにはいかなかった。

自分よりずっと背の高い連中が四人、充を取り囲んでいた。着崩した詰め襟の首のところ、バッジは、それが三年生だということを示していた。一目で、〝それ〟とわかる連中だった。つまり、自分と似た生き方をしているやつ。

「坊やさ」薄気味悪い笑みを浮かべたニキビづらの一人が、充に言った。「弱い者いじめしちゃだめだぜ」

肩まで伸ばした茶髪のもう一人が、妙にぶあつい唇を丸めて続けた。「だめじゃないの、このこは」

ちょっとカマっぽいその言い方に、四人全員が声を上げて笑った。きひひひ、という、何だか狂人じみた笑いだった。

「おしおきしなきゃあ」

「そうよねエ」

　またきひひひ、という笑いが上がった。

　意表をついて、充が正面のニキビづらに前蹴りをたたき込もうとする前に、左側にいた一人が充の脚を払っていた。

　尻餅をついた充の顔に、正面にいたニキビづらがいきなり蹴りを入れた。充の前歯が折れ――後頭部が、さっきまで自分が同級生を押しつけていた壁にごん、とぶつかった。頭がくらっとした。自分の頭の後ろを、何か熱いものが濡らす感触が、した。充は四つんばいになって立ち上がろうとしたが、今度は右側のやつにその腹を下から蹴られた。充はぐっとうめいて、一気に胃の中のものを戻した。「キタネエなあ」という声がした。

　くそ、と思った。卑怯な――卑怯な連中――一対一なら、負けやしねえのに――

　そうは思ったが、もはやどうすることもできなかった。もともと自分が、同級生を締め上げるためにひとけのない場所を選んだのだ。教師が通りかかる可能性も少なかった。

　そして、自分の右手首が床に押さえつけられ、そこから伸びた人差し指を一人がていねいに曲げて革靴の下に押さえ込んだとき、充は、生まれて初めて、心底の恐怖を感じた。

――まさか――まさか――

　まさかではなかった。靴底に力が込められ、充の指がぼぎっ、といやな音を立てた。充ののどから、声が絞り出された。味わったことのない、激痛だった。「きひひひ」という笑い声がした。

　充は思った。こいつら――こいつらはアタマがおかしい――俺と似ているなんてとんでもない、こいつらはアタマがどうにか――

　今度は中指がセットされた。

「や――やめ……」

　もはやプライドも何もかも捨てて哀願しようとし

た充の声は無視された。ぼぎっ、と同じ音がして、充の中指はもう、いかれていた。充はまた叫び声を上げた。

「さ、もう一本ぐらいいこうか」

ようやく、そのときだった。

美術教室の戸ががらっと開いて、「静かにしてくれないか」という、それこそ静かな声がしたのは。

一瞬、充は、教師が美術教室にいたのか？ と思った。しかし、それならもっと早くに止めに入っているはずだし、それに、静かにしてくれないか、という物言いはいかにもおかしかった。

それで、充は、背中を押さえつけられたまま、そっちを見た。

そんなに体が大きいわけでもない、しかし恐ろしくハンサムな少年が、そこに、立っていた。手に絵筆を持っていた。

それは、充が、クラスのガイダンスで見た顔だった。自分のクラスメイトなのだ。確か、町外から引っ越してきたとかで、誰もその顔を知らず、しかし、無口で大人しくて、充の目に特にとまることもなかったやつだ。そのお上品な顔からして、どっかのお坊っちゃんだろう、きっとケンカなんてからきしに違いない、相手にするまでもないと思ったやつだ。

だが、入学初日から、そいつは一体美術教室で何をしていたのか？ もちろん、絵でも描いていたのだろう、しかし、そいつはちょっとヘンってもんじゃないか？

そんなことはとにかく、例のニキビづらが、「何だおまえ」とその、少年に近寄っていった。少年の前に立った。

「何だおまえ？ 一年か？ なんでこんなとこにいるんだ？ え？ さっきのもっかい言ってみろよ？ え？」

それで、少年の持っていた絵筆を、床にはたき落とした。筆の毛先に着いていた深い青色の絵の具が、ぴっと散った。

少年が、ゆっくりニキビづらを見上げた。

あとの説明は、要らないと思う。ただ、四人の三年生が、その小さな少年にたたきのめされた（事実、床に転がっていた、動けなくなっていたのだ）。

少年はそのあと充に近づき、しばらく充を見ていた後、「病院に行った方がいい傷だな」とだけ、言った。それで、すぐに美術教室に戻っていった。

充は、しかし、しばらく、床に尻をつけたまま、その四人が転がっている場所を、ぼうっと見ていた。全く違うものを見たのだ、という思いに、とらわれていた。要するに、十年やってもせいぜい六回戦しか戦えないだろう駆け出しのボクサーが、眼前に世界チャンピオンを見たときの驚愕に、それは、似ていた。

天才を、見たのだ。

それ以降、充は、その少年——桐山和雄に仕えることになった。試すまでもなかった。桐山和雄は、自分が一対一なら、と思ったその相手を、四人まとめて片づけたのだ。そして、王は一人でいいし、そうでないものは、それを助けるべきなのだった。これは、彼がもうずっと前に決めていたことだった。というのは、彼が愛読していた少年マンガでは、そういうことになっていたので。

桐山和雄は、不思議な男だった。

一体どのようにしてあのようなケンカの方法を身につけたのか——。充が訊くと、「習ったんだよ」とだけ言い、それ以上何を訊いても答えようとはしない。それで、小学校にいたころはさぞ名前が売れてたんだろうと水を向けると、いや、そんなことはない、という。じゃあもしかして空手かなんかの大会で優勝を？　——それもナシ。また一方、充が初めて会ったその日も、勝手に美術教室に入り込んで、絵を描いていたのだ、と知った。なんでまた？　充が訊くと、桐山は、ただ、「そうしてみようかと思ったんだ」と答えた。そんな、ちょっと不可思議なところも含めて、桐山は、充を惹き付けた（なお、

その絵は美術教室から見た誰もいない中庭の風景で、中学一年生が描いたとはとても思えない出来栄えだったが、充がそれを目にすることはなかった、桐山が描いた後すぐクズカゴに捨ててしまったので）。

とにかく、充は、桐山をいろんなところへ案内した。小さな町、仲間のたまり場の喫茶店や、盗んできたものをストックしてある秘密の場所や、ちょっとやばいものも売ってくれる怪しいバイヤーのところや――。自分はどちらかというとケンカ専門だったのだが、まあ、とにかく、知っている限りのところだ。桐山は、いつも静かな表情で、しかし興味はあるのか、ついてきた。そのうちに、あの日たたきのめした連中以外の上級生や、他の学校の連中や、あるいは高校生とも、ぶつかる場面に出くわすことになった。

桐山は、そのことごとくを一瞬のうちに地に這わせた。充はもう、桐山に夢中になっていた。それは一種、そう、チャンピオンボクサーを育てるトレーナーの喜びに似ていたかも知れない。

しかも、桐山はそれだけではなかったのだ。頭はいいし、何をやらせても秀でていた。酒屋の倉庫やなんかに盗みに入るときにも、実に鮮やかに計画を立て、そして、実行してみせた。桐山のおかげで、充は何度も窮地を救われもした（桐山と一緒にいるようになって警察にパクられたためしがない）。おまけに、親が県内、いや中国四国地方一帯でもトップクラスにランクされる企業の社長だということらしかった。こわいものなしだった。充は、本当に、王に生まれついた男がいるのだ、と思った。きっとこいつは、将来、すごいやつになる、と思った。俺の想像もつかないような、すごいやつになる――と。

ただ、そんなふうに自分たちのグループの首領に桐山を据え、いろんな悪さを繰り返しながら、一度だけ、桐山にこんなことをさせていていいのだろうか、と思ったことがある。桐山は自分の家（屋敷だ、はっきり言って）に充たちが入ることだけは拒み続

けたので（はっきりそうは言わなかったが、雰囲気でそれと察せられた）、桐山の親が一体桐山の行動を知っているのかどうかもわからなかったが、どう考えてもお坊っちゃんの桐山に、悪いことばかり教えるのはまずいのではないか、と。充は、迷った末、それを口に出した。

しかし、桐山は、「いいんだ。こういうのもおもしろいんじゃないか」と言っただけだった。それで、充も、納得することにした。

とにかく――そんなこんなで、自分と桐山は、ずっと一緒にやってきたのだ。王と――よき参謀として。

だからこそ、ことこういう事態に至っても、ほかのクラスメイトならいざ知らず、桐山と自分たちファミリーのメンバーが殺し合うなどということは考えられなかった。だからこそ、桐山も自分たちにメモを渡したのだ。桐山のこと、既に今の状況にどう対応すべきか、頭の中ではとっくに計算されているに違いなかった。あの坂持をどうやって出し抜き、ここから逃げ出すのか。桐山和雄が本気になったら、政府なんてメじゃないはずだ。

――そんなふうに考えながら、分校を出て南へ約二十五分ばかり進んでくるうち、一度だけ、人影を見た。分校の南東にあったごちゃごちゃした集落の方へ消えたそれは、恐らく倉元洋二（男子八番）だったのではないかと思う。もちろん、緊張しなかったわけはない。出発した分校の外、既に天堂真弓と赤松義生が死んでいるのを見たのだから。ゲームは始まっているのだ。

しかし、充は、とにかく桐山との約束の場所に急ぐことにした。ほかのやつのことなんて、どうでもいい。要は、自分たちがこれから逃げ出すことだった。

南へ向かうに連れて遮蔽物が少なくなり、充の体と心はますます張り詰めていた。今や学生服の下、全身を冷や汗が濡らし、やや短いパーマをかけた髪

の中からも、額に汗が流れ出していた。

少し先で海岸線が向かって右、西へ向かって湾曲しており、そのカーブの途中に、ごつごつした岩が山の方から東へ突き出して、海の中に没していた。恐竜だか怪獣だかが背中だけ出して埋まっているかのようだった。岩は充の身長よりもだいぶ高く、その向こうは見えない。顔をちらっと海に振り向けると、横たわる暗い水の連なりの向こうに、島や――あるいはもっと大きな陸地を示す小さな明かりがいくつも見えた。恐らく、これは瀬戸内海のどこかの島――それだけは間違いなかった。

充は慎重に辺りを見回してから、砂浜と林の境界線を離れ、月明かりの下に身をさらして、岩場に歩み寄った。きつい傾斜を示す岩にとりつき、登り始めた。岩は冷たい、なめらかな感触で、右手の拳銃と肩の荷物が邪魔になって登りにくかった。

苦労して岩の上まで上がると、岩の幅はわずかに三メートルばかりで、さらに向こうには、また砂浜が広がっているのがわかった。充は岩の向こうに降りようと足を踏み出しかけた。

「充」

背後から突然声がかかり、充は一瞬飛び上がりかけた。反射的に振り返りながら右手の銃を持ち上げかけ――

ほうっ、と息をついた。銃口を、下ろした。

盛り上がった岩の陰に、桐山和雄がいた。岩のでっぱりに腰を落として。充は「ボス――」と、安堵の声を出した。

だが――

充はその桐山の足元、三つの塊が転がっているのに気づいた。

闇に目をこらそうとし――すぐにその目を見開くことになった。

その塊は、人間だったので。

仰向けになって天をにらんでいるのは笹川竜平(男子十番)、横向きに体を曲げて横たわっているの

は黒長博（男子九番）、紛れもない、充と同じ、桐山ファミリーのメンバーだった。もう一人はセーラー服の女で、俯せになっていてよくわからなかったが、どうやら金井泉（女子五番）であるらしかった。そして、――三人の体の下には、水たまりがあった。黒く見えるけれど、充にはもちろんわかった、陽の光の下で見たら、その水たまりは大東亜共和国の国旗に使われるのと同じ、クリムズン・レッドなのに、違いなかった。

充は何が何だかわからないまま、震え上がった。

一体――一体これは――

「ここが南の端だ」

桐山はオールバックの髪の下から、いつもの冷静な目で充を見上げた。試合後のボクサーがガウンをまとうように、学生服の上着を、袖を通さず肩から羽織っていた。

「こっここ、こいつは――」充のあごががくがく震え、それが声に伝わった。「こいつは、い一体――」

「これかい？」桐山はごくごくプレーンな（しかし上等な）ストレイト・チップの革靴のつま先で、手近にあった笹川竜平の体をちょんと蹴った。自分の胸の上にあった竜平の右腕がぶうんと二の腕の長さの半径の弧を描いて、ぴしゃっと水たまりに落ちた。小指と薬指が水たまりの中に入って、見えなくなった。

「俺を殺そうとしたんだよ。黒長も――笹川も。だから俺が――やったんだ」

まさか――。

充は耳を疑った。黒長博は特に何の能もない、ただグループにくっついているだけのやつだったし、それだけに桐山和雄には絶対の忠誠を誓っていた。笹川竜平はやたら虚勢を張りたがるちょっと粗暴なやつだったが（ときどき赤松義生辺りのケツを蹴りたがるのを止めるのに苦労した）、しかし、一度弟の万引きが見つかったときに桐山のコネで警察に手を回してもらって以来、桐山にはひどく感謝してい

たのだ。その二人が桐山を裏切るというようなことが――

そのように考える充の体の周りに、気がつけば、ものすごい、ねばねばしたものがまとわりついていた。血だ。血の匂いだ。あの分校の教室で嗅いだ国信慶時の血の匂いよりも、それは数段凄まじかった。量が違うのだ。多分、風呂桶いっぱいぐらいの血がここにはぶちまけられているに違いなかった。

その匂いに気圧されるように、充はがくがく頷いていた。確かに――そうだ、一人の人間が何を考えているかなんてわかったものじゃない、それに、黒長も笹川も、自分が殺されるかも知れないという状況で、頭がおかしくなったのかも知れない、要するに、連中はそれだけの小物だったのだ。この約束の場所に現れはしたが、不意をついて桐山を倒そうとしたのだ。

だが――もう一つの死体に、充の目がくぎづけになった。俯せに転がっている金井泉は、小柄な、かわいらしい女の子だった。町議の娘で（まあ、この極端な中央集権官僚国家で町議、町評議会議員というのは何の実権も無いただの名誉職だが）、町内でも、桐山ほどじゃないにせよ、五本の指に入るぐらいの金持ちのお嬢さんだった。しかし、気取ったところはなく、充自身、ちょっとかわいい女だな、と思ったことすらある。もちろん、身分違いの恋に身を焦がす、なんてことをするほどばかではなかったが。

その金井が――

充は、何とか口を動かした。

「そ、その、ボス、その――金井は――」

桐山の、冷たく冴えた目がじっと自分を見ていた。その視線に気圧され、充は自分で回答を探し出した。

「か、金井も――金井もボスを殺そうとした――のかい？」

桐山は頷いた。

「たまたまここにいたんだ、金井は」

充は少し躊躇したが、しかし、もしかしたらそういうことだってないわけじゃない、と自分を無理やり納得させた。現に、ボスがそう言ってるじゃないか――。

すぐに勢い込んで言った。

「おっ俺は大丈夫だよ、ボスを殺そうなんて思ってない。こ、こんなろくでもないゲームなんてクソくらえだ。坂持とあの専守防衛軍の連中をやるんだろう？　やるぜ、俺は――」

もちろん、〝禁止エリア〟とやらのおかげで、もうあの分校には近づけない。坂持がそう言った。しかし、桐山のこと、それに対処する方法ぐらいは既に考えているはずだった。

しかし、充は、言葉を止めた。桐山が首を振っているのに気づいたのだ。

口の中、妙にねばつき出した舌を動かして、続けた。「じゃ、じゃあ脱走するんだな、ここから？　いいぜ、船を探して――」

桐山が「聞いてくれるかな」と言ったので、充はまた言葉を切った。

桐山が、それで、続けた。

「俺は、どっちでもいいと思っていたんだ」

そのようにそれは聞こえたが、充は、また目をしばたたかせざるを得なかった。桐山の言う意味がわからなかった。桐山の目の表情を読み取ろうとしたが、それは顔にできた影の中、相変わらず静かに光っているだけだった。

「――ど、どっちでもいいって？」

桐山は少し首を伸ばすようにあごを夜空へ向けて持ち上げた。月が明るく輝いていて、端正な桐山の顔に微妙な陰影をつくった。

その姿勢のまま、桐山が言った。「俺には、時々、何が正しいのかよくわからなくなるよ」

充にはますますわけがわからなかったが、そこまで聞いたとき、全く別のあるものが、頭をかすめた。何かが足りない、という感じ。

そして、その正体に気づいた。

自分や、そしてそこに転がっている笹川や黒長と同じ、ファミリーの一員のはずの、月岡彰（男子十四番）が、いなかった。自分より先に出たはずのあいつが――なぜ――

もちろん、月岡彰は脅えてここまでたどり着くのに手間取っているだけかも知れない、あるいは、もしかしたら、ここまで来る間に誰かにやられたのかも知れない、しかし――その事実は、極めて不吉な感じがした。

桐山が続けていた。「今回もそうだ。俺にはわからない」

言葉を吐き続ける桐山は、不思議にとても、哀しそうに見えた。

「とにかく」

桐山が充に向き直った。そしてそこから、桐山の口調が、どこかにアレグロのサインでも見つけたようにこころなしか早まっていったのだ。

「俺はここに来た、金井がいた、金井は逃げようとした、俺はとりあえず金井をつかまえた」

充はごくりと唾を飲んだ。

「そこで俺はコインを投げたんだ。表が出たら坂持と戦う、そして――」

桐山の言葉が終わらないうちに、充はようやく気づいていた。

まさか――そんな――

信じたくはなかった、そんなことはないはずだった、桐山は王であり、自分はそのよき参謀であったのだから。それは永遠に変わらない忠誠と、そして恩寵であるはずだったのだから。そう――桐山の今の髪型――オールバックのその髪型だって、自分のあの日の指の骨折が癒えたそのころ、桐山に勧めてそうさせたのだ。「その方がいいよ、コワそうでさ、ボス」。そして、桐山は、ずっとその髪型を変えていない。それは、つまらないことではあるけれども、しかし、充にとっては、自分と桐山の関係を示す一

つの象徴だった。

だが――充はようやく気づいたのだ、もしかしたら、桐山は、もっと別の髪型にするのがただ、めんどうなだけだった、のではないのか？　ほかにいろんなことを考えるあまり、そんなことには特に構わなかっただけではないのか？　いや、それだけじゃない、確かに自分たちと桐山はずっと一緒に行動し、自分はそれを一種神聖なチームスピリットだと思っていたけれど、桐山にとっては、それは、ただの気慰みか、あるいは〝ただの〟――そう、ただの経験、何の感情も伴わない、ただの経験に過ぎなかったのではないか？　そう、桐山自身がいつか言ったではないか、こういうのもおもしろいんじゃないか、と。

今、充の脳裏に、随分前からたった一つだけ気がかりだったことが蘇っていた。それはずっと、大したことではないと思って、ずっと心の隅っこで埃をかぶらせていたことだった。つまり、
彼は、桐山和雄の笑顔を一度も見たことがなかったのだ。

充の次の思考は、さらに核心に迫っていたかも知れない。

――そして、確かに頭がよくいろんなことを考えているふうに見えた、いや、それはその通りだと思う、しかし、その心の奥、実は、自分などには想像も及ばない深い闇が、あったのでは、ないだろうか？　いや、それは、闇というのもふさわしくない、全くの無、何もない空間――が――

あるいは、月岡彰は、もしかしたら、そのことに、気づいていたのだろうか。

もう、そこまで充の思考が及ぶ余裕はなかった。充の全神経は、右手に下げたワルサーＰＰＫ、その引き金にかかった人差し指（そう、あの日折られたそれ）に集中していた。

潮風が舞い、血だまりから立ち上る匂いがそれに混じった。打ち寄せる波の音が、続いていた。

充の右手の先、ワルサーＰＰＫの銃口がぴくりと

動き——しかしそのときにはもう、桐山が、肩から羽織った学生服を揺らしていた。

ぱららっ、と小気味よい音がした。もちろん全く音の質は違うが、一分間に九百五十発のスピードで火薬を発火させるその音は、一種、骨董屋で見つかるような昔風のタイプライターに感じがよく似ていた。金井泉、笹川、黒長の三人はナイフで絶命していたので、それは、このゲーム開始以来、島に初めて響いた銃声となった。

充はまだ立っていた。学生服の下、よく見えなかったが、腹から胸にかけて、四つの、指が入るぐらいの穴が開いていた。一方の背中側には、缶詰でもしまっておけそうな大きな穴が、こちらはどういう加減か、二つ、開いていた。ワルサーPPKを握った右手は、腰の辺りで揺れていた。目はどこか、北極星の辺りを見つめていたが、月明かりのさやかなその日は、多分その星は見えはしなかった。

カステラか何かの箱に握りをつけただけのような無骨な金属の塊——イングラムM10サブマシンガンを手中にした桐山が言った。「裏が出たら、このゲームに乗ると——」

その桐山の言葉を待っていたように、充がどっと前のめりに倒れた。体が完全に水平になった後、頭が岩にぶつかって、一度だけ、五センチばかり跳ね上がった。

桐山和雄は、しばらくじっと座っていた。それから、すっと腰を上げると、沼井充の死体に近寄り、弾痕がうがたれたその体に、左手指の先でそっと触れた。何かを確かめるように。

ただし、彼が何かを感じていたわけではない。良心の呵責だとか、哀惜だとか、同情だとか——それらの感情の何一つ、感じていたわけではない。

彼は単に、銃弾が入った後の人間の体について、知りたかった——否、〝知るのも悪くないと思った〟のだ。

ほどなくその指を戻し——それから、桐山和雄は、

その同じ指をつと左のこめかみ——正確にはその少し後方へ、上げた。知らないものであれば、それは単に、オールバックの髪のほつれを直しているように見えたかも知れない。

しかし、そうではなかった。それはある奇妙な感覚——痛みでもない、痒みでもない奇妙な感覚であって、それがほんのときたま、年にほんの数回ばかり生じた際に反射的にそこに触れてしまう指先の感触とも対をなして、桐山本人にはなじみ深いものだった。

ただ——〝親〟の施した徹底的な特殊教育のもと、この歳にして、既におよそ世界中のほとんどありとあらゆることを知っていた桐山も、その感覚の原因だけは、知らなかった。無理もなし、そこにあった傷は桐山が自分で鏡を見てみるころにはほぼ完全にその痕跡を消していたし、即ち、自分がなお母親の胎内にあったころ、その傷を生ぜしめたある特異な事故によって自分が死にかけたことも、無論それで母親の方は即死したことも、月満ちる寸前だった自分のその頭蓋に食い込んだ鋭利な破片をめぐってある高名な医師と父親が交わした会話も、あるいは、父親も、そして完璧なオペを遂行したと自負したその医師も与かり知らぬところ、その破片が抉り取ったほんの微細な神経細胞のひと塊のことも、今は昔の話。医師はほどなく肝臓を患って死に、父親、つまり彼の〝本当の父親〟もこれまた複雑な事情から今はこの世におらず、彼にそうしたことごとを話してくれる者は、もはや誰もいなかったのだから。

ただ、一つだけ確かなことがあるとすれば、——桐山本人には当たり前のことだったし、彼本人がそれをそのように特に認識したわけではないにせよ、いや、そういう認識そのものが不可能だったとも言えるのだが——こういうことだ。

彼、桐山和雄が今、沼井充を含めた四つの死体を前に良心の呵責だとか、哀惜だとか、同情だとか、それらの感情の何一つ、感じているわけではなく

――いやそもそも、そのように〝生まれ落ちた〟ときからこれまで、彼が何かを感じるなどということがありえた例しは、なかったと。

【残り34人】

12

桐山らとはちょうど反対側、島の北端は、切り立った崖が海へ向かって落ち込む急峻な地形だった。高さはざっと二十メートル。崖の上には小さな広場が開け、生え放題の草が冠のように覆っている。打ち寄せる波の音が崖を伝い登り、波のかけらが小さな霧となってかすかな風に舞っていた。

小川さくら（女子四番）と山本和彦（男子二十一番）は、その草に覆われた崖の端に、並んで腰を下ろしていた。月明かりが二人を照らしている。二人の脚の膝から下は、ぶらんと崖の下へ向かって投げ出されていた。さくらの右手と和彦の左手が、そっと重ね合わされていた。

二人の周りには支給のデイパックと荷物が転がっていた。二個の磁石も。桐山らが島の南端で待ち合わせたのと同じように、さくらが和彦に握らせた紙片には（〝私たちは殺し合いをする〟の隣に）〝北の端で〟とあったのだった。この場合、桐山らと方角がかちあわなかったのは、一応幸運だったということになるのだろう、少なくとも、二人は二人きりで話し合う時間を持つことができた。和彦のズボンのベルトにはコルト社の357マグナムリボルバーが差し込まれていたが、和彦は既にもう、それを使うこともないという予感がしていた。

「静かね」

さくらが呟いた。女の子にしてはかなり短く切り詰めた髪の下、広い額に始まる美しい横顔のラインがそっと笑顔をたたえているように見えた。背が高く、全体にスリムな印象の体、いつものように背筋がすっと伸びている。さっき和彦がようやくそこに

たどり着き、二人がしばし抱き合ったときには、その体は傷ついた小鳥のように小刻みな震えを伝えてきたのだけれど。

「ああ、そうだな」と和彦は答えた。少し鼻梁が太い以外は端正に整った顔をまた、さくらから前方に戻した。月明かりの下、黒々とした海が広がり、その中に点々とさらに黒い島影が、そしてその向こうにはもっと大きな陸地がうかがえた。島にも陸地にもきらきらと明かりが灯っていた。大きな陸地は多分、本州の方だと思う。午前三時半、少し前。闇の中に浮かぶ光のその狭間では、さまざまな人たちの安らかな眠りが続いているに違いなかった。あるいは、夜更かししている自分たちと同年輩の受験生もいるかも知れない。そんなに遠くには見えなかったが、しかしもはや、今の二人には手の届かない世界だった。

和彦は少し手前に視線を引き寄せ、島の沖合い二百メートルほどのところに小さな黒い点があるのを認めた。どうやらそれは、坂持が言っていた〝逃げ出した人を撃ち殺す大事な役目の船〟らしかった。普段は夜間でも船の航行がひきもきらない瀬戸内海のはずなのに、他の船影が発する光は周辺には全く見えない。政府が航行制限をしているのだろう。

悪寒がしたが、和彦はその黒い点から目を引きはがした。自分が分校を出るとき、天堂真弓と赤松義生の死体を見た。さらには、ここにたどり着くまでに、どこか遠く、銃声のようなものすら聞いた。ゲームは始まっており、それは最後まで続くだろう。そのことも先程さくらと話したけれど、しかしそれも、もうどうでもいいような気がした。

「これ、ほんとにありがとう」

さくらが和彦とつないでいる手とは反対側の手に握った小さな小さな花束を見つめて言った。和彦がここにたどり着く途中で見つけて適当に手折ってきた、シロツメクサか何か、そんなふうな花の何本かだった。ひゅうと細い茎の上にチアガールのポンポ

ンみたいに小さな花弁が密集している。あまりぱっとした花ではないが、とりあえずこれしかなかったのだ。

　和彦は笑ってみせた。「どういたしまして」

　さくらはその小さな花束にしばらく目を落としていたが、そのうちに、言った。

「私たち、もう二人で一緒には帰れないのね。もう、二人で街を歩いたり、アイスクリームを食べたり、できないのね」

「いや――」

　和彦が言いかけるのを、さくらが幾分強い調子で遮った。「抵抗できないのよ。私はよく知ってるの。私のお父さんは政府のやり方に反対していたらしいわ。そしてある日――」

　さくらの体がぶるっと震えるのが、つないだ手を通して和彦に伝わった。

「警官が来て、お父さんを殺したわ。逮捕状とか、そんなんじゃなかったわ。何も言わずに、ただ撃ち殺したの。今でも憶えてるわ、うちの狭い台所の中だった。小さな私はテーブルについていたの。お母さんが私を抱き締めていた。そして、それからずっと、私はそのテーブルでご飯を食べ続けて、大きくなってきたの」

　さくらが和彦の方に顔を向けた。

「抵抗なんてできないのよ」

　付き合って二年を過ぎるけれども、初めて聞く話だった。ほんのひと月前、その、まさにさくらの家で初めて体を合わせた後も、さくらはそんな話はしなかった。

　和彦は、ほかに言うべきことがあるのかも知れないと感じながらも、言った。我ながら陳腐なせりふ。

「つらかったね」

　しかし、さくらは思いがけなく、小さく、にこっと笑った。

「優しいね。和くん、ほんとうに優しいんだ。私は、和くんのそういうところが、とても好きよ」

「俺だって君が好きだ。めちゃくちゃ好きだよ」

和彦は、もし自分がこんなにも幼く、口べたでもなかったなら、そのことについて説明したかった。さくらの表情や言葉、あるいは優しいしぐさ、一点の汚れも無い美しい魂がどんなに自分に響いたか。彼女の存在それ自体が自分にとって大切なものとなっていたか。でも、うまく言えそうになかった。彼は何といってもまだ中学三年生に過ぎなかったし、ことに国語の点数はよくなかったのだ。

「とにかく」さくらが目を閉じ、少し、ふっきれたように息を吸い込んだ。吐いた。「私はあなたに会っておきたかったの」

和彦は黙って聞いていた。

さくらが続けた。「これから、恐ろしいことが起こるわ。いや、さっきのあなたの話だと、もう始まっているのね。昨日までみんな友達だったのに、――殺し合うのね」

さくらが自分でそう口にして、またぶるっと震えた。さくらの手から和彦の手へと、再びそれが伝わった。

さくらはその和彦に、恐れと――あるいは自分たちを見舞ったこのろくでもない運命への皮肉が入り交じったような、複雑な感じの笑みをみせた。「私は耐えられない、そんなのは」

そうだ、もちろんそうだろう。さくらは、とても優しい女の子だった。和彦が知っているどんな女の子よりも、そうだった。

「それに――」さくらがまた口を開いた。「私たち、もう二人一緒には帰れないわ。万一私たちのどちらかが帰れるとしても、一緒には帰れないわ。それで私は――たとえ万一私が生き残っても、あなたがいないなんて耐えられない。だから――」

さくらはそこで言葉を切った。和彦には、さくらが何を言おうとしたのかわかっていた。だから、死ぬわ、私。ここで。誰にも邪魔されないうちに、あなたの前で。

さくらはその先は言わず、代わりに「でもあなたは生きて」と言った。

和彦は苦笑いし、それからぎゅっとさくらの手を握って、首を振った。「そりゃひどいぜ。俺も同じだ。たとえ俺が生き残っても、君がいないなんて耐えられない。俺をひとりぼっちにしたりしないでくれ」

それで、和彦の目を覗きこむさくらの大きな目から、ふいにぽろっと涙がこぼれた。

さくらは和彦から顔をそむけ、シロツメクサの花束を握った左手で目を拭うと、ちょっと唐突なことを言い出した。

「この間のあれ、見た？　木曜九時のやつ。『今夜、いつもの場所で』最終回」

和彦は頷いた。民放のDBS系のドラマで、このことを言ってるのだろう。大東亜共和国のテレビ局がつくるドラマのこと、たわいもないラブストーリーではあるのだけれど、でも、中々よくできた話で、ここ数年ではダントツの高視聴率をとったらしかった。

「ああ。見たよ。さくらがイチオシで見ろっていったじゃんか」

「うん。それで、あのね、――」

さくらが言うのを聞きながら、和彦は思った、ああ、こういうのは、いつも自分たちが話していたことだ。ごくありふれた、無意味な会話だが、それでもとても幸福だった。さくらは――最後までいつもの二人でいたいんだな。

そう考えると、和彦も不覚にも泣きそうになった。

「それで、主役の二人が結ばれるのはいいのよ、お決まりなんだから。でも、美樹の友達のみずえって子が――北川安奈がやってる役よ。みずえがどうして好きになった人のこと追いかけなかったのかって、私そこだけが不満だったな。私だったら、絶対あそこで追いかけてた」

和彦はにやっと笑ってみせた。

「さくらならそう言うだろうと思ってたよ」

それで、さくらも、照れたようにふふっと笑った。

「和くんには何でもばれちゃうね」

さくらはそれから、とても幸福そうに言った。

「私、中学に入って、初めて和くんと同じクラスになったときのこと、今でも憶えてるの。あなたは背が高くて、かっこよくて、でも、それ以上に思ったわ、この人はきっと、私をわかってくれる人だって。私のことを、心からわかってくれる人だって」

「俺、うまく言えないけど」

和彦は、唇を口の中にちょっと巻き込み、考え続けた。

「うまく言えないけど、同じように感じていた、多分」

うまく言えた。

それから、少しさくらの方に体を傾けた。左手はさくらの右手とつないだまま、右手をさくらの肩に伸ばした。

二人は体をそのまま寄せ合って、口づけを交わした。ほんの数秒、いや、数十秒だったのか、いや、あるいは永遠？

それでも、二人は唇を離した。二人の耳に、がさっという音が、届いていた。背後の茂みから。明らかな人の気配。そして、それは合図だった。お客さん、もう列車が出ますよ。早く乗ってよね、ほんと。

もう言うべきことはなかった。そう、抵抗することもきっとできるだろう。銃を握り、背後の何者かに立ち向かうこともできるだろう。でも、それは彼女が望んでいることじゃない。彼女が望んでいることは、くそやくたいもない殺し合いに巻き込まれる前に、静かにこの世界から消えることだ。彼女は、彼にとって何より大切なものだった。もはや何ものとも引き換えにできなかった。その彼女の震える魂が、望んでいる、だったら自分はそれに従う。彼にもうちょっと作文の能力があったら、それを、〝彼女の価値観に殉じるのだ〟というように認識したかも知れない。

二人の体が、断崖の向こう、黒々とした海を背景に、空に踊った。手をしっかりつないだまま。

茂みの中から半分だけ顔を突き出し、内海幸枝（女子二番）は、息を呑んでその光景を見守った。彼女には、誰かを、少なくとも自分の方から傷つけようなどという気は毛頭なかったので、自分が立てた物音が二人に出発時刻を知らせたなどということは、思いもよらなかった。ただ、クラスで一番のカップル、その二人の体が、並んで、草に覆われた崖の向こうに消えるのを、茫然と見送っていた。切り立ったその岩壁に波が打ち寄せる音が静かに続き、ゆるやかな風に吹かれて、さくらの手からこぼれたシロツメクサの小さな花が草の上を転がった。

背後から、谷沢はるか（女子十二番）が「どうしたの、幸枝？」と訊くのが聞こえても、幸枝は、しばらくただ、震えていた。

【残り32人】

13

江藤恵（女子三番）は、闇の中に座り込み、膝を抱えて小柄な体をがたがた震わせていた。島の東岸沿いにあるこの島唯一のまとまった集落の外れ近く、一軒の家屋の中だ。電灯は点けられるのかも知れないが、恵はもちろんそんなことを試みはしなかった。恵が身を隠している古びたキッチンのテーブルの下は、窓から射し込む月明かりも届かず、ほとんど真っ暗闇に近かった。その暗さの中では腕時計も確認できなかったが、恵がそうしてそこに腰を落ち着けてから、恐らくもう、二時間ぐらいは経っている。午前四時近くだろうと思えた。遠く小さく、何か花火のような音が聞こえたのは、もう一時間ほど前になるだろうか。だが、恵は、それが一体何であったのかなど、考えたくもなかった。

顔を上げると、窓際に近いところにある流し台の

上、食器棚やケットルが並んでいるのが月明かりでシルエットになって見えた。ここに住んでいた人たちはきっと、政府がどこかの仮設住宅にでも押し込んだんだろう。それはわかっているのだけれど、家の中にまだ漂っている生活の気配は、どこかしら不自然で不気味だった。小さいころ聞いたあの海の怪談——食事や何かをそのままに忽然と乗組員全員が消えてしまったマリー・セレスト号の話を思い出し、恵はあらためてぞっとした。

出発した直後、彼女は自分がどちらへ走っているかもわからない状況だったが、気がつくと集落の中に紛れ込んでいた。とっさに考えたのは、まだ出発している人間はそう多くはないということだった。自分は六番目にあの分校を出た。五人が先に出ているが——たった五人だ。ざっと五、六十軒はあると見える集落の中、どこかの家に飛び込んでも、出くわす可能性はほとんどないだろう。そしてカギをかけて言わば籠城してしまえば——少なくとも、例の禁止エリアとやらの件で動かざるを得なくなるまでは、安全でいられる。〝エリアに入ると爆発する〟という首輪の存在は重苦しかったが、それはいかんともしがたかった。坂持がこうも言ったのだ、〝外そうとしても爆発しますよ〟。とにかく、重要なのは、禁止エリアとその時間を告げる坂持の定時放送を聞き逃さないことだった。

そう考えて手近な家屋に入ろうとした恵だったが、一軒目はカギがかかっていた。二軒目も同じだった。三軒目に至って結局、裏庭のサッシ戸を転がっていた石で割った。あんまり大きな音がしたので思わず縁側の下に伏せたが——誰も近づいてくる気配はなかった。中へ入り、その戸だけはカギをかけても仕方がなかったので、苦労して雨戸を閉めた。閉めて真っ暗闇になったその瞬間も、たちの悪いおばけ屋敷に紛れ込んだような気分になったが、それでも支給の懐中電灯を持って家の中を探し、しっかりした釣竿を二本見つけて、それで雨戸につっかい棒をし

た。

　そして今、キッチンのテーブルの下にいる。殺し合いなんて、とてもできない。けれどももし——もし、ここ（地図で確認すると、この集落のほぼ全体がH＝8というエリアに含まれていた）が最後まで禁止エリアに含まれることがないならば、自分は生き残れるかも知れなかった。

　しかし——。恵は、相変わらず体を震わせながら、考えた。それは、とても恐ろしい。もちろん——このゲームのルールでは全員が敵だし、誰をも信じられるかというと、とてもそんなのは無理だ。だからこそ、ここで自分は震えている。——けれど、けれど、そのとき、ゲーム終了の笛が鳴ったとき、もし自分が生き残っていたとしたら、当然、後のみんなは死んでしまったということになるのだ。親しい何人かの友達（稲田瑞穂や南佳織だ）、あるいは恵がその顔を思い浮かべるたびどきどきする、七原秋也すらも。

　恵は闇の中、膝を引き寄せて秋也のことを思った。一番恵をとらえたのは、秋也のその声だった。少しかすれた、高くも低くもないトーン。彼はほんとうはロックとかいう禁止されている音楽が好きらしく、音楽の時間、政府や総統を持ち上げる歌を歌っているときにはとても不満そうな表情だったけれど、それでも、その歌のうまさは格別だった。アドリブでギターを奏でるその音ときたら、恵が聞いたこともない、体が自然に踊りだすようなリズムで、それにもかかわらず、何か美しい教会の鐘が鳴っているような軽やかさだった。そしてウエーブのかかった長めの髪（「ブルース・スプリングスティーンの真似なんだ」と秋也はいつか言っていたが、恵には何のことだかさっぱりわからなかった）、少しねぼけたような感じの（かわいらしい猫みたい、と恵は時々思った）二重の優しい目。小学校のころリトルリーグの中心選手だったというだけあるしなやかな身のこなし——。

秋也のその顔や声を思っていると、少し体の震えが止まった。ああ、今、七原秋也がそばにいてくれるのなら、どんなにいいだろう——。

そして——そして、自分はなぜ、秋也に想いを告げておかなかったのだろう。ラブレターで？　どこかに来てもらって面と向かって？　それとも電話ででも？　今となっては、それすらかなわない。

そこまで考えて、恵の頭に何かが引っかかった。

電話。

そう、坂持が言っていた、家に入っても電話は使えないぞ、と。しかし——

恵は慌てて、支給のデイパックと並べて置いてあった自分のナイロンバッグを引き寄せた。ジッパーを開き、必死で着替えや洗面用具をかき分けた。引き出した手の先に、四角い、硬いものが触れた。

携帯電話だった。恵の母親が、旅行中に何かあったら困るしと（何かあったどころじゃないが）、これを機会に買い与えてくれたのだ。確かに、クラスでも一人か二人だけが持っている携帯電話は羨ましかったし、何か自分だけの秘密の通路を手に入れるというような感じは心踊るものでもあったが、一方で、恵は、前々からどうにもうちの両親は過保護なんじゃないかと思っていたし、ママは心配性だなあ、中学生にこんなの要らないのにとも思いながら、ぴかぴかのその電話をバッグの奥へと詰め込んで、今の今まですっかりその存在を忘れていたのだった。

恵は震える手で電話のフリップを引き開けた。

自動的に着信待機状態から発信待機状態に切り替わり、小さな液晶のパネルとダイヤルボタンに、ぽう、と緑色の明かりが灯った。その明かりで恵には自分のスカートの膝や荷物が見えたが、それより何より、まごう方ない、パネルには、通話可能を示すアンテナと電波のマークがきちんと表示されているではないか！

「ああ——神様——」

恵はもどかしくダイアルボタンを押した。城岩町の自宅の番号。0、8、7、9、2、――。

一瞬の沈黙の後、電話に押しつけた恵の耳に呼び出し音が届いてきた。恵の胸に希望が膨れ上がった。

一回、二回、三回。早く出て。パパでも、ママでもいい。そりゃあ非常識な時間だけど、娘がとんでもないことになってるのは知ってるはずよ、早く――。

ぷつっと音がして、『もしもし』という声が聞こえてきた。

「ああ、パパ!」

恵は窮屈な姿勢のまま目を閉じた。安堵でほとんど気が狂いそうだった。あたしは助かる、助かるんだ!

「パパ! あたし! 恵! ああパパ! 助けにきてほしいの! パパ、助けに来て!」

ほとんど錯乱状態で電話に向かって喚き続けた恵だったが、相手が何も言わないのでふと我に返った。

何か――おかしい。何か――どうしてパパは――いいえこれは――

ようやくその電話が言った。『パパじゃないよ、江藤。坂持だよ。電話、使えないって言ったろ、江藤』

恵はひっとうめいて、電話を放り出した。それから慌てて、床に落ちたその電話をほとんど叩きつけるように、通話終了ボタンを押した。

心臓がどくんどくんと脈打ち、そして、恵の胸はもう一度絶望に押しひしがれていた。ああ――だめだった――やっぱりだめだった――あたしここで――死ぬんだわ――死ぬんだわ――

しかし、恵のその心臓は、さらにもう一段階ジャンプさせられることになった。

かしゃん、という音が耳に届いてきたので。

ガラスの割れる音だった。

恵は顔をさっと音の方に振り向けた。さっき施錠をチェックした居間の方だった。誰かが来たのだ、

誰かが！　どうして？　家はいくつもあるのにどうしてここに！

恵は慌てて、ぼんやりした緑色の光を放っている携帯電話のパネルを閉じた。ポケットに押し込み、デイパックの上に置いてあった支給の武器──両刃のダイヴァーズ・ナイフをプラスチックの鞘から出して握った。逃げなくちゃならない、一刻も早く。

しかし、体は硬直して動かなかった。恵はただ、息をひそめた。どうか、どうか、どうか神様、この心臓の音が聞こえませんように。

窓が開く音、また閉じる音、そしてそろそろと動く静かな足音が聞こえてきた。

足音は、しばらく家の中をあちこち歩き回っている様子だったが、やがて、まっすぐ恵のいるキッチンに近づいてきた。恵の心臓がますますどきどきと高鳴った。

細い懐中電灯の光が、さっとキッチンに射し込んだ。流しの上のヤカンや鍋の上を、その光が滑った。

ふう、と息をつく音がした。「よかった、誰もいないのね」その誰かが言った。

足音はそのままキッチンに入ってきたが、その声で、恵はほとんど恐慌状態に陥っていた。誰か親しい友達だったら、話し合えるかも知れないなどというあえかな望みは、木っ端微塵に打ち砕かれていた。なぜなら──それは、〝あの〟相馬光子（女子十一番）の声だったからだ。学校一の不良少女、愛くるしい天使みたいな顔だちをしているくせに、先生たちなんか視線一つで震え上がらせるあの相馬光子の。

恵にとって相馬光子は、いろいろ噂のあるあの桐山和雄や川田章吾以上に恐ろしい存在だった。それは、光子が恵と同じ女だったからかも知れないし、そう、二年になって初めてクラスが一緒になったとき、恵自身が光子のグループの清水比呂乃にちょっといじめられたことがあったからかも知れない。廊下で近くを歩いていたら足をかけられ転ばされたり、スカートをカッターで切られたり──。最近は比呂

乃がもう恵なんかに興味をなくしたのかそんなこともなくなっていたし（それでも三年に上がるとき、クラス換えがなかったのは憂鬱だった）、光子自身は恵をいじめたりはしなかったけれど、しかし、光子はその比呂乃すら逆らえない相手なのだ。

そう——相馬光子なら、自分なんかは喜んで殺してのけるだろう。

恵の体が再び小刻みに震えはじめた。ああ——なんてこと、やめて、震えないで——音が伝わったら——。恵は自分の体を両腕でぎゅっと抱き締め、懸命にそれを押さえ込もうとした。

恵のいるテーブルの下から、懐中電灯を握った光子の手と、その光に浮かび上がったスカートの腰の辺りが見えていた。流し台の抽出しを、ごそごそ探る音がした。

早く——どうか早く出ていって——。少なくともこの部屋から出てくれたら——そう、あのおふろ場の方へ走ればいい。あそこなら中から施錠できるし、窓から逃げられる。どうか早く——。

るるるるる、といきなり電子音が響き、恵の心臓がほとんどのどの後ろまで跳ね上がった。

相馬光子も、びくっと震えたようだった。さっと懐中電灯の光が消え、光子のスカートのラインも消えた。すっと部屋の端へ動く気配がした。

恵は、電子音がポケットから出ているのに気づくと、慌てて携帯電話を引っ張り出した。ほとんど何を考えることもできず、反射的にフリップを開いた。ボタンをめちゃくちゃに押した。

声が流れ出した。『えーと坂持だけど、それと江藤さ、電源切っといた方がいいよ、この電話。先生がこうやって電話したりしたらさ、江藤の居場所がほかのみんなにばれちゃうだろ？　な？　だから——』

恵の指が通話停止ボタンを探り当て、坂持の声はぷっつり切れた。

息苦しい沈黙が、しばし続いた。それから、

「恵?」という光子の声がした。「恵なの? そこにいるの?」

光子は闇に沈んだキッチンの隅にいるようだった。恵は床に携帯電話をそっと置き、ナイフだけを握り締めた。その手はなお震えていて、ナイフはまるきり自分の手から逃げ出そうとする魚か何かのように思えたが、しかし、強く、強く、握り締めた。

光子の方が恵より背は高いが、力ではそんなに遜色ないはずだった。光子の〝武器〟は——まさか拳銃とか——いや、それなら光子はもう、自分のいる辺りへ向けて撃っているはず、拳銃でないのなら——勝ち目はある。そうだ、殺さなければならない、殺さなければ、光子は自分を殺すに違いなかった。

殺さなければ。

かちっと音がして、再び懐中電灯の光が戻ってきた。テーブルの下に光が射し込み、恵は一瞬目がくらんだ。しかし、今だ——立ち上がり、光の奥に向かって、ナイフを伸ばせばいい。

しかし、恵のその考えは、予想もしなかった展開で唐突に中断させられることになった。

懐中電灯の光が低い位置に落ち、その光の中、相馬光子がぺたんと床に腰を落として自分を見つめていた。光子の目から、涙がこぼれていた。

「よかった——」ぶるぶる震える唇がようやく動いて、その弱々しい言葉を押し出した。「あたし——あたし——とても怖くて——」

光子の声に、嗚咽が交じった。恵の方に救いを求めるように両手を伸ばした。その手には、武器なんか何も握られてはいなかった。

一気に後を続けた。「あなたなら、あなたなら、大丈夫ね? あたしを殺そうなんて、そんなことしないでしょ? ねえ、あたしと一緒に、いてくれるでしょ?」

恵は一瞬、茫然としていた。あの相馬光子が泣いている。あたしに、助けを求めている——。

ああ——。すうっと体の震えが消え去るうちに、

恵の胸の中、一種形容しがたい感情の塊が膨れ上がった。

そうだ。ああ、そうだったのだ。いくら悪いと言われていたって、どんな噂があったって、相馬光子もまた、自分と同じ中学三年の女の子に過ぎないのだ。まさか相馬光子だって、クラスメイトを殺すなんて、そんな恐ろしいことをできるわけがなかったのだ。ただ、独りぼっちで、恐ろしくて恐ろしくてたまらなかったのだ。

そして――ああ、なのに、自分は考えてしまった。彼女を殺すことを考えてしまった。

自分は――自分はひどい人間だった。

その自分への嫌悪と――そして、同時に、誰かと一緒にいられるのだ、自分はもう独りぼっちじゃないんだという安堵感が、恵の胸をいっぱいにした。恵の目からも、どっと、涙がこぼれ出していた。

恵の手からナイフが滑り落ちた。床に膝を這わせてテーブルの下から出ると、差し出された光子の手を握った。胸の奥で何かの堰が切れたように、高ぶった声があふれ出した。「相馬さん！　相馬さん！」

今度は別の感情で、自分の体が震えているのがわかった。しかし、そんなことはどうでもよかった。あたしは――あたしは――

「大丈夫よ。大丈夫よ。あたし、あなたと一緒にいるわ。あたしたち、一緒よ」

「うん。うん」光子が涙に濡れた頬をくしゃくしゃにして、その恵の手を握り返した。「うん。うん」ただ、頷いた。

恵はそのまま、キッチンの床で光子と抱き合った。光子の体温が伝わり、頼りなげに震えている光子の体を腕の中に感じるうちに、罪の意識が強まった。

あたしは――あたしはほんとうにひどいことを考えていたんだ――何てひどいことを――この子を殺そうだなんて――。

「あの――」恵の口をついて、言葉がこぼれ出た。

「私――私――」

「え?」光子が涙に濡れた目を恵の方へ上げた。

恵は嗚咽をもらしそうになる唇をきゅっと引き結んで左右に首を振った。

「私――私、自分が恥ずかしいわ。一瞬、あなたを殺そうとしたの。殺そうって、思ったのよ。とても――怖かったから」

それを聞いて、光子は一瞬目を丸くしたが――しかし、怒り出したりはしなかった。ただ、涙でくしゃくしゃになった顔のまま、何度も小さく頷いた。それから、にこっと笑って言った。

「いいい。いいの。気にしないで、そんな、こと。無理ないもの。こんなひどいことになって。気にしないで。ね。あたしと一緒にいてね。お願いよ」

光子はそう言うと、恵の顔を左手でまたそっと抱き締め、恵の左頰に、自分の左頰を押しつけた。光子の頰を濡らした涙が、恵の肌に伝わった。

ああ。恵は思った。あたしは何もかも誤解していたんだ。相馬光子というのは、こんなにも優しい心を持った女の子だったのだ。自分を殺そうとしていたという人間すら、いいの、と優しいひとことで許せる心を。ああ、あの、もう殺されてしまった林田先生がいつも言っていたわ、噂やなんかで人を判断しちゃいけないって。それは醜い心の人間がすることだって。

恵はそう思うとまた胸がいっぱいになった。ただ、光子の体をひしと抱き締めようとした。自分に今できるのはそれだけだった。ごめんなさい、ごめんなさい、あたしは本当に醜い人間だったわ、あたしは、ほんとうに――

ざくっ、という、レモンを切るような音が恵の耳に聞こえた。

とても、いい音だった。テレビの料理番組、真新しい上等な包丁、採れたてのレモンでなければこうはいかない。いいですか、今日はレモンとサーモンのマリネを――。

何が起こったのか理解するまでに、二、三秒かか

った。

恵の目には、光子の右手が見えていた。自分のあごの下辺り、左側だ。そして、その手から、懐中電灯の光を鈍く撥ね返す、何かバナナのようにゆるやかにカーブした刃物が伸びていた。カマだ――稲刈りにでも使うような――。そして、その先端が自分ののどに入っている――。

光子が恵の頭の後ろに左手をあてがったまま、右手に握ったカマをさらに奥へ押し込んだ。またざくっという音がした。

恵ののどが猛然と熱くなり始めたが、それも長くは続かなかった。声は出ず、ただ、胸の辺りが自分の血でとても温かくなる感触を最後に、恵の意識は途切れていた。自分ののどに刃物が食い込んでいるという事態――一体それが何を意味するのかも、正確には理解しない、ままだった。最後に家族や、あるいは七原秋也の面影を思うことさえなく、恵は光子の腕の中で、事切れた。

光子が手を離すと、恵の体が横ざまにどっと倒れた。

光子は素早く懐中電灯を消すと、立ち上がった。うっとうしい涙を目から拭い(涙なんかいつでも流せる。得意ワザの一つだ、はっきり言って)、右手に握ったカマを窓から射し込む月明かりにかざすと、ひゅっと振って血を払った。血の雫が床に跳ねるぱしぱしという、小さな音がした。

悪くはない、滑り出しとしては――。光子は思った。それに、もっと扱いやすい包丁かなんかを探そうと思っていたのだけれど、このカマも存外悪くはない。ただ、誰かいるかも知れない家の中に入るには、ちょっと不注意過ぎたようだ。今度からはもっと用心しなければならない――

それから、恵の死体を見下ろして、ごくごく静かに言った。

「ごめんなさいね。あたしもあなたを殺そうとしていたのよ」

【残り31人】

第2部 中盤戦

Now 31 students remaining.

14

白々と、最初の夜が明け始めていた。

七原秋也は、顔を上げて、青から徐々に白みを帯びていく空を、木立を透かして見た。ウバメガシや、ツバキや、恐らくサクラの一種や、そのほか何種類かの木の枝と葉が周囲に複雑な網目を作り出して、典子と二人、自分たちのいる場所を覆い隠してくれていた。

地図で再確認した島はおおむね丸みを帯びたひし形で、島の南北にそれぞれ山が盛り上がっている。二人がいる場所は北側の山の南寄り、西側斜面のすその方だった。地図を区切る網の目に従えば、エリアC=4に当たるはずだ。地図は等高線のほか、集落やその他の人家（これらは薄いブルーの点で示されていた）、各種の施設（といっても診療所や消防団屯所や灯台や――そのぐらいのマークと、あとは自治会の集会場とか、漁協とか、そんなものぐらいだったが）、大小の道路が書き込まれたかなり詳しいもので、一体どこがどのエリアに当たるのかは、地形や道路、まばらに散らばった人家の位置などから、何とか判断することができた。

同時に、ここが紛れもなく地図通りの島であることも、夜のうちに山のやや高い位置から確認していた。黒く沈んだ海の中、大小の島影が点々と見えた――そして、坂持の言った通り、明かりを消した見張りの船らしい影が（そちらがちょうど真西の方角だった）浮かんでいるのも見えた。

秋也たちがいる茂みからすぐ西側では、木立が途切れて急な斜面へと切れ落ちていた。その下にはちょっとした野原があって、その向こうはまた海へ向かって傾斜が続いている。夜のうちに通った野原に、小さな、床を上げた小屋のような建物があった。十メートルほど離れたところに木製の古びた鳥居が建っているのをみると、それはどうも小さな小さな神

社らしかった(地図にもそのマークがあった)。正面の扉が開いていて、中には誰もいなかった。

しかし、その祠に隠れるのは、途中で見かけた他の家屋に隠れるのと同じく、やめておいた。同じことを考えるやつがいないとは限らないし——、入口が一つしかないから、誰かに気づかれたら逃げようがない。

秋也は結局、比較的海に近いその場所に、茂みに囲まれた、二人が横になれるだけの空間を見つけ、腰を落ち着けた。山の上の方が緑は深いように思えたが、多分——多くのやつがそこに集まるような気がしたし、もし敵になるやつが現れたとき、逃げるのに足元のアップダウンがきつくない方がいいと踏んだのだ。典子の脚の傷のこともある。

秋也は、直径十センチぐらいの木の幹に背を預けていた。すぐ左側に、典子がいた。秋也と同じように木の幹に背を預け、怪我をした右脚はだらんと伸ばしている。二人ともとっくに疲労困憊していて、典子は、目を静かに閉じていた。

これからのことについて、秋也はいくらか典子と相談したのだったけれど、結局、大したことは思いつかなかった。

脱出のため、船を探すことをまず考えた。しかし、すぐに、それはほとんど無意味だと気づいた。海上には見張りの船がいるし、それ以上に——

秋也はまた自分の首筋にそっと手を伸ばして、〝それ〟の冷たい表面に触れた。感触自体はすっかり慣れてしまったが、自分たちを縛りつけるやくたいもない運命それ自体のように重苦しく居すわっているそれ。

そう——首輪だ。

分校にある装置が特定の電波を送ってきたら、この中の爆弾が爆発する。坂持のルール説明では禁止エリアに入ったらということだったが、もちろん、海上に逃走した生徒にそれを応用できないわけはない。むしろ、これがある限りは見張りの船など必要

ないのだとすら言える。船を入手できたとしても、この首輪をどうにかしないことには脱出などとても無理なのだ。

だとすると――やはり、分校にいる坂持を襲撃して、この首輪のロックをまず解除させるしか手がない。しかし、それにしたところで、もうあの分校のあるエリアG＝7はゲーム開始直後から禁止エリアに指定されており、近づくことができないのだ。それでなくても、こっちの位置はばれている。

そんなこんなの考えをめぐらせるうちに、辺りはすぐに明るくなってしまった。陽の光のもとで、あちこち動き回ることは危険だった。何とかもう一度夜が訪れるのを待って、と思った。

しかし、もう一つ、時間切れの問題があった。

〝二十四時間誰も死ななかったら〟と坂持が言ったが、秋也が最後に誰かが死んだのを見たのは、要するに自分が出発したときで、それから、もう三時間以上が経っていた。もし誰も殺し合うことなく時間が経過すれば、あと二十時間余りで自分たちはおしまいになる。脱出を考えるにしても、夜に入ってから準備したのでは遅すぎるかも知れない。皮肉なことに、ほかのクラスメイトが死ねば死ぬほど、生き延びる時間が増えるわけだが、しかし、秋也はそのことは考えたくなかった。

とにかく、八方ふさがりだった。

秋也は、三村信史と何とか合流したい、と何度も思った。あの広範な知識とそれを生かすだけの縦横無尽な知恵を持つ男なら、何とかこの状況を切り抜ける方法を考え出せるはずだった。

同時に、あのとき、赤松義生に襲われたとき、やはり危険を冒してでも信史を待つべきだったのではないかという後悔に何度も襲われた。本当に俺は正しかったのか？　あそこで〝敵〟に襲われる可能性というようなものが本当にあったのか？　赤松義生はただの例外ではなかったのか？

いや――。そんなことは、やはり言い切れはしな

かった。〝敵〟はまだまだいる可能性がある、一体誰が敵だか、そんなことはわからない。果たして一体誰がマトモでいるのか、誰がマトモじゃなくなったのか？　しかし——このゲームでは自分たちこそマトモじゃないいんじゃないのか？　狂っているんじゃないのか？

頭が変になりそうだった。

結局、今は、ここでじっとしているしか、少なくともしばらく様子を見るしか手がないのだ。そして何かを思いつくことができるだろうか？　あるいは、それがだめなら、夜を待って、三村信史を探すことが、——しかしそれでも、できるだろうか？　周囲六キロの小さな島とは言え、この状況で誰かを探し出すというのは容易じゃない。そして、夜になってから、〝時間切れ〟まで、果たしてどれだけの時間が残されているだろうか？

さらに、——万一（いやな言葉だ）うまく信史と合流し、あるいは自分たちだけで脱出できたとしても、自分たちは犯罪者にほかならなくなる。どこかに亡命するのでもない限り、一生逃亡生活を続けることになる。そしていつか、人通りのない路地で政府の手先に撃ち殺されるだろう。指の先は太ったネズミにかじられ始めている——。

要するに——やっぱり早めに気でも狂った方がラクなのかも知れない。

秋也は国信慶時のことを思った。自分は慶時の死を哀しんだが、この狂った状況を体験せずに済んだ慶時は実は極めて幸せだったのではないだろうか？　ほとんど絶望的なこの状況を？

いっそ自殺でもするか？　典子は心中に賛成してくれるだろうか？

秋也は顔を傾け、満ちてくる穏やかな光の中、初めて、典子の横顔をまじまじと観察した。

はっきりした眉、閉じた瞳の柔らかなまつげのライン、先が丸めの、愛らしい鼻梁、ふくよかな唇。とてもかわいらしい女の子だった。慶時がいいな、

と思ったのも無理はないかも知れない。

しかし、今、その顔には細かな砂がくっつき、肩より少し長い髪は、随分もつれていた。そして――もちろん、首輪だ。まるで彼女が古代の奴隷か何かででもあるかのように、その首にいやらしい銀色の首輪が巻きついている。

このくそやくたいもないゲームが、彼女の彼女ゆえの美しさを損なっている。

そう思うと、秋也はまた、にわかに、猛然と腹が立ち始めた。おかげで正気が戻ってきた。

――絶対に負けない。生き残って、こんなひどいゲームに自分たちを投げ込んだ連中にカウンターをくらわせてやる。そこらへんのカウンターじゃないぞ。右ストレートを出してきたら、バットでぶんなぐってやる。

ふいに典子がぱちっと目を開き、秋也と視線が合った。

そのまましばし見つめ合った後、典子が静かに言った。

「どうしたの?」

「いや――うん、あのさ」

秋也は自分が典子の顔をじっと見ていたということ、それに気づかれたことにまごつき、適当に何か喋ろうとした。

「――いや、変なこと言うようだけど、自殺しようなんて、思ってないだろう?」

典子は視線を落とし、笑みのように見えなくもない、あいまいな表情をした。それから、言った。

「まさか――でも」

「でも?」

典子は少し考えた様子だったが、続けた。

「――そう、もし、最後にあたしたち二人だけ残ったら、あたし、自殺したくなるかも知れないわ。そしたら少なくとも秋也くんは――」

秋也は驚いて首を振った。ぶるぶる振った。自分がちょっと口にしてみただけのいい加減な話題に、

まさかそんな答えが返ってくるとは、予想もしていなかった。

「そんなくだらないことを言うなよ。そんなことは考えてもいけない。いいか、最後まで君と一緒にいる、こいつは絶対だ。絶対だぞ」

典子はそっと笑んで右手を伸ばし、秋也の左手にふれた。「ありがとう」と言った。

「いいかい、俺たち、絶対に生き残るんだ。死ぬことなんて考えちゃだめだ」

典子はまた少し笑んだ。それから、言った。

「あなたはあきらめてないのね、秋也くん」

秋也はやや力を込めて頷いた。「もちろんだ」

典子はそれで首を少し傾けると、「いつも思ってたけど、秋也くんにはプラスのエネルギーがあるわね」と言った。

「プラスのエネルギー?」

典子が笑んだ。

「うまく言えないけど――生きることに対する積極性みたいなもの。今の状況で言うと、絶対生き残るっていうその意志。それで――」かすかに笑んだまま、秋也を正面から見た。「あたしは、秋也くんのそういうところが、とても好きだな」

秋也は少し面映ゆく、「多分、俺がパーだからだよ、それは」と答えた。

それから、言った。

「あのさ、脱出できたとしてもさ、うん、俺は、いいんだ、親もいないし。だけど、君は、もう、お父さんやお母さんに――弟さんにも、会えなくなるんだ。そのこと、大丈夫かい?」

典子はまた小さく笑んだ。

「そんなことなら覚悟してる、これが――始まったときに」ちょっと間を置いて、付け足した。「あなたは、いいの?」

「何が――?」

典子が続けた。「あのひとに会えなくなっても?」

秋也は唾を飲み込んだ。そう、典子は秋也のこと

をよく知っていたのだ。〝あたしは、あなたを、ずっと、見てる〟、典子自身がそう言った通り。

それがつらくないと言えばウソだった。ずっと――ずっと、和美さんを――新谷和美ばかりを想い続けてきたのだから。彼女の顔をもう見られないなんて――。

しかし、秋也は首を振った。

「そんなのは――」

どっちにしたってただの片思い、自分の思い込みでしかなかった、と続けようとしたのだが、その言葉は途中で中断された。唐突に、坂持の大きな声が辺りに響いたので。

【残り31人】

15

『皆さんおはようございまーす』

坂持の声だった。拡声器がどこにあるのかわからないが、金属的な歪みは別にしてはっきり聞こえた。多分――あの分校のみならず、少なくとも島の何カ所かに拡声器が備えつけてあるのに違いなかった。

『担任の坂持でーす。午前六時になりましたー。みんな元気にやってるかあ？』

秋也は顔を歪める以前に、その坂持の明るい口調にあぜんとした。

『それじゃこれまでに死んだ友達の名前を言うからなー。男子からでーす。まず一番、赤松義生くん』

それで、秋也の頬がぐっとこわばった。また死人が出たのだ、ということもあったが、その名前には、別の意味があった。

赤松義生はあの時、死んではいなかったと思う。すると――あの後また誰かを殺そうとし、逆に誰かにやられたのだろうか？　それともまさか――気絶したままあそこにずっと倒れていて――すぐに分校の周囲に設定された〝禁止エリア〟とやらのおかげで、このありがたい首輪を吹っとばされたとでも言

うのか？

　秋也が義生を気絶させたのである以上、それは気分のいい話ではなかった。

　しかし、そうした思考も、それから後に累々と積み上げられた死者の名前に呑み込まれてしまった。

『続いて九番、黒長博くん、十番、笹川竜平くん、十七番、沼井充くん、二十一番、山本和彦くん。え―それから、女子で―す。三番、江藤恵さん、四番、小川さくらさん、五番、金井泉さん、十四番、天堂真弓さん――』

　もちろんその名前の羅列は、〝時間切れ〟が多少とも遠のいたことを意味していたのだが、秋也はそんなことには全く思い及ばなかった。めまいがしそうになっていた。名前を読み上げられたクラスメイトの顔が、頭の中に浮かんでは消えた。みんな死んでしまったのだ、そしてもちろん、同じ数だけの殺人者がいるはずだった。そう――それこそ、名前を呼ばれた者たちが自殺したのでもない限り。


〝これ〟は続いている、まぎれもなく続いている。長い葬列、黒い服を着た人々の群れ。分別臭い陰気な顔の黒服の男が告げる、あれ、七原秋也くんと中川典子さん？　あなたたちは、そうそう、まだでしたよね？　でも、ほら、あなたたち、今、自分の墓の前を通り過ぎたところですよ――。そろいの出席番号、十五番、刻んどきましたよ、何、サービス、サービス。

『――いいペースだぞ―。先生うれしいなあ。それじゃ次に、禁止エリアについてで―す。今からエリアと時間を言いま―す。地図出してチェックしろよ―』

　死者の多さにショックを受けてもいたし、坂持の口調にむかつきもしたが、秋也もとにかく地図を取り出した。

『まず、今から一時間後。七時な。七時にJ＝2エリアです。七時まではJの2を出ること―。わかったか―？』

J=2は、島の南端やや西寄りに当たっていた。

『次、三時間後。九時から、Fの1』

F=1は、秋也たちがいる島の西岸だったが、かなり南に離れた区画だった。

『次、五時間後。十一時から、Hの8』

H=8には、島の東岸にある集落がほとんど大方含まれていた。

『以上です。じゃ、今日も一日、がんばろうなー』

最後にそれだけ言って、坂持の〝放送〟はぶつっと切れた。

坂持が告げた禁止エリアは、当座秋也と典子のいるところとは関係がなかった。禁止エリアはランダムに選ばれると坂持が言っていたがとにかく、集落の中に逃げ込まなかったのは正解だったようだ。しかし、次は、秋也たちがいるここかも知れない。

「さくらと――」

典子が言い、秋也はそっちを見やった。

「さくらと、山本くんの名前があった」

「うん――」秋也はのどの奥で小さく唸った。

「――自殺、したのかな?」

典子は視線を足元に落とした。

「わからないわ。でも、きっと一緒にいたのね、あの二人なら、最後まで。どこかで何とか、待ち合わせたのね」

確かに秋也自身、さくらが和彦にメモを渡すのを見た。だが、それでもそれは、希望的観測に過ぎなかった。二人は別々の場所、別々の狂ったクラスメイトに殺されたのかも知れない。

そのメモの受け渡し、触れ合った二人の手の映像を追い払うと、秋也はポケットからクラス名簿を引っ張り出した。デイパックに地図と一緒に入っていたものだ。悪趣味だが、情報は確認しておかなければならない。ペンを取り出し、今、放送された名前の上に線を――引こうとしてやめた、それじゃまるで、まるで――とにかく、ひどい。

名前の横に、小さくチェックを入れた。国信慶時

と藤吉文世の名前もチェックした。秋也は、自分自身がさっきの妄想の中の、黒服の男になったような気がした。えーと、あなたと、あなた。それにあなた。棺桶のサイズ、いくつですか？　この8号で我慢していただくと売れ筋ですんで安いんですけど――。

そんなことはともかく、それで、桐山和雄の仲間の四人のうち、三人が死んでいるのに気づいた。黒長博、笹川竜平、それに沼井充。ただ、月岡彰――あの、〝ヅキ〟というあだ名でちょっとクセのある月岡彰の名前はない。桐山自身の名前もない。

あの教室で、桐山和雄が出て行ったときの沼井充の取り澄ました表情が思い出された。自分は、桐山はきっと、仲間を集めて脱出するつもりなのだと推測した。しかし、この結果は一体、何を意味するのだろうか？　もしかして、待ち合わせはしたものの、その場でやはりお互いに疑心暗鬼になって、戦闘状態になってしまったのだろうか？　そして、月岡彰と桐山は無事にそれから逃げた――あるいは、月岡彰と桐山は今も一緒にいるのか――いや、もっと違ったことが起こったのかも知れない、わからない。

それから、一度だけかすかに聞こえた、銃声のようなものが鼓膜の奥に蘇った。あれが銃声だったとしたら――この十人の中の誰の命を奪ったのだろう？

しかし、そのとき、がさがさという音が耳に入り、秋也は考えを中断した。典子の顔が一気に緊張するのがわかった。秋也は名簿とペンをさっとポケットに入れた。

秋也は耳を澄ました。音は続いている。しかも――近づいている。

典子にささやくように言った。「静かに」

秋也はデイパックを手にとった。いつでも動けるようにしておかなければならないと考えて、荷物はもう、そのデイパック一つにまとめてあった。いくらかの衣類などは自分のスポーツバッグに残してい

たが、こっちは捨ててもいい。典子も同様に荷づくりしてあった。

秋也はその二つのデイパックをまとめて左肩にしょった。典子が腰を上げるのに手を貸し、二人並んで中腰の姿勢になった。

秋也は支給のナイフを抜き出し、右手に逆手に持った。だが、思った。果たしてギターピックならともかく、自分がこんなものをうまく使えるのか？

がさがさという音はますます大きくなっていた。もう、数メートルぐらいに迫っているのではないか？

またしても、あの分校の前で感じたのと同じ焦燥が秋也の頭を占めた。典子の腕を左手でつかみ、後ろへ引いた。立ち上がり、茂みの中へ後ずさりした。早い方がいい、できるだけ早くだ！

身を隠していた茂みを割って、踏み分け道に出た。山の斜面に沿ってそれはうねうねと伸びており、頭上では、両側に伸びる木々の梢のサンドイッチ、空のブルーが帯になっている。

秋也はそのまま典子をかばいつつ、踏み分け道に沿って数メートル後ずさりした。自分たちが出てきた茂みから、がさがさと音が続いている、音はますます大きくなる、そして――

秋也は目を丸くした。

茂みを割ってぴょこんと現れたのは、一匹の白い猫だった。ひどく汚れて、やせて、そして毛はあちこちもつれていたけれど、とにかく――猫だった。

秋也は典子と顔を見合わせた。典子が「猫ね」と言い、ぱっと笑った。秋也も苦笑いした。それでようやく注意を惹かれたように、猫がこっちを見た。

猫はしばらく二人をじっと見つめていた後、とたたた、と走り寄ってきた。

秋也がナイフを鞘に仕舞ううちに典子が怪我をした脚をそうっと折り畳んで屈み込み、その猫に手を伸ばした。猫は、典子の手の中に飛び込み、典子の足元にまとわりついた。典子がその猫の前足の下に

両手を差し込み、抱き上げた。

「かわいそうに、やせちゃって」典子がきゅっとキスをするように唇をすぼめ、猫の方に伸ばしてみせて、言った。猫がうれしそうに口を開き、にゃあぁ、と鳴いた。

「飼い猫だったのかしら。すごくよく慣れてる」

「さあ——」

政府は、このゲームをやるために島の住民をすべて追い立てたのだ（〝プログラム〟はその終了までは隠密裏に行われるので理由は知らされなかっただろうが）。典子の言う通り、どこかの家で飼われていた猫が、飼い主がいなくなって取り残されたのかも知れなかった。この近くに人家はなかったはずなのだが、ずっと山の中をさまよっていたのだろうか？

そんなことを考えながら、秋也は、猫を抱いている典子から何げなく視線を外した。首を回して——ぎょっとした。


踏み分け道の向こうほんの十メートル、あたかも地面に固着したかのように、学生服姿が、立っていた。秋也と同じぐらいの中背ながらハンド部で鍛えたがっちりした体、日焼けした浅黒い肌、刈り込んで前を立てた髪は、大木立道（男子三番）だった。

【残り31人】

16

典子が秋也の視線を追って、振り返った。その顔がみるみるこわばるのがわかった。そう——果たして立道は〝どう〟なのか？　敵なのか、そうではないのか？

大木立道は、ただじっと、こちらを見ていた。秋也は、緊張感に視覚が半ば硬直していく——高速で走る車に乗っているように硬直していく——のを感じながらも、そのひと隅、立道の右手に大ぶりなナタが握られているのを、認めた。

それで秋也は、ズボンのベルトに差し込んだナイフへと、ほとんど無意識に、手を上げた。

それが引き金になった。ナタを握った立道の手がぴくっと動き――次の瞬間、まっすぐ突っ込んできた。

秋也は猫を抱えた典子を、そのまま茂みの方に突き飛ばしていた。

立道はもう、眼前に迫っていた。

秋也はとっさに手にしたデイパックを上げ、そのナタを受けた。デイパックがざっくり割れ、中身が地面に撒き散らされた。水のボトルに当たったせいで、ばしゃっとしぶきが跳ねた。刀身は秋也の腕にまで達し、ちりっと皮膚の表面が熱を感じた。

ちぎれたデイパックを捨て、後ろへ飛びすさって距離を取った。今や立道の顔は引き攣り、黒目のまわりにぐるりと白い部分が見えた。

秋也は信じられない思いだった。それは、確かにこの状況だ、一瞬自分も疑いもした、しかし、なぜだ？　なんであの陽気で快活な立道が、こんなことをするんだ？

立道はちらっと視線を横に飛ばし、草むらの中に倒れた典子の方を見やった。秋也もその視線を追って、典子を見た。立道の視線を受けた典子の顔、口元が引き攣った。猫は、もうとっくにどこかに逃げ出し、身を隠していた。

いきなり立道は秋也の方に振り向いた、同時にナタが横なぎにふるわれていた。

秋也はベルトから逆手に抜き出したナイフでそれを受けた。間の悪いことに革の鞘に収まったままだったが、とにかく、がちっと音がして、そのナタの襲撃はブレーキをかけられ、止まった。秋也の右の頬の辺り、五センチ手前で。秋也には、ナタの表面、焼き入れしたときに生じたのだろう、青い波紋のような模様がはっきり見えた。

立道がまた振りかぶろうとする前に、秋也はナイフを捨て、その立道の、ナタを持った右手に組みつ

いた。にもかかわらず、立道はもう一度強引にナタを振って、それはやや緩慢ながら、秋也の右側頭部に当たった。秋也の、ややウエーブのかかった長い髪が耳の上でいくらかぱらりと引きちぎられ、耳たぶにざっくり割れ目が入る感触が伝わった。あまり痛くなかった。まあ、三村みたいにピアスするやつがいるぐらいだもんな、場違いにのんきなことが頭をよぎった。

立道がナタを持った右手に左手を添え、もう一度振りかぶろうとする前に、秋也は左足を立道の左足に、内側から飛ばしていた。立道の足がぐらっと崩れた、よし、倒れろ！

ところが立道は倒れず、よろけて半回転し、秋也の方に体重を預けてきた。秋也は退がった。海側の茂みに背中が突っ込んだ。周りでばきばきと枝が折れた。

秋也はそのまま後ろへ退がった。立道のめちゃくちゃな力に押し込まれ、足はそのまま、ほとんど後ろ向きに走っていた。典子の顔が遠ざかる。ほとんど現実感のないこの状況で、秋也はまた場違いにリトルリーグでの練習を思い出した。七原秋也、背面競争チャンピオン。イエー。

ふいに、足元の感じが変わった。

秋也は、あの、小さな神社のある野原に向けて、そこから急な傾斜になっていたことを思い出した。

——落ちる！

二人はもつれたまま、その、灌木に覆われた傾斜を転げ落ちた。秋也の視覚の中、早朝の澄んだ空と木々の緑がぐるぐる回った。ただ、その間も、立道の手首を握った手は離さなかった。

ものすごい距離を落ちたような気がしたが、実際にはほんの十メートル程度だったかも知れない。どん、と全身に衝撃がきて、体の動きが止まった。周囲に光が満ちていた。あの、野原まで落ちてきたのだ。

秋也は立道の下敷きになっていた。立ち上がらな

ければならない、立道よりも先に！

ところが、秋也は一瞬、妙な感じにとらわれた。圧搾機みたいな圧力で自分に向かっていた立道の腕の力が、ふいに消失していたのだ。それはただ、ぐたっと動かなかった。

秋也の顔は立道の胸の下辺りになっていたのだが、秋也は視線を上げ、そのわけを悟った。

すぐ眼前で、立道の顔面に、ナタが食い込んでいた。ナタの刃のかっきり半分が、クリスマスケーキの上の板チョコレートよろしく、立道の顔から突き出していた。額の上から入り、きれいに左の眼球を割って（ねばねばした液体が血と一緒に流れ出している）、開いた口の中で、ナタの刃が薄青く光を撥ね返している。

そしてそのナタはというと、もちろん立道が握っているのだけれど、その手首は秋也が握っていた。立道の顔面から秋也の手首へ、何かとても気味の悪い感覚が光の速度で走り抜けた。

その感覚を追うように、ナタの表面を滑って、ゆるゆると立道の血が流れ出し、立道の手首を握る秋也の手にまで伝わってきた。秋也は低くうめくとその手を離し、立道の体の下から出た。立道の体がごろんと仰向けになり、その凄惨な死に顔が朝の光にさらされた。

ぜえぜえと肩で息をしている秋也の胸の奥から、鈍い吐き気が波のように突き上げてきた。

その立道の顔、これ以上ないだろう凄惨さは確かに些末な事情とは言えなかったが、それにもまして、秋也にとっては自分のことの方が問題だった。そう、自分は人を殺したのだ。それも、昨日まで仲間だったクラスメイトを。

事故だと思おうとしても、だめだった。何せ――転がり落ちている最中、自分は必死で、ナタの刃が自分の方に向かないように、即ちつまり、立道の方に向くように、立道の手首を思い切りねじ上げていたのだから。

すごい吐き気だった。

しかし、秋也はぐっと唾を飲み込んでこらえた。首を持ち上げ、自分が転げ落ちてきた斜面を見上げた。

灌木に覆われ、上は見えなかった。典子を一人、置いてきてしまったのだ。そう、今は、典子を守るのが一番大事なことだった。ゲロを吐いてる場合じゃない。早く、早く典子のところへ戻らなくては――。

むしろ自分を落ち着かせるためにそのように考え、秋也は立ち上がった。立道の顔とナタを、しばらく見つめた。

それで、ちょっと躊躇したが、しかし、唇を引き結ぶと、立道の顔を割っているナタの柄から立道の手を引きはがした。いくらなんでも、立道をこのまま放ってはおけなかった。埋葬なんてとてもできないが――少なくとも、ナタが刺さったままの立道の顔は、ひどすぎた。生理的に、耐えられなかった。

秋也はナタの柄をつかみ、抜き取ろうとした。

立道の頭がナタにくっついて持ち上がった。あまりにも深く食い込んでいて、抜けないのだ。

秋也は大きく息をついた。ああ、神様。

いや、と思い直した。神様がなんだってんだ、この際？　安野先生は熱心なクリスチャンだったが、神様を信じていたおかげで坂持金発に強姦されました、めでたしめでたし。

秋也の中にまた怒りが噴き上げた。

歯を食いしばると再び立道の頭の横に膝をつき、幾分震えている左手をその額にかけた。右手でナタを引くと、ばしゅっ、といやな音がして、立道の顔から血がしぶき、ナタは抜けた。

一瞬、悪い夢でも見ているような感じにとらわれた。立道の頭は今や真ん中の裂け目から左右の部分が少し上下にずれていて、あまりにも非現実的だった。プラスチックのつくりものみたいだった。秋也は、人間の形がこうも簡単に歪むのだと、初めて悟

った。

目を閉じさせるのも、あきらめた方がよさそうだった。眼球とまぶたが一緒に割れてしまった左目はまぶたが収縮してめくれ上がっており、どうしたって閉じそうになかった。右目だけなら何とかなるが――誰が死体にウインクさせたい、特にこのような場合？

また吐き気がきた。

だが、再び立ち上がり、踵を返した。典子のいる場所までは、踏み分け道をたどって大回りしていかなければならない。

しかし、秋也は再び目を見開くことになったのだった。なぜなら――

眼前わずか十五メートル、野原の真ん中に学生服の男が――元渕恭一、あのメガネの委員長が、立っていたので。

そして、その委員長は、拳銃を握っていた。


【残り30人】

17

委員長の銀縁メガネの奥の目が秋也の目とかちあった。いつもはきっかり七三に分けている髪は今はもつれてぐちゃぐちゃだったし、メガネはレンズが幾分汚れているように見えたが、その下の目。見開かれ、血走った目。大木と全く同じ目だった。顔色はあの教室で見たのと同様極度に青ざめており、人間の顔色というよりは、やはりアンディ・ウォーホル作品に近かった。

その拳銃の銃口が動く気配に、秋也は身をひねりざま、仰向けになり、身を低くした。瞬間、ぱん、という破裂音がして、拳銃が小さな火炎に包まれるのが見えた。自分の頭のすぐ上を何か熱いものがかすめた。もっともこれは、気のせいかも知れない。とにかく、弾は当たっていなかった。

秋也は何を考える余裕もなく、ただ、仰向けの姿

勢のまま、後退しようとした。背中の下で丈の高い草がさりさりと音を立てた。

——到底間に合わなかった。逃げられるわけがない。元渕恭一は、もはや秋也の眼前三、四メートルにまで近づき、秋也の胸の辺りに狙いを定めていた。

秋也の顔の筋肉が、石膏彫刻にでもなったように固く固くこわばった。典子を守らなければならないというようなことより何より、体の中に、今度こそ本物の恐怖が膨れ上がった。あの銃口が次に吐き出す小さな小さな鉛玉が俺を殺すのだ——俺を——殺すのだ！

「やめろ！」という別の声がした。

恭一がびくっと顔を斜め後ろへ振り向けた。秋也もぼんやりその視線を追い——

あの神社の祠の陰に、ゆらりと大柄な影が立っていた。短く刈り込んだ、いいやほとんど〝丸めた〟と言った方が正しい頭、眉の上に目立つ傷痕、テキ屋のお兄ちゃんのような強面は、川田章吾（男子五番）だった。ポンプ式ショットガン（銃床を切り詰めたレミントンM31RSだった）を手にしていた。

いきなり、恭一がその川田に向けて撃った。秋也は川田がすっ、と腰を落とすのを見た。川田が膝立ちの姿勢で保持したショットガンが吠えたと思うと、火炎放射器みたいな火花が銃口から伸び、次の瞬間、恭一の右腕が消失していた。血の霧がぽう、と空を流れ、恭一が、唐突にそこに出現した学生服の〝半袖〟を、一瞬不思議そうに見つめていた。拳銃を握った肘から先だけが、残りの〝袖〟をまとって草の上に落ちていた。川田が素早くショットガンの下のポンプを動かし、次の弾を装塡した。散弾を吐き出し終えた赤い色のプラスチック・シェルが水平に勢いよく飛び出した。

「あああああああ」

恭一が思い出したように動物のような叫び声を上げ、秋也は、恭一がそのままそこに膝をつくのだと思った。

しかし、そうではなかった。委員長は、地面に落ちた自分の腕へ向かって走っていた。左手で自分の右手から銃をもぎとった。バトンリレーだ、まるで。一人二役、グレイト。秋也はまたまた、できの悪いホラームービーを見ているような気分になった。あるいは、できの悪いホラー小説。

ちくしょう、ほんとうにできが悪い。

「やめろと言ってるんだ！」

川田が叫んだが、恭一はやめなかった。銃を川田へ向けて構えた。

川田がもう一度撃った。恭一は体の真ん中からくの字に折れ曲がって、走り幅跳びの選手のような姿勢で、ただし、後ろに吹っ飛んだ。ぶらりと伸びたつま先から接地して、次の瞬間、こま落としのようにがくんと仰向けに倒れていた。ぼうぼうと茂った草に沈んで、それきり動かなかった。

秋也は慌てて身を起こした。

草の波の間、委員長の体が見えた。学生服の腹部が大きく裂け、その中身はほとんど、ソーセージ工場のクズカゴみたいに、なっていた。

川田が、その死体にはほとんど目を留めず、ショットガンを構えたまま、すぐに秋也に近づいてきた。またショットガンのポンプを動かし、空薬莢を排出した。

秋也は目の前で立て続けに起こった事態、それに、立道と恭一の凄惨な死に様にまだ圧倒されていたが、とにかく荒い息のまま、口を開いた。「ちょっと待ってくれ俺は――」

「動くな。持ってるものを捨てろ」

恭一の少し向こうで足を止めた川田が言い、秋也はようやく、自分がナタを握ったままだったことに気づいた。

言う通りにした。血に染まったナタが地面に当たって、どすっと音がした。

そのとき、典子が急なスロープになった踏み分け道の上に現れた。脚を引きずりながらもやぶをかき

分けて、秋也と立道が傾斜面を転がり落ちた、そのあとを追ってきたのだろう（それで秋也は、大木立道と格闘を始めてから、まだせいぜい一分も経っていないことに気づいた）。さっきの銃声を聞いてから既に顔は青ざめていたが、転がった大木立道と元渕恭一の死体、向き合った秋也と川田を見てとって、息を呑むのがわかった。

川田がその典子に気づき、さっとそちらにショットガンを向けた。典子の体がびくっと緊張した。

「やめてくれ！」秋也は叫んだ。「典子は俺と一緒なんだ！　戦う気なんかない！」

それを聞いて、川田は首を秋也の方にゆっくり戻した。妙に、きょとんとした表情になっていた。

秋也は典子の方へも叫んだ。「典子！　川田が助けてくれたんだ。川田は敵じゃない！」

川田が典子の方を見、また秋也に目を戻して、それから、ゆっくり銃口を下げた。

典子がしばらくじっとしていた後、手を上げて何も持っていないことを川田に示し、急な踏み分け道をほとんど滑るようにして降りてきた。右脚を引きずりながら歩き、秋也のそばに寄り添って、秋也と一緒に川田を見つめた。

川田が、その秋也と典子を、何だか双子のアルマジロでも見るような感じで見ていた。秋也は、その頬とあごを覆った不精髭が、また少し伸びているのに気づいた。

川田は、それからようやく、「先に言い訳しとくぞ」と言った。「元渕を撃ったのは、仕方がなかったんだ。それはわかるな？」

秋也はそれで恭一の死体の方に目をやり、それから川田の言った言葉も突き合わせて、ようやく、もしかしたら、と思った。もしかしたら、委員長は混乱していただけなのかも知れない。そう――自分が大木立道を倒したのを見て、何か勘違いしたのかも知れなかった。典子もそばにいなかった、誤解しても無理はない。

だが、川田の言う通り、いずれにしても、川田の行為はとがめられなかった。川田は撃たなければ、恭一にやられていたに違いない。そう――自分だって、大木立道を倒したのだ。

川田に顔を戻した。

「ああ――わかる。ありがとう。助けてくれたんだな」

川田は少し肩をすくめた。

「元渕を止めただけなんだがな。しかし、そういうことになるかな」

「よかったよ――」まだ体に戦闘の興奮が残っている中で、何とか言葉をまとめた。「マトモなやつがいてくれて、よかった」

秋也は実際、かなり意外な気がしていた。あの分校の教室で、自分はこう考えたのだ、川田だけはこのゲームに〝乗る〟かも知れない、と。しかし、その男が、敵に回るどころか、自分を助けてくれたのだ。

川田は何か考え事をするように秋也と典子をしばらくじっと見ていた後、「おまえたち、一緒にいたのか？」と訊いた。

秋也は眉を持ち上げた。

「そうだ。言っただろ」

川田がまた訊いた。「何で一緒にいるんだ？」

秋也は典子と顔を見合わせた。二人して川田に向き直った。秋也は「それはどういう……」と訊きかけたが、典子が「それどういう意味……」と同じタイミングで言ったので、口をつぐんだ。典子も口をつぐんだ。秋也は典子とまた顔を見合わせた。秋也は典子がゆずったように思えたので、再び川田の方へ向いて口を開いたが、またしても典子と「それ……」とハモってしまった。秋也はもう一度典子と目くばせを交わした。結局、黙ったまま、また二人で川田に向き直った。

それで、川田の顔に、ちらっと笑みのようなものが走った。それがもし笑顔なのだとしたら、秋也は

川田の笑顔を、初めて見たような気がした。

　川田が言った。「いいよ、オーケイ、わかったよ。とにかくちょっと隠れようぜ。わざわざ無防備に突っ立ってる理由はないだろ」


【残り29人】

18

　榊祐子（女子九番）は、茂みの中をざざざ、と走っていた。やみくもに走るのは危険だったが、とにかく今は逃げなくてはならなかった。とにかく、何としてもだ。

　祐子の頭の中で、今見たばかりの映像がフラッシュバックした。茂みの中から見たそれ。ばかんと割れた大木立道の頭。血染めのナタをその顔から抜き出した七原秋也の姿。

　ぞっとしていた。七原秋也は大木立道を殺してのけた。実に完璧に。

　秋也が立道の頭からナタを抜き出すまで、祐子は魅入られたようにそのシーンから目を離せなかったのだが、そのナタについた赤い色を見て、ようやく恐怖の感情が祐子を打ちのめしたのだった。デイパックをひっつかみ、ただ、放っておくと自分の意志とは関係なく声を上げかける自分の口を押さえて、逃げ出した。目に涙がにじんでいた。

　背後で銃声が交錯したが、祐子はそれもほとんど認識できなかった。


【残り29人】

19

　秋也と典子が最初にいた茂みに戻り、荷物を拾い上げたあと、川田がここはちょっと見通しが悪いな、と言った。秋也はそれでもかなり考えて場所を選択したつもりだったのだが、川田が奇妙にこういう事態に慣れている様子に見え、その言葉に従って、三

人で少し山側へ移動した。あの汚れた猫は、どこかへ姿を消してしまっていた。

「ちょっと待ってろ。元渕と大木の荷物を探してくる」

手近な茂みに入った後、川田がそう言い残して出ていくと、秋也はとにかく典子に腰を下ろさせ、自分も隣に座った。川田が恭一の死体からとって秋也に渡したリボルバー（スミスアンドウエスンのチーフスペシャル三八口径だった）を握っていた。秋也はどうにも気味が悪くそれを身につけていたくなかったのだが――何せ、あの、世にもできの悪い〝バトンタッチ〟を見てしまったのだ――しかし、我慢して握っていることにした。

「秋也くん、これ」

顔を上げると、大木立道のナタで切り裂かれたデイパックから取り出したのか、典子がピンク色のバンドエイドを秋也に示して見せていた。秋也は左手で右耳の傷に触れた。ほとんど血は流れていなかったが、ちりっと痛みが跳ねた。

「じっとしてて」

典子が少し体を寄せ、バンドエイドの封を切った。秋也の耳たぶに慎重にそれを貼りながら、典子が言った。「みんな、どうしてこの辺に固まってたのかしら。あたしたちと川田くんも入れたら、五人よ」

秋也は典子を見つめ返した。ありがたいアクション場面の連続でそんなことは思い付きもしなかったが、そう言えば確かにそうだった。

首を振った。

「わからない。でも、俺たち、とにかくできるだけ遠くへ行きたくてここまで来ただろ。山へ登るのは避けたし、見通しのきく海岸線を移動するのもやめといた。同じようなことを考えて同じ所でもう大丈夫だと思ったのかも知れない。委員長も――大木も」

立道の名を口にした途端、秋也の胃に再びひょい

と吐き気が跳ねた。あの、ピーナッツのように左右半分ずつが上下にずれた顔。そしてその死体は、ほんのすぐそこに転がっている。ごらんください、世にも不思議なピーナッツ男です――

その吐き気とともに、戦闘の興奮でどこかぼうっとしていた秋也の頭の中が急速に冷え、半ば麻痺していた感覚が――マトモな感覚が戻ってくるのがわかった。

「秋也くん――顔が青いわ。大丈夫？」

典子が訊いたが、秋也はこたえられなかった。体を戦慄が走り抜け、すぐに震えに変わった。小刻みにがたがたと、体が揺れ始めた。歯が狂ったタップダンスのように、不規則にかちかち鳴った。

「どうしたの？」

典子が秋也の背中に手を置いて、訊いた。

秋也は歯を鳴らしながら答えた。「怖い」

秋也は、首を左にねじ曲げ、典子の顔を見た。典子が心配そうにその秋也を見つめ返した。

「怖いんだ。めちゃくちゃに怖い。俺、ひとを殺してしまった」

典子はしばらく秋也の目を覗き込んでいたが、痛い右脚をかばうように動くと、秋也の斜め前に膝を折って座り込んだ。それから、そっと腕を広げて、秋也の肩を包み込んだ。上下に小刻みに揺れている秋也の頬に、典子の頬が触れた。典子の体温が伝わり、すっかり血の匂いがこびりついた秋也の鼻腔に、何かかすかな、コロンみたいな、シャンプーみたいな、匂いが届いた。

秋也はちょっとびっくりしたが、ただ、その安らかな温度と匂いがありがたく、膝を抱えた姿勢のまま、じっとしていた。

それは、かつて、幼いころ、事故で死ぬ前の母親に抱かれていたころの感じを、思い出させた。典子のセーラーの襟のラインを見ながら、ぼんやり、母のことを思い出した。はっきり喋って、きびきび体を動かして、子供心にも、何だかかっこいい、と思

う、母だった。顔は――ああ、それはそうなのだ、新谷和美と、よく似た感じだった。そして、あの、鼻の下にヒゲをはやした、ちょっと普通のサラリーマンっぽくない父と（それはその通り、「パパはね、ほうりつのおしごとを、してるのよ。困ってるひとを助けるのが、仕事なの。この国ではね、それはとても大切なことなの」、腕の中の秋也に母が言っていた）、いつも、笑顔を交わしあっていた。いつか、お母さんみたいな人とケッコンするんだ、それで、いつも、お父さんとお母さんみたいににこにこしてるんだ、それは、秋也にそう思わせる笑顔だった。

――やがて震えが小さくなり、それから、消えた。

「もう大丈夫？」典子が訊いた。

「――うん。どうもありがとう」

典子がゆっくり、体を離した。

しばらくして、秋也は言った。

「いい匂いがした」

典子が、恥ずかしげに笑んだ。

「やだな。昨日お風呂にも入れなかったから」

「いや。いい匂いがしたよ」

典子がまたちらっと笑んだとき、がさっと茂みが揺れた。秋也は典子を左腕でかばい、スミスアンドウエスンを構えた。

「俺だ。撃つな」

うっそうと茂った葉を割って、川田がその空間に入ってきた。秋也はスミスアンドウエスンを下げた。

川田はショットガンをスリングで肩から吊り、二つのデイパックを抱えていた。一方から紙箱を一つ取ると、秋也に投げて寄越した。

秋也が空中でそれを受け止めて開くと、拳銃弾が金色の尻を見せて規則正しく並んでいた。五発分が、虫歯みたいに抜けている。

「その銃の弾だ。装塡しとけよ」

川田はそう言うと、ショットガンを傍らに置き、古びたたこ糸のようなものを手に取った。一本を取り上げてぴんと引っ張ると、それが茂みの奥へとま

っすぐに伸びているのがわかった。それから、ポケットから小さなナイフを取り出し、柄の中に折り畳まれていた刃を起こした。川田に支給された武器はショットガンだろうから、これは自前で持っていたのだろう。

　川田は手近な、コーラ缶ほどの太さの木の幹にそのナイフで刻み目をつけると、そこに、その糸をぴんとはったまま挟み込んで、残った部分をナイフで切った。残りの糸も、同様の手順で木の幹に固定した。

「何だい、それは?」秋也は川田を見上げて、訊いた。

「これか?」川田はナイフをポケットに仕舞いながら答えた。「まあ、原始的な防犯装置だ。ここを中心に半径二十メートルの円を描くように糸を張ってある。二重にしてある。こいつがそれにつながってる。誰かが糸をひっかけたら、こいつが引っ張られてこの木から落ちる。大丈夫、落としたやつは気づきもしないさ。とにかく、そのときは警戒せよってわけだ」

「――そんな糸、どこから見つけてきたんだ?」

　川田は首をちょっと揺らした。

「港の近くに雑貨屋があったよ。いろいろ欲しいものもあったんで、最初に寄ったんだ。そこで、見つけた」

　秋也はぽかんとしていた。当然、いくら小さい島だって商店の一つぐらいはあるはずだ。そこなら、役に立つものもいろいろ揃えられたかも知れない。しかし自分は、そんなことはこれっぽっちも考えつかなかった。ただもちろん、典子を抱えてはウロウロできなかった、そのことに変わりはないけれども。

　川田は、秋也と典子に向かいあう位置に腰を下ろすと、元渕か大木か、とにかくどちらかのものだったデイパックを探り始めた。水のボトルとパンを取り出し、「メシ食っとくか? 朝飯の時間だ」と秋也たちに訊いた。

秋也は膝を抱えたまま、首を振った。とても食欲はなかった。

「どうした？　大木を殺したから気分が悪いのか？」

川田は秋也の顔を覗き込み、こともなげに言った。

「気にするなよ。仮に順番に一人が一人を殺していくとしたら、トーナメントみたいなもんだ、四十二人、いや四十人だろ、五、六人殺してまだ生きてたらおまえの優勝だ。あと四、五人でいい」

秋也は、もちろん川田がそれを冗談で言っているのはわかってはいたものの、いや、冗談だったゆえに、きっと川田をにらみつけた。

川田は秋也の剣幕に臆したように体を引いた。

「悪かったよ。冗談だ」

秋也は訊いた。語調がとがった感じになった。

「あんたは気分が悪くないって言うのか？　それとも、委員長の前にもう誰か殺したのか？」

川田はただ、肩をすくめた。

「とにかく、今回、初めてさ」

秋也はその言い回しがちょっとおかしいような気がしたが、どこがおかしいのか、そのときはわからなかった。頭が混乱してもいた。とにかく、川田がウワサされている通りの不良少年なら、多少肝の座り方が秋也なんかとは違うのかも知れない。

頭を振り、代わりに、別のことを口に出すことにした。

「あの――俺にはちょっとわからないことがあるんだ」

川田は眉毛を持ち上げた。その左眉の横、醜い刀傷が、それに合わせて動いた。「何のことだ？」

「委員長は――元渕は――」

「おい」川田が幾分あごを傾け、遮った。「さっき確認しただろ。俺はああするしかなかったんだ。黙って殺されたらよかったってのか？　俺はキリストの趣味はないぜ。復活する能力もないしな、試したことはないが」

「いや、そうじゃないよ」

　言葉を継ぎながら、秋也は、今のは冗談なのかな、と思った。川田章吾というのは、冗談を言うようなタイプなのだろうか？

「元渕が俺を撃ったのは多分――俺が大木を……とにかく、目の前で倒したところを見たからだと思う。いや、俺が、大木を、やったんだ。その、大木が向かってきたから――」

　川田が小さく頷いた。

「だから、元渕が俺を倒さなければと思ったとしても、それはおかしくないいんだ」

「そうだな。そうだったかも知れん。しかし、それでも俺は――」

「いや」今度は秋也が遮った。「そのことはもういいんだ。そうじゃなくて、大木は――大木は、俺が何もしないのに向かってきたんだ。それに、俺は典子サンと――典子と一緒にいたし――何もいきなり向かってくることはないはずだろ？」

　川田は肩をすくめ、水ボトルとパンを足元に置いた。

「大木はやる気だったのさ。そういうことだろ。何が不思議なんだ」

「いや、だから――論理的には、そうなんだ。けど――俺にはどうも、うまく飲み込めないんだ。わからないっていうか――あの大木が――」

　言い淀む秋也を遮るように、川田が「わかる必要なんかないぞ」と言った。

「え？」

　川田はちょっと苦笑いに近いような感じにきゅっと口元を歪め、それから、続けた。

「俺はまだこのクラスに入って日が浅いから、おまえたちのことも含めて誰がどんなやつだかよくは知らない。しかし、おまえだって大木の何を知ってる？　そうだな、もしかしたらやつには難病の家族でもいて、どうしても自分が死ぬわけにはいかなかったのかも知れない。あるいは、単に、あいつがエ

ゴイストだったってだけの話かも知れない。それとも、恐怖感で発狂して正常な判断を失ったのかも知れない。いや、あるいはこういう可能性もあるな。おまえはおねえちゃんと一緒にいた、どうやら仲間を組んでいるようだ、しかし、自分をその仲間に入れてくれるとは限らないだろ？　その二人は、あいつは危ないってことで、すぐにも殺そうとするかも知れない、自分を。あるいは、おまえが実はやる気になっているのだとしたら、そういう理屈をつけて自分を殺すこともできる。おまえ、何か大木を挑発するようなことをしなかったか？」

「そんなことは……」

秋也は言いかけ、思い出した。大木と向かい合った時、自分はナイフに無意識に触れた、確か。秋也自身も、怖かったのだ、大木立道のことが。

「何か思い当たるか？」

「ナイフに――触ったよ」川田の顔を見た。「しかしそれぐらいで――」

川田は軽く首を振った。

「理由としちゃそれで十分だ、七原。大木は考えたのかも知れない、とにかく目の前で武器を手にしているおまえを倒さなければならないと。このゲームじゃみんな導火線がかなり短くなってる」

それから、締めくくるように言った。「しかし、やっぱり、大木はやる気になってた、というのが一番わかりやすい説明だ。いいか、わかる必要なんてないんだ。とにかく、相手が自分に武器を向けたら、容赦するな。そうでなきゃ自分が死ぬ。相手のことをつらつら考えるよりは、まず疑うことだ。あまり人を信用しない方がいい、このゲームじゃな」

秋也は息をついた。大木立道は、本当に〝やる気〟だったのだろうか？　もっとも川田が今言った通り、それを考えるのは愚かなことなのかも知れないけれども。

――。

秋也は、もう一度、川田の方へ顔を上げた。

「そうだった」と言った。

「何だ?」

「それを訊き忘れてたよ」

「だから何だ?　早く言え」

秋也は続けた。「何であんたと俺たち、一緒にいるんだ?」

川田は眉を持ち上げた。唇をちょっとなめた。

「そうだな。俺も、おまえらの敵かも知れないな」

「そうじゃない」秋也は首を振った。「あんたは俺を助けてくれたじゃないか。いや、とにかく、元渕を止めようとしたじゃないか、危険を冒して。俺は、あんたを疑ったりしてないよ」

「そりゃ違うな、七原。おまえはまだ、このゲームがよくわかってないぞ」

「――どういう意味だ?」

川田が続けた。「生き残るために仲間がいると有利だな、このゲームは」

秋也はちょっと考え、それから頷いた。それは、そうだ。交代で見張りを立てて休息をとることができるし、誰かに襲撃されても、複数の方が有利だ。

「それが?」

「考えてみろ」川田は膝の上に寝かせたショットガンを手で少し動かした。「果たして俺が元渕を止めたのが、それほど危険なことだったと思うか?　俺が元渕にやめろ、と静止を命じたからといって、やつがやめたと思うか?　俺はいずれにしても錯乱したあいつを撃ち殺すつもりだったとは言えないか?　俺は本当にあいつを殺さざるを得なかったのか?　元渕は大方仲間になんてできそうになかったが、俺が元渕に静止を命じたのは、おまえを仲間にできるかどうか確かめるまでの演技だったとは思わないか?　俺は単に仲間がほしいだけで、結局いつかおまえたちを殺そうとするとは?」

秋也はしばし、川田の顔を見つめた。先程から繰り返されるその明解で論理的な喋り方に、半ば驚きに近いものを覚えながら。確かに、川田は歳が秋也

たちより一つ上だ。それでも、それは全く、大人の——それもよくできた大人の喋り方だった。そういう印象を与える点で三村信史にちょっと似ている、とも思った。

　秋也は首を振った。

「疑い出すときりがないよ。俺は、あんたは敵じゃないと思う」典子の方を見た。「俺はそう思う」

「あたしも」と典子が頷いた。「誰も信じられなくなったら、あたしたち、負けるんだわ。あたし、そう思う」

「その考え方は立派だ、おねえちゃん」川田が頷いた。「おまえたち、それでいいなら、それでいい。だけど、このゲームではいつも、用心した方がいいとは付け加えとく」

　川田はそれから、「で？」と言った。秋也はそれでようやく、自分の方が質問を始めたのだということを思い出した。

「そうだ。問題はあんたの方なんだ。何であんたは俺たちを信用するんだ？　俺たち二人で組んでるからって、俺たちのどちらかが、あるいは両方が、敵意を持ってないとは言えない、あんたが言った通りじゃないか。あんたに俺たちを信頼する理由はない」

「ハハア」川田はおもしろそうに言った。「応用問題だな、七原。だいぶわかってきたじゃないか」

「ごまかさないで答えてくれよ」

　秋也が拳銃を持った手を広げると、川田はおいおい、危ねえぞというように身を引いた。

「なあ」

　秋也がねばると、川田はまた眉毛を持ち上げ、それからまたあのかすかな笑みみたいなものを見せた。しばらく梢に覆われた頭上を見上げ、それから、顔を秋也と典子に戻した。真顔になっていた。

「いいかまず——」

　秋也は、その川田の静かな目に、ちらっと激しいものがかすめるのを見た。何かはわからないが、と

ても激しいものだ。

「俺は、ちょっと理由があって、このゲームのルールには、いや、このゲームには異議がある」

川田は言葉を切った。続けた。

「それで、確かにおまえの言う通りなんだが、——こんなことを言うのは恥ずかしいが、俺はいつも俺の良心にしたがって判断するんだ、つまり——」

川田は膝の間に立てたショットガンの銃身を両手で杖のようにつかんで、二人を見ていた。木立の奥で、ちちち、と小鳥が鳴いていた。川田は厳粛な表情だったので、秋也は緊張して耳を傾けた。

「おまえたち、いいカップルに見えたんだ、さっき。それと、今も」

秋也は一瞬、ぼけっとしていた。

カップル？

典子が先に言った。真っ赤になっていた。

「違う、あたしたちは、そんな。あたしなんて、秋也くんとは——」

川田は、その秋也と典子を見て、にやっと笑った。それから、いきおい破顔した。思いがけない、人懐こい笑みで、くくく、と声を上げた。

「だから、俺はおまえたちを信用するよ。それにおまえたち、言ったばかりだ、疑い出すときりがない。それでいいだろう？」

秋也はようやく、苦笑いした。それから、言うべきことを言った。

「ありがとう、うれしいよ、信用してくれて」

川田は笑みを残したまま、「どういたしまして、おにいちゃん」と言った。

「あんたは個人主義者に見えたよ、転校してきて以来」

「難しい言葉使うなよ。俺の愛想が悪いのは生まれつきだ、おにいちゃん」

典子がにっこり笑って、言った。「よかった。一緒にいてくれる人が増えて、心強いわ」

川田は、その典子の言葉に指先で不精髭ののびた

鼻の下をこすり、意外な行動に出た。秋也に向かって右手を差し出したのだ。

「俺もよかった。一人じゃさびしくってな」

秋也はその手を握り返した。川田のてのひらは分厚く、その物腰同様、まるきり完全な大人の男のもののように感じられた。

川田は上半身を伸ばして、秋也の体ごしに、典子にも手を差し出した。「おねえちゃんも」

典子が手を握り返した。

それから、川田がバンダナの巻かれた典子の脚に目を落として、言った。

「忘れてたよ、とりあえず、おねえちゃんの脚の傷を見せな。それから、今後の話だ」


【残り29人】

20

表面に細かな模様を施した、不透明な窓ガラスに映る陽の光が徐々に強く、白みを帯び始めていた。ガラスの上端に、ちかっと直射日光が射し込むと、日下友美子（女子七番）は、壁に背を預けたまま、少し目を細めた。彼女の親が――そして当然彼女が、役所に名前も届けられないうちから入信している〝光輪教〟の地区主教が、説教で繰り返していた陳腐な文句を思い出した。〝いつの日にも光は巡り来て、万物に恵みをもたらすのです〟。

――全く、あたしは恵まれてるよ、こんな楽しいゲームに参加できるなんて、あはは。

友美子はボーイッシュに短く切った髪を少し揺らして皮肉な笑みを浮かべると、傍らで毛布にくるまり、同じように壁に背を預けている北野雪子（女子六番）に目をやった。雪子は、やはりぼんやり目を開いて、光に覆われ始めた板張りの床を見つめていた。入口に書いてあった〝沖木島観光協会〟という仰々しい名前にしては、そっけない、自治会の集会場のような建物だ。一段下がった入口の方には、事

務机と椅子、それにあちこちサビのわいた書類ケースが一つずつだけあって、机の上には電話が乗っている（試してみたがもちろん、坂持が言った通り、受話器は何の音も伝えてこなかった）。書類ケースからは、あまりぱっとしない印象の観光チラシが二、三枚、その端をのぞかせていた。

友美子と北野雪子は、幼稚園のころからの友達だった。幼稚園のときはクラスが違っていたし、別に家が近所というわけでもなかったのだが、実を言うとこれも光輪教がからんでいて、最初に会ったのは、親に連れられていった教会でのことだ。友美子の方は三度目の教会だったけれど、雪子は初めてのようで、声明に合わせる銅鑼の音やらごたごた装飾された教会の雰囲気やらに、おどおどしているように見えた。友美子はそこで、お祈りの後、何か用事のあるらしい両親から離れて一人ぼっちでいる、その大人しそうな女の子に近づいて、言った。

「ここ、ばかみたいだと思わない？」

女の子はちょっとびっくりしたようだったけれども、――にこっと笑った。それ以来の、付き合いだ。

二人は名前こそ似ていたけれども、あまり共通点は無かった。友美子は小さいころから「男の子みたいねー」と言われるぐらい活発だったし、今も（もっとも、どうもその〝今〟が無事に戻ってくる見込みは少ない、とても、少ない）ソフト部で四番を打っている。雪子はごく家庭的なことが好きな女の子で、よく友美子に手作りのケーキやなんかをふるまってくれた。身長だって今や友美子の方が十五センチたっぷり高い。よく雪子は友美ちゃん背が高くていいなあ、顔だって彫りが深いしさあと言っていたけれども、友美子にとっては、雪子の小柄な体やふっくらした頰の方がよっぽどうらやましかった。そう、全然違うタイプだ。でも、今でも一番の友達だ、それだけが変わっていない。

幸運だったのは（というのも失礼な話だが）、国信慶時（男子七番）が出発前に死んだことで、二人

の出発がわずかに二分の間隔で並んでいたことだった。友美子が教室を出ると、分校の出口の柱の陰で、青ざめた顔の雪子が待っていた。二人はとにかく一緒に逃げ（ほんの二十分ぐらい後に赤松義生が戻ってきて殺戮を始めたのだが、二人は知らなかった）、集落のずっと北、島の東岸の道路から北の山へ向けて少し上がった高台に一軒だけぽつんと建っているここを見つけると、鍵をかけて閉じこもった。

──それから、もう四時間以上が経っている。極度に緊張したせいで二人とも疲れてしまい、ただ、並んで床に座ったまま、時間が過ぎていた。

友美子はまた雪子から視線を外すと、自分も床を見つめた。

ぼんやりしながらも、ずっと考えていた。一体、自分は今、何をするべきなのだろう？　午前六時の坂持の放送は、建物の中にいても聞こえてきた。国信慶時と藤吉文世を別にしても、既に、九人が死んでいる。小川さくらと山本和彦はともかく──ほかのみんなが自殺したとは思えなかった。誰かが別の誰かを殺しているのだ。今、この瞬間にもまた誰かが死んでいるかも知れない。そう言えば六時の放送のすぐ後にも、遠く銃声のようなものが聞こえた気がした。

一体、クラスメイトを殺すなんてことができるもんだろうか？　いや、もちろんそれはルールなのだが、友美子にはそんなルールに乗る人間がいるということが、どうにも信じられなかった。しかし、

しかし、相手が自分を殺そうとしているとしたら、少なくともそう考えたとしたら、やるだろう。そう、思う。

だとしたら、──

友美子は、部屋の隅に転がっている、メガホン型のハンドマイクに目をやった。あれは、使えるんだろうか？　もし使えるなら──

やれることはあるんじゃないか？　ただ、自分はそれが怖いだけだ。それをするのが。というのも、

このゲームに乗る人間がいるとはとても信じられないその一方で、やはり、一抹の恐怖が拭いきれないからだ。だからこそ、雪子と二人、とにかく一目散にここまで逃げてきた。もし——もし、そんな子がいたら？

でも——

友美子の中で、ある光景が蘇った。雪子を別にして、小学校のころ、一番仲のよかった友達の顔だ。友達は、泣きべそをかいていた。妙なことに友美子は、その友達のそのときの服装のうち、ピンクのスニーカーだけを、はっきり憶えている。

「友美ちゃん」

雪子が呼びかけたので、友美子は考えを中断し、雪子に向き直った。

「パン、食べよう。何か食べないと、いい考えも出ないよ」

雪子が穏やかに笑いかけていた。ちょっと無理に笑った感じもあるけれども、それでもいつもの、優しい雪子の笑顔だった。

「ね」

雪子がもう一度言い、友美子は笑みを返して頷いた。

「うん。そうしようか」

二人はそれぞれのデイパックからパンと水を取り出した。友美子は、そのデイパックの中、二個の丸い缶詰みたいなものに、一瞬目をとめた。その缶詰は緑がかった銀色で、一番上に親指ぐらいの太さの棒が突き出し、それにレバーみたいなものと、直径三センチぐらいの金属製の輪が付いていた。手榴弾、というやつなのだと思う（雪子の方の〝武器〟はどういう冗談なのかダーツセットで、ありがたいことに木製の丸い的まで付いていた）。

しばらくして、パンを一個の半分かじり終え、水を一口飲んでから、友美子は言った。

「少し、落ち着いた、雪子？」

雪子はパンを噛みながら、丸い目をもう少し丸く

した。

「ずっと震えてたから」

「ああ」雪子は顔をほころばせた。「うん、大丈夫よ。友美ちゃんが一緒にいてくれるんだもん」

友美子は笑んで、頷いた。それで、食事をしながらでも、〝やるべきこと〟について雪子に相談しようかと逡巡したが、――口を閉じた。やっぱりまだ、自分の考えに確信が持てなかった。自分の考えていることは、ある意味では、とても危険なことなのだ。それをやるということは、自分だけでなく、雪子をも危険にさらすことになる。しかし、一方では、危険だと思っていることこそが、自分たちを徐々にデッドラインに向けて追い込んでいくことになるのかも知れない。どっちが正しいのか――まだ、友美子には、確信が持てなかった。

しばらく二人とも黙っていた。それから、雪子がふいに言った。「ねえ、友美ちゃん」

「ん? 何?」

「こんなときにばかなこと言ってるって言われるかも知れないけど」

雪子はふっくらした小さめの唇を少し噛んだ。

「何よ」

雪子はなお少しためらったようだったが、結局言った。

「友美ちゃん、クラスに好きなことか、いた?」

友美子は目をちょっと丸くした。

すごい。これってまるきり、修学旅行の夜の話題だ。トランプも枕投げも旅館の探検もひと通り終わった深夜、先生についての悪口とか、将来のことかをダントツで引き離すナンバーワンの話題。夜の闇、その中にいる自分たちのささやかな祝祭のための神聖な話題だ。もちろんあのバスで眠りにつくまでは、多分この旅行のうちにそういう話もするんだろうと考えてはいたけれど。

「それって、男の子のこと?」

「そうよ」

雪子は恥ずかしそうに、伏し目がちの視線を流すような感じで友美子を見た。

「うーん」

友美子は少し詰まったが、正直に答えることにした。

「いるよ」

「そう」雪子は視線を自分のひだスカートの膝辺りに落として、続けた。「あのね。ごめん、今まで友美ちゃんにも話さなかったけど、あたし、……七原くんが好きなんだ」

友美子は静かに頷いた。何となく、わかっていたことだったので、それは。

友美子は、頭の中から七原秋也に関するファイルを引っ張り出した。身長百七十センチ、体重五十八キロ、視力は右一・二、左一・五、やせ型だけど筋肉質。小学校のころはリトルリーグでショート、一番を打っていたけど、今は野球はやめていて音楽の方が好き、ギターとうたがすごくうまい。あだ名は無いが、そのリトルリーグ時代にチームの切り札的存在だったことと、姓の〝七〟を引っかけて、〝ワイルドセブン〟という煙草の銘柄と同じ通り名がある。血液型B型で十月十三日、名前の通り秋の生まれ。しかし、小さいころに事故で両親を無くして、今は城岩町の外れにある〝慈恵館〟というカソリック系の施設に住んでいる。同じく慈恵館に住んでいる国信慶時とは親友(ああ、でも彼は死んだ)。――勉強は、どっちかというと英語とか国語とか、文系の方が得意で、まあまずまず。顔は唇を曲げたような感じにちょっと癖があって、でもはっきりした二重の目が優しくて、十分かっこいい。髪はウエーブがかかっていて、襟足の部分が肩口まで、ちょっと女の子のように、長い。

そう、友美子の七原秋也に関するファイルケースは、大方あふれかえっていた(自信がある、雪子のファイルケースより資料は多いはずだ、多分)。そして、ファイルの中で殊に身長のことは重要事項だ

った。なぜなら、——このまま七原くんの背が伸びなかったら、あたしはハイヒールは履けないな、一緒に歩いたらあたしの方が高くなっちゃうもの、と思っていたから。

しかしどうやらはっきりした、このことは雪子には言えそうにない。

「へえ」友美子はできるだけ平静を装って言った。「そうなの」

「うん」

雪子は目を伏せた。それから、言った。要するに、それが言いたいところだったのだと思う。

「会いたいな。すごく。七原くん、どうしてるだろ」

スカートの両腿の脇に手をついた姿勢のまま、その目にじわっと涙があふれ出した。

友美子はそっとその雪子の肩に手をふれた。

「大丈夫よ、七原くんなら。どんなことになったって」

それから、その言い方はちょっとまずいかな、と思って慌てて付け足した。

「ほら、七原くんって、運動だってクラスで一番できるし、何か、度胸あるって感じじゃない、あたしはよく知らないけど」

雪子は涙を拭って、「うん」と頷いた。それから、気を取り直したように訊いた。

「友美ちゃんは？ 誰が好きなの？」

友美子はとりあえず天井を見上げて「うーん」と唸ってみせ、同時に、考え込んだ。ヤバい。誰か、適当な名前を出してお茶をにごしてしまおうか。

大木くんはハンド部のエースで、ちょっと顔がごついけど気のいい感じがするこだ。三村くんはバスケ部の天才ガードと言われていて、何でもよく知っていて、〝追っかけ〟がいるぐらい、一部の女の子には熱狂的な支持がある（ただしB組の中ではそうでもなかった。プレイボーイだ、というのが、ほぼ統一されたB組女子の見解だったからかも知れない

が)。沼井くんは悪ぶってるけど、そんなに悪いこじゃない気がする。女の子には、優しい(ああ、でも彼は死んだんだ、もう)。杉村くんはちょっとニヒルな感じでよかったな。何か、武道道場に通ってるとかで、こわいっていうこが多いけど、あたしは、そういうの、かっこいいと思うし。でも、彼は確か、千草貴子と仲がいいんだっけ。しかられちゃうな、貴子、きついから。でも、貴子もいいこだけど。そうだな。みんないいこばっかりだったな。男の子も、女の子も。

——。

また、あの問いが戻ってきた。あたしは彼らを、信じていないんだろうか?

「ねえ。誰?」

雪子がまた訊いた。

友美子は雪子に向き直った。

最後にもう一度だけ逡巡し——しかし、結局、言ってみることに決めた。とにかく、相談してみることだ。そして、何か相談するのに、雪子は、自分にとってはもっともありがたい相手なのだから。

「ねえ、ちょっと、いい?」

雪子は不思議そうに首を傾げた。「何?」

友美子は考えをまとめるために少し腕を組み、それから言った。

「ねえ、ほんとに、誰かを殺したいと思ってる人、いると思う? 今、あたしたちのクラスに」

雪子はちょっと眉をひそめた。

「それは——だって、事実、死んで——」"死んで"を発音するとき、雪子の声が震えた。「——るわ、みんな。朝、放送があったじゃない。もう、出発してから九人も——。みんながみんな自殺したとも思えないし——それに、さっきだって、鉄砲の音みたいなの、聞こえたじゃない」

友美子は雪子の顔を見ながら首を傾けた。両手を広げてみせた。それで、セーラーの左袖口がちょっと破れているのに初めて気づいた。

「それはね、ほら、あたしたち、ここでこうやって怖がってる。二人そろって。そうよね？」

「うん」

「それで多分、ほかのみんなもおんなじじゃないかと思うんだ。きっとみんな怖がってる、そう思わない？」

　雪子は少し考え込んだ様子だったが、しばらくして言った。

「うん。そうかも知れない。あたし、自分が怖いってことばっかりで、そんなことよく考えなかったけど」

　友美子は一つ頷き、続けた。「で、あたしたち、一緒にいられたからまだそうでもないけど、一人だったら、きっともっとものすごく怖いと思うんだ」

「うん。そうね」

「で、そうやって怖がってるとこにさ、もし誰かと出くわしたら、どうする、雪子？」

「逃げるわ。もちろん」

「逃げる余裕がなかったら？」

　雪子は随分考え込んだ様子だった。それから、ゆっくり言った。

「あたし――うん、あたし、戦っちゃ――うかも知れない。何か持ってたら投げつけるだろうし――、うん、もしかしたら、鉄砲みたいなの持ってたら、もしかしたら、撃っちゃうかも知れない――もちろん、話はするわよ。だけど、とっさのことで、どうしようもなかったら」

　友美子は頷いた。

「そうでしょう？　それでね、あたし、だけど、本当は、誰かを殺したいと思ってる人なんていないんじゃないかと思うのよ。怖いから、相手が自分を殺そうとしてると思い込んじゃうから、戦おうとするんじゃないかと思うんだ。それで、そうやって思い込んだら、相手が向かって来なくても、自分の方から向かって行くことだって、するかも知れない」

　一旦言葉を切り、組んでいた腕をほどいて、両手

を床についてから、続けた。

「みんな、怖がってるだけなんじゃないかしら、きっと」

雪子は、また小さめの、ふっくらした唇を結んだ。ややあって、視線を床に落とすと、ためらいがちに言った。「――そうかしら。あたし、信用できないな。相馬さんのグループとか――あと――桐山くんとかさ――」

友美子はちょっと笑ってみせると、ひだスカートの下の脚の位置を動かして、座り直した。

「あたしの考えを言うね、雪子」

「うん」

「このままでいたら、あたしたち、死ぬわ。時間切れ？　二十四時間誰も死ななかったとき？　それまで生きていたとしたって、殺されるんだから」

雪子がまたちょっと怯えた表情で頷いた。

「それは――そうね」

「それで、あたしたちに何かできるとしたら、全員で協力して、なんとか脱出する方法を考えることだけよ。そうじゃない？」

「それは――そうだけど。でも――」

「あたしね」

友美子は雪子の言葉を遮り、それから首をこころもち傾けた。

「人を信じなかったことで、いやな思いをしたことがあるわ。小学校のとき」

雪子が友美子の目を覗き込んだ。

「何かあったの？」

友美子はちょっと天井をあおいだ。あの、泣きべそをかいている友達の顔が蘇った。それにピンクのスニーカー。

雪子に目を戻した。

「そのころ大事にしてた――ほら、〝たまごねこ〟って流行ったの、憶えてる？」

「うん。キャラクターグッズでしょ。あたしも下敷き、持ってた」

「そう。あたし、その三色ボールペン持ってたんだ、限定販売のやつ。今から考えたらつまんないもんだけど、でもすごく大事にしてた」

「うん」

「それで、あるときそれがなくなって――」友美子は視線を落とした。「あたし、友達がそれを盗んだんじゃないかって、疑ったの。そのこ、すごくそれ欲しがってたし、それに、なくなったって気づいたのが一時間目の体育の授業の後で、その子、具合が悪いって体育休んで、一番先に教室に帰ってたから。それに、ああ、いやね、とにかく、その子はお父さんがいなくって、お母さんがスナックに勤めてて、あまりよく思われていなかったわ」

雪子はゆっくり頷いた。「うん」

「あたし、その子問い詰めたけど、彼女は知らないって言った。それであたし、先生にまで言ったわ。先生も、そう、偏見があったのかも知れないわね、その子に、ほんとうのことを言いなさいって言ったの。だけど、彼女は知らないって泣いてた」

友美子は雪子に視線を戻した。

「家に帰ったら、机の上に置き忘れてるのが見つかったわ、その三色ペン」

雪子は黙って聞いていた。

「あたし、彼女に謝った。彼女もいいのって言ってくれた。でも、何となくぎくしゃくしちゃって、その子も結局――お母さんが再婚したのだったかしら、しばらくしたら転校して、それっきりよ。あたし、その子とはすごく仲がよかったのよ。それこそ、雪子と同じぐらいね。だけど、あたし、その子を信じてあげられなかった」

友美子は肩をすくめ、続けた。

「以来、あたしは、できるだけ人を信じてあげられるように努めてるわ。あたしは、人を信じたいわ。そうしなければ、きっと何もかも駄目になる。これは、あのろくでもない光輪教のおじさんおばさん連中が言うのとは別のことよ。あたしの信念。わかっ

てくれる?」

「うん。わかる」

「それで、今のことよ。そりゃあ、相馬さんとかは、悪そうに見える。そう言われてる。でも、自分のために喜んで人も殺そうなんて、そんな悪い人じゃないはずよ。そんな人、あたしたちのクラスにいなかったはずだわ。そうでしょ?」

「……うん」雪子はややあって頷いた。

「だから」友美子は続けた。「きちんと話しかけたら、みんな戦うのをやめてくれるはずよ。そしたら、今の状況をどうにかできるかどうか、みんなで話し合えるわ。いいえ、たとえどうにもできなくても、少なくとも、みんなが殺し合うなんてことは避けられる。そうでしょう?」

「うん……」

雪子は頷いたが、まだためらいがちだった。友美子は少し喋り疲れて息をつき、また脚の位置を直した。

「とにかく、それがあたしの意見。それで、雪子の意見を聞かせて。雪子が反対するなら、あたしはそれはやらない」

雪子はしばらく、床に目を落として考え込んでいた。

たっぷり二分ばかり経ってから、ぽつりと口を開いた。

「友美ちゃんね、あたしにいつか言ったね、あたしが人の意見聞きすぎるって」

「うん? ——そう、言ったかな」

友美子は雪子の顔を見つめた。雪子が顔を上げ、視線がかちあった。

雪子がにこっと笑った。

「あたしは、友美ちゃんの言うことはとても正しいと思うわ。これは、あたしの意見よ」

友美子は笑みを返した。「ありがとう」と言った。雪子が、自分で考えてそう言ってくれたのが、うれしかった。それで、そのことは、自分の考えの正し

さをもまた、証明しているように思えた。

そうだ。やっぱり、やるべきなんだ。何も努力しないで死んでいくなんて、そんなのは、あたしは、ごめんだ。可能性があるなら、試してみよう。そう、雪子に言った通りだ、あたしは、人を、信じたい。試して、みよう。

それから、雪子が訊いた。

「でも、どうやってやるの？　みんなに呼びかけるなんて」

友美子は、部屋の隅に転がっているハンドマイクを指さした。

「あれが使えるかどうかね」

雪子は何度か小さく頷き、それから天井を見上げると、しばらくして、ぽつりと言った。

「うまくいったら、七原くんに会えるなあ」

友美子は頷いた。これは、いささか、心から。

「そうよ。きっと会える」


【残り29人】

21

「よし、いいぜ」

川田がかたわらのデイパックの上に糸と針を放り出し、秋也に「もっぺんウイスキー貸せ、七原」と言った。

川田の前、典子が曲げた右脚を横へ伸ばしていた。右ふくらはぎの傷は今、ごつい木綿糸で縫い止められていた。川田が縫合手術をやってのけたのだ。もちろん麻酔はなかったが、その約十分ばかりの間、典子は泣き言を言ったりはしなかった。

秋也はスキットルを川田に差し出した。かたわらに石を組んだ小さなかまどがあって、炭の上に置いた空き缶の中、こぽこぽと湯が沸き続けていた（その炭も、針と糸も雑貨屋で調達したのだと川田は説明した）。針と糸はそれで消毒したのだけれど、まさか傷口に直接湯をかけるわけにはいかないという

ことだろう、川田は縫合を始める前にも、傷口を秋也のウイスキーで洗っていた。再度の消毒ということになるが、一旦息をついた典子が、それでまた顔を歪めた。

秋也は時計を見た。湯が十分沸騰するまでに時間がかかったため、既に八時を過ぎている。

「オーケイ」川田は、これも湯で消毒したバンダナをガーゼ代わりに押し当て、手早く上からもう一枚のバンダナを典子の脚に巻き直して、言った。「もう終わりだよ、おねえちゃん」

それから、ちょっと心配そうに付け加えた。

「これまでに妙な雑菌が入ってなきゃいいんだけどな」

典子が脚を引っ込め、「ありがとう」と川田に礼を言った。「うまいもんね」

「お医者さんごっこは得意でね」

川田は言い、ポケットから〝ワイルドセブン〟の銘柄の煙草を出して一本咥え、百円ライターで火を点けた。これも雑貨屋で勝手に徴用してきたのだろうか、それとも私物だろうか。〝バスター〟とか〝ハイナイト〟と同じ大衆銘柄だ。

秋也はその、理由は知らず、バイクとライダーのシルエットをあしらったパッケージをぼんやり眺めた。およそ綽名の付いたことのない秋也だったが、しかし、その煙草の名前が自分の通り名として使われることがあったからだ。理由は至って単純、リトルリーグ時代、秋也は常にチームの切り札だった。チャンスには必ず打ち、塁に出たら後が続かなくても盗塁でチャンスを広げ（一シーズンにホームスチール三回というちょっとした記録も持っている）、満塁のピンチ、ヒット性の当たりもその美技で併殺に仕留めた。ピッチャーがへばったら、ショートからマウンドに上がることもあった。ワイルドカード・〝七〟原。ワイルドセブン。あらまあそうですか。

二年になってバスケ部の天才ガード、あの三村信

史と同じクラスになった。信史にも、〝第三の男〟という通り名がある。それは、信史がまだ一年のころ、バスケ部のガードのポジション、第二補欠だったころのことに由来しているらしい。彼が——〝第三の男〟が残り五分でコートに入った後、城中バスケ部は優勝候補だった相手チームとの二十点差をあっさり跳ね返したのだ。以来彼はレギュラーになったし、城中バスケ部は県大会上位の常連になっているが、それでも今も、そのときのインパクトと〝三村〟の姓になぞらえて、そう呼ばれている。

そう、四月にあった今年のクラスマッチでは、女の子が冗談で七番と三番のゼッケンを用意してきて、秋也と信史はそれを着けて試合をした。なんだか遠い世界の話だった。秋也はまた思った。三村信史はどこにいるのだろうか？　あいつならきっと、頼りになる。

川田が思い出したようにもう一度ポケットを探り、革製の小銭入れのようなものを引っ張り出した。そしてその中から——薬を、プラスチックと銀紙で包装された白い錠剤をつまみ出すと、典子に差し出した。

「鎮痛剤だよ。飲んどくといい」

典子は目をぱちくりした。それでも、受けとった。

秋也は「おい」とその川田に声をかけた。

「何だ」川田は煙をうまそうに吐き出して、秋也を見た。「そう非難がましい目をするなよ。中学生だって煙草ぐらい吸うぜ。大体、俺、ほんとは高校生の歳なんだ。それに、おまえなんか酒を持ってきてたんじゃないか」

高校生なら吸ってもいいみたいな言い方だったが、とにかく、秋也は「違う」と首を振った。「その薬も雑貨屋にあったのか？」

川田は肩をすくめた。

「まあそうさ。もっとも、売り物じゃなくてレジの後ろの薬箱からかすめたんだがな。なんてこたない、ただの頭痛薬さ。ゴメスってやつ。どうでもいいが

頭痛がひどくなりそうな名前だよな。とにかくまあ、気休めにはなる」

秋也は唇をすぼめた。まあ、それは事実かも知れない。しかし――

「――準備がよすぎやしないか？ それに、何で傷を縫ったりできるんだよ？」

川田は口の両端を持ち上げて唇できれいな弧をつくって笑い、肩をすくめた。「おれ、医者の息子だ」と言った。

「何だって？」

「それも、神戸のスラムの小汚い診療所だ。ガキのころから親父が人を縫い合わせるの、見てたんだ。いいや、我ながら優秀な看護助手だったし時々は似たようなことやってましたって言った方が正確だな。親父には看護婦雇う金なかったから」

秋也は二の句が継げなかった。本当だろうか？

川田は指の間に挟んだ煙草を持ち上げ、秋也を遮るような仕草をした。「嘘じゃない。ちょっと考えれば、この状況で薬が必要になることだって、わかるだろう？」

秋也は一旦黙ったが、もう一つ不思議に思っていたことをようやく思い出した。

「そうだ」

「なんだ？」

「あのときあんた――」

「おまえ、でいいよ、七原。どうも他人行儀でいけない」

秋也は一つ肩をすくめると、言い直した。

「おまえ、バスの窓を開けようとしていただろ。気づいたんだな、催眠ガスが出てるってことに？」

それを聞いて、典子が川田の方をもの問いたげに見た。

今度は川田が肩をすくめた。

「見てたのか。手伝ってくれりゃよかったのに」

「悪いけど手伝えなかったよ。けど、どうしてわかったんだ？ 匂いもしなかったし――」

「匂いはしたよ、七原」川田は言って、半分ほど吸った煙草を地面に押しつけた。「かすかなもんだがな。知ってる者なら、わかることだ」

「どうして知ってるの？」と今度は典子が訊いた。

「俺の叔父が実は政府の化学研究所にいて――」

「おい」秋也は遮った。

川田は苦笑いすると、言った。「必要があれば後で話そう。まあ、俺にしてみればあれは最大の失態だな。気づくのが遅すぎたんだ。まさかこんなことになるとは思わなかったしな。――それより、今のことの方が大切だ。何かプランはあるのか？」

必要があれば話す？ その言い方も引っかかったが、しかし、確かに川田の言う通り、逃げ出すための相談が先決だった。それ以上追求するのはやめて、言った。

「俺たちは逃げるつもりだ」

川田はまた煙草に火を点けながら、頷いた。それから、思い出したように、石積みのかまどの中の炭に土をかけた。典子が、水と一緒に薬をこくっと飲み込む音が聞こえた。

秋也は続けた。「難しいと思うか？」

川田は首を振った。

「可能性はあるか、と訊くべきだな、七原。それなら俺はこう答える、とても可能性は小さい。だが、それで？」

「俺たち、この」秋也は自分の首筋に手を上げた。川田の首にも、典子の首にも同じく巻かれているそれ。「首輪のせいで、逃げてもすぐ見つかるんだろう」

「そうだな」

「それに、あの分校にも近づけない」

坂持が言っていた、〝この分校のあるエリアはすぐに禁止エリアになります〟。いや、〝なりまーす〟か、クソ。

「そうだな」

「けど、何とかあそこから坂持たちを引きずり出せ

ないか？ それで坂持を人質にとる。それで、この首輪のロックを解除させるんだ」

川田はただ、眉を持ち上げた。「それで？」

秋也は唇をなめ、続けた。

「それで、そうだ、先に船を探しておいて、坂持を連れて逃げる」

言いながら、自分でも勝算のほとんどない作戦だと思った。いや、坂持を分校から引きずり出す方法を考えていないのだから、そもそも作戦とすら呼べないが。

「――以上か？」

川田が言った。秋也は仕方なく頷いた。

川田はまた煙を吸い、それから、言った。

「まず、第一に、船なんか無いな」

秋也は唇を噛んだ。

「そりゃ、わからないじゃないか」

川田はちらっと笑んで、煙草の煙を吐き出した。

「俺、港の近くの雑貨屋に行ったって言ったろう。船はなかった。一隻もだ。普通ならおかに上がってるはずのボロ船も全部かっさらわれてる。全く、呆れたていねいさだぜ」

「じゃあ――見張りの船を使ってもいい。坂持さえ人質に取れたら――」

「無理だ、七原。そんなのは」川田が遮るように言った。「あの専守防衛軍の連中の人数を見ただろ。それに、――」

川田は自分の首に巻かれた銀色の首輪を指した。

「この首輪はやつらの好きなとき、エリアだのなんだのに関係なく手動操作だって爆破できるはずだ、いつでも、どこでも、だ。俺たちにはどうしたって分が悪い。大体、万一そんなことができたとしても、政府は坂持なんか平気で見殺しにするぞ、多分」

秋也は再び黙った。

「ほかに何か思いつくか？」と川田が促した。

秋也は「いや」と首を振った。「典子は？」

典子も首を振ったが、しかし、別のことを言った。

「あの、あたしたち、だから、信用できる人たちだけでも集めて、何か一緒に考えられないかなって言ってたの。大勢で考えたら、いい知恵が浮かぶんじゃないかって――」

そうだ、と秋也は思った。それを言うのを忘れていた。

川田が、傷痕のある左側の眉だけを持ち上げた。

「信用できる人っていうのはこの場合誰のことだ?」

それには、秋也が幾分勢い込んで答えた。

「三村だよ。それと――杉村弘樹とか。女子だったら、委員長の内海とかさ。特に三村は――すごいやつなんだ。あいつは、いろんなことをよく知ってるんだ。機械のこととか、詳しいし。あいつだったら、何か思いつくはずなんだ」

川田は、それで、秋也の顔を見ながら、不精髭の生えたあごにしばらく左手を這わせた。それから、言った。

「三村か……」

秋也は目を少し丸くした。「どうかしたのかい?」

「いや……」川田はちょっと言いにくそうに、しかし、続けた。「……三村なら、見たな、俺」

「何だって! どこで!」

秋也は思わず声を上げていた。隣の典子と顔を見合わせた。

「どこで? どこで見たんだ?」

川田は、あごをちょっと東の方角へ動かした。

「夜のうちだ。あの分校から西へ出た辺りだった。何か家に入って探し物をしてるようだったな。――銃も持ってた、俺に気づいたようだった」

「何で声をかけなかったんだ?」

非難めいた声を上げた秋也に、川田は不思議そうな顔をした。

「どうして?」

「だって――あの分校で、あいつ、典子が席に戻るのを助けてくれたじゃないか。見ただろ? それに

――」

川田が引き取った。「典子サンが怪我をしたから このゲームを延期にしようと言った？　恐らく、みんなが逃げるだけの余裕ができるように？」

そう、その通り。秋也は頷いた。

川田は、しかし、首を振った。

「それだけのことで俺にあいつを信用しろってのか？　そりゃ無理だな。それにあいつは、要するにそうやって、自分が信用できる人間だということを見せびらかしただけかも知れないぞ。そしたら、後でみんなを殺すのに都合がいい」

「――ばかな！」秋也は声を荒げていた。「よくもそんなひねくれた考え方ができるもんだ。あいつは、そんなやつじゃないんだ。あいつは――」

川田が黙って両てのひらを前に押し出すような仕草をし、秋也は黙った。そう、そもそも大声を上げるのはまずかった。たいへんにまずい。

それから、川田が言った。

「悪く思うな。俺は三村のことはよく知らないんだ。さっき言ったように、このゲームじゃ人を信じるんじゃなくて疑うのが原則だ。特にな、頭の切れそうなやつには用心しなきゃならない。それに、俺が組もうと言ったってあいつも多分、うんとは言わなかっただろうさ」

秋也はなお何か言おうとしたが、しかし、息を吐き出して、やめた。川田の言うことも、全くわからないことではなかった。ほんとうは、川田が自分と典子を信用していることすら、おかしな話なのだ。川田はそれを、〝いいカップルに見えたからな〟と言ったけれど。

「じゃあ――」秋也は言葉を継いだ。「とにかく、おまえが三村を見たってところまで行ってみよう。あいつは絶対信用できる、俺が保証する。あいつなら、きっと何か思いつくはずなんだ、あいつは――」

しかし、秋也はまたも途中で言葉を切らざるを得

なかった。川田が首を振っていた。

言った。「三村がおまえの言う通りの切れ者ならな、七原。あいつが俺に姿を見られたところにずっととどまってると思うか?」

その通りだった。

秋也はため息をついた。深い深いため息だった。

「あの……」典子が口を開いた。「川田くん、今からでも、三村くんとか、ほかのみんなに連絡を取る方法がないかしら」

川田はまた煙草を一本振り出しながら、首を振った。

「ないだろうな。不特定多数を集めるならともかく、特定のやつに絞って連絡を取るのは難しい」

しばらく沈黙が落ち、秋也は、唇の間に煙草を挟んだ川田をしばらく眺めた。〝ワイルドセブン〟が火の点いた先からちりちりと音をたて、少し短くなった。

「じゃあ——」重くなる口を、動かした。「俺たちには、もう手がないってことか」

しかし、川田は、あっさり「いや、そうじゃない」と言った。

「え?」

「俺のプランがある」

吐き出された煙をすかして、秋也はまたもまじまじと川田の顔を見ることになった。それから、俄然興奮して訊ねた。

「そりゃ——どういうことだい? 何か方法があるのか?」

川田は秋也と典子の顔を見渡した。それから、煙草を咥えたまま、少し考えるように宙をあおいだ。煙首に巻かれた首輪を気にするように、そのなめらかな表面を右手指でなぞった。煙がゆっくり流れた。

川田はそれから、「方法はなくもない」と言った。続けた。「ただし、条件があるな」

「——どんな?」

川田は軽く首を振り、また口元に煙草を近づけな

がら、言った。「最後まで生き残れたら、の話だってことだ」

秋也は眉を寄せた。意味が分からなかった。

「――どういう――意味だ？」

「もちろん」

川田は秋也たちの方に目を戻した。

「俺たち三人が残るまでって意味だ。ほかの連中がみんな死んで」

「そんな」典子がすぐに声を上げた。「そんなのひどいわ。じゃあ、あたしたちだけ助かろうっていうことなの？」

川田は組んだ膝の間で煙草を指の間に挟んだまま、眉を持ち上げた。

「七原が逃げるって言ったのだって、同じ意味だろ」

「違う」と秋也は口を挟んだ。「典子が言ってるのはそういう意味じゃない。つまり――ほかの連中が死ぬことと引き換えに俺たちが生き残るのかと言ってるんだ。典子、そうだろ？　それじゃまるで……ひどいよ、とにかく」

「まあまあ、待てよ」

川田が手を振った。煙草を地面に押しつけて消した。

「仲間が増えるのは構わない。信用できる連中ならな。しかし、いずれにしても、俺たちのグループのメンバー以外の連中がみんな死んだら、だ。そういうことだ」

「それなら」秋也は勢い込んで言った。「みんなにそれを知らせてやればいい。それが確実な方法なら、反対するやつなんかいないよ。そしたらみんな助かるってことだろ？　そうだろ？」

秋也の言葉に、川田は唇を引き締めた。それから、すこしけだるそうに言った。

「七原。話をする前に向こうが攻撃してきたらどうするつもりだ？」

秋也は息を呑んだ。

「少なくとも、自分が積極的に誰かを殺したいんじゃない限り、このゲームで生き残るための比較的賢い方法は、動かずに隠れてることだ。だからこそこいつの中の爆弾で」川田は自分の首輪を指さした。「政府は俺たちを動かすんだ。こいつは、大原則だぞ。忘れるな。のこのこ動いてたら、物陰から撃たれる可能性だってあるんだ。ことに俺たち、今、典子サンが怪我してる。いい標的だ」

その通りだった。

「それにな、みんな助かる、というが、実際にはここで死なずに済むかも知れないというだけだ。脱走者になるんだから、いずれは政府に追われて、結局死ぬことになる可能性が高い。そんな話に誰もがはい、わかりました、と乗ると思うか？　忘れたのか？　このゲームじゃ、誰が敵かわからないんだ。ヘタに誰でも仲間に引き入れたら、痛い目に合うじゃ済まないぞ」

「そんなやつは――」

「いないと言いきれるのか、七原？」川田の目が厳しくなっていた。「そりゃあ、このクラスのやつがみんな善人ならめでたい。だが、警戒するのがリアリティってもんじゃないか？　おまえだって事実、赤松にも大木にも襲われたんじゃないか？」

出発直後、赤松に襲われたことも、川田が典子の脚を治療する準備をするうちに、話しておいた。その通り、赤松義生についても、ほんとうのところはわからなかった。赤松義生はやる気だったのかも知れない。

秋也は息をついた。肩を落とし、力なく言葉を押し出した。

「じゃあ――じゃあ、俺たちは、恐らく大半の、マトモな連中を見殺しにすることになるのか。そういうことなんだな？」

川田は小さく何度かあごを上下させて、頷いた。

「つらいが、そうだ。大半と言えるかどうかは、俺は知らないが」

しばらく、沈黙が落ちた。川田がまた煙草に火を点けた。吸い過ぎだ、中学生のくせに。

それから、典子が「ちょっと待って」と言った。秋也は典子の方に首を振り向けた。

「ほかのみんなが死んだらって言ったけど、時間切れの可能性だってあるじゃない。二十四時間誰も死ななかったらって——」

「ああ」川田は頷いた。「もちろんだ」

「そのときは川田くんのいうプランもだめになるのね？」

「そうだ。だが、まずそんなことはない。それに、仮にみんなが仲良しこよしになれるのだとしたら、全員が俺のプランに乗ってもいい。しかし、そんなこともまずないだろう。だから心配する必要はない。前に聞いたんだが、過去の全国のプログラムで時間切れが起きたのはわずかに〇・五パーセントだそうだ」

秋也は薄く口を開いた。「聞いた？　そんなことどこで——」

「まあ待てよ」

川田はまた両手で何かを前に押しやるような仕草を見せ、秋也を制した。

「そんなことより、大事なことがあるだろ。おまえたち、まだ俺に訊いていない、一体それがどういう方法なのか」

秋也はそれで黙り——それから、訊いた。

「どういう方法なんだ？」

川田は肩をすくめた。煙草を咥えた口の端から、あっさり言った。「言えない」

秋也は眉をひそめた。

「なんだって？」

「今は言えないんだ」

「なぜ？」

「どうしても、だ」

「——今言えないって——じゃあ、いつになったら教えてくれるんだ？」

「そうだな。俺たち三人だけが残ったそのときということになるかな。ただ、これだけは言っとこう。俺の考えてる方法は、誰かに邪魔されたらうまくいかないんだ。だから、俺たち三人だけが残るまで、その方法は使えない」

秋也はまた黙った。煙草をふかしている川田の顔をしばらく見つめていたが、そうするうち、秋也の頭のどこかで、誰かが何かをささやいた。聞こえるか聞こえないかの声で、でも、ささやいた。

まるでそのささやきを聞きとったかのように、川田が笑みを浮かべた。

「おまえが何を考えてるか、わかるよ、七原。こうだ。全く別の可能性が考えられる。俺は脱出をえさにおまえたちを味方にして、うまく生き残ることができる。ところが実は脱出方法なんてない、俺は残り三人になったら、おまえたち二人を殺して優勝する。俺にはとても都合のいい話だ。違うか?」

秋也はかすかに狼狽した。「そんなことは——」

「違うのか?」

秋也は口をつぐみ、ちらっと典子の方を見た。典子はただ黙って、川田の顔を見つめていた。

秋也は顔を川田へ戻した。

「そんなことはない。ただ——」

秋也は途中で言葉を切った。

声が聞こえていた。とても遠く、それでも少し電気的に歪んでいるのがわかる『みんなーっ』という声が。


【残り29人】

22

声は続いていた。『みんなーっ聞いてーっ』という声。女の子の声だった。

「友美子の声だわ」と典子が言った。日下友美子(女子七番)のことだ。女子ソフト部で四番を打っている、背の高い、活発な女の子だった。

「ちょっと様子を見てくる」

川田の顔がぎゅっと引き締まった。ショットガンを持って立ち上がった。声の聞こえてくる方角、東側の茂みの中へ歩み出した。

「俺たちも行く」

話が途中だったが、秋也はとにかくスミスアンドウエスンをズボンの前に押し込み、典子に肩を貸して立たせた。川田はちらっと振り返ったが、何も言わずにそのまま歩き出した。

茂みの端まで出たところで、川田は立ち止まった。秋也と典子も足を止めた。

背中を向けている川田が言った。「あいつら――」

秋也はその川田のすぐ後ろまで進み、典子と一緒に、川田がそうしているのと同じように、茂みから顔を出した。

山頂だった。北の山、山頂のまばらな木々の間に、何か展望台のような構造物が見えていた。秋也たちのいる山すそから、距離は――五、六百メートルもあるだろうか。それでもはっきり見えた。展望台は壁を取り払った小屋のような粗末なつくりだったが、その屋根の下、二つの人影が立っているのが。秋也は目を見開いた。

声が届いてきた。『みんなーっ。戦うのはやめてーっここまで来てーっ』

秋也は、人影の一方が――背の高い方だ、日下友美子だろう――頭の前に何か持っているのを認めた。ハンドマイクか？　あの、籠城した強盗とかに警察が呼びかけるときに使うやつ？　何だかこっけいな気もしたが（『あー、全員に告ぐ、戦うのはやめて出てきなさい』）、なるほど、あれなら秋也たちのいる辺りだけでなく、島のかなりの部分まで声が届いているかも知れない。

「もう一人は――」

秋也が呟くと、典子が「雪子よ。北野雪子」と答えた。

「一緒にいたんだわ。あの二人、仲いいから」

「それどころじゃない」川田が苦い表情で言った。「殺されちまう、あんなことしてたら。丸見えだ」

秋也は唇を噛んだ。要するに、日下友美子と北野雪子は、〝説得〟を試みようとしているのだ。戦うのはやめろと。秋也が一旦は考え、しかし、赤松義生に襲われた後あきらめてしまったそれを、やろうとしているのだ。彼女たちは、そう、誰も〝やる気〟なんかないはずだ、と考えているのに違いない。一番多くの連中に確認できる場所としてあそこを選んだのだろう。あるいは、最初からあの近くにいたのかも知れない。

『みんな戦いたくなんかないはずよーっ。ここまで来てーっ』

秋也は少し逡巡した。状況を整理する必要があったし——さっきの話にケリがついていなかった。もし万一———、万一だが、川田が敵だったら？

だが、結局、川田に言った。

「典子を見ててくれないか、川田」

川田が振り返った。

「何をする気だ？」

「俺、あそこまで行ってみるよ」

川田が眉根を寄せた。「ばかか、おまえは？」と言った。

秋也はその言い方にちょっと頭にきたが、とにかく反論した。

「なんでだ。あいつら、危険に身をさらしてるんだぞ。二人ともやる気なんかないんだ。本当にないんだ。だったら、仲間になれる。それに、おまえが言ったばかりだろ、あんなことしてちゃ危ない」

「そんなことを言ってるんじゃない」川田が歯を剝いた。大きな、健康そうな歯だな、と秋也は場違いなことを考えた。「俺がさっき言ったばかりだろ。動かないのが一番なんだ、このゲームじゃ。あそこまでどれだけ距離があると思ってる？　途中に誰がいるかわからないんだぞ」

「わかってるさ！」秋也は言い返した。

「いや、おまえはわかってない。みんなもうあの二人に気づいてるんだ。あの二人を狙ってるやつがいるとしたら、おまえみたいにのこのこ出てくるやつを待ってるぞ。標的が増える、そしたら」

川田が言った内容より、その静かな声音にむしろ、秋也はぞっとした。しかし――

『お願いーっ。ここまで来てーっ。あたしたち二人でいるのーっ。戦う気なんかないわーっ』

秋也は典子の右腕の下から肩を外した。

「行くよ」

スミスアンドウエスンを握り締め、茂みの外に歩み出しかけたが、川田がその秋也の左腕をがちっと握り締めた。

「よせ!」

「なんでだ!」秋也の声が高くなった。「見殺しにしろってのか?」意識しないまま、声がうわずり、言葉がこぼれ出した。「それとも、自分が生き残るのに俺がいなくなったら不都合だってのか? そうなのか? 結局そういうことなのか? おまえは俺たちの敵なのか?」

「秋也くんやめて――」

典子が悲痛な声を上げたが、秋也はまだ何か言いかけ――そして、気づいた。自分の腕を握り締めている川田の顔がすうっと静かになっているのに。

それは、ちっとも似ていないのに、〝慈恵館〟の前館長、もう亡くなった安野先生の年老いたお父さんを、思い出させた。両親を失って、自分にとってのたった一つの権威であり、保護者だったその館長が、幼い秋也にお説教した、そのときの顔を。

川田が言った。「おまえが死ぬのは勝手だけどな。おまえが今行って、帰ってこなかったら、典子サンが死ぬ可能性はぐっと上がるぞ。それを忘れたのか?」

秋也はごくっと唾を飲みこんだ。それは、またしてもその通りだった。

「しかし――」

川田が静かに続けた。「こんなことは百も承知だろうがな、七原。誰かを愛するっていうのは、別の誰かを愛さないっていうことだ。典子サンが大事なら、行くな」

「だけど――」秋也は泣きたいような気分だった。「だけど、じゃあ、どうしろっていうんだ？　見殺しにするのか？」

「そうは言ってない」

川田は秋也からすっと手を離すと、友美子が叫び続けている山頂の方に向き直り、ショットガンを構えた。

「ちょっとだけ俺たちの生存確率を下げる。ちょっとだけだ」

川田は言うなり、空に向けてショットガンを撃った。間近で撃発したその火薬の音はものすごく、一瞬、秋也は鼓膜がぶっ飛んだかと思った。その音が、山の斜面に、反響した。川田の左手が握ったポンプが動き、ケースが吐き出された。続けてもう一発撃った。音が空気をびりびり震わせた。

なるほど――。この銃声で、日下友美子と北野雪子は、脅えて呼びかけるのをやめ、隠れてくれるかも知れなかった。

ハンドマイクで増幅された友美子の声が止んだ。雪子と二人で、こちらを見ているような気がした。もっとも、こっちは茂みの間にほとんど身を隠しているので、誰かという判別はつかないかも知れない。

「どうした！　もっと撃ってくれよ！」

勢い込んで言う秋也を、川田が制した。「だめだ。今の二発だけでも俺たちがいるところに気づいたやつがいるかも知れない。これ以上は危険だ」

秋也は少し考え、スミスアンドウエスンを頭上に向けて構えようとした。

川田が再びその腕を押さえた。

「よせ！　何度言わせる？」

「しかし――」

「もう、俺たちにできることは幸運を祈ることだけ

だ。あいつらが早く隠れてくれるように」

秋也は山頂に目をやった。そして、聞こえてきた。再び、『やめてーっ。みんな戦いたくないはずよーっ』という日下友美子の声が。

秋也は川田の腕を振りほどいた。我慢できなかった。何としても、あの二人に安全な場所に隠れてほしかった。スミスアンドウエスンのトリガーに指をかけ——

ぱらららららら、という一種タイプライターに似た感じの音が遠く聞こえ、続いて、友美子の『うっ』といううめき声が届いてきた。もちろん、その声というのも、ハンドマイクで増幅されていたわけだ。ひと呼吸置いて、『きゃーっ』という、北野雪子らしい声。これまた、ハンドマイクのちゃちなアンプがせっせと働いたおかげで、秋也たちの耳にもはっきり聞こえた。山頂の展望台の屋根の下、長身の方の影がゆっくり崩れ落ちるように見え、『友美ちゃん!』という雪子の叫び声が続いた。がっ、という雑音がし、ハンドマイクが地面に落ちたことがわかった。また、ぱらららら、という音が聞こえたが、今度はかなり音が小さかった。それで、秋也は、その音もまた、ハンドマイクが拾い上げて増幅していたのだと悟った。ハンドマイクが壊れてしまったから、音が小さくなったのだ。そして、今度は雪子の影も展望台を囲む低い木々の陰にくずおれ、友美子同様、秋也たちの視界から消えた。

秋也も典子も、蒼白になっていた。

【残り29人】

23

北野雪子は、展望台のコンクリートの床を這いずって、日下友美子の方へ進んだ。腹部が何かとても熱く、全身の力が抜けたようになっていたが、それでもまだ、這うことぐらいはできた。白いコンクリートの上、雪子が進んだ後に、はけで乱暴に描いた

ような赤い道ができた。

「友美ちゃん！」

雪子は叫んだ。そうしたおかげで腹部が引きちぎれるように痛んだが、そんなことは気にならなかった。自分の一番の友達が、倒れて動かない。そのことだけが、重要だった。

友美子は俯せに倒れ、雪子の方に顔を向けていたが、その目は閉じられていた。友美子の体の下に、とろっとした感じの赤い池が広がり始めた。

雪子は友美子の体までたどり着くと、力を振り絞って自分の上半身を起こした。それから、友美子の肩をつかんで揺すった。

「友美ちゃん！　友美ちゃん！」

叫ぶそばから友美子の顔に赤い霧が降りかかったが、雪子はそれが自分の口から出ているものなのだとは、気づきもしなかった。

友美子がゆっくり、目を開いた。「雪子……」と呟いた。

「友美ちゃん！　しっかりしてよ！」

友美子が顔を歪めた。しかし、何とか持ちこたえると、「ごめんね、雪子」と言った。「あたしがばかだった――早く――逃げて」

「だめよ！」雪子は泣きながら首を振った。「一緒に、さあ、早く！」

それから、雪子は慌てて辺りを見回した。自分たちを撃った者の影は見えない。きっと、かなり距離のあるところから狙撃したのだ。

「早く！」

友美子の体を起こそうとしたが、それはとても無理だった。すぐに、自分の体を支えているのもつらいことがわかった。腹部にそれまでに倍する痛みがふいに跳ね上がり、雪子はうめくと、自分も再び前のめりに倒れた。ただ、顔だけは友美子の方に向けて。

友美子の顔がすぐ目の前にあった。幾分とろんとした目が、じっと雪子を見つめていた。

「動けないの、雪子?」と弱々しい声で聞いた。

「うん」雪子は、無理やり顔の筋肉を動かして、笑ってみせた。「そうみたい」

「ごめんね」と友美子がまた静かに言った。

「いいの。あたしたち、あたしたちなりにやるべきことをやったんじゃ、ない? 友美、ちゃん?」

それで、友美子が泣きそうな顔をするのがわかったが、比較的軽傷だと思った雪子自身の意識の方が、急速に薄れかけていた。まぶたが重い。

「雪子?」

友美子の声で、雪子は再び現実に引き戻された。

「な、に?」

「あたし、あなたにさっき、言えなかったことが、あるわ」

「——?」

友美子がちらっと笑った。「あたしも、七原くんのこと、好きだったの」

一瞬、友美子が何と言ったのか、理解できなかった。予想してないことだったからか、それとも聴覚神経がおかしくなりかけているからか、わからない。

しかし、ようやくその言葉は、雪子の心のドアを叩いて中に入ってきた。ああ、——そうだったんだ。

それから、どんどん霧の奥に沈んでいく雪子の頭の中、ある光景が蘇った。二人で街に買い物に出かけたときのことだ。たった三千円のバーゲンものだけれど、でもとてもとてもきれいなイヤリングがあって——二人の趣味がかちあうことなどめったにないのに——どっちが買うかもめた挙げ句、結局半分ずつお金を出して、左右一個ずつ分けたんだっけ。二人とも、装飾品を買うなんて初めてだった。あれは、今でも城岩町の隣町との町境いに近い家、あたしの机の中、抽出しの一番奥にある。

なぜだか、雪子はとても幸福な気分になった。不思議だった、死にかけているのに。

「そう——」雪子は言った。「そうだっ、たの」

友美子がまたちらっと笑ってみせた。雪子はもう

一度だけ、口を開いた。あとひとことぐらい、きっと言えるだろう。そう、宗教のことなんてよくわからない。でも、あの光輪教がたった一つ美しいものを雪子にくれたとしたら、それは友美子だった。あの教会で出会ってから、あたしたちはずっと一緒だった。

「友美、ちゃん。あたし、友美、ちゃんと友達で——」

ほんとうによかった、と続けようとした目の前で、ぱん、という音とともに友美子の頭が揺れた。友美子の右のこめかみの上に赤い穴が開いていて——友美子はもう、うつろな目を、雪子に向けているだけだった。遠くを見はるかすような感じは、存外、展望台というロケーションにふさわしかったかも知れない。

恐怖と驚愕に口を大きく開いた雪子の耳に、もう一度ぱん、という音が届き、同時に頭をがんと殴られたような衝撃がきた。それが雪子の、最後の知覚になった。

桐山和雄（男子六番）は、展望台の外から見えないよう低くした姿勢のまま、沼井充のものだったワルサーPPKをすっと下ろすと、二人のデイパックを拾い上げた。

【残り27人】

24

単発の銃声が二つ続いた後、秋也も典子もしばらく動けなかった。上空を舞うとびが、うぃーひょろろ、と鳴いた。

しばらく辺りを見回していた川田が、踵を返し、「もう終わった。そっちへ戻ろう」と二人を促した。

秋也は典子の腕を支えながら、少し上にあるその川田の顔を見上げた。唇が、自然わなわなと震えた。

「——終わった、だって？　ほかに言いようがあるだろう？」

川田は小さく、首の辺りだけで肩をすくめてみせた。

「俺の口の悪いのは勘弁しろ。語彙が貧弱なんだよ。とにかく、これではっきりわかっただろ。やる気になってるやつがいるんだ。言っとくが、今のは坂持たちが俺たちを戦わせようとやったわけじゃないぜ。やつらだって命が惜しい、あの分校からは出てこない」

秋也はまだ何か言いたい気分だったが、何とか自分を抑え、典子の腕を支えて歩き出した。

歩きながら、典子がかさかさした声で言った。

「ひどい——ひどいわ、あんなの——」

元の場所まで戻ると、川田が荷物をまとめ始めた。

「どうするんだ？」

秋也が訊くと、川田は「準備しろ。念のためだ。百メートルばかり、動く」と言った。

「動かない方が安全だって——」

川田は、唇をとがらせるようにすぼめて首を振った。「見たろ、今の。誰だか知らないが、今の野郎、容赦がないぞ。おまけにマシンガンを持ってる。きっと俺たちの場所に気づいてる。あんなのに位置を知られたんなら、動いた方がましだ」言い足した。

「少しだけだ。少しだけ、動く」


【残り27人】

25

瀬戸豊（男子十二番）は、必死で斜面を駆け降りていた。いや、灌木に身を隠すために身を低くしていたので、ほとんど這っていると言った方が正しかったかも知れない。乾いた土で、小柄な体を包んだサイズSの学生服がほとんど真っ白になりかけていた。まだ幼さの残る丸い目、ふだんはB組一のお調子者の彼の顔が、恐怖に歪んでいた。

瀬戸豊が分校を出発した後、さっきまで隠れていたのは、北の山の頂上近く、要するに日下友美子と

北野雪子がハンドマイクで呼びかけを行った、そのほんの五十メートルばかり下の茂みの中だった。

豊には、やや斜めの方向からだったけれども、二人の姿がはっきり見えていた。迷いに迷い、悩みに悩みもしたが、挙げ句、ついには呼びかけに応えて出ていこうとしたそのとき、遠く銃声が響いて、二人がそちらを――豊がいるのとは反対側だった――見ていたような気がした。そして、豊がなお少し様子をみた方がいいのだろうかなどと考えるうち、ほんの十秒か二十秒も経たないうちに、今度はタイプライターみたいな銃声がして、ハンドマイクで増幅されたうめき声とともに、日下友美子が倒れるのが見えた。続いて、北野雪子も撃ち倒された。

その時点では、二人はまだ生きていたに違いない。しかし、豊は、二人を助けに出ていくことが、どうしてもできなかった。何せ――彼はそもそもお調子者に生まれついた身、争いごとは大の苦手だったし、おまけに彼の手持ちの武器ときたら、支給された一本のフォーク、スパゲティを食べるときに使うような何の変哲もないフォークだけだったのだから。そして、もう豊からも見えない位置で二度、銃声が響いた。襲撃した誰かが、友美子と雪子にとどめを刺したのだ、とわかった。

わかった途端、荷物をかき集めて、斜面をずるずる這い降り始めていた。あの誰かが次に狙うのは自分に違いなかった。そうに決まっている！　一番近くにいるのが俺なんだから！

ふいに、豊は自分がものすごい土埃をたてていることに気づいた。だめだ！　だめだ！　これはまずい！　そりゃスリッパのスープよりまずいよ、ちくしょう、君、冗談考えとる場合ちゃうやんか！　ちくしょう、関西弁で突っ込んでる場合じゃない！

それで、豊は極力斜面に体を滑らせないように、靴底とてのひらを（もっとも右手にはフォークを握っていたので〝グー〟の形だったが）地面に叩きつけるような動き方に切り替えた。手の皮がずるずる

剝けるのがわかったが、気にもならなかった。ちくしょう、はたから見てたら今の俺の動き方はめちゃくちゃおもしろいに違いないぞ。人間ミズスマシ、なんつって。

そのままさらに二、三分ばかり進み続けて、ようやく豊は動きを止めた。そうっと後ろを振り返った。木々の間、あの、日下友美子と北野雪子が死んだ山頂が随分遠くに見えた。何の動きもない。耳を澄ました。何の物音もしない。

——逃げ切ったのか、俺？　俺、助かったのか？

一種その問いに答えるようなタイミングで、腕に何かが食い込んだ。

豊の頭が恐怖に混乱し、口から「ひいっ」と声が洩れた。

「バカ！」と誰かがささやいて腕に加わっていた力が消え、代わりに豊の口をなま暖かい手が塞いだ。しかし混乱した豊の耳にその声は入らず、ただ、襲撃者に追いつかれていたのだという思い、その恐慌のうちに、右手のフォークを振った。

がちっ、と音がして、そのフォークが止まっていた。——だが、なぜだろう。そのまま何事も起こらないので、豊はおそるおそる、目を開いた。

目の前にいる影は、学生服を着ていた。そして身をそらせ、顔の前に掲げた大型の自動拳銃（ベレッタM92Fだ）でフォークを受け止めていた。男は、拳銃を左手で握っていた。二人の位置関係と、男が豊の口になおそっと右手を置いていることを考えると、男が左利きでなかったら、豊のフォークは男を少なからず切り裂いていたかも知れない。しかし、男は左利きだった。そして、B組で矯正していない左利きの男子と言えば、一人しかいない。

「危ねえじゃねえか、豊」

幾分濡れた感じにスタイリングウォーターか何かで持ち上げた前髪の下、やや上がり気味にまっすぐ走った眉、その下の、研ぎ澄まされた感じがする、しかしユーモアのある目が豊の目をとらえた。そし

て左耳のピアス。あの〝第三の男〟三村信史（男子十九番）が――豊にとってB組で一番親しい顔がにやっと笑い、豊の口から手をそっと離した。豊は放心状態で、ゆっくりフォークを下ろした。

それからようやく、「シンジ！　シンジじゃんか！」と叫んでいた。

「ばか！」三村信史が再び小さくささやき、安堵感でつい大きな声を出してしまった豊の口をもう一度塞いだ。離すと、「こっちだ。静かについてこい」と言い、先に立って低い茂みの間を進み出した。

ぼんやりその後を追ううち、茂みの間、鳥瞰図のように見えていた島の風景が、かなり平板になっているのがわかった。ほんの数分で、かなりの高さを駆け降りたのだ。

豊はすぐにまた視線を戻して前を進む三村信史の背中に目をやり、――しかしそのとき、ふいに恐ろしい仮定が彼を打ちのめして、一瞬、足をすくませた。

日下友美子と北野雪子を殺したのは――シンジじゃないのか？　そして自分を追ってきていたのは？――いや、なら、なんで自分を殺さないんだ？　そりゃあ、ほら、俺はシンジのこと、一番の友達だと思ってるし、それをシンジも知っているわけだから、俺と組んでたら、シンジは例えば、俺を眠るときの見張りとかに使えるわけだ。そしたら生き残る確率が上がる。最後、二人になったらシンジは俺を殺す。うわあ、それ、すごくいい方法じゃん！　俺、これがパソコンゲームか何かだったら、絶対そうしちゃうな。

――ばか！　何考えてるんだ、俺！

豊はその想像を打ち消した。シンジはマシンガンなんか――あの音はマシンガンだった、間違いない――持っていないし、第一、シンジはシンジなのだ。自分の、一番の友達だ。女の子を虫けらみたいに殺すなんて、そんなことするわけがない。

「どうした、豊」信史が振り返って、また小さくささやい

さやいた。「早く来い」

豊はまだぼんやりした頭のまま、信史を追った。

信史はゆっくりと慎重に進み続け、五十メートルほど距離を稼いだところで立ち止まった。銃を持った左手で足元を指し、「ここをまたげ」と豊に言った。それで、豊が目をこらすと、水平に、ぴんと細い、目立たない色の糸が張られているのに気づいた。

「これ――」

「ワナってわけじゃないぜ」信史がその糸の向こう側で言った。「引っかけたらずっと向こうでつないでる空き缶が落ちる。音がする」

豊は目を丸くして頷いた。なるほど、この先に信史は隠れていたのだろう、これは一種の鳴子というわけだ。さすがだった。〝第三の男／ザ・サード・マン〟は、ただのバスケの名選手というだけじゃない。

豊はそれをまたぎ越えた。

さらに二十メートルほど進み、少し深い茂みの中にたどり着くと、信史は足を止めた。「座ろう」と豊に言った。

豊は信史と向かい合って腰を下ろした。まだフォークを握っていたのに気づいてそれを地面に置いたが、同時に左てのひらと右手の拳に鋭い痛みが戻ってきた。手の皮がずるりと剝けて、特に右手の指の付け根には、赤い肉がのぞいていた。

信史がそれを見て銃を置くと、近くの茂みの下から自分のものらしいデイパックを引っ張り出した。タオルと水のボトルを出して、タオルの端を少し湿らせると、「手、出せ、豊」と言った。豊が手を伸ばすと、信史は力をかけすぎないようていねいに傷を拭って、それから、今度はタオルの濡れていない部分を細く裂き、包帯代わりに巻きつけた。

豊は「ありがとう」と言い、それから、「ここに隠れてたんだね」と訊いた。

「ああ」信史が笑んで頷いた。「ここから見えたんだよ。茂みの間をおまえが動くのがちらっとな。か

なり距離があったけど、おまえを見間違えたりしない。それで、ちょっと危険だったが、おまえの走ってくる道筋を追ったんだ」

豊はちょっと、胸が詰まった。信史は、自分のために危険を冒してくれたのだ。

「おまえ、無闇に動いたら、逆に危なかったぜ」

「うん」

豊は自分が泣きそうになっているのがわかった。

「ありがとう、シンジ」

「よかったよ」信史がふっと息をついた。「たとえ死ぬんだとしたって、おまえにだけは会いたかったからな」

今度は、豊の目に実際に涙がにじんだ。豊はぐっとそれをこらえると、別のことを言った。

「さっきの――俺、日下と北野のすぐ近くにいたんだ。俺――俺、あの二人を助けられなかった」

「ああ」信史が頷いた。「俺も見た――それで、おまえにも気づいたんだがな。あんまり気にするな。俺だって、あいつらの呼びかけに応えてやれなかったんだ」

豊は頷いた。日下友美子と北野雪子が倒れるシーンが、また生々しく頭の中に戻ってきて、少し体が震えた。


【残り27人】

26

結局、やや南西寄り、百メートルほど離れたところに移動し、川田が茂みの中に再び例の糸を張りめぐらせ終えたころには、午前九時を回っていた。陽が高くなり、五月の緑が空気に匂った。移動する間にも木々の間に透けて見えた海は、あざやかなブルーに輝いていた。そしてその向こうに連なる瀬戸内の島々。これがハイキングなら――絶好のロケーションだっただろう。

しかし、もちろんそうじゃない。行き交う船はす

べて島を遠く迂回し、点のようにしか見えなかったし、近くに見える船影と言えば、船体をグレーに塗装した西側担当の見張りの船だけだった。それもかなり遠かったけれど、それでも船首の方に据えつけられた機銃が確認できた。

糸のセットを終えた川田が、ふう、と息をついて秋也と典子の前に腰を下ろした。ショットガンを、また膝の上に置いた。

「どうした。静かだな」

秋也と典子が何も言わないでいると、川田がそう訊いた。

秋也は川田の顔へ視線を上げた。ちょっと考え――口を開いた。

「あいつら、なんであんなことをしたんだろう」

川田は眉を持ち上げた。

「日下と北野か?」

秋也は頷いた。少し言い淀み、それから言った。

「目に見えてたじゃないか。少なくとも、予想できたはずじゃないか。このゲームのルールは――」ため息が出た。「殺し合いなんだ」

川田は煙草を抜き出して咥えると百円ライターで火を点け、「あの二人は仲がよかったみたいだな」と言った。

「確か、何かの宗教団体に入っていたんじゃないのか、二人とも」

秋也は頷いた。二人ともごくごく普通の女の子だったけれど、典子や内海幸枝ら中間派の女子グループと二人の間にいつもどこか距離があったとすると、そのせいだったとも思う。

「光輪教とかいう――神道系の団体だったと思うよ。町の――国道から予土川の土手を南に入ったところに教会がある」

「そのこともあったんじゃないのか」川田が煙を吐きながら言った。「汝の隣人を愛せよ」

「それは違うわ」と典子が言った。「二人とも――特に友美子なんかよく言ってたけど、べつに二人と

も熱心な信者ってわけじゃないし、宗教のことなんかよくわからないけど、まあ、お付き合いなのよって」

川田は「そうか」と呟き、ちょっと視線を落とした。

それから、続けた。

「いつの場合でもそうだが、善人が救われるかっていうとそうじゃない、調子のいいやつの方がうまくやっていくもんだ。でも、誰に認められなくても失敗しても、自分の良心をきちんと保っているやつっていうのは偉いよ」

秋也たち二人の顔を見据えた。

「あいつらは、自分たちのクラスメイトを信じようとしたんだ。きっと、全員がまとまることができたら、みんな助かるかも知れないと、そう思ったからだろう。そのことを、褒めてやるべきだ。俺たちは、それはできなかったんだから」

秋也は息をついた。そして、「そうだな」と同意した。

しばらくして、秋也はまた川田の方へ顔を上げた。

「俺は――やっぱりおまえは敵じゃないと思う。だから、おまえのことを信じたい」

典子が「あたしもよ」と言った。「あたしも、川田くんが悪い人だなんて思えないわ」

川田が首を振ってちょっと笑った。

「少なくともあまり女の子を騙すタイプじゃないな、我ながら」

秋也も短く笑顔を返した。それから、言った。

「だから教えてくれないか。いや、脱出方法が言えないというならそれはいい。だけど、それはなんでだ？　ほかの連中に会ったときに俺たちがそのことで口をすべらせたら、まずいことが起きるのか？　ほかの連中が信用できないからかい？　少なくとも、おまえはそう思っているから？」

「いっぺんに疑問符を並べるなよ。俺、あまり、頭がよくない」

「うそつけ」

　川田は煙草を咥えて膝の上に肘をつき、自分のあごを支えてしばらく顔を横へ向けた。戻した。

「七原。言えない理由は、おまえの言った通りだ。ほかの連中にその方法を知られたくないし、たとえおまえたちの口が十分固いとしても、おまえたちがそれを知っているということを、ほかの連中に悟られたくない。だから言えない」

　秋也は少し考えた後、典子と目くばせを交わし、それから、川田の方へ頷いてみせた。

「いいよ。わかった。俺たち、おまえを信じることにするよ。けど、――」

　川田が訊いた。「何か引っかかるか？」

　秋也は首を揺すった。

「――つまりさ、普通に考えたら方法なんてないじゃないか。だからすごく――」

「不思議か？」

　秋也は頷いた。

　川田はふう、と息をつき、煙草を地面に押しつけて消すと、短い髪の毛を少しひっかき回した。

「何にだって穴がある。いや、少なくとも大抵のものには」と言った。

「穴？」

「弱点だ。俺はその弱点を狙う」

　秋也はわけがわからず、目を細めた。

　川田が続けた。「俺はこのゲームのことをおまえらよりよく知ってるんだ」

「どうして？」と典子が訊いた。

「つぶらな瞳で見つめるなよ、おねえちゃん。俺、恥ずかしがりやなんだ」

　典子がきょとんとし、それから少し笑んだ。「どうしてなの？」ともう一度訊いた。

　川田はまた髪の毛をかいた。秋也たちはしばらく待った。

　ようやく、川田が言った。

「このゲームで生き残ったやつがどうなるか知って

るか？」

　秋也は典子と顔を見合わせ、それから首を振った。

　そう、〝プログラム〟でけ一人だけ生き残りが出る。クラスメイトと殺し合うというめちゃくちゃなゲームをくぐり抜けた後、優勝者の映像を流すニュースのために専守防衛軍兵士に銃を突きつけられ、ビデオカメラの前に立たされる（「笑え。にっこり笑え」）。――しかし、生き残ったやつがそのあとどうなるのか、それは知らなかった。

　川田は秋也と典子の顔を見渡しながら、続けた。

「どこか別の県に強制的に転校になる。ゲームのことは黙って、ひっそり暮らすように言われる。それだけだ」

　胸が急に重苦しくなり、秋也は顔をこわばらせた。川田の顔をまじまじと見た。典子が息をつめているのがわかった。

　川田は言った。「俺は、兵庫県神戸市立二中三年C組ってとこにいたんだ」続けた。「去年兵庫県であったプログラムの生き残りだ」


【残り27人】

27

　川田が少し表情を緩めて続けた。

「総統のサイン色紙もいただいたぜ。おおありがたや。幼稚園児みたいな字だったな。燃えるゴミの日に出しちゃったもんで、よく憶えてないがな」

　その川田の明るい声とはおよそ裏腹、秋也は息を呑んでいた。そう、中学三年生には誰にでも訪れる可能性のあるのが〝プログラム〟だ。しかし――二度も続けてそのクラスに入ってるなんて――そんな、そんなことがあるのだろうか？　無論留年という特殊な事情がなければありえないことでもあるのだが、いずれにしてもはっきり言って、宝くじに当たるぐらいの確率だ。だが――それですべてつじつまは合う、川田がやたらこのゲームで手慣れた様子である

ことも、あのときバスの中の催眠ガスに気づいたことも、そして、その全身の傷も――。しかし、それがほんとうなのだとしたら――なんてめちゃくちゃな話だろう！

「そんな」秋也は言った。「そんなのめちゃくちゃだ」

川田は肩をすくめた。

「そうだな。ゲームがあったのは七月だったが、俺、大怪我したもんで、だいぶ長いこと病院にいた。まあ、その間、この国のことも含めていろいろ勉強できたが――ベッドの上でな。看護婦さんとかやたら優しくて、図書館から本とか借りてきてくれたしな。病院は私の学校だった、てなもんだ。さて、しかしおかげで、俺は中学三年をもう一度やり直すことになった。しかし――」

川田は秋也たちの顔をもう一度眺め渡した。

「さすがの俺も思わなかった、まさか、もう一度この幸せゲームに参加できようとは」

そうだった。秋也はついさっき――いや、もう三時間ほど前になる会話を思い出した。秋也が「元渕の前にもう誰か殺したのか？」と訊いたとき、川田は言ったのだ、「とにかく、今回、初めてさ」と。

しばらくして、典子が訊いた。

「一度当たった人は――」言いかけて福引きみたいな言い方が不適当だと考えたのか、言い直した。「一度入った人は除外するとか、そういうの、なかったの？」

川田がにやっと笑った。

「ないからここにいるってことになるな。プログラムの対象クラスはコンピュータが自動的に選ぶ、そう言われてるだろ？　まあ、ほんとは経験者の俺は有利な気もするが、しかしやっぱり、特例にはならないってことさ。これも一種の悪平等ってやつかな？」

川田は手でお椀の形をつくってライターを囲い、また煙草に火を点けた。

「これでわかったろ。俺がなんでガスの匂いに気づいたのか。そして――」自分の左眉の上を指さした。

「この傷も」

「ひどいわ」典子が泣き出しそうな声で言った。

「あんまりじゃない」

「そう言うなよ、典子サン」川田が破顔した。「おかげで、俺、おまえたちを助けてやれる」

秋也はその川田に手を差し出した。

「なんだそれ？　俺、手相は見ないぞ」

秋也は笑って首を少し揺すった。それから、言った。

「さっき、少しでも疑うようなことを言って、済まなかったよ。握手だ。最後まで一緒だぜ」

川田は、なるほど納得した、というような感じで「オーケイ」と言い、その秋也の手を握ると、上下に軽く振った。典子が安堵したように、ちょっと笑った。


【残り27人】

28

坂持金発（担任）は、分校の職員室のデスクに座り、乱雑に散らばった書類をかき回していた。銃眼の穴が開いた鉄板付きの窓際、北と南の方向に、専守防衛陸軍兵士が銃を構えて一人ずつ立っている。外からの光がほとんど入らないために、照明が点けっぱなしになっていた。さらに五、六人の兵士が、坂持の向かい側の机に着いて、そのそれぞれの前にずらっと並んだデスクトップ型パソコンのモニタを眺めていた。また別の三人は、コンピュータとは別の機械につながったヘッドフォンを着けている。照明やそのコンピュータ、諸々の機材を動かす大型の発電機が西側の壁際に置いてあって、防音機構が吸収しきれない低い唸りで、部屋の空気を満たしていた。他の兵士たちは、もう生徒が出発した教室で休んでいるところだ。

「えーと、日下友美子が死んだのが午前八時四十二分と――えー北野雪子、こっちも四十二分と」長い髪を耳の上にかき上げた。「あー忙しいっ！」

　デスクの上の古びた黒電話がじりりりん、と鳴り、坂持はペンを手にしたまま、せかせかと受話器をとった。

「はい、こちら沖木島分校。城岩中三年B組プログラム実施本部」

　ぞんざいな口調で答えた坂持は、次の瞬間、背筋をしゃんと伸ばし、受話器を両手で抱え込んだ。

「はいっ。坂持ですっ。教育長、その節はお世話になりまして。いやはや、はい、もう二人目が二歳になりました。今、三人目がうちのやつの腹に入ってます。いえもう。そりゃあ少子化は国家の大問題ですから。はいっ。それで、なんのご用でしょうか？」

　坂持はしばらく聞き入り、それから、ははあ、というように笑った。

「いやはや。教育長、川田章吾を買ったんですか？いや、私は桐山和雄を買いましたよ。本命一点です。いや、ええ、川田もまあ、対抗馬だし、何と言っても彼は経験者ですから。滅多ないんじゃないですか？　経験者が入ってるなんてのは？　もちろんまだ生きてます。で、いかほど？　あー、それはすごい。豪勢ですね。え？　状況を？　そっちでモニタできませんか？　政府の部外秘ホームページで――は、パソコンは得意じゃない、あ、あー、えーとですね、それが、うん、ちょっと待ってくださいよ」

　坂持は受話器を耳から離し、モニタの前に座っているごつい顔の兵士に呼びかけた。

「おい加藤。川田はまだあの二人と一緒にいるのかな」

　加藤と呼ばれた兵士は無言でキーボードを操作し、「いる」と短く答えた。

　モニタには、生徒に付けた首輪からの電波をもとに、生徒たちの居場所が地図上でプロットされてい

るはずだ。加藤の無愛想な対応に坂持は少し顔を歪めかけたが、まあ、それはかつて、まだ坂持がただの中学教師だったころ、加藤を筆頭にやたらめったら問題の多いクラスを受け持って以来、いつものことだった。坂持は受話器を持ち直した。

「お待たせしました。えーとですね、川田は今、ほかの二人の生徒と行動をともにしてます。えーと、七原秋也と、中川典子。うーんとですね、それがですね、三人で逃げ出すとか言ってるんですよ。盗聴の記録、お聞きになりますか？　え、いや、はい。うーん、本気かどうかですか？　うーんそりゃあ何とも言えませんけど、普通考えたらウソですね、多分。だって逃げ出すなんてとても無理ですから。ああ、ええ、そうですね。ちょっと待ってくださいよ。資料、資料と。ええ、川田章吾でしょ？　前の学校でも特に挙動不審なところはなかったみたいですね。反政府的な言動とか行動とかも、ええ。ああ、前回の時に父親が死んでますねえ。なんか、酔っ払って政府に盾突くようなこと言ったみたいですね。――でも、川田自身は、えー、〝せいせいしたぜ。つまらない野郎だった〟。そう言ってたらしいですよ。うーん、仲、悪かったんじゃないですか。父親は自分の方に補償金でも寄越せって言ったのかも知れませんねえ。はい、ええ、だとしたら、一人より三人でいた方が有利ですからね。七原は運動能力抜群だから、役に立つはずですよ。中川は怪我をしてますがね。ええ、うちの田原が撃っちゃったんです。はい。ええそりゃもう。二人は川田を信用しきってますよ。怪我した女の子を助けてあげるなんてのは、ねえ。うまい手ですから。ほかにもいろいろうまいこと言ってますし。ええ」

お追従笑いをしながらそこまで言った坂持は、それから、受話器の向こうの声に幾分眉を持ち上げた。空いている右手で、右耳の上にかかる髪をかき上げた。

「えー？」と言った。「そんなことはないんじゃな

いですかあ。だって、あれ、三月の話なんでしょ? 連絡文書、受け取りましたけど? もしそんなことあったら今ごろ……ええ、中央の連中は大げさですから。それに、中学生ですよ。大体それなら、盗聴されてることだって知ってるはずじゃないですか。今のところは、そんな生徒は誰もいないですよ。ええ。だから。ええ、ええ、はい、それじゃ。あ、いやいやそんなことしてもらっちゃ。えーそうですか。ありがとうございます。はい。はい。それじゃ、はい。はい」

坂持は、「はー」と息をつきながら受話器を戻すと、またペンを持ち上げた。「あー忙しい!」と言うと髪をかき上げ、書類にしがみつくようにペンを走らせ始めた。

【残り27人】

29

会った当初は日下友美子と北野雪子の死を眼前に見たショックで神経が高ぶっているようだった瀬戸豊も、しばらくすると落ち着いたようだった。三村信史は、暖かい日差しが通り抜けてくる梢の奥に、また耳を澄ませた。人の動く気配はない。ただ、小鳥がちちっと鳴いた。あの、日下友美子と北野雪子を倒した誰かは、豊と、そしてそれに合流した信史にも、結局気づかなかったようだった。しかし、用心を怠らないことだ。

〝必要なときにはゆっくりしてればいいさ。しかし、必要なときには神経を張りつめてろ。要は、その判断を見誤るなってことだ〟

——それは、信史の敬愛する叔父が、バスケをはじめ、信史にすべてを教えてくれた、即ち、今日ザ・サード・マンと呼ばれる信史を形成するのに与

って大きな影響のあった叔父が、言っていたことだった。叔父は信史にコンピュータの基礎をもたたき込んでくれたのだが、殊に違法の海外ネットへのアクセスを実演してみせる時など、注意したってし過ぎることはないぜ、と強調していたものだ。そして、まさにその通り、今は、神経を張りつめているべきときだ。それは間違いない。

「なあ、シンジさ」という豊の声が聞こえ、信史はまた豊の方に目を戻した。豊は、立木に背を預け、抱えた膝の間に視線を落としていた。

「俺、あの分校の前でシンジを待ってればよかったんだよね、考えてみたら。そしたら、最初から一緒にいられた」

顔を上げて信史を見た。

「けど、俺、怖かったから……」

信史は左手にベレッタを持ったまま腕を組んだ。

「どうかな。そいつは危険だったかも知れないぜ」

そう、そのことを説明しておかなければならなかった。豊は知らないのだろうが、分校の前で天堂真弓と赤松義生が死んでいたのだ。それに――

そこまで考えたところで、信史は豊が泣いているのに気づいた。じわっと目に涙が盛り上がり、ぼろっと両の頬にこぼれ落ちた。泥に汚れた顔に、細く白い筋ができた。

「どうした？」と信史は優しく訊いた。

「俺……」豊は信史が傷を手当てした拳を持ち上げ、巻かれているタオルの切れ端で目を拭った。「俺、情けなくてさ。俺――おっちょこちょいで、怖がりで、――」

一度言葉を切り、それから、胸につかえたものを吐き出すように、言った。

「彼女のこと、助けられなかった」

信史はこころもち眉を持ち上げ、俯いている豊を見やった。それは、こちらからは持ち出すまいと思っていた話題だった。

信史はゆっくり言った。「金井のことか」

豊は俯いたまま、頷いた。

信史は、いつだったか、豊の家の豊の部屋で、豊がちょっと誇らしげに、そしてちょっと恥ずかしそうに言ったときのことを思い出した。〝俺、金井泉が好きなんだ〟。――そして、その金井泉は早々に死んでいた。午前六時の放送でその死が告げられていたのだ。どこで死んだのかは、わからなかった。とにかくこの島のどこかには、違いないけれど。

「仕方――なかったことだろ」信史は言った。

「金井の方がおまえより先に出てたんだから」

「けど俺――」

豊は相変わらず俯いたまま続けた。

「金井を探すこともできなくて――怖くて――きっとそんなばかなことない、彼女は大丈夫なはずだって、思って――思い込もうと、してたんだ。そしたら、六時にはもう――」

信史は黙って聞いていた。梢の奥で、また小鳥がちちっと鳴いた。今度はもう一羽いるのか、鳴き交わすようにちちっという音が重なった。

ふいに、豊が顔を上げて信史を見た。

「俺、決めたんだ」と言った。

「――何を？」

豊は涙に濡れた目のまま、信史をまっすぐ見ていた。

「俺、復讐するんだ。あの坂持とかいうやつも、政府の連中もみんな、ぶっ殺してやる」

信史はちょっとびっくりして、その豊の顔を見つめた。

もちろん、自分だってこのクソゲームには、そしてそれを動かしている政府にも、完全に頭にきている。あの七原秋也の親友、国信慶時は、信史自身は直接の付き合いはほとんどなかったけれども（ちょっとのんびりし過ぎていて信史には物足りない感じがしたのだ）、それでも、ごくごく、いいやつだった。その慶時を、政府はあっさり殺してのけた。そして、藤吉文世、そして、今、豊が言う、金井泉や、

あるいは、ついさっき、自分が見ているうちに命を落とした日下友美子と北野雪子ら、それに続いたクラスの仲間たち。しかし――

「しかし――自殺するようなもんだぞ、それは」

「いいんだ、死んだって。俺、金井にしてやれること、ほかにないんだから」

豊は言葉を切って、信史の顔を見つめた。

「――おかしいかな、俺みたいな根性なしがそんなこと言うの？」

「いや……」信史は語尾を幾分引きずり――首を振った。「そんなことは、ないぜ」

信史は豊の顔をしばらく見つめ返し、それから、梢に覆われた頭上をあおいだ。いつもおちゃらけてばかりいる豊が激しい感情を見せたことにびっくりしたわけではなかった。豊はそういうやつだった。だから、ずっと友達でいる。だが、――。

死んだっていいんだ。金井にしてやれること、ほかにないんだから。

――そんなふうに、一人の女の子を好きだというのは、どんな気持ちなんだろう？　信史は、光が表から当たっているせいで鮮やかな黄緑色に見える木の葉の重なりを見ながら、考えた。自分は今まで何人もの女の子と付き合ってきたし、もう実に三人の女の子と寝てもいるけれども（中学三年生にしちゃまずまずのスコアだ、そう思わないか？）、そんなふうに女の子を好きだったことはない。

両親の仲が決してよくないことと、何か関係があるのかも知れない。父親は父親で外で女をつくるし（会社では優秀な管理職らしかったが、そしてこんなことを言うのは未だ独立しているわけでもない子としてはおこがましいのかも知れないが、大方のところ凡俗な男で、全く、あの一種鮮烈な輝きを持っていた叔父と血のつながった兄とは思えなかった）、母親はそんな夫を責めることもせず、創作活け花だか女性サークルだか、次から次へと新しい趣味をつくって、自分の世界に閉じこもっている。普通に会

話する。必要なことはお互いやる。でも、信じ合うこともなく、助け合うこともなく、ただ静かな憎悪を重ねて、徐々に老いていっている。——まあ、世間の夫婦なんて大抵そんなものなのかも知れないが。

それで——バスケ部の天才ガード・三村信史は、それを始めた小学校時代から華やかにもてたし——女の子と付き合うのも、カンタンだった。キスするのも、カンタンだった。もうしばらくすると、寝るのもカンタンだった。しかし——誰かを心底好きになったことは、なかった。

残念ながらその点については、あの何についても的確な答えを持っている叔父とは、話したことがなかった。そんなふうなことを考え始めたのは最近のことだが、叔父はもう、二年前に死んでいたので。

しかし、信史が左耳に着けているピアスだ。これは、叔父が、〝俺の好きだった女のものなんだ。彼女、もうずっと前に死んだけど〟と言って、ずっと大事に持っていたものだった。信史は叔父の死後、勝手に形見分けということにして、それをもらった。きっと、叔父なら言うだろう、〝それはおまえの歪みの始まりかも知れないぜ、シンジ。誰かを心から好きになって、そのこに心から愛されるっていうのは悪いことじゃない。とっとと、かわいい女の子を見つけな〟。

それでも、やはり、未だに誰かを好きになれずにいる。

そう言えば一度、三つ年下のおませな妹、郁美が、「おにいちゃんは恋愛結婚したい？　お見合いでもいいと思う？」とか訊いたときに、信史は答えたことがある、俺は結婚はしないかも知れないな。

郁美。信史はそれで、ちょっと妹のことを考えた。できることなら、おまえは幸せに恋をして、幸せに結婚しろよな。にいちゃんはどうも、まともな恋すらできないままに、この世界におさらばするかも知れない。

信史は豊の方へ顔を戻した。「ちょっと訊いてい

いか、豊。失礼な言い方に聞こえたら謝るけど」

豊がきょとんとして「何?」と言った。

「金井のどこがよかった?」

豊はその信史の顔をしばらく見つめ、それから涙に濡れた顔で、ちょっと笑んだ。死者に花束を捧げる役目を、きちんとやらなければならないと思ったのかも知れない。

「うまく言えないけど　金井はすごくきれいだったよ」と言った。

「きれい?」信史は聞き返し、それから慌てて、「いや、きれいじゃなかったとは言わねえけど」と付け足した。

金井泉は、そりゃあひどいブスじゃなかったけど、でも、美人というならクラスには千草貴子とか(あ、そりゃ俺の好みか)、小川さくらとか(まあ、彼女には山本和彦がいたけど。そして二人はもういないけれど)、それに相馬光子が(まああの女は論外だな、どんなにかわいくても)いた。

豊はまたちょっと笑うと、「眠そうにしてて、席に座って頬づえついてるとき、きれいだったよ」と言った。

それから、「教室のベランダの花に水やってて、うれしそうに葉っぱにさわってるときも、きれいだったよ」と続けた。

「運動会で、リレーでバトン落として、後で泣いてたとき、きれいだったよ」

「休み時間に中川有香の話とか聞いてさ、おなか抱えて笑ってるとき、すごくきれいだったよ」

――ああ。

豊がぽつりぽつりと言うのを聞きながら、信史はどこか、無闇に納得していた。その説明は説明になっていなかったにもかかわらず、そういうことなんだ、と思えた。叔父さん。俺にもちょっと、わかったのかも知れない。

豊が言い終え、信史の方に顔を向けた。

信史は穏やかな目で豊を見つめ返しながら、少し

首を傾けた。にやっと笑ってみせた。

「おまえ、俺、将来コメディアンかなとか言ってたけど、詩人になれるぜ」

豊もちょっと笑った。

それから、信史は言った。「あのな」

「何？」

「俺、どう言っていいかわかんないけど、金井、幸せだと思うぞ。そんなに好きでいてくれるやつがいるってわかって、きっと、今ごろ天国で泣いてるぞ」

ひどく詩的だった豊の言葉に比べたら自分のそういう言い方は陳腐な気もしたが、とにかく言った。けれども、それで、豊の目に、またじわっと涙があふれ出した。みるみる、頬にその涙がぼろぼろ流れ出した。頬の白いラインが二本、三本になって、縞模様になった。

「そうかな？」

信史は、詰まった感じの声で言ったその豊の肩に右手を伸ばして、ちょっと揺すった。「そうだよ」

信史は一つ息をつき、さらに言った。

「それとな。復讐するって言うんだったら、俺、手伝ってやる」

豊が涙でいっぱいになった目を見開いて、信史を見た。

「ほんと？」

「ああ」

信史は頷いた。

――そう、しばらく前からずっと考えていたことがあった。いや、女の子の問題は別にしてだ。つまり、このクソありがたい大東亜共和国で、どのように自分がこれから生きていくのかについて。

かつて、そう、豊とも、そんなふうなことを話したことがある。豊は――確か、〝俺、そんなの、想像もつかないよ〟と言ったのだっただろうか。そして、〝ま、コメディアンぐらいになるんじゃない？〟と。その冗談めかした答えに信史は笑ったけれど、

しかし、自分の中では、もうちょっとその問題は深刻だった。いや、豊の中でも恐らく深刻なのだと思う、だが、豊はそれを敢えて口には出さなかったのだろう。つまり、いつか自分は七原秋也に〝こいつはな、成功したファシズムってやつなのさ。こんなタチの悪いものが世界中のどこにある？〟と言ったことがあるけれども、その通り、この国は、狂っている。このクソゲームだけじゃない、政府に少しでも反抗するようなそぶりを見せたが最後、そいつは消されてしまう。あるいはそれが冤罪であっても、政府は容赦しやしない。だからみんなが、政府の影に脅え、政府の方針には絶対服従で、ただ、日々のささやかな幸福だけを糧にして生きている。そしてその幸福が不当に奪われたとしても、ただ、卑屈に耐えるだけだ。

しかし、信史は、それはやはりおかしいのではないか、と思い始めていた。いや、みんながそう思っているだろう、だが、誰もそれを正面切って言い出したりはしない。七原秋也だって、違法の輸入ロックを聞いて憂さ晴らしぐらいはするが——しかし、それだけだ。だが自分は——少なくとも自分は、危険を冒してでもこれに異議を唱えるべきではないのか？　世の中の事についてわかり始めるほどに、その思いは強くなっていった。

そして、二年前のあの事件だ。叔父の死。表面上それは——事故死ということに、なっていた。勤め先の機械工場、一人で夜勤中に感電死したのだという説明つきで、警察から死体引き取り要請があった。しかし叔父は、そのしばらく前からちょっとおかしかったのだ。珍しく何か考え込んでいるような感じで——信史がいつも通り叔父のパソコンをいじりながら、何かあったの？　と訊くと、叔父は、「いやちょっと、昔の仲間が……」と言いかけ、そして、「ああ、いや、いいんだ、何でもない」と言葉を濁した。

昔の仲間。

叔父はほとんど昔のことを話さなかった。いつもうまくはぐらかされてしまい、信史はそのうち、言いたくないいんだな、と思って、訊くのをやめた（なお、その兄に当たる父に訊いたら、そんなことはおまえは知らなくていいと言われた）。ただ――叔父のあの、合法、非合法の範囲を問わない知識の広さ、何か世界のことや社会のことを説明するときにいつもその底にうかがえるこの国への嫌悪、あるいは憎悪。そして――ある種の影みたいなもの。一度、そう、信史が「叔父さんはほんとすげえなあ。かっこいいや」と言ったときだったと思う、叔父は苦笑いしてこう言ったことがあった。「そうじゃないよ、信史。俺はかっこよくなんかない。この国でほんとうに美しくあろうと思ったら、生きていられないよ。俺はとっくに死んでたはずだ」と。そんなこんなから信史が見当をつけたのは――つまり、叔父は、何か政府に反対するようなことに一時は一枚嚙んでいた、しかし、今は何かの理由で身をひいている――そういうことではないんだろうか、ということだった。

だからそのとき、昔の仲間、という言葉を聞いて、ちょっと心配になりもした。しかし、あの叔父のこと、何があっても絶対大丈夫だと思って、あまりごちゃごちゃ訊くのはやめておいたのだ。

だが、その危惧は的中した。恐らく――信史はそのときに思ったものだ、叔父は、昔の仲間――しばらく音信を絶っていた昔の仲間から連絡を受けたのだろう、そして、恐らく迷いもしたのだろうが、何かの仕事を引き受けた。そしてその結果、――何かが起こった。確かに、この国の警察は裁判無しで民衆を処刑する権利を持っている、普通なら職場だろうと路上だろうとその場で撃ち殺す。だが、殊にその身内がそれなりの地位を持っている場合には、隠密裏に〝事故死〟という形で消すことも、往々ありえなくはないのだ。ムカつくことに信史の父親は結構な会社の結構な重役であり（即ち、共和国の一般

人民職階等級では実に一等労働者。政府の高級官僚を除けば最高位だ）——そしてますますムカつくことには、もしそうなのだとしたら、あのろくでもない父親は、叔父をそのような形で〃処理する〃ことについて、幾分婉曲にでも政府への同意を示したことになる。

いずれにせよ、事故であったわけはない。大体、あの叔父が感電死なんて、そんな間抜けな死に方をするわけがないじゃないか！

今、信史が着けているピアスの元の持ち主も、恐らくは、その叔父の過去に絡んでいたのだろう、という気がした。そして、信史は、叔父を殺されたという怒りに震えながら、思ったのだ、俺は、絶対に、この国に迎合はしないぞ、と。

無論、叔父のあの言葉、〃ほんとうに美しかったら生きてはいけないよ〃は、警告でもあったのだと思う。その警告通り、叔父は死んだ。しかし、信史は、その叔父にすべてを教わった故に思ったのだ、俺は——あんたが昔あきらめたことが何とかやれないか、考えてみるよ。俺は——美しくありたい、あんたがそれを俺に教えたんじゃないか、と。

ただもちろん、その思いは漠然としたものであって、これまでに何か現実に行動を起こしたというわけではなかった。反政府組織みたいなものがあるということも聞いていたが、さしもの自分もそんなものどこにあるのか知らないし、大体、当の叔父が言っていたのだ、〃組織や運動なんてものはあまり信用しない方がいい。あんまり当てにはならない〃と。また、なおいささか自分が幼なすぎる気もした。それにまず何より、恐怖もあった。

だが今や、もし運良くこのクソゲームを抜け出せたとしても、自分はお尋ねものだった。だったら——存分にやっていいんじゃないか、皮肉な話だが？　どこだかの組織を利用するのでも、自分一人でやるのでもいい、とにかく？　この国を敵に回して、俺は存分にやっていいんじゃないか？　——そ

ういう気持ちが、ほぼ固まりかけていたのだ。

そして、今、豊の言葉を聞いたことで、その気持ちは最後のひと押しをされた、と言えばいいだろうか。

だが、そういうややこしいことは抜きにして、今は、ただ、もう一つの正直な気持ちの方だけを、豊に告げることにした。

「俺、おまえがうらやましいからな。そんなふうに好きなオンナがいたってのがな。だから、やるんなら一緒にやってやる」

豊の口元がわなわな揺れた。

「くそっ、ほんとに？　ほんとにそう言ってくれるの？」

「ああ。ほんとうだよ」

信史はまた豊の肩に手を伸ばし、それから付け加えた。

「けどな、今はまず逃げることを考えるんだ。坂持の野郎一人殺したって、政府は痛くもかゆくもないんだからな。やるんなら、もっとでかい標的がある。そうだろ？」

豊は頷いた。しばらくして豊が目を拭い、それで、信史は口を開いた。

「豊、おまえ、誰か見なかったか？　日下と北野のほかに？」

豊がこすって赤くなった目でじっと信史の顔を見つめた。首を振った。

「ううん。俺——あの分校からすぐ逃げたし——そのあともずっと——。シンジは？　見たの？」

信史は小さくあごを引いた。

「俺が出発したとき——おまえは知らないんだろうけど、天堂と赤松が分校のすぐ前で死体になってた」

豊が目を見開いた。「そうなの？」

「ああ。出発直後にやられたのさ、天堂は、多分」

「——赤松は？」

信史は腕組みしてこたえた。「赤松が、天堂をや

ったんだと思う」

それで、豊はまた顔をこわばらせたようだった。

「――そうなの？」

「ああ、でないと一番先に出た赤松がそこにいた理由がない。赤松は戻ってきた、天堂を多分物陰から撃って――矢が刺さってたんだがな、天堂と赤松の死体には、同じ矢が――天堂を片づけた。そして、次に出てきたやつも倒そうとして――しかし、逆にその武器を――多分、ボウガンだな、あの矢は――奪われて、やられたんだ。そういうシナリオがわかりやすい」

「次って……」

「七原だろ」

豊はまた目を見開いた。

「シューヤが？　シューヤがやったの？　赤松を？」

信史は首を振った。

「それはわからない。しかし、少なくとも七原は赤松にはやられなかった。そのあとのやつも同じだ。ということは、だから、多分七原ってことになる。もっとも、七原は、赤松を気絶させただけだったのかも知れない。あいつはちょっと甘いところがあるしな。それで、赤松は、そのあと出てきた誰かにやられたのかも知れない」

信史はちょっと考え、言い足した。

「それに、七原は中川の典子サンを連れて逃げたはずなんだ。赤松にとどめを刺す余裕はなかったかもな」

「典子サンを？　――そっか、典子サン、撃たれたよね。それで、シンジがあのとき――」

「そう」信史は苦笑いした。「ほんと、延期してくれりゃ助かったんだがな。ま、そんなわけないと思ったが言うだけ言ってみたのさ。とにかく、典子サンは七原の次だったろ。七原は、出る前にきちんと典子サンに合図をしてったよ。俺は席が近かったから、わかった」

豊は頷いた。「そうだね、典子サン、撃たれたから、シューヤは……」

「ああ。国信のこともあったしな」

豊はさらに納得した、というようにあごを何度か揺らした。

「そっか――ノブさん、典子サンのことが好きだったんだよね。――だから、シューヤは、典子サンのことをほうっていけなかったんだ」

「ああ。ま、それでなくても、七原のこった、多分自分の後から出てくるやつ全員を集めようとか、そんなことを考えていたのかも知れないな。しかし、赤松の件でそんなのはできるわけがないってことがわかった。典子サンは怪我してんだしな。それで多分――典子サンだけを連れて逃げたはずだ」

豊がまた頷いた。それから視線を落とした。

「シューヤ、どこにいるのかな。……シューヤとシンジが組んだらさ、最強なのにね」

信史は眉を持ち上げた。豊は、クラスマッチのたび、信史が七原秋也とともに見せた絶妙のコンビネーションを思い出したのかも知れない。確かに――それは信史も思う、七原秋也が一緒にいるのなら、心強いだろう。運動能力だけではなく――七原秋也には、ものに動じないある種の度胸も、信史に通じる土壇場の思考力もあった。何より、この状況の中で信じられる数少ないやつだ。あの素直な（そして信史からするとやや能天気な気もする）男が、自分が生き残るためにとクラスメイトを殺したり、できるわけがない。

しかし、信史はまた右手を伸ばすと、豊の肩に置いた。豊が顔を上げた。

「おまえがいるだけで俺はありがたいよ。おまえに会えて、よかった」

それで、豊がまた泣きそうな顔になった。信史は力強く笑んでみせた。豊は泣かず、笑みを返した。

それから信史は続けた。「しかし、死体の話はどうでもいい。俺は気づいたんだ、あの分校の運動場

の前に林があったろ」

「うん。あったよ」

「あそこに誰かいた。しかも複数だ」

「――そうなの？」

「ああ。多分――誰かを待っていたんだと思う。もっとも、俺の後はもう元渕と山本、松井、南、矢作か。五人しかいなかったがな。とにかく、俺に声をかける様子はなかった。複数だから恐らくたちまち敵になる連中ってわけじゃないんだろうが、だったら俺もこっちから仲間にしてほしい、と出向く理由はない。おまえはさっき俺を待ってたらよかったと言ったが――あの状況じゃそいつはムリさ。事実、多分、赤松が戻ってきて、天堂をやったんだ。その林の中の連中だって、誰かが戻ってきて見つかったらひとたまりもないだろうって、俺は思った。もっとも、その連中は十分な武器を持ってたのかも知れないが。とにかく、俺はすぐにそこを離れたよ」

　信史はちょっと言葉を止め、舌先で唇を湿した後、さらに続けた。

「それに、俺はほかにも見たぜ、二人ほど」

　豊がまた目を大きくして、「そうなの？」と言った。

　信史は頷いた。「夜の間に、ちょっといろいろ動き回ったんだ。それで――一人は女の子だったな。ほら、ちょっと思いつかねえようなピンピン立ててセットした髪でさ――清水だったと思う。俺がこの山の裾野の方を動いてるとき、茂みの向こうを移動してくのが見えた」

「声――かけなかったの？」

　信史は肩をすくめた。「ちょっとな。偏見かも知れないが、俺はやっぱり、相馬の仲間ってのは怖いよ」

　豊が頷いた。

「それに、もう一人。あの川田章吾をな、見た」

　豊が、ああー、というように口を小さく開いた。「川田――さんかあ」と言った。豊は、ほかの何人

かのクラスメイト同様、一つ年上の川田をさんづけで呼んでいるようだった。

「あのひと、ちょっと怖いもんね。だから――」

「ああ、だから俺は仲間になるのは遠慮しといたんだ。しかし――」

信史はちょっと視線を空の方に上げた。すぐに豊の顔へ戻した。

「向こうも俺に気づいたようだった。俺は探し物をしたくってある家に入って、出てきたところだったんだが、ちょうどあいつがその先にいたんだ。すぐに畑の畦に身を伏せたがな。ショットガンみたいなものを持ってたと思うな。俺は開きかけたドアの陰に隠れてたんだが――やつはしばらく俺の方を見てたと思う、しかし、すぐに姿を消したよ。攻撃してきたりはしなかった」

豊が「ふうん」と言った。「じゃあ少なくとも、敵じゃないってことだね、川田さんは」

信史は首を振った。

「そいつはわからない。俺も銃を持ってることに気づいて、大事をとって攻撃するのはやめたのかも知れない。どっちにしても、俺はやめといた、あいつを追いかけるのは」

「そっか――」

豊は頷き、それから、何か思いついたように顔を上げた。

「あの、俺、誰も見てないけどさ、あの、日下と北野がやられる前に、別の銃声がしなかった?」

信史は頷いた。「したな」

「あれ、あのマシンガンとは別だよね。あれも、日下たちを狙ったのかな?」

「いや」信史は首を振った。「そうじゃない。恐らく、日下たちをやめさせるつもりだったんだ、あの銃声は。あんなことしてたら危ないのはわかり切ってるんだから。銃声にびっくりして、あいつらが隠れてくれないかと、撃ったやつはそう思ったんだと思う」

豊がちょっと興奮したように身を乗り出した。

「じゃあ――じゃあ、そいつは敵じゃないってことだね、少なくとも」

「そうだな。しかし、合流する手だてはないな。どの辺から撃ったか見当はつくが――しかし、もうそいつも動いてるだろ、あのマシンガンのやつにも位置を知られたことになるからな」

豊がいささか残念そうに体を引いた。ちょっと沈黙が落ち、信史は腕組みして考えた。そう、豊が誰か信用に足るやつを見てないかと思ったのだ。それでそいつが動いてなかったら――そいつと合流することもできるかと思っていたのだが。まあ、考えてみれば、自分が信用できるようなやつと言えば、豊も信用するはずだから、見かけていたら合流していたはずだ。豊は一人でいたのだ。あまり、意味のない質問だった。

しかし――どっちにしても、信用できるやつとは誰だろう？　七原と――それにもう杉村弘樹ぐらいか？　後は――むしろ女子か。委員長の内海幸枝や、そのへんなら――。しかし俺、うちのクラスの女の子にはウケがよくないらしいからな、やたら女の子を渡り歩くからなんだろうけど。いやはや。やっぱ、叔父さん、決まった女の子をつかまえとくべきだった。

――いや。やっぱり、豊に出会えただけでも僥倖だろう。豊なら、絶対信用できる。

その豊が訊いた。

「あの、シンジさ。探しものをしてたって言ったね」

信史は頷いた。「言った」

「それ、何？　何を探してたの？　武器になりそうなものとか、そういうの？　俺、怖くてそんなこともできなかったけど？」

信史はそれで、腕時計に視線を落とした。もうそろそろだろう。マシンがパスワード解析を始めてから一時間経つ。

信史は腰を上げると、銃を当座ズボンの前に納め、「豊、ちょっとそこ、どいてくれ」と言った。豊が背を預けていた立木から離れた。その向こうにも、灌木が地を這うように茂みをつくっている。

信史はそこまで歩くと、その茂みの奥に手を差し入れた。付属品一式も、接続コードも、まとめて慎重に引っ張り出した。

豊が目を見張るのがわかった。

信史が引っ張り出したのは、自動車のバッテリ(これは電源だ)、半ば分解された携帯電話、それに一台のノートパソコンだった。そのそれぞれを、これまた間に合わせでそろえた赤や白のコードがつないでいる。

液晶モニタ部分が起こされたままのパソコンは、その画面表示を停止していた。

ということは——。信史は唇を突き出し、ひゅう、とほとんど音のない口笛を吹くと、キーボードのスペースバーを押さえた。節電のためスリープモードに入っていたパソコンが、ハードディスクの回転音とともに起き上がり、モニタにグレー階調の表示が戻ってきた。

画面の中、ごくごく小さなウインドウの中の最終行を追って、信史の目がいたずらっぽくちかっと輝いた。「なんてこった。母音入れ換えかよ。単純過ぎて思いつかねえや」と言った。

「シンジ、これ——」

豊がようやく驚嘆したように言い、信史はキーボードをばかばか叩き始めるいつもの準備運動として、両の手を握ったり開いたりしながら、その豊へ向けてにやっと笑ってみせた。

「マッキントッシュ・パワーブック150ってんだ。こんな辺鄙な島にこんないいマシンがあるとは思わなかったぜ」

【残り27人】

30

矢作好美（女子二十一番）は、時計が午前十時を指すのを待って、隠れていた民家の裏口からそっと顔を出した。集落の南の外れで、江藤恵が死んだ家とはかなり離れているが、もとより好美は恵がそこで死んだことなど知るよしもなかった。ただ、朝の放送でその名前を聞いただけだ。

それよりも、その放送で告げられた禁止エリアの話の方が、好美には深刻な問題だった。午前十一時になれば、この集落が含まれるエリアH＝8内にいる選手の首輪はすべて爆発する。コンピュータが相手だ、待ったはきかない。

裏口は、家と家の間の細い路地に面していた。正面の家の壁まで、一メートルもないかも知れない。好美はごつい自動拳銃を（コルト・ガバメントモデル四五口径だった）握り直すと、両手で保持して、右手の親指でスプリングの重い撃鉄を起こした。辺りを素早く見回したが、路地の左右に人の気配はない。

相馬光子のグループで不良娘と呼ばれている割にはやや幼い感じのある好美の丸顔に、冷や汗が浮いていた。ほんの一、二時間前、北の山の山頂から呼びかけを行った日下友美子と北野雪子の姿は、家の二階の窓から見えていた。そしてあのぱららららという銃声。間違いない。殺し合いは続いているし、誰もが好美のように、ただ隠れているというわけではないのだ。クラスメイトを平気で殺そうという者がいるのだ。そして、どこからその誰かが現れるかはわからなかった。

足を踏み出し、隠れていた家の壁沿いにそろそろと右へ進んだ。角まできて、南の方へ顔を向けると、ゆるやかな傾斜に沿って畑が続いているのが見えた。その中に点々と緑が固まり、南の山へ向けてなだらかなスロープを形作っている。住宅も、好美が今い

るところほど密集してはいないが、その中にいくつか見える。とにかく――南の山の中まで入ってしまうことだった。そうすれば当座は安全なはずだ。

好美はデイパックを肩にかけ直すと、もう一度辺りに視線を飛ばし、それから、一気に畑の端の小さな茂みへ向けて駆け出した。

数秒でたどりつき、ざっと茂みの中に分け入った。銃を両手で構えて左右に向けたが、誰もいない。

そのほんの少しの移動で、好美はもう、ぜえぜえと肩で息をしていた。まだだ。まだ、エリアH=8を抜けてはいない。いや、抜けているのかも知れなかったが、地面に白線がひいてあるわけじゃなし、少し余裕を持って離れておかなければ不気味で仕方がなかった。地図上には民家を示す青い点も刻まれていたのだが、集落の辺りはその点もごちゃごちゃかたまっていて、よくわからなかったのだ。そして、そのごちゃごちゃのへりの方を、エリア区分を示すラインが横切っていた。


好美は泣き出したい気分だった。きっと――自分が相馬光子のグループに入っていなかったら、誰か、そう、ごくごく普通の、信用できそうな女の子たちをなんとか探し当てて、一緒に行動することもできるに違いない。けれどきっと、みんな自分のことを信用してはくれないだろう、なんといっても自分は相馬光子と、それに清水比呂乃と一緒に、だいぶ悪いことを続けてきたのだ。万引きとか――恐喝に近いようなこととか。きっと、みんな、自分には敵意なんかないと言っても、信じてはくれないだろう。それどころか、出くわした途端に攻撃してくるかも知れない。

事実、好美は、夜のうち、家に隠れる前に、一人の女の子を見ていた。自分が集落の方に駆け込むのとは反対に、その子は集落から出ていったのだ。あれは――琴弾加代子（女子八番）だっただろうか？あるいは、一旦集落の方に隠れたものの、思い直して移動したのかも知れない（それは正しかったこと

になる、集落は最初のエリア指定を受けたのだ）。

声をかけようと思えばかけられたタイミング、そして距離だったが、好美にはそれがどうしても、できなかった。

じゃあ、じゃあ、相馬光子と清水比呂乃はどうだろうか。悪い仲間には違いないが――それでも仲間だった。彼女たちに出会うことがもしできたら――彼女たちは自分を信じてくれるだろうか。そして――あたしは、彼女たちを信じることができるだろうか。いや――それもだめかも知れない。

ほとんど絶望に打ちひしがれながら、好美はまた、ある男の顔を思い浮かべた。ゲームが始まってからこれまで、ずっと思い浮かべていた顔だ。自分が相馬光子と付き合っていることなんかお構いなしに、好きだ、と言ってくれた男の子。ベッドの上、優しくキスして、「あんまり悪いこと、するなよ」とたしなめてくれた男の子。自分がもしかしたら変われるんじゃないかと、思わせてくれた男の子。

あの分校を出たとき――もしかしたら、彼が外で待っていてくれるんじゃないかと思っていた。けれど、もちろん、外には誰もいなかった。当然だった。足元には天堂真弓や赤松義生の死体が転がっていたし、そんなところでうろうろしていたら、その二人同様に誰かに殺される可能性もあったのだ(それにしても、その二人を殺した者がどこに行ったのかは不思議だったが)。

彼は一体今、この島のどこにいるんだろう。それとも――それとももう――。

好美の胸が、きゅっと痛くなった。目に涙がにじんだ。

セーラーの袖でぐいっと目を拭うと、茂みの中を端まで進んだ。あともう少しは動かなくちゃならない。

また拳銃を握り締め、次の遮蔽物を探した。今度は右手の方に、背の高い木が何本かまとまっていた。こんもりした下生えも広がっている。

畑の中を、また一気に走った。小枝で顔を引っ掻かれながら茂みの端へ滑り込み、それから、そうっと身を起こして、辺りに目を配った。緑が折り重なった茂みの中をすべて見通すことはできなかったが、どうやら人の気配はなかった。

好美は身を低くしたまま、またそろそろと茂みの中を進んだ。大丈夫。大丈夫、誰もここにはいない。

また茂みの端へたどり着いた。今度は、もう南の山の緑が目前に見えている。大小の樹木、あるいは手前には竹やぶのようなものがびっしり繁茂し、そこから先なら隠れるところはいくらでもあるように見えた。よし――よし――もう一回だけ、あそこまで――

ふいに、背後でがさっという音がして、好美の心臓が垂直飛びを敢行した。

好美はさっと姿勢を低くし、コルト・ガバメントを両手で保持すると、背後へ向けてそうっと振り返った。自分のうなじの毛が逆立っているのがわかった。

ほんの十メートルばかり向こうの木々の間を、ちらっと黒い――学生服が動くのが見えた。好美の目が恐怖に見開かれた。誰かがいる、誰かが！

好美は歯を食いしばってその恐怖を抑え込むと、頭を低く下げた。心臓がどきどきとそのリズムを速めた。

また、がさがさという音が耳に届いた。

さっきまで、この茂みには誰もいなかったはずだ。あの誰かは、好美の後からこの茂みに入ってきたのだ。どうして？　自分を見かけて、追ってきたのだろうか？

好美の顔から血の気がひいた。

いや、そうとは限らない。単に、自分と同じように移動中というだけのことかも知れない。そうだ、自分に気づいていたら、まっすぐにこっちへ進んでくるはずだ。自分は、気づかれてはいない。それなら――それならこのまま、やり過ごすことだ。動い

ちゃだめだ。今は、動かないことだ。

またがさっと音がして、その誰かが移動する気配がした。頭を低くした好美の目に、折り重なった下生えの葉の間から、その影がすっと木の幹の間を動くのが見えた。横顔を見せて、好美の位置からは右から左へ向けて動いた。ああ、よかった、こっちへ向かってきてるんじゃない――。

ほっと息をつきかけた好美は、しかし、がばっと顔をもう一度上げていた。

もう、その影は木々の間に隠れて見えなかった。ただ、がさがさという音が、徐々に遠ざかっていく。

見間違えるはずはなかった。今、混乱した頭が妄想を作り出したのか？　いや、そんなはずはない。

好美はすっと腰を上げると、音がする方へそのまま中腰で進んだ。数メートル進んでもう一度、生い茂った葉の陰から音のする方を確かめた。狭い視界に、学生服の影が現れた。

好美は両手を、思わず胸の前に引き寄せていた。拳銃が握られているのでなかったら、きっと神に祈っているように見えたに違いない。

でも、多分、好美はそのとき、間違いなく祈っていたのだった。そのほとんどありえない偶然が神のいたずらというやつなのだとしたら、その神に。別に特定の信仰はなかったのだが、この際何の神様でもよかった。感謝の祈り。ああ神様、ほんとうです！　私はあなたを愛しています！

立ち上がった好美の口から、思わず言葉がこぼれていた。

「洋ちゃん！」

その声に、倉元洋二（男子八番）は一瞬びくっと体を震わせたように見えたが、ややあってゆっくりと体を振り向かせた。どこかラテン系の趣のある顔の中、まつげの濃い目が見開かれ――それから、元のサイズに戻った。そのほんのひと刹那、洋二が全くの無表情になったような気がしたが、それはもちろん好美の錯覚だったに違いない。すぐに、その顔

に笑みが広がった。好美を誰よりも愛してくれている男の子の、いつもの笑顔だった。

「好美――」

「洋ちゃん!」

好美はデイパックを担ぎ、ガバメントを右手に提げたまま、洋二に走り寄った。自分の顔がくしゃくしゃになり、目に涙がにじむのがわかった。

茂みの中にぽっかりできたその小さな空間の中、洋二が好美を抱き止めた。そっと優しく、でも、力強く。

洋二はそれから、何も言わずに好美の唇にそっと自分の唇を重ねた。それから好美のまぶたの上にもキスをした。それから好美の鼻の頭にも、キスをした。いつもの洋二のキスだった。そんな場合ではないにもかかわらず、好美は至福で体が満たされるのを感じた。

ようやく唇を離して好美の目を覗き込むと、洋二は「無事だったんだな。心配してた」と言った。

まだ体をくっつけたまま、好美も「あたしも。あたしもよ」と言葉を返した。目じりから涙がこぼれて、頬を伝い出した。

洋二が先に出発したとき、洋二はちらっと好美を見やり、好美は泣きそうな顔でその背中を見送った。そして、自分も出発し、それから夜が明けて今まで、なんと不安だったことか。それが、二度と生きては会えないと思っていたひとに、今、こうして出会うことができたのだ。

「なんか――すごい偶然だな」

洋二が今さらながら驚いたように言った。

「うん。ほんと。ほんとうにそう。もう二度と――二度と会えないと思ってた。こんな――こんなひどいことになって」

洋二は、泣きじゃくるその好美の髪を優しくなでた。

「もう大丈夫だ。何があっても一緒にいようぜ、な」

洋二の言葉は力強く、好美は、ますます涙があふれ出すのを感じた。ルールでは生き残るのは一人だけ、でも、そうだ、とにかくあたしは一番好きなひとと一緒にいることができる。時間切れがあると言っていたけれど、あたしたち二人は、なら、それまでずっと一緒にいよう。誰かが襲ってきたら、洋二が守ってくれるだろう。ああ神様、ほんとにこれは――夢じゃないんですね、神様?

好美は、二年のクラス替えで洋二に出会ってからのいろいろなことを思い出した。殊にすべての始まりだった二年の秋のある日、たまたま街で出くわして二人で映画を見にいったこと、それから、クリスマス、喫茶店で一個を分けて食べたイチゴのショートケーキ、その夜のキス、お正月、ばっちり振り袖でキメていった初詣(おみくじをひくと自分が小吉で洋二が大吉だった、洋二がそれを交換してくれた)、そして忘れもしない一月十八日の土曜日、洋二の家で初めて夜を過ごしたこと。

「今までどこにいたの?」

好美が訊くと、洋二は集落の方向を指さした。

「あそこの家の中にいた。でも、ほら、この首輪――これ、十一時になってまだあそこにいたら爆発するんだろ。だから――」

無論のこと洋二は深刻な表情だったが、好美はおかしくなった。すぐ近くにいたのだ、ゲームのスタートから今までどこにいるのかと思っていた洋二が、ほんの目と鼻の先にいたなんて――。

「どうした?」

「あたしも。あたしも家の中に隠れてたの。きっと、すぐ近くにいたのよ、あたしたち」

それで、二人でちょっと笑った。洋二のその笑顔を見ながら、好美は、誰か好きな人と笑顔を交わせるということの幸福を噛み締めた。それはささいなことに思えるけれど、ううん、けっしてそうじゃない。それは、一番大切なことだ。そして今それを、自分は取り戻すことが、できたのだ。

洋二がゆっくりと好美から体を離した。その視線がふと気づいたように好美の右手に落ち、それで、好美は、自分がまだ拳銃を握っていたことに気づいて、苦笑いした。

「あはは。私ったら――」

洋二も笑みを返した。

「いい武器じゃんか。俺なんか、これだからな」

そう言って、手にしたものを見せた。好美はそんなものには全然気づかなかったのだけれど、よく見ると、何だか古道具屋で売っていそうな短刀だった。握りに巻かれた糸は擦り切れ、小判型のつばには緑青が浮いている。洋二が刃を少し抜き出してみせると、刀身にも点々とさびが広がっていた。洋二は刃を収め、ズボンのベルトにそれを差し込んだ。

「それ、ちょっと見せてくれ」

洋二が言い、好美は拳銃の銃口を横へ向けて、洋二の方へ持ち上げた。

「洋ちゃんが持ってて。あたし、うまく使えそうにないし――」

洋二は頷き、コルト・ガバメントを受け取った。グリップを握り、安全装置を確かめた。スライドを引くと、薬室に収まっている第一弾がのぞけた。撃鉄は起きたままになっている。

「弾、あるか、これの？」

もちろん銃の弾倉にはもう装弾数いっぱいに弾が込めてあったけれど、好美は頷いてデイパックを探り、弾の入った紙箱を洋二に差し出した。洋二は片手でそれを受け取ると親指で蓋を弾いて中を確かめ、それから、自分の学生服のポケットに押し込んだ。

次の瞬間、好美は我が目を疑った。いや、一体、それがなんであるのかそもそも理解できず、ただ、あたかも何か不思議な手品でも見るように、洋二の手元をじっと見ていた。

洋二が自分に向けて、そのコルト・ガバメントをすっと構えていたのだ。

「……洋ちゃん――？」

それでもまだそこにぼうっと突っ立っていた好美から、洋二の方が後ろへ二、三歩退がった。

「洋ちゃん?」

もう一度言った好美の頭に、ようやく、洋二の顔がいつもと違う、という事態が認識された。

洋二の顔が歪んでいた。まつげの長い目、かぎ鼻に近い大きな鼻、横幅の広い唇。パーツは同じだけれど、歪めた口元に歯がのぞいたその顔は、好美が見たこともない顔だった。

その歪んだ口から言葉が流れ出した。

「行けよ。さっさとどっかへ消えちまえ」

好美は、一瞬、洋二が何を言ったのかわからなかった。

苛立ったように、洋二が続けた。

「早くどっかへ行っちまえって言ってんだ!」

相変わらずぼうっとしたまま、好美は自分の唇が言葉を押し出すのを聞いた。

「……どうして?」

洋二の口調ににじむ、苛立った感じが強まった。

「おまえみたいな女と一緒にいられるかってんだよ! 早く行けよ、ちくしょう!」

最初はゆっくりと、しかし次第に加速するように、何かががらがらと、好美の中で崩れ落ち始めた。

「……どうして?」好美は震える声で言った。「あたし――あたし――何か悪いことしたの?」

洋二は銃を好美に向けて構えたまま、顔を傾けて地面に唾をぺっと吐いた。

「笑わせるな。おまえがろくでもない女だってことぐらい俺は知ってるよ。ポリにつかまったことがあるってことだってな。――おまけに親父みたいな歳の男と寝やがってよ。それだって、俺は知ってんだよ! おまえみたいな女、信用できるかよ!」

好美は口をぽかんと開けて、洋二の顔を見ていた。

それは――事実だった。万引きの現行犯で逮捕されたことも何度かあるし、相馬光子らと一緒になって高校生を脅した恐喝の件でも一度補導されたこと

がある。それに――売春だ。もうだいぶ前、相馬光子が紹介してくれたおじさんたちと、好美は二、三度ばかり寝たことがあった。いいバイトだったたには違いないいし、誰でもやっていることだったたし、ことにあのころ、自分は何もかもに嫌気がさしていて、慣れない化粧で大人を気取り、それなり優しく見えるおじさんたちと一緒にいるのは、悪いことではないように思えていたのだ。そして、洋二もきっと、自分に関するそんなこんなを知っているんだろうな、とは思っていた。

しかし、そう、あの秋の一日からこっち、洋二と付き合うようになってから、自分はそれもこれももうやめたのだ。もちろん相馬光子や清水比呂乃らとの付き合いは続いていた、自分だけ優等生を気取るわけには行かなかったけれど、少なくとももう売春なんかしていないいし、その他の悪いことにもできるだけ手を出さないように気をつけてきたつもりだ。そしてそれで、洋二も自分を許して愛してくれているんだろう、とずっと思っていた。

――ずっと、思っていた。

好美の頬に、涙がぼろっとこぼれ出た。

「あたし――あたしもう、そんなことしてないよ」

さっきとはまた違うその涙が、ぼろぼろと頬を伝い落ちるのがわかった。「洋ちゃんに――洋ちゃんにふさわしい女になりたかったのよ」

それを聞いて、洋二が一瞬、うちのめされたような感じで好美を見つめた。

しかし、すぐに元の表情に戻った。

「嘘つけってんだよ！　泣き真似なんかやめろ！」

好美は涙に濡れた目で洋二を見つめていた。また言葉が転び出た。「それなら――それならどうしてあたしなんかと、付き合ってたの？」

洋二は即答した。

「おまえみたいな女だったら、すぐやれると思っただけだ、決まってんだろ！　早く行けよ！　ちくしょう！」

何かに衝き動かされて、好美はだっと洋二の方へ走った。もう洋二の言葉を聞きたくなかったからかも知れないし、洋二が自分に銃を向けているという事実が受け入れがたかったからかも知れない。「やめて！　お願いだからやめて！」と泣き叫びながら、洋二の手にしている銃をつかもうとした。

洋二はすっと体を躱し、好美を突き飛ばした。デイパックが肩を離れて左手の方に落ち、好美は背中から草の上に倒れ込んだ。

すぐに、洋二がその好美の上にのしかかった。

「何しやがるんだ、ちくしょう！　ちくしょう、俺を殺すつもりなんだな！　だったらここで殺してやる、ちくしょう！」

洋二が銃を好美に向けて構え、好美は必死になってその洋二の右手首を両手でつかんだ。すぐに、洋二が銃を握っている自分の右手に左手を添えた。ぎりぎりと、洋二の手が下がってくる。自分の額へ！

好美はざあざあと自分の血がひく音を聞いた。

好美は両手をつっぱり、必死で叫んだ。

「洋ちゃん！　お願い！　やめて、洋ちゃん！」

洋二は何も答えなかった。好美を見下ろす目が血走っていた。機械のように単調な力と動きで、その腕が下がってくる。あと五センチ、あと四センチ、あと三センチ、もう、その弾丸は、好美の髪の毛をかすめることならできるだろう、そして、あと二センチ、あと……。

好美の、哀しみと恐怖に引き裂かれた心の隙間に、ふっと思考が入り込んだ。

何もかもわかった。わかりたくなかったけれど、自分にとっての愛しい洋二は幻だったのだ。でも

――

でも、それは、素敵な幻だった。洋二と一緒にいて、自分はもしかしたらやり直せるかも知れないと、思った。その幻を与えてくれたのは、どうあれ洋二だったのだ。洋二がいなかったら、自分はその夢を、見られなかった。

ああ、あの城岩町のたった一つのバーガースタンドで二人でアイスクリームを食べたとき——自分はアイスを鼻の頭にくっつけてしまって、そして洋二が言った、〝おまえ、ほんとにかわいいなあ〟。少なくともあの言葉はうそじゃなかったと、思う。

——愛していた。

好美は、ふっと腕の力を抜いた。洋二がちゃっと好美の額に向けて銃を構えた。その指は、すぐにも引き金をひくだろう。

好美はその洋二を見つめて、静かに言った。

「ありがとう、洋ちゃん。あたし、洋ちゃんといられて、幸せだった」

洋二の目が何か大事なことにようやく気づいたというように丸くなり、その動きが凍りついた。

「いいから……撃って……」

好美はにこっと微笑み、目を閉じた。

洋二の腕が、好美に銃を向けたままぶるぶる震え始めた。

好美はしばらく熱い弾丸が自分の頭を抉るのを待ったが、いつまでたっても銃声は聞こえなかった。代わりに、「好美——」という、かすれたような声が届いてきた。

それで、好美は、ゆっくりもう一度、目を開けた。

視線が洋二とかちあった。ぼうっと薄い涙の膜ごしに、洋二の目がいつもの、自分の愛する洋二の目にすうっと戻るのを見た。その目が、後悔と自責の色合いをうっすら帯びているのも。

ああ——

ああ——わかってくれたの——洋ちゃん——ほんとに?

かつっ! という、小気味よい、しかしどこか湿った、不気味な音が響いた。濡れた床にかかとを打ちつけるような音だった。

ほとんど同時に、洋二の右手指が引き金をひいた。もっともそれは彼の意志ではなく、単に痙攣だったのだけれど。ばん、という爆竹のような撃発音に好

美は思わずひっと声を上げたが、銃口は既に好美から外れていて、弾丸は好美の頭の上、草の生えた地面に突き刺さって、小さな土の霧を吹き上げた。

力を失った洋二の上半身が、ゆっくりと好美の体の上に折り重なった。洋一はそれきり、ぴくりとも動かなかった。

慌てて洋二の体の下から出ようとした好美の目に、その洋二の黒い学生服の肩口の向こう、笑顔が見えた。旧知の悪友、相馬光子がそこにいた。

好美には、何が何だかわからなかった。ただ、その光子の天使のような愛らしい、美しい顔に浮かんだ笑みに、なぜか、心の底からぞっとした。

とにかく、その光子が「大丈夫?」と言って好美の手を握り、好美を洋一の体の下から引っ張り出した。

生い茂った植物の中、好美はよろけながらも立ち上がり、そして、見た。洋二の後頭部、ひどく鋭利なカマ(カマ! 城岩町の中でも比較的町っ子の好美は、そんなものを目にするのは初めてだった)が、深々と埋まっているのを。

光子はそのカマはとりあえずうっちゃって、洋二の右手の中のコルト・ガバメントを奪いにかかっていた。筋肉が引き攣り、ひどくこわばったその指を一本一本引きはがし、そしてようやくそれを手中に収めると、にやっと笑った。

好美はただ、洋二のその、今は魂の入っていない体を見下ろして、がくがくと震えていた。がくがく、がくがくと。あまりにも大切なものが、あっさり失われたのだった。それは、いつか幼いころ(そう、自分がもっと無垢だったころ)、好美が大事にしていたガラス細工が、何かのはずみで床に落ちて割れてしまったときの感覚に似ていた。ただし——その大きさは、比較にもならなかった。

好美の意識が、天上の高みからすっと地上に戻ってきて、そして好美は見た(もちろんずっと見ていたのだが、視覚が認識の領域にまで届かなかったの

だ)、光子が、洋二の後頭部に刺さったカマに手をかけ、それを抜き取ろうと両手で柄を握って、ぎりぎりと揺すっているのを。洋二の頭がそれに合わせて揺れていた。

「いやああああああっ!」

声を上げ、好美は光子を突き飛ばしていた。光子が草の間にどん、としりもちをつき、形のいい美しい脚がひだスカートのすそから腿の辺りまでのぞいた。

好美はその光子にはお構いなしに、洋二の体におおいかぶさった。頭からカマが生えている、その体に。好美の目から、ぼろぼろ涙がこぼれ出した。そのカマはこう告げていた。揺さぶったって生き返らないぜ。揺するなよ。カマが刺さってんだぜ、痛むじゃんか。

好美の胸の奥から感情の大波が何度も押し寄せた。世界が崩壊したような感じが、好美を溺れさせようとしていた。そして好美はその原因に思いをいたし、涙にあふれた目で、傍らにいる光子をきっとにらみつけた。にらみ殺してやるつもりだった。今自分がどんなゲームに参加していて、誰が敵なのだとか味方なのだとか、そんなことはもう、好美の頭から吹っ飛んでいた。そうだ。憎むべき敵がいるのだとしたら、それは自分の愛する人を奪った相馬光子だった。

「何で殺したのよ!」

言葉は、好美の中にとても空虚に響いた。もはや、自分が中身のない、人間の形をした一つの空洞になってしまったような感じだった。それでも言葉は出た。人間の機能って、おかしなものだ。

「何でよ! 何で殺したのよ! ひどいわ! ひどすぎるじゃない! 悪魔! 何で殺さなきゃならなかったのよ! どうして!」

光子は不満そうに唇を歪めた。「あなた、殺されかけてたのよ。助けてあげたんじゃない」

「うそよ! 洋ちゃんはわかってくれたわ! あた

しのことを、やっぱりわかってくれたわ！　あなたは悪魔よ！　殺してやるわ！　あたしが、あなたを殺してやるわ！　洋ちゃんは、あたしのことをわかってくれたのよ！」

光子は首を振って肩をすくめると、すっとガバメントを好美に向けた。好美の目が見開かれた。

それで、好美は、乾いたぱん、という音をもう一度聞くことになった。額の上、そこだけ車に轢かれたような衝撃が伝わった。それだけだった。

矢作好美はかつて愛した倉元洋二の方にどさっと倒れ込み、もう、動かなかった。四五口径の鉛弾で、頭の後ろ側が半分なくなっていた。それでも口は残っていて、何か叫ぼうとするように開いており、その端から、血がゆるゆると流れ出した。洋二の学生服の上に流れ、黒い染みを広げた。

相馬光子はまだ銃口から煙を噴いているコルト・ガバメントを下ろすと、もう一度肩をすくめた。好美なら、少なくともしばらく、弾よけぐらいにはなると思ったのだが。

それから、言った。「そう、わかってくれたんでしょうね」上半身を屈め、半分欠けた好美の頭、耳元に口を近づけた。耳たぶに灰色のゼリー状の脳漿と血が、不気味なトッピングを施していた。「あなたを殺すのをやめそうだったから、あたしが殺したのよ」

それから、洋二の頭から再びカマを抜き出しにかかった。

【残り25人】

31

そのかすかな音は、風に乗って秋也たちの耳にも届いてきた。秋也は顔を上げた。そしてさらにもう一度。しばらく待ったが、それ以上はなかった。茂みの奥、梢が風に揺れるさあっという音だけが聞こえた。

秋也は隣に座っている川田の顔を見た。

「今のは――銃声かな？」

「今のは銃声だ」川田が断定した。

「また誰か――」

典子が言いかけたが、川田が首を振って「それはわからない」と言った。

ほどなく、川田が口を開いた。三人ともここ数分ばかり黙っていたのだけれど、二発の銃声が会話を促した形だった。

「とにかくな、二人とも。俺を信じるならそれでいいが――。さっきも言ったように、俺たち、最後まで生き残らなくちゃならない。で、確認しときたいんだが」

川田は秋也の方を向いた。

「容赦なくやる覚悟があるか、七原」

秋也はごくっと唾を飲んだ。

「誰を？　政府の連中をか？」

「それももちろんだ」

川田は頷き、それから続けた。

「同時に、クラスの連中をやれるかってことだ。向こうが向かってきたときに」

秋也はちょっと俯き、それから、「必要があったら、やらざるを得ないだろ」と答えた。幾分小声になった。

「相手が女でもやれるか？」

秋也は唇を引き締め、川田の顔を見た。また視線を落とした。

「やらざるを得ないだろ」ともう一度言った。

「オーケイ。わかってるならいい」

川田は頷き、あぐらをかいた膝の上でショットガンを握り直した。付け加えた。

「誰か殺すたびにいちいち気分が悪くなってんじゃ、次の瞬間に別のやつにやられちまうぞ」

秋也は少し考え、訊くかどうかしばらく迷った。結局訊くべきじゃないと判断したにもかかわらず、意志に反して言葉が口から流れ出た。

「おまえも——容赦なくやったんだな？　一年前？」

　川田は肩をすくめた。

「やったさ。詳細を訊きたいのか？　男を何人殺したか？　女を何人殺したのか？　優勝するまでに？」

　典子が左右の腕を胸の前で交差させて、自分の両肘をぎゅっと抱え込むようにするのがわかった。

「いや——いい」秋也は首を振った。「意味がないよ、そんなことを聞いても」

　また沈黙が落ちたが、ややあって、珍しく弁解するような調子で川田が言った。

「仕方なかったんだ。半分狂ってるようなやつもいたし——平気で何人でも殺そうってやつもいたし——比較的仲のいいやつはすぐに死んでしまって、仲間をつくることもできなかった。で、俺は——じゃあ殺されることにします、とは思えなかった」

　少し間を置いて、付け加えた。「やるべきこともあった。そのために、死ねなかった」

　秋也は顔を上げた。

「何を？」

「決まってるだろ」

　川田は少し笑顔を見せたが、にもかかわらず、目の中をぎらっとした光が横切った。

「このくそやくたいもない国をぶっ壊してやるためだ。こんなくそやくたいもないゲームに俺たちを放り込んだこの国をな」

　川田のその憤りに歪んだ口元の辺りを見ながら、秋也は、ああ、同じだ、と思った。自分がこのゲームを動かしている連中にカウンターを食らわせたいと思ったのと。このろくでもない椅子取りゲーム、互いを疑わせ、憎しみ合わせるクソゲームを平気で動かしている連中を、地獄の底まで叩き落としてやりたいと、そう思ったのと。

　あるいは——思った、今、川田は、仲のいいやつはすぐ死んでしまったと言った、そんなふうに軽く

流したけれど、きっとそいつは川田にとって、秋也にとっての慶時同様、大切な友達だったのかも知れない。

秋也はそのことを訊こうかと考え、しかしやはりやめて、別のことを口に出した。

「いろいろ勉強したって言ったけど――それはそのためかい？」

川田は「そうだ」と頷いた。「遠からず、俺は何かやってただろうな、この国に対して」

「――どんな？」

秋也のその問いに、川田は「さあな」と苦笑いすると、首を振った。

「一旦できあがったシステムをぶっ壊すってのは、口で言うほど容易じゃないぜ。しかし、何かだ。何かやってただろう。いや、今だって、やるつもりだ。俺は、そのために生き残る、今回も」

秋也は立てた膝の間にぶらんと手から提げたリボルバーに目を落とし、それから、ふと頭をよぎった問いに、また顔を上げた。

「なあ、もし知ってるなら教えてくれないか」

「何を？」

「このゲームの意味だ。こんなものに意味があるのか？」

川田はちょっと目を見開いたが――、すぐに顔を下げると、低く笑い出した。随分おかしそうだった。それから、ようやく言った。

「あるわけないじゃないか、そんなもの」

「でも」典子が声を上げた。「防衛上の必要があるって言われてるじゃない」

川田はまだ顔に笑みを残したまま、首を左右に振った。

「そんなのは狂人のたわごとだ。もっともこの国全体がおかしいんだから、正常と言うべきかも知れないがな」

「じゃあ」秋也はまた体を憤りが満たすのを感じながら言った。「なんでこんなものが続いてるんだ？」

「簡単だ。誰も何も言わないからだ。だから続いてる」

秋也と典子が絶句したのを見て、川田は補足するように続けた。

「いいか。この国の役人はアホばっかりだ。しかも、アホじゃなければ役人にはなれないときている。恐らく最初にこの幸せゲームが考案されたとき、――多分どっかのイカレた軍事理論家が考えたんだろうが、誰も異を唱えたりしなかったのさ。専門的なことに口出しすると後がややこしいってな。で、一旦始まったものを中止するってのは、この国じゃ恐ろしく難しいんだ。余計なことにくちばし入れたら首が飛ぶ。いや、それどころか思想偏向で強制労働キャンプに送られるかも知れん。ほんとはみんなが反対してても、誰も何も言えない。だから何も変わらない。この国にはおかしなことがたくさんあるが、構造は全部同じだ。ファシズムの典型だ。そして」

川田は二人の顔を見渡した。

「おまえたちも、いや、俺を含めて、何も言い出せないはずだ、何かがおかしいと感じても。おまえたちだって、自分の生活の方が大切だろ？」

秋也は何も言えなかった。体を満たしていた憤りが一気に冷えた。

典子が「恥ずかしいことだわ」と言った。

秋也はその典子の方を見た。典子の目が、哀しそうに下を向いていた。そうだな、と思った。その通りだった。

「南鮮共和国って国があったんだ。知ってるか」

川田が言った。秋也が目を向けると、川田は顔をまっすぐ前へ向け、ちょうど目の前の木、葉の間から一輪だけ顔を見せている、ツツジのようなピンクの花の辺りを見ていた。

唐突に何だろう、とも思ったが、とにかく秋也は答えた。「知ってるよ。今の韓半民国の南半分だろう」

そのぐらいのことは、教科書にも載っていた。い

わく、〃わが国の友好国だったが、米帝と韓半民国の一部帝国主義者層による策動で一九六八年、韓半民国に侵略併合された〃(なお、無論そのあとには、〃わが国としては、朝鮮半島全人民の自由と民主主義のためにも、早期に韓半民国の帝国主義者を駆逐、その領土を併合し、大東亜民族共存の理想に向けて一歩を進めなければならない〃と続く)。

「そうだ」川田は頷いた。「あの国は、この国とよく似た国だった。圧政、指導者への絶対服従、思想教育、鎖国状態と情報統制、それに、密告の勧奨。だが、たったの四十年で失敗した。それに対して、こちら大東亜共和国は常勝街道驀進中だ。――なぜだと思う?」

秋也は考え込んだ、そんなことはよく考えたこともなかったが。教科書には、南鮮共和国の敗北についてとにかく、〃すべて米帝及びその他帝国主義勢力の狡猾な陰謀によるもの〃と書いてある(それにしても中学生向けとは思えない難しい言葉遣いだ)。しかし、では、なぜ、当大東亜共和国は未だに健在なのだろうか? 無論、南鮮共和国が地理的に韓半民国と地続きであった、という事情はあるだろうが――。

首を振った。「俺にはわからない」

川田は秋也の目を見て小さく頷き、再び口を開いた。

「まず言えるのはな、バランスの取り方だ」

「バランス?」

「そう。南鮮共和国が徹底的な社会統制を行ったのに対して――もちろん、この国だって強圧と統制が基本だ。しかし、非常に巧妙な――とまあ、今となっちゃ結果論として言えるんだが、非常に巧妙なやり方で、自由な部分を多少とも、残しておいた。それで、そんなふうにアメを与えておく一方で、こんなふうに言った。つまり、〃無論自由は全人民の生得の権利である。しかしながら、公共の福祉のためには、自由は往々制限されなければならない〃、と

な。どうだ、いかにもまっとうに聞こえるだろう、文句としては」

秋也も典子も、黙って川田が言うのに耳を傾けていた。

「そうして、この国は転がり出した。七十六年前のことだ」

そこで、典子が「七十六年前？」と口を挟んだ。ひだスカートのひざを抱え込んだ典子は、不思議そうに顔を傾けていた。

「なんだ」川田が言った。「それも知らなかったのか？」

典子が、それで、秋也の顔を見た。秋也はその典子に小さく頷き、それから、川田の方へ向き直った。

「俺はちらっとは聞いている。教科書に書いてある歴史は大ウソで、今の総統は三百二十五代どころじゃない、たったの十二代目だって言うんだろう」

それは、三村信史が教えてくれたことだった。典子が知らないのも無理はない、そんなこと学校では教えてくれないし、大人たちも普通は口をつぐんでいるし（いや、もしかしたら知らない大人すらいるのかも知れない）、秋也だって信史にそれを聞いたときは愕然としたものだ。何せ、そのわずか八十年足らず前の総統の登場、即ち一種の大がかりな革命以前は、国名も体制も何もかも違う、全く別の国だったというのだから（信史は言ったものだ、〝それまでは封建主義をやってたらしいぜ。みんなチョンマゲってサイケな髪型だったらしくてな。身分差別もあったそうだが、しかし、はっきり言って、今よりゃよっぽどましだな〟）。

典子の驚いた表情をちらっと見やった秋也だったが、川田が次に「まあ、それも実はウソかも知れないんだがな」と言うのを聞いて、これは自分が眉を寄せることになった。

「――どういう意味だ？」

川田は笑んで、あっさり言った。「総統なんていない。架空の存在なんだ。そういう話がある」

「なんだって?」

「うそ——」典子が幾分かすれた声で言った。「だって、ニュースとかに出てるし——お正月には、官邸でふつうの人たちの前に——」

「と、思うだろう」川田はにやっと笑った。「だが、そのふつうの人たちってのは誰だ? そこにいた人間に会ったことがあるか? あれも役者に過ぎないのだとしたらどうだ、その総統本人が役者に過ぎないのと同様に?」

秋也はその可能性について考えた。——すぐに、気分が悪くなってきた。何もかも嘘ばかり、真実はどこにもない、その不安定な感じに。

「——本当なのか、それは?」重い口調で訊いた。

「さあな。それは、俺が聞いた話に過ぎない。だが、いかにもありそうな話ではある」

「誰に聞いたんだ、そんなこと? パソコンのネットとかいうやつで調べたのか?」

秋也は三村信史のことを思い出してそう言ったのだが、川田はまた口元だけで笑んだ。

「残念ながら俺はコンピュータはからきしだが、いろいろあるさ。その気になって調べればな。いずれにしても、いかにもありそうってのはな、それが、究極の最高権力者ってのをつくらない方法だからだ。そしたら、政府中枢にいる連中だってみんな平等だってことになる。平等な自由を。だとしたら、平等な義務を。不公平が出ない。文句のない方法だ。ただ、そのどこかに巧妙なごまかしがあるってだけでな。——もっとも、一般民衆にそんなことまで知らせる必要はない。それは、ただの求心力でさえあればいいんだ」

川田はふう、と息をつき、それからまた続けた。

「とにかく、そんなことは些末な問題だ。話を戻せば、この国はそうして最初のステップでうまく転がり始めた。どんどんどんどん、うまく転がった。ただしこの場合うまくってのは、近代的工業国として成功したって意味だ。準鎖国状態をとっているくせ

に、アメリカ側にもこの国側にも荷担しない第三国をどんどん経済の中へ取り込んで、原料を入手し、製品を売った。よく売れた。無理もないさ、この国の製品はほんとに品質がいいんだ。その点、アメリカと見事に拮抗してる。わずかに遅れてるのは宇宙技術とコンピュータぐらいなもんかな。だが、その高品質は、集団への服従と、政府の強圧的な指導で生まれたもんだ。ただそれでも——」言葉を切った。首を振り、続けた。「そうして一旦成功しちまうとな、民衆だって、この体制を変えるってのは恐ろしいことなんじゃないか、って思い始めるのかも知れない。十分成功し、豊かな暮らしができているのに、たとえちょっとぐらい問題があるからって、それをひっくり返そうってのけとんでもない話なんじゃないか、多少のことは犠牲にするしかないんじゃないか、ってな」

川田はまた秋也の方へ目を戻し、ちらっと皮肉な笑みを見せた。「そのちょっとした問題、多少のことの一つが、この幸せゲームってわけさ。無論、当事者とその家族はつらい思いをするかも知れないが、いかんせん大した数じゃない。家族だって、大抵はそのうちあきらめちまうのさ。去る者日々に疎し、ってな」

長い回り道をした川田の話は、それで再びこちら大東亜共和国が誇るクソゲームに戻ってきたわけだったが、秋也が口元をひどく歪めたのを認めたのか、川田が「どうした?」と訊いた。

秋也は「ゲロが出そうだ」と答えた。三村信史がいつか〝成功したファシズムってやつなのさ。こんなタチの悪いものが一体ほかにどこにある?〟と言った意味が、ようやく明確にわかり始めていた。信史はそんなこともこんなことも、とっくに承知していたのに違いない。

「ふん。じゃあ、もう一つゲロの出るような話をしようか?」川田はいささか、話を楽しんでいるようにすら見えた。続けた。「俺はもしかして、南鮮共

和国とこの国の違いは、民族性にもあったんじゃないかと思っているんだ」

「民族性？」

　川田は頷いた。「そう。つまり、今この国がやっているようなシステムが、この国の人間に、結構ぴったり合ってたんじゃないかとな。つまり、お上の言うことには逆らわないこと。付和雷同。他者依存性と集団指向。保守性と事なかれ主義。みんなのためだからとか誰かに立派そうな理由を示されたら、たとえ密告をするときでも、いいことをした、と自分を納得させられるような救いがたい愚鈍——。そんなこんなさ。要するに、誇りもなけりゃ倫理もないってことになるか。自分のアタマで考えられないんだよ。長いものにはくるくるくる。全く、ゲロの出る話だ」

　そうその通り、それは全くゲロの出る話だった。秋也は胸がむかむかした。

　だが、典子がそこで、ちょっと口を挟んだ。「そんなことは、ないと思うわ」と。

　秋也も川田も、典子の方を見た。典子は幾分これまでの疲れが出てきたのか、膝を抱えて背中を丸めていたが、それでも、二人の顔を見ながら、はっきりした口調で言った。

「あたし、何も知らなかった。いろんなこと、今初めて聞いたわ。でも、今、川田くんが言ったようなことがみんな本当だったら、そういうことをきちんと知っていたら、きっと、黙ってなんかいないわ。きっと——みんな、何も教えられてないから、今みたいになっちゃってるんだわ。あたしたちがそもそもそんなふうにひどい人間だったなんて、あたしは、そんなふうに思いたくない。あたしたちが特別立派だとは言わないけど、あたしたち、世界中のほかの人たちと同じように、きちんと考えることができるはずだわ」

　川田がそれを聞いて笑んだ。ひどく優しい、笑顔で。

「いいこと言うな、典子サン」

そう言った。

一方の秋也の方はというと、あらためて、その典子の顔を見つめていた。典子は、特にクラスでも目立つ女の子ではなかったし、そんなふうに人前で自分の意見をはっきり言ったりすることはあまりしないタイプだと、ずっと思っていた。おかしな話だが、このゲームが始まってから、どんどん中川典子の違った面が見えてきている、というような気がした。ただ――それは単に、自分がばかだったということに過ぎないのかも知れないが。そしてもしかしたら――慶時は、典子のそんな一面も、きちんと見ていたのだろうか。

とにかく、それは〝ゲロが出る〟よりは、はるかに立派な意見だった。そして、またしても、その通りだな、と思った。何がどうあれ、この国は自分たちの国、自分が生まれ、そして育ってきたところなのだ（どこまで育つかけ当座の状況では怪しいもんだが）。そりゃあ米帝ことアメリカがいつかはこの国を解放してくれるかも知れないが、本来は自分たちのことだ、人に頼ってはいられないし、最終的には頼れもしないだろう。

それで、秋也は川田の方に視線を戻して、訊いた。

「なあ、川田。――変えられると思うか、この国を？」

しかし、川田があっさり首を振ったので、秋也は拍子抜けした。〝この国をぶっ壊す〟と言った川田のこと、きっとやれると言ってくれると思ったのだ。いささか間抜けな口ぶりになった。「だけど、言ったじゃないか、この国をぶっ壊すって」

川田は久しぶりに煙草を出して火を点け、それから腕組みした。

「俺の考え方を言おうか」

秋也は頷いた。

川田は腕をほどいて煙草を口から離し、一度煙を吐いた。

「歴史の波みたいなものがあると思う」

秋也は意味がよくわからず、聞き返そうとしたが、その前に川田が続けた。

「ある時、ある条件がそろったら、ほっといてもこの国は変わるだろう。それが戦争なのか、革命なのか俺は知らない。また、それがいつ来るのかも知らない。あるいは、永遠に来ないのかも知れない」

川田はまた煙を吸い込み、吐いた。

「しかし、とにかく、今は無理だ。俺の見たところでは。今いろいろ言った通りさ、この国は狂った国だが、よくできている。とても、よくできている」

川田は煙草を持った手で秋也たちの方をちょっと指さした。

「さて、ここに腐った国が一つある。もしそれが気に入らないのなら、取るべき賢い方法というのは、こんな国は捨ててどこか別のところへ行ってしまうことだ。国外脱出の方法は無いわけじゃないからな。そしたら、汚物の匂いを嗅ぐことなく暮らせる。時々ホームシックになるかも知れないが、でも、毎日とても快適だ。――しかし、俺はそれはやらない」

秋也はズボンの腿に手を少しこすり付けた。幾分期待した、今自分が考えたように、それでもここは自分の国だからやはり努力してみたいと、そう言ってくれるのではないだろうかと。そう、あのボブ・マーリイがうたっていたではないか、〝ゲタップ・スタンダップ、みんながみんないつまでも騙されてると思ったら間違いだぜ〟。「なぜ？」と訊いた。

だが、川田の答えは幾分ニュアンスを異にしていた。

「自己満足だよ。俺は復讐したい、それが自己満足に過ぎなくても、この国に一発食らわせてやりたい。それだけけだ。それが果たしてこの国の変革につながるようなことになるかというと、そりゃ大いに疑問だな」

秋也はそれでちょっと息を吸い込み――、それか

ら言った。

「絶望的な話に聞こえるよ」

「絶望的な話なんだ」川田が言った。

32

【残り25人】


遠く二発の銃声がしたとき、豊はまた身をすくめたようだった。信史もしばし、キーボードを叩く手を止めた。

「あれ――」

信史は頷いた。「また銃声だな」

しかし、すぐに作業に戻った。言い方は悪いが、ほかのやつのことを気にしている場合じゃない。

豊も、再びその信史の手元に目を戻した。包帯代わりのタオルを巻いた手に、信史が「見張っててくれ」と渡したベレッタを握っている。

「なあシンジさ、パソコンなんかで何してるんだい？　もう教えてくれてもいいだろ？」

じれったげにそう言った。そう、再び通信ソフトを立ち上げ、携帯電話からダイヤルアップした後、信史は忙しくキーを叩き始めて、途中で「ビンゴビンゴビンゴ！」とか「あーくそ、あ、こうか」とか「オオーケイ！」とか言い散らしてはいたものの、豊にまだ何の説明もしていなかったのだ。

「ちょっと――待てよ。もう――少しだ」

信史はさらにキーボードを叩いた。モノクロ画面のほぼ中央、ウインドウの中に、〝%〟だの〝#〟だのが混じった英文が流れ、信史もそれに応えて打ち返した。

「よし」

最後にデータのダウンロードを指示し、信史は手を止めた。基本操作は当然ユニックスだが、ここばかりはマックに合わせて自分が設計した通り、ダウンロードの進行状況を示すグラフィックが、別のウインドウで現れた。信史は腕を上に伸ばし、伸びを

した。あとは、ダウンロード完了を待つだけだ(もっとも、終わったらログを書き換えて証拠を消さなきゃならない)。そのあとは、データを書き換えてしまうか、それともデータをもとに作戦を練ることになる。単にデータを書き換えてしまうか、それとも独自のプログラムを組んでより巧妙に相手を騙すか。後者の場合ちょっと手間だが、それでも半日もあれば十分やれるだろう。

「シンジ。説明してよ」

豊がもう一度言い、信史は笑むと、自分もパソコンから体を離して、立木に背を預け直した。我ながらいささか興奮しているなと思ったので、気を落ち着かせるために一つ息をついた。無理もなし、なんせ、そう、さっき豊に〝パワーブック150ってんだ〟と言った時点ではまだはっきりしなかったのだが、今となってはもう、――勝ったも同然だった。

ゆっくり、口を開いた。

「とにかく俺は、ここから逃げることを考えたんだ」

豊が頷いた。

「それでな」信史は自分の首を指さした。信史自身には見えないが、豊には、豊の首に巻かれているのと同じ、その銀色の首輪が見えているはずだった。

「ほんとはな。こいつを何とか外したかった。これのおかげで俺たちの位置はあの坂持って野郎にばれてるわけだ。つまり、今、おまえと俺が一緒にいることもだ。こいつのおかげで俺たちは逃げようとしても簡単に捕捉されるし、あるいは、中の爆弾に電波を送られたら、一発で殺されてしまう。なんとか外したかった」

信史はそこで、手を大きく開いた。肩をすくめてみせた。

「しかし、あきらめた。内部構造がわからない以上、いじりようがない。分解したら爆発するって坂持は言ったが、あながちうそでもないだろう。多分、起爆用のコードが外装の内側に張りめぐらしてあるんだ。そいつを切ったりしたらどかんといく、そんな

とこだろうぜ。とすると、危ない橋は渡れない。あるいは首輪の内側に鉄板でも挟んで、と思ったが、多分、挟めるぐらいの鉄板じゃ爆発は食い止められないだろう」

豊がまた頷いた。

「そこで俺は考えた。ならいっそ、俺たちの捕捉とその爆破用の電波を管理してるあの分校のコンピュータにひと働きしてもらおうってな。言う意味わかるか?」

そう、コンピュータの扱いもまた、そのとっかかりは叔父が手ほどきしてくれたのだけれど、叔父が死んだ後も信史はバスケをするのと同じぐらい熱心に叔父の残したコンピュータをいじり、知識をため込んだ。そして、政府が普通接続を禁止している国際回線へ時々はもぐり込んで、本物のインタネット(そう、だからこの国が〝インタネット〟と呼び習わしているのは、本当は〝大東亜ネット〟というふざけた名前のクローズドネットに過ぎない)からコンピュータのより高度な知識を、また同時にそのほか世界中の最新の情報を仕入れるようにしていたのだ。もっとももちろん、こうしたことは基本的には、死刑とまではいかないまでも、信史の年齢なら思想鑑別所に二年はくらい込むような違法行為になる。だからこそ信史は絶対ばれないだけの技術を磨いたし、同時に、自分がそんなことをしているということを誰にでもは話していなかったが、少なくとも豊には、いくつかのホームページ映像を(主にちょっとエッチなやつ。ま、勘弁してよ)見せてやったことがある。いずれにしても、ことコンピュータハッキングに関しては、信史は今や相当な技術を持っていた。

「そこで俺はパソコンを探したんだ。ご存じの通り携帯電話は持ってるしな。このクソゲームは私物の所持が許可されてるみたいだ、こんなことなら自分のノートを持ってきてりゃよかったんだが、まあ、とにかくこいつが見つかったからいいさ。あとは電

源だが、そのバッテリは、そのへんの車から外した。電圧の調整はあるが、まあそのぐらいは簡単だ」

信史が続けるうち、豊は、地面に直接置かれているパワーブックと携帯電話が一体何をしているのかようやくおぼろげに理解し始めたらしく、小さく何度か頷いていたが、しかし、急に何か思いついたように口を挟んだ。

「けど、けどさ。電話は使えないって坂持が言ったじゃないか。携帯電話は使えるってことなの？」

信史は首を振った。「いや。だめだ。俺が一回適当に番号を押したら――天気予報だがな、坂持が出たよ。〝城岩中学プログラム実施本部は快晴です〟ときた。すぐ切ったがな、胸くそ悪くて。つまりやつらは、携帯電話の一番近い中継局を押さえてる。多分どの電話会社のやつもだめだ」

「じゃあ――」

信史は右手の指を一本立てて豊を制した。

「考えてみろ、やつらが外と連絡を取らないわけがない。それに、コンピュータだって政府の他のコンピュータとつながってるはずなんだ、保安のためにも。じゃあ、やつらはどうしてる？　――つまり、簡単なこった。携帯・移動電話回線のうち、軍用のナンバーだけ選択的に通してるんだよ」

「じゃあやっぱり――」

豊が言いかけるのをもう一度遮り、信史はにやっと笑った。「ところが、だ。俺は思った、だとしてももしかすると――いくらなんでも最低限、何かあったときのために電話会社の人間がいじれるようなことにはしてあるんじゃないかってな」

信史は地面に置かれた携帯電話にちょっと手を伸ばした。それから、言った。

「話してなかったが、俺の携帯電話はちょっと特別でな。電話番号と暗証番号のロムを二種類積んでるんだ。外から見たってわからないが、ここのネジを九〇度回したら切り替えられる。そしてそのもう一つの番号ってのが、いや、もともとタダ電話かけて

みたくてお遊びでつくったもんなんだが――」電話から手を離した。続けた。「電話会社の技術職員が使う回線テスト用の携帯電話の番号なのさ」

「じゃあ――ってことは――」

信史はウインクしてみせた。

「その通り。ビンゴ！　ってわけさ。あとは大した話じゃない。通常電話用のモデムと携帯電話をつなぐのだけはちょっと骨だったけどな。何せ満足に道具があるわけでもない。しかし、俺はやったよ。――それで、とにかく電話回線に入った。それから、一旦俺の自宅のコンピュータにアクセスした。ハックってのは普通のパソコン通信とは違ってな。特殊なツールが――まあ暗号解読のソフトとかな――いるんだ。そいつをまず取り寄せた。で、今度はまず県政府のサイトを狙った。政府の中央演算処理センターとかはそれでも結構カタいらしいが、県政府ならセキュリティは甘いだろうって踏んだんだ。それも正解。いくらこいつが国の直轄事業だからって、開催場所の県政府と多少の連絡はとってるだろう。それも正解。通信ログに見慣れないアドレスがあってな。メールを読んでみたら、教育長宛てだ、なんとゲームの開始お知らせ通知なんだな。そこで今度はそのサイトへ突っ込んだ。つまり、あの分校に臨時においてあるサーバさ。こっちは多少面倒だったが、動ける範囲でいろいろ調べてたら、寝ぼけたことに、作業用のバックアップファイルを残してやがる。こいつをいただいた。細かいとこは省くが、その中に一つ意味有りげな暗号文字があった。その解析が、さっきおまえに会うまで、マックにやってもらってたことさ。答はこうだ」

信史はパワーブックに手を伸ばし、通信状態はそのまま、別のメモファイルを開いて、二四ポイントのばかでかい表示で豊に見せた。豊が覗き込んだ。

〝sakamocho-kinpati〟

「サカモチョ……？」

「そう。ヒスパニックかと思うぜ。くだらねえ母音

入れ換えでちょっと複雑にしてあったんだが、とにかくこれがルートのパスワードだったたってわけだ。――あとはやり放題。今やってたんだけどな。今、分校のコンピュータの中のデータをまるごと頂戴してるところだ。俺はそいつをいじってもう一度あそこのコンピュータに入り、俺たちを縛りつけてるこの首輪を無効にしてやる。やつらはあの分校の周りを禁止エリアとやらで囲んで俺たちがもう近づけないと安心しているようだが、俺たちはそこを急襲できるわけさ。チャンスは十分だ。そして、一旦あの分校を押さえたら、ほかの連中を助けることだってできないわけじゃない。あるいはそれが無理でも、俺たちがもう死んだことにして、二人でとっととこの島をおさらばすることはできる」

そこまで一気に喋ってひと呼吸置き、信史はまたにやっと笑った。「どうだ?」

もはや、豊は放心したような表情をしていた。

「すごい」と言った。

信史もその素直な反応に満足してにこっと笑った。ありがとう、豊。何にせよ、自分の能力を誰かにほめてもらうっていうのはとてもうれしいことだよ。

「シンジ――」

まだその放心したような顔のまま、豊が口を開いたので、信史は眉を持ち上げた。

「なんだい?　何か質問、あるか?」

「ううん」豊は首を振った。「あの――あのさ」

「なんだよ?」

豊は視線を落として、手にしているベレッタを少し眺め、それからまた、顔を上げた。

「あの、――何で、俺みたいのがシンジの友達なの?」と言った。

信史はその豊の言葉の意味を測りかねて、口をぽかんと開いた。「――なんだ、そりゃ?」

豊はまた視線を落とした。それから、言った。

「だって……だって、シンジはほんとにすごいやつだよ。だから――シューヤみたいなさ、やつがシン

ジの友達だってのは、わかるよ。シューヤもシンジと同じぐらい運動できるし、ギターとかすごく、うまいしさ。けど――けど、俺なんか何もないだろ？　だから――なんで、俺みたいなやつが、シンジの友達なのかなあって」

信史はしばらく、俯いたままの豊の顔を見つめていた。それから、ゆっくり口を開いた。

「くだらないこと言うなよ、豊」

信史のその静かな声に、豊が顔を上げた。

信史は続けた。「俺は俺だろ。そして、おまえはおまえだ。仮に、俺が多少バスケがうまくて多少パソコンを使えて多少女の子にもてたとしたって、そんなのは人間の価値を決める事柄じゃない。――おまえには人を笑わせる能力があるし、しかもそれで人を傷つけたりはしない。おまえは真剣なときには俺なんかよりずっと真剣だ。女の子を好きになるときも。いいか、俺は誰にでもいいところがあるなんて、そんなくだらない欺瞞を言ってるんじゃないんだ。おまえには、俺の好きなところがたくさんあるってことなんだ」

肩をすくめ、にこっと笑って続けた。

「俺はおまえが好きだ。俺はおまえとずっと一緒にいたじゃないか。おまえは俺の大事な友達だよ。はっきり言って、ナンバーワンだよ」

それで、また豊の目元にじわっと液体がにじむのがわかった。つい先刻と同じように、「ちくしょう」と言った。「ありがとう、シンジ。ありがとう」

それから、涙を拭った。拭いながら「あはは」と言った。「シンジ、けど、俺みたいな泣きべそと一緒にいたら、ここから逃げ出す前に溺死しちゃうよ」

それで、信史もちょっと笑いかけたのだが――

ぶん、という音がした。

信史は眉根を寄せ、いささか急いで腰を上げた。なぜならその音は、マッキントッシュ標準の警告音だったからだ。

信史はまたパワーブックの前に膝をつき、その画面に見入った。

目を見張った。そこに出ているメッセージは、電話回線が切断され、ダウンロードが中断した旨を告げていた。

「――何でだ」

信史の口から洩れた声は、うめきに近いものだったかも知れない。慌てて、キーボードを操作した。しかし、回復はできなかった。一旦ユニックス用の通信ソフトを終了し、別の通信ソフトで、モデムから電話をかけるための操作を行った。

〝回線がダウンしています〟のメッセージが出た。何度やっても同じだった。モデムと電話の接続がおかしくなった様子もない。それで、今度は逆に、モデムと携帯電話の接続を無効にしておいて、直接、携帯電話のプッシュボタンを押してみた。とりあえず再び天気予報。耳を押しつけた。

携帯電話はもはや、何の発信音も伝えてこなかった。それというのは即ち――いいや、バッテリーはまだまだ十分ではないか――

ばかな――。信史は携帯電話を握り締めたまま、今はただ停止しているパワーブックの画面を茫然と見つめていた。ハッキングを気づかれたわけはない。そもそも気づかれないようにやるからハッキングなのだ。そして、信史には十分その技術があった。

「シンジ？　どうしたのさ、シンジ？」

豊が肩の後ろから声をかけたが、信史は答えることができなかった。


【残り25人】

33

杉村弘樹（男子十一番）は、手にした小さな機械の小さな液晶スクリーンの端にぽっと星型のマークが現れたのを見て、目を見張った。それは、弘樹がそれを手にしたときからスクリーンの中央にあった

マークと同じものだった。

島の東岸の集落の中だった。〝禁止エリア〟になる時間が近づいていて、急いで、でもごく慎重に家々の間を移動していたのだけれど、その間ずっと注視していたそれに、ようやく変化が現れたのだ。デイパックの中に入っていたその機械はなんだかサラリーマンがよく使う携帯情報端末みたいだったけれど、説明書をひねくり回してようやく午前六時過ぎに動き出して以来、初めての反応だった。とにかく坂持の放送で〝禁止エリア〟が予告されたところを優先して走り回ったのだが、島の南岸のJ＝2エリアでも西岸のF＝1ェリアでも、また、そこからここ――H＝8エリアへ移動する間でも、反応はなかったのだ。

その機械が果たして武器かというと、そうは呼べなかったに違いない。しかし、現在の状況、使いようによっては、銃よりもずっと有効なものだっただろう。もっとも彼が今やっていることが、正しい使い方かどうかはわからない。

とにかく――弘樹はもう一方の手に握った棒を（これは集落からはやや北寄りに外れた小屋で見つけたモップの柄を取り外した。手に入れようと思えば刃物なんかもすぐに見つかるだろうが、小学校のころから拳法の道場に通って棍術もかじった彼にとっては、この方が扱いやすいし、役に立つはずだった）構え直すと、背中を付けていた民家の板壁から離れた。百八十センチを超える大柄な体を俊敏に移動させ、斜向かいの家の壁にまた張りついた。スクリーンを覗くと、星型のマークが中央にある相似形のマークに近づいていた。

スクリーンの表示方式について、もう一度説明書に書かれていたことを反芻し、首を振り向けた。家だ。この――中だ。

弘樹はポケットに機械を押し込むと、家の裏庭に回り込んだ。

小さな庭には家庭菜園らしきものがあって、腰ぐ

らいの高さのトマトの株が何本か、それにサツマイモか何かのような地面を這う植物、ネギ、さらにその隣にパンジーやら菊やら、色とりどりの花が咲いていた。菜園の前に子供の三輪車があって、ハンドルのクロームが、昼に近い太陽の光線をきらっと跳ね返していた。

縁側の雨戸が閉まっていた。開けたらかなり大きな音がするかも知れなかった。弘樹はさらに右へ回り込んだ。

窓があった。ガラスが割れていた。間違いない。誰かがここに入ったのだ。そして、機械が説明書通りのしろものなら、その誰かはまだここにいる。

禁止エリアになる時間が近づいている以上、生きているのならもうエリアの外へ出ていると考えるのが順当だった。中にいるのは死体である公算が大きい。それでも――確かめないわけにはいかなかった。

弘樹は割れた窓の端にそっと顔を出し、中を覗き込んだ。どうやら畳敷きの客間らしい、とわかった。

そっと窓のサッシを横へ引いた。ありがたいことに音はしなかった。弘樹は棒を持っていない方の手を窓枠にかけ、猫のような動きですっとそこへ乗ると、中へ入った。

部屋の一方に床の間があり、中央に座卓が、弘樹がいる窓際の斜め隅には大型のテレビが置いてあった。それ以外には何もない部屋だった。弘樹は音を立てないように足を忍ばせて、そこを抜けた。

廊下へ出ると、ある匂いが空気に混じっているのに気づいた。錆びた鉄に鼻を近づけたときのような匂いだ。

それで、弘樹はやや急いで廊下を進んだ。匂いが強くなった。

キッチンだった。弘樹は柱の陰から中を覗き込み――

テーブルの向こう、床の上に、白いスニーカーとソックスが見えた。それとその上の脚がふくらはぎの辺りまで。

弘樹は目を見開いた。テーブルをだっと回り込んだ。

セーラーの女の子が、俯せに倒れていた。顔は弘樹と反対側の方へ向いている。小柄な体、肩までのショートカット、そして、その顔の下辺りを中心に、板張りの床にぶちまけられて池をつくっている血。すごい量だったが、その表面はもう固まっていて、黒っぽく変色していた。

死んでいるのは間違いなかった。問題は――

小柄な体。ショートカット。

似ていることだった。彼が探している二人の女の子のうちの一人に。どっちが重要とは言わない、とにかくその一人に。思い出せない、彼女は果たして、こんなスニーカーを履いていただろうか？

弘樹は棒とデイパックを傍らに置き、ゆっくりその死体のそばに膝をつくと、震える手を女の子の肩に伸ばした。一瞬逡巡した後、ぐっと奥歯を噛み締めると、その死体を裏返した。それで、まだ固まっていない鮮やかな赤い血が体の下から現れて、匂いが一気に強くなった。

死体はひどいありさまだった。例の首輪（そしてそれが弘樹をここに導いたのだけれど）の上、細いのどがざくっと裂けていた。もはや血は流れ切ってしまったのか、傷口はただぽっかり穴のように開いているだけで、一種、まだ歯のない赤ん坊の口みたいに見えた。流血の跡はその傷口から下へ流れて銀色の首輪の表面を汚し、さらに胸の方へと続いていた。それに、これは倒れた後のことなのだろうが、血の池に漬かっていた口元と鼻の頭、それに左側の頬にもべっとり血がついていた。どよんと虚空を見ている灰色の目の周り、睫毛の先にも細かな血玉ができて、それも既に固まっていた。

江藤恵（女子三番）だった。

――違った。

弘樹はその死体の凄惨さに気圧されこそしたものの、やはり安堵してしばし目を閉じ、ふうっと息を

ついた。それから、安堵したことを申し訳なく思って、恵の死体をそっと引き起こすと、血の池を避けて、少し離れたところに仰向けに横たえた。死後硬直が始まっていて、なんだか人形を扱っているような具合だったが、とにかくそうしてから、そっとその目を伏せさせた。ちょっと考えた末、恵の両手を胸の前で合わせようとしたが、恵の体が硬いせいでうまくいかず、あきらめた。

棒とデイパックを再び取って立ち上がり、もうほんのしばらくだけその恵の死体を見下ろしていた後、弘樹は踵を返すと、入ってきた客間の方へ急いだ。

午前十一時が近づいていていた。

【残り25人】

34

しばらく静かに時間が流れていた。秋也の傍らでは、川田が黙って煙草を吸い続け、典子もじっと押し黙っている。茂みの中でときどき小鳥が鳴き交わす声がし、頭上を覆う梢が微風に揺れると、その隙間から洩れる網目模様の光が、自分たち三人の体の上を振り子のように移動した。よく耳を澄ますと、海の方から波の音が届いてくる。すっかり慣れてしまった緑の中の空間が、ともすれば、ひどく平和なものに錯覚されそうだった。

もちろんそれというのも、川田の話で当座脱出の希望が与えられたために違いない。そしてそれに従うなら、今は、何もせずにただ待つことだった。警戒さえ怠らなければ、今、典子が怪我をしているとはいえ、自分たちはとにかく三人だし、銃も二つある。

しかし、秋也は、もう一時間ほど前になる遠い銃声のことを、ずっと考え続けていた。

あれは、やはり、誰かの命を奪ったのだろうか。あるいはそれは――考えたくないことだが、あの三村信史かも知れないいし、杉村弘樹かも知れない。い

や、そうでないにせよ、誰か、何の害意も持っていない一人のクラスメイトかも知れない。自分たちは川田のおかげで助かるかも知れないが、ほかのみんなは今も恐怖に脅え、そして、次の瞬間には死んでいるかも知れない。

そう考えると、秋也はやはり煩悶せざるを得なかった。もちろん、その件についてはもう、川田とも話した。川田は、動かないのがベストなんだ、と言った。それはその通りだ。そして、典子が怪我をしている以上、動いたりしたらいい標的になる、とも。それも、その通りだ。だが――自分たちだけがこうして、言わば安穏としていることが、ほんとうに正しいのだろうか？　日下友美子と北野雪子は、全く脱出の見込みがない状況でも、ほかの連中を信じようとした。一方の自分たちは今、脱出の方策を、川田の言葉を信じるなら、とにかくも持っている。だったら――賭けてみることを、しないでいいのだろうか？

無論、既に誰かを殺したやつが――〟意図的に〟殺したやつがいるのは確かだ、友美子と雪子が殺されたのを見たのだから。そして、まだそういうやつがほかにもいるかも知れない。あるいは自分がでくわした赤松義生や大木立道も、もしかしたら元渕恭一も、そうであったのかも知れない。そういうやつらがそもそも、今さら自分たちの仲間になりたがるとは思えない。いや、あるいは仲間になりたがり、ころあいを見計らって自分たちを殺すかも知れない。

しかし、少なくとも、マトモな連中だけでも探し当てる努力をしないでも、いいのだろうか？

――だがそれにしたところで、一体誰がマトモなのか見分けることは、できないのだ。可能な限りのやつを助けようと努力したら、そのうちに〟敵〟は自分たちの中に入り込むかも知れない。そして、自分は間違いなく死ぬことになる、一緒にいる典子も川田も、死ぬことになる。

そこまで考えて、結局秋也はため息をつかざるを

得なかった。思考の堂々めぐり。だが、何度考えをめぐらしたところで、結論は同じなのだ。何もできない。幸運を望むとすれば、三村信史や杉村弘樹に偶然出会うことだけだ。だが、その可能性が一体どれだけあるだろう?

「おい」

また煙草に火を点けながら川田が言ったので、秋也は視線を振り向けた。

「あんまり考え込むな。考えても仕方がない。今は、自分と典子サンのことだけ考えてろ」

秋也は眉を持ち上げた。

「人の心が読めるのかい、川田は?」

「ときどきな。今日みたいな快晴の日は調子がいい」

川田は言い、また煙草をふかした。

それから、ふと思いついたように秋也の方に視線を戻し、「あれは本当か」と言った。

「――何が?」

「坂持の言ってたことだ。おまえに思想的な問題があると坂持が言った」

「――ああ」秋也は視線を落とし、頷いた。「そのことか」

「何をやった?」

川田の目が、心持ちいたずらっぽくなっていた。

秋也はその目を見返した。

思い当たることは、二つばかりあった。一つは、――そう、中学に上がったとき、自分は当初野球部と音楽部に掛け持ちで入部したのだけれど、勝利至上主義で大方軍隊並みの規律を敷いていた野球部の雰囲気が気に入らなかったこと(まあ無理もない、野球は共和国でも花形のスポーツで、即ち国際大会に向けて国の威信がかかる種目だ。間の悪いことに敵国米帝でもまた野球が盛んで、オリンピックの決勝戦でその米帝チームに敗れたりしようものなら、野球連盟幹部はほとんどハラキリを覚悟しなければならなかった)、とりわけ、下手でも本当に野球が

好きな連中に顧問の湊という教師がひどい嫌がらせを繰り返したために、たった二週間で退部届けを叩きつける際、ぶちキレた秋也は湊と共和国野球連盟を並べてクソ呼ばわりしてしまったのだ。かくて城中野球部のゴールデン・ルーキーだった秋也はロックンロールの新星（自称）への道を突き進むことになり、内申書には大きなばってんが残った。だが、坂持が言ったのは恐らくそれよりもつまりその——

「何も」秋也は首を振った。「ロックが好きなことを言ったんだろ、多分。音楽部だから、にらまれてるんだ」

「ハハア」川田は訳知りげに頷いた。「おまえ、確かギターが弾けたな。それで、聴き始めたのか？」

「いや。ロックを聴いたからギターを始めたんだ。俺のいた施設で——」

秋也は、〝慈恵館〟で二年前まで雑用係をしていた四十過ぎの男を思い出した。陽気な男で、薄くなり始めた髪を、うなじの上で跳ね上がる形になでつけていた（「ダックテイルっていうんだよ」）。今は——南樺太の強制労働キャンプにいるはずだ。理由は、秋也や慶時たち、館の子供には、詳しくは知らされなかった。別れのあいさつのとき、本人も特に説明しなかった。ただ、「また帰ってくるよ、秋也。慶時。ツルハシでも振りながらしばらく〝監獄ロック〟でもうたってるさ」と言っただけだ。そして、慶時には古い自動巻きの腕時計を、秋也には、ギブスンのエレキギターをくれた。秋也が初めて手にした自分のギターだった。彼は——なんとか元気にやっているだろうか？　強制労働キャンプでは、過重労働と栄養不良で命を落とす者も多いと聞く。

「ある人が俺にテープをくれた。自分が使ってたエレキギターもくれたんだ」

「ふうん」

川田は頷いた。

「ごひいきはあるのか？　ディラン？　レノン？　それともルー・リードか？」

秋也はそれで、川田の顔をまじまじと見つめた。

「――詳しいじゃないか」

ちょっと、びっくりしていた。

大東亜共和国でロックの音楽ソースを手に入れるのは容易じゃない。外国から入ってくる音楽はポピュラー音楽判定学会なる組織が厳格に審査して、およそロックに類するものはすべて税関でストップされる。麻薬並みの扱いだった（一度県政府の役所でポスターすら見かけたことがある、髪の長い、わざと汚らしく描いたロッカーの写真に駐車禁止と同じ斜めのライン。〝ストップ・ザ・ロック〟。グレイト）。要するに、共和国の桃色政府が気に入らないのは、民衆をあおるようなビートもそうだろうし、特にその詞なのだろう。先のボブ・マーリイもそうだが、典型的なものというなら例えばレノンがうたう、〝夢かも知れない、でも僕は一人じゃない。いつか君も手をつないでくれるかい？ そのとき世界は一つになるだろう〟。――大方、こんな詞がこの国にとってまずくないわけがない。

おかげで、レコード屋へ行くと店頭に並んでいるのは、大抵国産の陳腐なアイドルポップスか歌謡曲ばかりだ。秋也が見たもっとも過激な輸入音楽は、フランク・シナトラどまりだった（確かに〝マイ・ウェイ〟はこの国にふさわしい曲かも知れないが）。

実際、秋也は、あのダックテイルの雑用係がキャンプに送られたのも、これが原因じゃないかと一時考え、残してくれたテープやギターも何か恐ろしいもののように思えたことがあった。しかし、それはどうもそうではなかったようだ。中学に上がって音楽部に入ると、ロックが好きなやつも、エレキギターを持っているやつも結構いた（もちろんあの新谷和美も大のロックファンだった！）。その仲間うちのつてで、〝時代は変わる〟や〝スタンド！〟の複製テープを手に入れることもできたのだ。

しかし、それはあくまで信頼できる仲間うちのことだ。城岩中の生徒にロックを聴いたことがあるか

とアンケートを取ったら　きっと九割以上のやつはノーと答えるだろう（聴いたことがあるやつも聴いたことなんかないと言うだろうから、実際は全員がノーと答えるだろうが）。無論のこと、先刻からその実に幅広い知識を披瀝している川田のこと、多少ロックについて聞きかじっていたって不思議はないが、それでもディランやレノンといったらもっとも過激な代物なのだ。

「そう目を丸くするなよ」

川田が言った。

「俺、神戸育ちの都会っ子だぜ。香川の田舎者と一緒にするんじゃない。ロックのことぐらい多少は知ってるさ」

秋也はちょっと唇を歪めてみせ、「言ったな」と言った。ふさいでいた気持ちが少し、晴れた感じだった。それから、言った。

「俺のごひいきはスプリングスティーンだよ。ヴァン・モリスンもいいな」

川田がすかさず「〝明日なき暴走〟はいいな。モリスンなら、俺は〝神の光輝くとき〟が好きだ」と言ったので、秋也はまた目を丸くした。口元に笑みが浮かぶのがわかった。

「詳しいじゃないか！」

川田も笑ってみせた。

「言ったろ。俺、都会っ子だ」

秋也は典子が黙っているのに気づき、ちょっと話題についてこれないかな、と気になって訊いた。

「典子はロックは聴いたことないって言ってたっけ」

典子はちらっと笑って、首を振った。

「あまりよく知らないの。どんな音楽なの？」

秋也はにこっと笑った。

「詞が素敵なんだ。うまく言えないけど、自分たちの問題をきちんとうたった音楽だ。もちろん恋のこととかもうたうけど、時には政治のことや、社会のことや、生活とか生きることそれ自体もうたうんだ。

言葉があって、それをうまく伝えるためのメロディとビートがある。例えば、〝明日なき暴走〟でスプリングスティーンがうたってる、――」

秋也はその曲の終わりの部分をそらんじた。

〝ウェンディ、二人一緒なら哀しみを抱えていても生きていけるだろう、俺は君を、俺の魂の中の狂気すべてで愛したい。いつか――いつとは知らないけれど、俺たちは俺たちがほんとうに望んでいる場所へたどり着けるだろう、そしてそこで、陽の光りの中を歩けるだろう。でも、それまでは、俺たちみたいな流れ者は走り続けるしかない。そのように生まれてしまったんだ、俺たちは〟。

それから、「こんな感じだ」と言い、ちょっと節をつけて、最後の部分を声を抑えて歌った。トランプスライクアス、ベイビウィワボーントゥラン。

典子の方を見やって、言った。

「いつか一緒に聴こうな」

典子がちょっとだけ目を大きくして頷いた。ほんとうなら――ぱっと顔が輝いてもいいところだったのかも知れない。でも、典子はどこか力ない笑みを返しただけだった。秋也は自分も疲れていたせいで、そのことに気づかなかった。

秋也は続けて川田に言った。

「みんな、もっとロックを聴けばいいんだ。そしたら、こんな国なんかつぶれちまう」

そう、典子が先刻〝みんな何も知らないからきっと――〟と言ったが、それやこれやの重要なことも、ロックにすべて含まれているように秋也には思えた。そしてだからこそ、政府はロックを禁止しているのだ。

川田が短くなった〝ワイルドセブン〟をゆっくり地面に押しつけ、揉み消した。また新しい一本に火を点けた。それから、言った。

「七原な」

「何だい?」

川田はゆっくり煙を吐きながら続けた。

「ロックにほんとにそんな力があると思うか？　政府が恐れるような力が」

　秋也は大きく頷いた。「あるさ」

　川田はその秋也の顔を見つめ、それから視線を外して首を振った。

「俺は必ずしもそうは思わない。結局俺たちの不満を吸収して、ガス抜きになるだけのような気もする。今だって、違法だとか何だとか言いながらとにかく聴こうと思えばロックを聴けるだろ。それだってガス抜きだ。そういうところがこの国のこずるいところだって言うのさ。そのうち、政府は喜んでロックを奨励するかも知れん。道具としてな」

　秋也は、頬を張られたようなショックを受けた。ロックは秋也の宗教だったので。楽譜が彼の聖典で、スプリングスティーンやヴァン・モリスンは彼にとっての十二使徒のようなものだったので。もちろん、ばらばらクラスメイトが死んでショックには慣れっこになっていたので、それに比べれば大したショックではなかったけれど。

　秋也はいきおい気落ちして、ゆっくり言った。

「そうかな」

　川田は何度か小さく頷いた。

「そうさ。しかしとにかく俺が気に入らないのは、禁止されたり奨励されたり、そんなもんじゃないだろうってことだ。聴きたいときに聴きたいやつが聴くのさ。そうだろう？」

　秋也はしばらく、考えをめぐらせた。それから、言った。

「俺、そんなふうには考えなかった。でも、そう言われたら、そうかも知れない」

　付け足した。

「すごいな。物事がほんとによく見えてるんだな、川田は」

　川田は肩をすくめた。

　しばらく沈黙が落ちた。

　秋也はそれから、「でも」と言った。川田が新し

い煙草の封を切りながら、秋也の顔を見た。

「それでも俺は、ロックにはやっぱり力があると思うよ。プラスの力だ、それは」

そう、典子が自分について言ってくれた通り。

川田がにやっと笑った。煙草を口の端に咥えて、火を点けた。それから、言った。

「実はな、七原。俺もそう思う」

それで、秋也もにこっと笑みを返した。

「だけど、皮肉なことに全くその通りだな」

川田が言い、秋也は「何が？」と聞き返した。

「今のところ逃げ続けるしかないってことさ」と川田が言った。「ウィワ・ボーン・トゥ・ラン」


【残り25人】

35

南佳織（女子二十番）は、かすかな、がさっという音で身を起こした。島の中央からやや東寄り、北の山のふもとに当たる雑木林の中だった。地図上のエリアではF＝8に当たる。

あらためて拳銃を握り直した。拳銃はシグ・ザウエルP230・九ミリショートでごく小さなものだったのだけれど、それでも佳織の小さな手には余るようだった。

佳織は知らず知らず唇を噛み締めていた。ゲームが始まりここに隠れてから、何度もそんな感じの音は耳にしていた。その度に、結局風のいたずらだったり、何かの小動物（野良猫でもいるんだろうか？）らしかったりとわかって胸を撫で下ろしていたのだけれど、やっぱり慣れることはできなかった。歯で噛み切っていくつも血玉がかさぶたをつくった唇に、また新しい傷ができた。今度こそ——敵かも知れない。敵——そうだ。クラスメイトが自分に襲いかかってくる。分校を出発したときに見た天堂真弓や赤松義生の死体が、生々しく頭に蘇った。

そして——そのとき、自分が分校を出たとき、正

面に当たるところ、林の中から自分を呼んだ声。あれは——委員長——内海幸枝だったと思う。暗い茂みの中、幸枝のほかにも、何人かの影がうかがえた。闇の中、幸枝が抑えた、それでも鋭い声で言ったと思う、〝佳織！　一緒にいらっしゃい！　女の子ばっかりだから！　大丈夫よ！〟

けれどそれは——とても無理な相談だった。こんな状況で誰かが信じられるわけがない——一緒にいたりしたら、いつ寝首をかかれるかわからないのだ。佳織は幸枝の制止を振り切って別の方向へ逃げ——そして、今、ここにいる。そして——今度こそ〝敵〟なのか？　今の音は？

拳銃を両手で握り締めたまましばらく待ったが、音は続かなかった。

さらに少し待った。——やはり音はしなかった。

佳織はほうっと息をつくと、立て膝の姿勢を解いて再び茂みの中に腰を落とした。頬の辺りにちらっといびつな形の葉が触れ、嫌悪感を覚えて少し腰の位置を移動した。葉が触れたところをてのひらで何度もこすった。ただでさえニキビで悩んでいるのに、このうえ何かにかぶれて顔が腫れるなんてごめんだった。どうせ死ぬとわかっていてもごめんだ、そんなのは。

そこまで考えて、ぞくっと冷たいものが佳織の背筋を走った。死ぬのか？　あたしは？　死ぬのか？

そう意識しただけで、心臓がどきどき高鳴った。ほとんど心不全を起こしそうなほどに。

死ぬのか？　死ぬのか？　耳鳴りのように、あるいは出来の悪いCDプレイヤー、盤面の傷をそれが無視できずに何度も繰り返すときのように、その言葉が頭の奥に聞こえ始めた。死ぬのか？

佳織は、半ば必死で、首にかけている真鍮製のロケットをセーラーの胸元からつかみ出した。ぱちんと開くと、髪の長い、さわやかな笑顔が佳織に笑みかけた。

それをじっと見ているうちに、佳織の心拍数がようやく幾分落ち着き、徐々に元のペースに戻っていった。

それは、アイドルグループ、〃フリップサイド〃の中でも女の子に一番人気のある剣崎順矢の写真だった。その特製のロケットは、ファンクラブ会員にだけ配られたもので、城岩中でも持っているのは佳織だけという自慢の品だった（もっとも今時、大抵の女の子たちはそんなものを見ても首を振るだけなのかも知れないが。第一ロケットというのが古臭い。しかし、佳織はそうは思わなかった）。

ああ――ジュンヤ。大丈夫よね。あたしを守ってね。

剣崎順矢の写真は、〃大丈夫だよ〃と言っているように見えた（〃大丈夫さ。君の大好きな僕たちの歌、『銀河のマグナム』、うたおうか？〃）。それで、佳織は幾分呼吸も楽になったように思えて、さらに写真に問いかけた。

ねえ、ジュンヤ。あたしは委員長と一緒に行くべきだったのかしら？　そしたら、助かる方法も、あったのかしら？　ううん、そんなわけないわよね。

脈絡なく、ぼろっと涙が佳織の目からこぼれ出した。

どうしてこんなことになってしまったのだろう。お母さんに会いたかった。お父さんに、会いたかった。おねえちゃんにも、会いたかった。優しいおじいちゃんやおばあちゃんにも、会いたかった。お風呂に入って、ニキビにクリームを塗って、居間の居心地のいいソファに座って、ココアを飲みながら、〃フリップサイド〃のレギュラー番組のビデオを（もう何度も見たやつだけど）見たかった。

「ジュンヤ、あたしを守ってよ。お願い――。あたし、あたし気が狂いそう」

自分が声を出してそう言うのが耳に聞こえた途端、佳織はほんとうに自分が狂いそうになっているような気がして、ぞっとした。吐き気が胸の奥から突き

上げた。涙がますますひどくなった。

ざっという音が背後でして、佳織はびくっと体を震わせた。それは、さっきより格段に大きな音だった。

涙に濡れた目のまま、ばっと振り返った。

茂みの間から、学生服の影がこちらを覗き込んでいた。杉村弘樹（男子十一番）だとわかった。後ろに回られていたのだ！　知らない間に！

恐怖に駆られて、佳織はほとんど何も考えないまま、両手で銃を持ち上げ、引き金をひいた。ぱん、という音とともに、強い衝撃が手首に伝わった。金色の薬莢が空に舞って、きらっと木漏れ日を跳ね返した。

弘樹の影は、その前にすっと茂みの奥に消えていた。ざざざ、という音が続き、それもすぐに消えた。

佳織はしばらく銃を構えた姿勢のまま、がたがた震えていた。それから、ほとんどひったくるように荷物を取り上げると、弘樹が去った方とは反対側へ、茂みの中を走り出した。走りながら、混乱した頭で考えた。杉村弘樹は自分を殺そうとしていたのだ、間違いない——そうでなかったら——どうして声もかけずに忍び寄る必要があったというのか？　きっと、杉村弘樹は銃を持っていなかったのだ。あたしが銃を持っていることがわかって、慌てて逃げたのだ。あたしが気づかなかったら——そして急いで撃たなかったら——杉村弘樹はナイフか何かをざっくりあたしの胸に突き立てていたに違いない。ナイフ！　油断しちゃだめだ。誰かに出くわしたら、容赦なく撃たなければ、自分がやられて！しまうのだ。——やられる！

ああ——こんなことはもうごめんだ。うちに帰りたい。お風呂。ニキビのクリーム。ココア！　ビデオ。フリップサイド。ジュンヤ。容赦なく。撃つ。撃つ！　ココア。ジュンヤ。ニキビの！　クリーム！　容赦なく。ジュンヤ。

佳織の目から涙がぼろぼろこぼれていた。セーラ

ーの胸でロケットの蓋が開いたままになっており、剣崎順矢のさわやかな笑顔が、上下左右に激しく揺れていた。

容赦なく。ジュンヤ。殺される！　撃つ。おかあさん。おねえちゃん！　おとうさん。撃つ！　撃つ！　ニューアルバム！

佳織は狂いかけていた。


【残り25人】

36

『はーい死んだ人は以上でーす』

坂持の明朗な声が続いていた。正午の放送だった。新しく葬式待ちのリストに並んだのは、大木立道、元渕恭一、それにもちろん、北野雪子、日下友美子の名前もあった。ほかにも、倉元洋二、矢作好美が死んでいた。

『続いて午後からの禁止エリアと時間を言いまーす。はいメモしなさーい。メモしなさーい』

秋也はまた、ポケットから地図とペンを引っ張り出した。川田も、地図を手にしていた。

『まず一時からJ＝5です。それから、三時からH＝3。五時からD＝8でーす。わかったかー？』

J＝5は島の南東岸、H＝3は南の山の頂上付近、D＝8は北の山の頂上南東側に当たる斜面だった。秋也たちがいるC＝3は入っていなかった。とりあえず、動かずに済むということだ。

『みんな、友達が死んでつらいかも知れないけど、元気出さなきゃだめだぞ。若い翼がくよくよしてたら大空を飛べませーん。じゃまたなー』

相変らず能天気なセリフを吐き散らして、坂持の〝放送〟はまたぶつっと切れた。

秋也はため息をついた。地図をしまい、チェックを付けたクラス名簿を眺めた。「もう二十五人だ、ちくしょう」

川田がまた煙草を咥え、手で覆いをつくりながら

火を点けた。それから、言った。

「言った通りだろ。順調に死んでるわけだ」

それで、秋也は川田の方へ顔を上げた。川田は煙を吹き出しながら、秋也を黙って見つめ返した。川田の言う意味はわかった。クラスメイトたちが死んでいけば死んでいくほど、秋也たちは脱出のチャンスに近づくのだ。なおかつ、時間切れも遠のく。しかし――

「そんな言い方、ないだろう?」

川田はただ、肩をすくめて見せた。視線をそらした。「悪かった」と言った。

秋也はなお何か言いたい気分だったが、しかし無理やり川田の顔から視線を引きはがした。立てた両膝を引き寄せ、その脚の間を見つめた。小さな小さな黄色い花が草の間から二つ三つ顔を出していて、その茎をアリが一匹、這っていた。

要するにつまり――さっきロックの話をしたときにはなんだか本当に仲のいい友達になれたような気がしたのに、川田にはどこかまだ、なじめないところがあるように思えた。川田には、生来ちょっと、冷たいところがあるのだろうか?

口の中で小さな息をつき――それから、別のことを考えた。坂持が報告した六人のうち、自分がその死を見届けていないのは倉元洋二と矢作好美だけだった。あの二人は付き合っていたと思う。とすると、どこかで、二人で一緒にいたのだろうか。そして、十時過ぎに聞こえたあの二発の銃声。あれはその二人を、やったのだろうか? そしてもしそうだとするとそれをやったのは、一体――。

北野雪子と日下友美子を殺したマシンガンの銃声が耳元に蘇った。あの〝誰か〟とそれは、同じやつだろうか。それとも――

「七原」

川田が呼びかけ、秋也は顔を上げた。

「朝飯食ってないだろ、七原。政府支給のろくでもないパンだが、雑貨屋で仕入れたストロベリイ・ジ

ャムとコーヒーがあるぜ。食おうじゃないか」

川田は自分のデイパックから平たい瓶と細めの(二百グラムのやつだ)コーヒー缶を出してみせた。瓶の方にはイチゴのイラスト入りのラベルが貼ってあり、つややかな、濃い赤の中身がガラスごしに見えている。コーヒーの方は、川田がさっきからまた炭火を起こしてその上に乗せていた空き缶の湯に放り込もうということなのだろう。川田はさらに、プラスチックのカップの包みも取り出した。

「いろいろ持ってきたんだな」

「ああ」川田は頷き、さらにデイパックから細長い包みを出してみせた。「見ろよ、ワイルドセブンだって一カートン」

それで秋也も気分を直すことにして、少し笑むと、頷いた。自分のデイパックから、パンを引っ張り出した。

典子の方に、パンを一つ、差し出した。

「典子、食べとこう」

「うん……」

典子は膝を抱えた姿勢のまま、顔を上げた。

「あたし……いい。あまり、ほしくない」

「どうして？　食欲――」

秋也は言いかけ、再び視線を落とした典子の顔が、真っ青になっているのに気づいた。そう言えば、典子は随分、口数が少なくなっていたのだ。

「典子？」

秋也は典子に近づいた。川田はコーヒー缶の封を切りかけた姿勢のまま、二人を見やっていた。

「典子」

秋也は典子の肩に手をかけた。典子は膝を抱えた両手をぎゅっと握り合わせており、青ざめた顔の中で口を真一文字にくいしばっていた。その唇の隙間から苦しそうな息遣いが洩れているのに、秋也はようやく気づいた。典子が目を閉じ、ほどいた手を秋也のその腕にかけて、心持ち体重を預けた。

その手、そして、セーラーの肩、黒い布ごしに伝

わってくる典子の体温が、何か小鳥を抱えているように、高かった。秋也は右手を伸ばし、典子の前髪をそっとすくい上げて、典子の額に当てた。めちゃくちゃに熱かった。同時に、典子の額に浮いた冷や汗が、秋也のてのひらをじとっと濡らした。

秋也は混乱してばっと川田の方を振り向いた。

「熱がある！　川田！」

「だい……じょうぶ」典子が力なく言った。

川田がコーヒー缶を足元に置いて、腰を上げた。秋也と位置を替わり、典子の額に手を当てた。それから、不精髭の浮いた自分のあごに触り、次に、典子の手首を取った。腕時計を見ながら、しばらく脈をみているようだった。

「ちょっとすまねえな」

そう言って典子の唇に右手の指をそっと当て、口を開かせた。次に目の下を指で引っ張り、典子のはっきりした涙ぶくろの向こう側を覗き込んだ。

「寒いんじゃないのか」と典子に訊いた。

典子は目を細く開いたまま頷いた。

「うん――少し……」

「七原」と川田が秋也を呼んだ。

息をつめて見守っていた秋也は、「どうなんだ?」と慌てて訊いた。

「いいから上着を貸せ」

言って、自分も学生服の上着を脱ぎ出した。秋也も慌てて自分の上着を脱ぎ、川田に渡した。川田が、二着の上着をていねいに典子の体に巻きつけた。

「パンだ、七原。そのジャムと水もとってくれ」

川田が言い、秋也は急いでさっき典子に渡しかけたパンと水、それに川田のデイパックの上に置いてあったジャムを拾い上げ、取って返した。先にパンと水を川田に渡し、ジャムの蓋を開いてそれも手渡すと、川田は乱暴に瓶の中へパンを突っ込み、赤いジャムをべったりくっつけた。それを典子の方へ差し出した。

「食っとくんだ、おねえちゃん」

「うん……でも——」

「いいから食え。ちょっとでもいい」

川田が強い口調で言い、それで、典子はおぼつかない手つきでパンを受け取ると、ひと口ふた口、かじりとった。随分無理をして、飲み込んだようだった。それから、残りのパンを川田の方へ返した。

「もう食えないか」

典子はかすかに首を振った。そうして首を振るのすら、だるそうだった。

川田はもっと典子に食べてほしそうな様子だったが、当座あきらめたのか、パンを脇へ置くと、ポケットからまた薬の入ったケースを出した。

「風邪薬だ。飲んどけ」

言って、典子に朝の鎮痛剤とはまた違うカプセルを渡した。典子は頷き、川田に半ば助けてもらいながら、水ボトルの水でそれを飲み下した。典子の口元から水がつっと流れ、川田がハンカチでそっとそれを拭いた。

「オーケイ、横になるんだ、おねえちゃん」

典子がこくっと頷き、二枚の学生服をまとったまま、草の上に横たわった。

「どうなんだよ、川田？　大丈夫なのか？」

秋也が落ち着かない調子で訊くと、川田は首を振った。

「はっきりとはわからない。ただの風邪かも知れん。しかし、傷口からの感染症の可能性もある、もしかしたら」

「何だって——」

秋也は、横たわった典子の右のふくらはぎ、包帯代わりにバンダナを巻いた部分を見やった。

「だって——だってきちんと手当てしたじゃないか」

川田はまた首を振った。

「最初に撃たれてから、随分山の中を歩いたんだろ。そのときに何か雑菌が入ったのかも知れない」

秋也はしばらくその川田の顔を見つめ、それから

また典子のそばに膝をついた。典子の頬に手を伸ばした。

「典子――」

典子が目を開いた。弱々しく笑んだ。

「だいじょうぶ……ちょっと――疲れただけ。心配、しないで」

しかし、その息遣いはとても大丈夫そうには思えなかった。

秋也は、また川田の方に目を振り向けた。つい興奮した感じになりそうになる口調を何とか抑えて、言った。

「川田。こんなとこじゃだめだよ。どこかへ移動しよう。少なくとも、どこかの家か何かで、あったかくして――」

川田が首を振り、それを遮った。

「まあ待てよ。様子をみよう、とりあえず」

言いながら、布団の役割の学生服に隙間ができないように、もう一度きっちり、典子の体に巻きつけた。

「だけど――」

「動いたら危ないんだ。言ったろ」

典子が再び、目をうすく開いた。秋也の方を見やって、「ごめん……秋也くん――」と言った。また目を閉じた。川田にも「ごめんなさい」と言った。

秋也は唇をぎゅっと結んで、典子の青ざめた顔を見下ろしていた。

【残り25人】

37

千草貴子（女子十三番）は、木の幹の陰からそっと頭を出した。南の山の中腹近く、山頂からは東寄りの辺りだ。地図のエリアでいうとH＝4とH＝5の境目辺りになる。周囲は高木、低木が入り交じった雑木林だったが、今貴子が顔を向けている頂上へ向けて、徐々に木の背は低くなっているようだった。

貴子は支給の武器のアイスピックを持ち直すと、低い姿勢から一度、後方を振り返った。

木々に覆われて、最初に隠れた家はもう、見えなかった。その家はこの島がプログラムに使用されると決まる以前から人が住んでいなかったらしい、深い草に埋もれた廃屋で、ニワトリ小屋みたいなものが母屋の隣にくっついていた。その錆びたトタン屋根も、もう見えない。どれぐらい進んだのだろう？二百メートル？　それともまだ百メートルか？　貴子は城岩中陸上部の短距離エースランナーだったので（中学女子二百メートルで歴代県二位の記録を持っている）、そういう距離には言わば身体感覚みたいなものができあがっていたのだが、山肌の起伏と一面を覆う緑、そしてもちろん、緊張感でその感覚自体にもいささかの狂いが生じてしまっているのか、判然としなかった。

政府支給のまずいパンと水で食事を済ませ、貴子が意を決してそこを出たのは、腕時計が午後一時を指すのを待ってのことだった。ゲーム開始以来、何度も銃声らしきものは聞こえていたし、貴子はずっと廃屋の隅に身をひそめていたのだけれど、結局、隠れていても事態は好転しないと判断したのだ。誰か——少なくとも自分の信用できる友達を探し出して、一緒に行動することが必要だった。

もちろん、自分にとって信用できそうな友達が、自分をやはり信用してくれるとは限らない。ただ——

貴子は美しい少女だった。切れ長の目のラインはややきついけれど、それはむしろきゅっとほどよくとがったあごや引き締まった口元、すっきりした鼻梁のラインと相まって、貴族的に見える。メッシュの入った茶色の長い髪は一見アンバランスかも知れないが、それは左耳に二つ、右耳に一つのピアス、左手の中指と薬指にはめたデザインリング、両手首計五つのブレスレット、それに外国のコインを加工したペンダントといったアクセサリー同様、彼女の

自己主張を示してその美しさを引き立てていたと言っていい。その髪やいささかハデなB級のアクセサリー群は、先生たちにはあまりよく思われていないようだったけれども、しかし、彼女は成績もよかったし、何より陸上部エースランナーの看板のおかげで、直接にお小言をくらった経験はほとんどない。要するに、貴子はとてもプライドが高かったし、クラスのほかの女の子みたいに、くだらない校則にしばられるのはごめんだったというだけの話だ。

その美しさのせいなのか、プライドが高いところがわざわいしているのか、それとも、もともと人見知りするたちであるせいなのか、貴子には、少なくともクラスにはあまり親しい友達がいなかった。唯一の親友は、小学校以来の付き合いの北沢かほるという女の子だったが、彼女はクラスが違った。

ただ――

ただ、そう、貴子にも、たった一人だけ、絶対に信用できるクラスメイトが、いた。女子じゃない、男子に、たった一人だけ。幼馴染みだった。

その点に関して言えば、今になって考え込むことがあった。

あの分校を出るときに貴子は考えた、もしかしたら――先に出た誰かが武器を準備して戻ってくるかも知れないと。だとしたら、たった一つの出口からのこのこ出ていくことほど危険なことはないのではないかと。そうであるならば少なくとも、想定される襲撃者の意表をつく動きで、一気に分校から離れることが必要だと、そのように。

そこで、貴子は、教室からあの廊下に出て、出口の陰で外を見渡した。正面に林、左手に山、右手は少し開けていた。襲撃者がいるとすると――前方の林か、左手の山の方に身をひそめているはずだ。

それで、貴子は、身を低くしてその出口をすっと抜けると、分校の外壁に沿って、一気に右へ駆け出したのだった。一目散に、自慢の足を飛ばして走った。何も考える必要はなかった。集落のようなとこ

ろを抜ける道を走り、細い路地に飛び込み、それから、南の山のふもとまで突っ走った。ただただ、早く分校から離れて、身を隠すことが必要だと思ったのだ。

だが――

もしかしたら、あの分校の前、林か、あるいは山の方に、襲撃者ではない誰かが、いたんじゃなかったんだろうか？　つまり――もしかしたら――自分より先に出発した〝彼〟だけは、あの林か山の方に身をひそめて、自分を待っていてくれたんじゃ、なかったんだろうか？　自分は全速力で駆け出して、それを振り切ってしまったのでは、ないだろうか？

――いや。

やっぱり、それはないだろう。それは、無理というものだろう。あの状況では、誰だって、分校の周りでうろうろしていたら危険だったはずなのだ。彼と自分は確かに幼馴染みではあったけれど、それ以上の関係ではなかった。長らくつかず離れずで、ただの友達としてやってきた。彼――杉村弘樹（男子十一番）が危険を冒しても自分を待っていてくれたんじゃないか、そんなのは自分の思い上がりというものに、違いない。

とにかく、今は誰かを探すことだった。杉村弘樹を探し当てることができたらもちろん言うことなしだが、それはいくらなんでも、甘い考えのように思える。となると、まあ、委員長の内海幸枝、あるいはその他ごくごくプレーンな女の子。とにかくいきなり撃たれたりしないように気をつければ話はできるし、無論もっと冷静な子ならなお助かる（もっともこの状況で冷静過ぎる子というのは逆にコワい気もする）。その誰かをとにかく探すこと――今、できるのはそれだけだった。

ただそれにしても、声を上げるのは絶対だめだ、と貴子は思った。そしてそれは、既に証明されてもいた。貴子がいた廃屋からも、北の山の頂上で日下友美子と北野雪子が死ぬところは見えたのだ。

そこで、貴子が考えたのは、隠れていた廃屋から、とりあえず南の山の頂上へ出ることだった。そこまでたどり着いたら、今度は誰か茂みの中に隠れていないかどうか確かめながら、山の斜面を渦をまくように降りていけばいい。小石を茂みに向かっていくつか投げるという、現に廃屋を出てからここまでも使ってきた方法で、誰かいないかどうかはチェックできるはずだった。相手を確かめてから、話しかけるかどうか決める。南の山の頂上付近は午後三時から禁止エリアになると正午に坂持の放送があったが、順調に行けば、それまでにはそこをくまなくチェックできるはずだった。それにそこに誰かいるのだとしたら、三時までには移動を始めるはずだし、向こうも動いていれば、発見できる可能性はさらに高くなるかも知れない。

貴子は、政府支給の時計の針が一時二十分を示しているのを確かめた。普段はブレスレットを着けているから腕時計など巻かないのだが、もちろん今はそんなことを言っていられない。それから、首にはめられた枷に、ちょっと触れた。

〃無理に外そうとすると爆発します〃

それは付けられているだけで首の肉に食い込んで息苦しかったし、存在自体が重苦しかった。ペンダントのチェーンがその首輪に当たって、かすかにちゃらっという音がした。

しかし、貴子はそんなものには構わないことにして、左手のアイスピックを（全くこんなものが役に立つんだろうか？）ぎゅっと握り締めると、ポケットに入れておいた小石を右手でつかみだし、前方左右の茂みに向かって投げた。

がさっ、がさっと石が茂みの中に落ちた。

しばらく待った。反応はない。貴子はまた少し進めると息をつき、茂みの間に開いた上り斜面に向けて脚を踏み出しかけた。

途端、がさっと音がして、左手、十メートルほど離れた茂みから、人の頭が飛び出した。いささかも

つれてはいるがさらっとした髪の後頭部と、学生服の背中が見え、その後頭部が辺りを見回すように左右に少し揺れた。

貴子はびくっとして足を止めていた。――まずい。オトコだ。男はまずかった。別に根拠があるわけじゃないが、多分。杉村弘樹以外の男子は、まずい。そして、その後ろ姿はもちろん、弘樹のものではなかった。

貴子は息を殺し、後ろの茂みに退がろうとそっと足を戻しかけた。そういうこともあるだろうと予想したはずの事態だったのに、やはり体のどこかが震えていた。

瞬間、くるっと男が振り向いた。貴子と目が合っていた。驚愕の色を広げた男の顔は、新井田和志(男子十六番)のものだった。

ああ――ちくしょう、なんでまたよりにもよってこんなやつに――

貴子は思ったが、問題はとにかく、自分が全身を和志にさらしていることだった。とにかく、それは危険だった。くるっと踵を返すと、もと来た道にだっと走り出した。

「待てよ!」

背後から和志の声がした。ざざっと茂みをかきわけ、追ってくる音がした。

「待てったら!」今度は大声だった。「待て!」

――ち――ばかじゃないの――

貴子は数瞬のうち逡巡し――しかし結局、足を止めた。振り返った。和志が銃か何かを持っていて撃つつもりなら既に撃っているはずだし、何より、その大声はまずいと思ったからだ。和志だけでなく自分も見つかってしまう。それで、辺りに素早く目を配ったが、先程自分が確かめた通り、どうやらほかに誰かがいる気配はなかった。

速度をゆるめながら、和志が緩やかな斜面を下ってきた。

貴子はその和志が、右手に弓の付いた、ライフル

銃に似たものを掲げているのに気づいた。今は貴子に向けられてはいないが――もし向けられたとき、あれを躱して再び逃走できるだろうか？　立ち止まったのは間違いだったのか？

――いや。心の中、貴子は首を振った。新井田和志はサッカー部のフォワードだ。そして、球技系運動部のエース級というのは、往々にして陸上部のエース級よりも足が速かったりする。いくら貴子が女子では屈指のスピードを持っているからと言っても、いずれ追いつかれたことだろう。

――どちらにしても、もう遅かった。

和志が貴子と四、五メートルの距離を隔てて止まった。比較的高めの身長、肩幅の広い、がっちりした体。さらさらの髪を当世サッカー選手風に長めにカットしているが、今は、延長戦つきの激しいゲームを終えたときのようにぼさぼさだ。ちょっと歯並びが悪い以外はけっこうハンサムな顔に、あいまいな笑みを浮かべていた。

貴子はその和志の顔を見ながら考えた。一体こいつは――どういうつもりなのだろう？

もちろん、敵意はないという可能性もある。そして、自分のことを、ようやく見つけた信頼できる〝仲間〟だと思っているのかも知れない。

しかし、貴子は、殊に新井田和志にはいい印象を持っていなかった。端的に言って、それは、そのある種のなれなれしさへの嫌悪感だ。それに、驕慢さ、を挙げてもいいかも知れない。というのも、一年のときから貴子と和志は同じクラスだったのだけれど（弘樹は二年で一緒になった）、和志はあまり努力することもなく勉強もスポーツもそこそこできたし、――そして、それゆえに、か、そんなこととは関係がないのかとにかく、やたらその幼さが目についた。特に、やたらかっこをつけたがり、失敗するとまことしやかな言い訳を用意してみせるようなところ。そして、ろくでもないのだが、その一年のとき、貴子と、まあ、世間並みには二枚目の和志の間に、何

かの拍子でウワサがたったことがある（中学生のガキなんていうのはそういうのが好きなのだ、言わせとけばいいけど）。その折り、和志はわざわざ貴子の席のところまでくると、貴子の肩に（無礼にも！）手を置いて言ったものだった、「俺たち、ウワサになってるらしいぜ」。貴子はやんわりと姿勢を変えてその和志の手を躱し、「あぁら。光栄ね」と軽く受け流しながらも内心鼻で笑っていたが（百年早いわよ、修業を積みなさい）、しかし、今は――恐らく、そういう次元ではことは済まないのだろう。

貴子は慎重に口を開いた。とにかく、早々にこいつの前から姿を消した方がいい。それが基本ラインだ。

「大声出さないで。ばかね」

「悪かったよ」和志が答えた。「けど、おまえが逃げるからだ」

「悪いけど」と貴子は即座に言葉を返した。常に簡潔、単刀直入。あたしのいいところだ。「あなたと一緒には、いたくないわ」

和志の顔を見ながら、緊張した肩を何とかすくめてみせた。

「ここで別れた方がお互いのためじゃない？」

和志の顔が、それで不満そうに歪んだ。

「なんでだ」

貴子はまた心の中で舌打ちした。そういうお坊っちゃんづらをするような男だからよ。

「理由はお互い承知のはずよ？　わかったわね、じゃ」

貴子は言って、もう一度踵を返しかけた。我ながら、ちょっとその足が震える感じで、おぼつかないのがわかった。

止めた。

視界の端、和志が右手に持ったものを貴子に向けるのが見えたので。

それで、貴子はゆっくり、もう一度和志に相対し

た。和志の右手のボウガンに、引き金にかけられたその指に注意しながら。

訊いた。「なんのマネ？」

言いながら、さりげなく、左肩のデイパックをするっと下ろして、てのひらにストラップを受け止めた。和志の持っている弓矢みたいなものは、これで防げるだろうか？

「こんなことしたくねえよ」和志が言った。まさに、その口調は貴子が大嫌いなそれだった。言葉は弁解しているが、しかし、その実、自分が優位に立とうとしている。「けど、俺と一緒にいろよ、な」

貴子は頭にきた。頭にきたが、そのとき別のことにも気づいた。自分の制服のスカートは廃屋に隠れたときに壊れたドアで引っかけて大きく裂けており、まるきりチャイナドレスばりのスリットになっていたのだけれど、そこからのぞいた右脚に、和志がちらっと目を落としたのだ。その目の中に、何か得体の知れない粘着質な光があった。――ぞっとした。

貴子は少し足の位置を踏み変え、その脚が極力和志に見えないようにした。それから、言った。

「ふざけないで。そんなものを突きつけて、一緒にいろもないもんだわ」

「じゃあ、逃げないか」

和志は相変わらず傲慢な口調でそう言った。手にしたボウガンは下げなかった。

貴子は我慢した。

「とにかく、それを下げなさい」

「逃げないんだな」

「聞こえないの？」

貴子が強い語調で言うと、和志は不承不承それを下げた。

それから、妙に取り澄ました口調で言った。

「俺、前からおまえのこと、いいと思ってたんだよ」

貴子ははっきりした美しい弓なりの眉を持ち上げた。

あきれていた。脅しつけておいて、いいと思ってた、ですって？

和志の目が、また貴子の脚に落ちた。今度は少し無遠慮に、じろじろ見回した。

貴子はあごを少し持ち上げ、「それで？」と言った。

「だからさ、おまえを殺したりしやしないって。一緒にいろよ」

貴子はまた肩をすくめた。怒りのせいで、今度はぎこちなさを感じなかった。

「さっき言ったわ。ごめんだって」言い捨てた。

「それじゃあね」

貴子はまた踵を――いや、今度はしっかり和志の方を見ながらあとずさりしかけた。即座に、和志が手にしたボウガンを持ち上げた。その顔が、またあの、デパートでおもちゃをねだる子供の表情になっていた。ママ、ほしいったらほしいんだ！――なるほど？

貴子は静かに言った。

「いいかげんにして」

「じゃあ、――ここにいろよ」

和志が繰り返した。同時に首を傾けたその仕草は、幾分神経の高ぶりを抑えるような感じに見えた。

貴子も繰り返した。

「あたしはいやだって言ってるわ」

和志はボウガンを下げなかった。しばらく、二人でにらみ合っていた。

「あんたね」焦れた挙げ句、貴子が言った。「どういうつもりなの？　はっきり言いなさいよ。あたしをすぐに殺すわけでもない、あたしが一緒にいるのはいやだって言うのに一緒にいろっていう。どういうこと？」

「俺が――」和志は、そのどこかねばついた視線を貴子の目に据えたまま言った。「おまえを守ってやるって言ってんだよ。だから――ここにいろ。二人でいた方が、安全だろ？」

「冗談じゃないわ」貴子の声に今度は怒りが混じった。「そんなものを突きつけといて、守ってやるもないもんよ。あたしはあんたを信用できない。わかった？　もういい？　あたし、行くわ」

和志が「動くと撃つぞ」と鋭く言った。手にしたボウガンが、まっすぐ貴子の胸の辺りを狙っていた。

そうして言葉に出して貴子を脅したことで、和志をともかくも常識のラインに（それにしてもひどい常識だが）とどめていた最後のタガが外れたのかも知れない。和志はその姿勢のまま、「女のくせに男に逆らうなよ」と言った。

「女なんて男の言うことを聞いてりゃいいんだ」

そこまででもう、貴子は完全に頭にきていた。しかし、和志はさらに言ったのだ。

「おまえ、処女なんだろ？」と。まるで、おまえの血液型Bなんだろ？　というような軽い口調で。

「――」

貴子は言葉を失っていた。

何？　なんて言ったの、このバカは？

「違うのか？　杉村には女と寝るような根性はないだろ？」

和志がそう言ったのは多分――ほかの多くのクラスメイト同様、和志も貴子が杉村弘樹と付き合っているのではないかと、そのように誤解していたのに違いない。だが、それは二重の意味で貴子を怒らせることになった。弘樹と自分の関係を邪推していることと、同時に、見下すような言い方で弘樹の名を口にしたことと。

貴子は自分の唇が笑いの形に歪むのがわかった。これは前々から自分でも気づいていたのだが、最高に頭にきたとき、そう、あたしはいつも、にやっと笑ってしまう。

その笑みを和志に向けて、言った。

「――そんなことがあなたに何の関係があるの？」

その貴子の笑みを何か勘違いしたのかも知れない。和志もちょっと歪んだ微笑を見せた。「そうなんだ

ろ」

貴子は笑んだまま、和志をにらみ返した。ええ、実はその通りなのです、ちょっとご覧になったらいささかハデに見えるかも知れませんけど、おおせの通りわたくしは処女でございます。まだ十五の、恥じらい多き乙女でございます。ですけど、

――それがあんたに何の関係があるのよ、このクソ野郎!!

和志が言葉を続けた。

「俺たち、どっちにしたって死ぬんだぜ。死ぬ前に一回ぐらい、したいだろ? 俺、相手としちゃ悪くないぜ」

それで、貴子は、これ以上ないという怒りに駆られていたにもかかわらず、一瞬あぜんとして和志の顔を見つめた。今度は、口が開いたかも知れない。これまで手に触れられる範囲にあると思っていたあきれる、という感情のレンジが、一気に地平線を越えた感じだった。艦長コロンブス、あれがサンサルバドル島のようです。オーケイ、野蛮人だ。野蛮人に注意しろ。

貴子は視線を落とし――そして、ついに、口から低い笑いが洩れた。何だかめちゃくちゃにおかしかった。いやはや、ほんとにこれは、今年最高のヒットだ。

顔を上げた。きっと和志の目をにらみ据えていたが、それでも最後のチャンスだけは与えてやるつもりだった。

「これが最後よ。あたしはあなたと一緒にいたくない。素直にそれを下げて、あたしをほっといてちょうだい。でないとあたしは、あんたを、あたしを殺したがっているものとみなす。どう?」

和志はボウガンを下げなかった。それどころか、肩の高さにまでそれを上げ、貴子を威嚇してみせた。

「こっちこそ最後だ」と言った。「俺の言うことを聞けよ、千草」

その、ある意味ターニングポイントとなったやり

取りを、一種痛快だ、と思ったのは、貴子の持って生まれた性というものだっただろうか。そう――もはや、どうなろうとあたしには責任が持てない。

　そこで貴子は、いずれにしてもこのクソみたいな男とのやりとりをさっさと終わらせるために、一歩を進めた。

「なるほどね。要するにあたしをレイプしたいってわけね？　そういうことね？　どうせ死ぬんだから何したっていいと思ってるのね？」

　和志はじっと、その貴子をにらみ返した。「……そんなことは……言ってないだろ」と言った。

　同じことじゃないの。貴子は内心せせら笑った。次は、別にレイプしたいわけじゃないけどあたしに服を脱げって言うつもり？

　貴子は笑みを浮かべたまま、悠然と首を傾けた。言った。「あんたね。そのろくでもないペニスよりは、命の心配をした方がいいわよ、こういう状況じゃ」

　それで、和志の首の方から顔へと、一気にどす黒い色が上った。口元が歪み、その口から、激した言葉がこぼれた。

「なめるなよ。ほんとにレイプされたいのか？」

　貴子はまた笑んで答えた。

「あらあら、本音が出たじゃない」

「なめるなって言ってんだよ！」和志が繰り返した。

「俺は今、おまえを殺すこともできるんだからな！」

　貴子は、胸がむかむかしていた。ついさっき、和志が「殺したりしやしないって」と猫なで声で言ったばかりだということを思い出したのだ。

和志がちょっと間をおき、それから、幾分自慢げですらある口調で続けた。

「俺はもう、赤松を殺したんだぜ」

　貴子はちょっとどきっとしたが、眉を持ち上げ、「へえ」と言った。それがほんとうだとしても――あの様子で隠れていた以上、怯え切って偶然出くわ

した赤松義生を殺してしまったというのが正直なところだろう。そしてそのあと、誰か自分より強い人間がやってくるのを恐れて、息をひそめていたに違いない。だが、こいつのこと、逃げ回って生き延びた挙げ句もし最後に残った相手が自分より弱い相手だったら、〝仕方ないじゃないか〟とか何とか言いながら、平気で殺してのけるかも知れない。

「考えたんだけどな」和志が続け、その貴子の推論がさほど間違ったものでなかったことを自ら裏書きした。「試合だと思うことにしたんだ、俺は、これを」さらに続けた。「——だから、俺は、遠慮しない」

貴子は相変わらず、静かに和志の顔を見据えていた。かすかに笑みをたたえて。

アンハ。それで全部わかりました。ということは、あれですね。最初から、たとえ和姦であろうとなんだろうととにかくあたしとヤっちゃって、結局いつかは殺すつもりだったわけですか。ほかのみんなが死んであたしさえ死ねば生き残れるとなったら？　なあるほど。それまで何回やれるか計算でもしてたの？

嫌悪感と怒りで、背筋がむずむずした。

「試合ね」和志の言葉を繰り返し、そして、貴子はにやっと唇を歪めた。「けど、女の子を相手にして、恥ずかしくないの？」

それで一瞬、和志がうちのめされたような表情を見せたが、すぐにこわばった感じに戻った。冷たい目が光っていた。

「死にたいのかよ」

貴子は即答した。

「撃ってみなさいよ」

一瞬だけ、和志が躊躇した。その隙を逃さず、貴子はポケットからそっとつかみ出しておいた小石を、その顔に向かって投げつけていた。和志が顔を覆ってそれを防ぐ間に、くるっと体を回転させ、デイパックは捨ててアイスピックだけを握ったまま、もと

来た方へだっと駆け出していた。

背後で和志が舌打ちするのが聞こえたような気がした。陸上部エースのスタートダッシュで十五メートルたっぷりは離れたと思ったとき、右脚に衝撃が跳ね、貴子は前のめりに倒れていた。頬が、湿った土から顔を出した木の根にこすられ、切れるのがわかった。続いて襲ってきた脚の痛みよりも、貴子はその、顔に傷がついたという感覚に激怒した。あたしの顔に傷をつけやがった、あのクソ野郎!

貴子は、体をぐっとひねって土の上に座り込んだ。右脚太腿の後ろ側に、スカートごしに銀色の矢が付き刺さっていた。傷の下側、よく発達した筋肉の上を、血が伝い降りていくのがわかった。

和志が追いついてきた。貴子が座り込んでいるのを見てとって、ボウガンをがちゃっと地面に落とすと、代わりにズボンのベルトから短い鎖で結ばれた二本の木の棒のようなもの――ヌンチャクを抜きだし、右手に構えた。その鎖がちゃらっと揺れた(ちなみにこれは、赤松義生を倒した後、彼が回収した天堂真弓のデイパックに入っていたものだった。彼自身の支給の武器はどういうわけか何の変哲もない三味線糸で、使い物にならなかった。貴子の与かり知るところではなかったが)。

貴子は地面に落ちたボウガンをちらっと見て思った。あんた、後悔するわよ、それを捨てたことをね。

「おまえが悪いんだ」やや息をはずませた和志が口を開いた。「俺を怒らせるからだ」

貴子は地面に座り込んだ姿勢のまま、和志をにらみ上げた。この男、まだ言い訳を探している。全く、よくもまあこんな男と二年あまりも、一緒に机を並べて勉強していたもんだ。

「ちょっと待ちなさい」

貴子は言い、和志が眉根をひそめる間に膝立ちに立ち上がると、背中側に右手を回し、歯を食いしばって一気に矢を引き抜いた。肉が裂ける感覚が伝わり、それでまた、どっと血が流れ出すのがわかった。

ついでに、スカートもぴいっと裂けた。やれやれ、スリットが二つになってしまった。

矢を放り出すと、和志をにらみつけながら立ち上がった。大丈夫。痛みはひどいが、立つのに障害はなかった。アイスピックを右手に移した。

「やめとけよ」和志が言った。「無駄だ」

貴子はアイスピックを水平に倒して和志の胸を指した。

「試合って言ったわね。いいわ。相手になってあげる。あんたみたいなやつには絶対に負けないわ。あたしの全存在をかけて、あんたを否定してあげる。わかった？ 了解した？ ばかだからわからないかな？」

それでもまだ、和志の表情には余裕があった。女だし、怪我はしてるし、絶対に負けることはないと思っているのだ。

「繰り返すわ」貴子は続けた。「半殺しにしてから強姦しようなんて考えないことね。いい、お坊っちゃん、ペニスの具合よりは命を大事にするのよ」

それで、和志が顔を歪め、ヌンチャクを顔の高さに上げた。

貴子もアイスピックを握り締めた。和志との間に、ぎりっと緊張が張り詰めた。

身長差で十五センチ近く、体重では多分二十キロ以上の差があった。貴子はB組女子の中では多分ナンバーワンの運動能力を誇っていたけれど、――それでも、勝てる確率は小さいだろう。おまけに右脚の傷はかなりの深手だった。しかし――負けない、絶対にだ。

いきなり、和志の方が動いた。前へ出ながら、ヌンチャクを斜め上から振り下ろしてきた！

貴子は、それを左腕で受けた。左手首の二つのブレスレットのうち一つがぴいんと宙に飛び（南米インディオの細工のお気に入りだ、クソ）、二の腕にじいんと痺れが走って、脳の中心まで一気に突き抜けた。その痺れを感じながらも、右手のアイスピッ

クを振り上げた。和志が顔を歪め、跳び退ってそれをよけた。再び、二メートルの距離。

貴子の左腕がじんじんしていた。でも大丈夫、骨は折れていない。

第二撃が来た。今度はテニスのバックハンドの要領ですくいあげるように、ヌンチャクを振り回してきた。

貴子は頭を下げて体を傾がせ、それをよけた。メッシュの入った長い髪をヌンチャクがかすめ、何本かがちぎれて宙に舞った。貴子はすかさず、その和志の右手首へ向けてアイスピックをふるった。ざっという軽い手ごたえが伝わり、和志がかすかにうめいて、後ろへ退がった。

また距離ができた。ヌンチャクを構えた和志の手首に、赤い色が見えた。しかし、ダメージは大したことないようだ。

右脚の傷が、どくどくと脈打っていた。太腿から下が、ほとんど全部血に濡れているのがわかった。

多分、そう長くはもちこたえられないだろう。ぜえぜえという音にも気づいた。自分の唇から漏れている音だと、これもわかった。

和志が再び、ヌンチャクを振り回してきた。貴子から見て、頭の左上から、肩口の辺りを狙って。

貴子は、前へ出ていた。拳法の道場に通っている杉村弘樹がいつか教えてくれたことを思い出したのだ。〝間合いを外したらダメージはぐんと下がる。恐れることなく前へ出るってのも時には大事なんだ〟。

肩にヌンチャクが当たったが、その通り、それは鎖の辺りで、大した衝撃ではなかった。貴子は和志の胸元へ飛び込んでいた。驚愕に目を見開いた和志の顔が眼前にあった。アイスピックを振り上げた。

和志が、空いた左手で貴子を思い切り突き飛ばしていた。貴子は傷ついた右脚からバランスを失って、仰向けに倒れ込んだ。

和志が危うく刺されそうになった胸の辺りを左手

で撫でながら、貴子を見下ろしていた。「なんてオンナだ」と言った。

ゆっくり体を持ち上げた貴子に、和志はすかさずまたヌンチャクを振り下ろしてきた。今度は顔をめがけて！

貴子はアイスピックを持ち上げ、それを受けた。きいんという高い金属音とともにアイスピックが消え、すぐ近くの土の上に転がった。貴子のてのひらに、重い痛みだけが残った。

貴子は唇を噛んだ。和志をにらみ据えたまま、あとじさった。

和志が口元を笑みの形に歪めて、一歩、二歩と前へ出た。くそ、こいつはまぎれもない異常性格者だ。女の子を、しかも鈍器でぶん殴ることに何の禁忌も持っていない。むしろ、楽しんですらいる！

和志がもう一度ヌンチャクをふるった。すっと上半身を引いて躱し――しかし、ヌンチャクは、その貴子の体を追ってきた。多少その扱いに慣れたということなのか、和志がなめらかな動きでその腕を伸ばしたのだ。

がん、と左の側頭部に衝撃がきて、貴子の体がぐらっと傾いだ。左の鼻腔から、つっと温かい液体が流れ出したようだった。

貴子の体が沈みかけていた。和志は、仕留めた、という表情をしていたかも知れない。

しかし、そのぐらっときた姿勢のまま、貴子の美しい切れ長の目が、すっとすぼまった。

体を倒しざま、長い脚を伸ばして、和志の左膝を外側から思い切り蹴っていた。ごっ、と和志がのどの奥からうめき声を洩らし、左膝をついた。体が泳ぎ、その左膝を軸に体が半回転した。――背中が半分見えた。

ここでアイスピックを拾い上げることに執着していたら、貴子は敗れていたかも知れない。だが、彼女はそうはしなかった。

和志の背中に飛びついていた。

おぶさるように、その頭を抱え込んだ。体重がかかった勢いで、和志が前のめりに倒れ込んだ。

一瞬のうちに貴子が選択したとしたら、指のことだ。人差し指と中指——いやいや、一番力が入るのはやっぱり中指と親指だろう。そして——爪に関して言えば貴子はその手入れを欠かしたことがなく、陸上部の顧問の多田先生にいくらなじられても、きりっと尖らせたそれを、切ることはしなかった。

貴子は和志に半ば馬乗りになった姿勢で和志の髪の毛をつかんで、その頭をぐいと引き上げた。位置は見当がついた。

和志が貴子の意図を理解したのか、反射的に目をつむるのがわかった。

無意味だった。貴子の右手中指と親指は、しっかり閉じられた和志のまぶたを割って、和志の眼窩にもぐりこんでいた。

「ひぎいいいいいいいいいいいい」

和志が絶叫した。腕をつき、膝をついた姿勢で体を起こし、ヌンチャクも手から離して、貴子の手をかきむしった。体をめちゃくちゃに動かし、貴子を払い落とそうとした。

貴子はしっかり和志に組みついて、離れなかった。さらに指を押し込んだ。親指も中指も、第二関節までずぶっと和志の目に沈んだ。途中、貴子の指にちょっとした衝撃が伝わり、眼球が割れたのだとわかった。いささか意外なことがあったとしたら、思ったより眼窩というのは小さいんだな、ということだ。貴子はかまわず、思い切り指を内側に曲げた。和志の目から、血と、どろっとした半透明の液体が、変種の涙のように流れ出した。

「あああああああ」

和志が声を上げ、体を起こしてめちゃくちゃに手を振り回した。顔にあてがわれた貴子の右手を両手でかきむしり、貴子の髪をつかんで引いた。

貴子はさっと和志から離れた。おかげで和志がつかんでいる髪を何本か、それとも何十本か持ってい

かれたが、気にしている場合じゃない。

アイスピックを探した。すぐに見つかった。拾い上げた。

和志は喚いて、見えない敵と戦うように（その通りなのだが）腕を振り回し、それから、どん、としりもちをついた。その目は、見開かれているのだけれど、まぶたの縁から内側が全部真っ赤になっていて、まるでアルビノの猿のようだった。貴子は右脚をひきずりながらその和志に歩み寄ると、その傷ついた右脚を持ち上げ、和志のがら空きの股間を踏みつけた。陸上の練習用と兼用している、白地にパープルをあしらったウォーミングアップシューズは貴子自身の血で真っ赤になっていたが、その裏から小動物を押しつぶすようなぐにゃっとした感じが伝わった。和志が「ぎゅっ」とうめいて、今度は股間を押さえ、横向きになって胎児のように体を丸めた。

貴子は今度は左足でそののどを踏みつけた。体重をかけた。和志が両腕を伸ばして、その脚をどけようともがき、力無く殴りつけ、かきむしった。

「た」と和志の口から言葉が洩れた。のどを押しつぶされているせいで、隙間風のような声だった。

「たすけ……」

そんなわけないでしょ、あなた。貴子は思った。

自分の唇が笑いの形に歪んでいるのがわかった。今度は怒っているんじゃないな、と思った。あたしは楽しんでいるんだ、間違いない。だからなんだっていうの？　ヨハネ・パウロ二世とかダライラマ十四世ってわけでもないんだから、別にいいんじゃない？

貴子は膝を折りざま、その和志の口の中に（虫歯の治療痕がいくつか見えた）、両手で保持したアイスピックを突き立てた。貴子の脚をもぎ離そうともがいていた和志の両腕が、びくっとその動きを止めた。貴子はアイスピックを押した。あまり抵抗なく、それはずぶずぶと和志ののどに沈んだ。和志の体が、胸からつま先まで、背泳ぎのバサロスタートみたい

な感じでぴくぴくとけいれんした。やがて止まった。腕が落ちた。アルビノみたいな目はやはり見開かれていて、その周りに、絵の具を流したようにねばねばした血が、クモの巣の模様を描いていた。

右脚の痛みが急にぐんと跳ね上がり、貴子は和志の頭の横に倒れ込み、しりもちをついた。自分の歯の間から洩れる呼吸が、二百メートルのタイム計測を繰り返した後のようにかすれているのがわかった。

勝った。あっけない気もした、実際に格闘していたのはほんの三十秒ぐらいだったかも知れない。しかしもちろん、長くかかっていたら絶対に勝てなかっただろう。とにかく――勝った。何にせよ、とにかく。

貴子は、血に染まった右脚を抱え込みながら、見せ物小屋の芸人のようにアイスピックをのどから吐き出そうとしている和志の死体を、あらためて見下ろした。はあいお立ち合い。今飲み込んだのを今度は吐き出して――

「貴子」

唐突に背後から声がかかり、貴子は座った姿勢のままばっと振り返った。同時に手を伸ばして和志の口からアイスピックを抜き取り、構えた（それで和志の頭がほんの少し持ち上がり、それから地に落ちた）。

相馬光子（女子十一番）が、貴子を見下ろしていた。

貴子は光子の右手に視線を飛ばした。大型の自動拳銃がそのきゃしゃな手の中にあった。

相馬光子がどんなつもりでいるのかはわからない。しかし――もし新井田和志と同じようにやる気になっているのだとしたら（その可能性は大きい、何と言っても〝あの〟相馬光子だ）、勝ち目がない。拳銃が相手では、勝ち目がない。

逃げなければ。逃げた方がいい。貴子は再び、痛む右脚を引き寄せ、立ち上がろうとした。

「大丈夫？」

光子が訊いた。ひどく、優しい声だった。銃を貴子に向けることはしなかった。しかし、安心すべきじゃない。

貴子はあとじさり、手近な木の幹につかまって、何とか立ち上がった。右脚が、急速に重くなりかけていた。

答えた。

「まあね」

光子は和志の死体をまじまじと見つめた。それから、貴子が手にしているアイスピックを見た。

「そんなものだけでやっつけたの？　すごいわ、同じ女として、尊敬しちゃう」

ほんとうに、心から感心した、という口調だった。それどころか、うきうきしているような感じすらあった。天使のような愛らしい顔の中、目がきらきら輝いていた。

貴子はまた、「まあね」と答えた。右脚からの大量の失血のせいなのか、体がぐらぐらしているような気がした。

「ねえ」

光子が言った。

「前から思ってたの、あなただけはあたしに媚びたりしない女の子だって」

貴子は光子の意図が読めないまま、その顔を見つめていた（城岩中で一、二を争う美少女二人が見つめ合っているわけだ。アクセサリに、目をつぶされた男の死体。あらまあ、なんて美しいの）。

光子の言ったことは、その通りだった。貴子は誰かに媚びたりするのは死んでもいやだったし、光子に話しかけるときにも、ほかのこのようにびくびくしたり、しなかった。そんなのはプライドにかけていやだったし、別に光子なんか怖くもなかった。

それで、貴子は、かつて（といってもほんの二、三カ月前だ）憧れていた先輩の口癖を思い出した。杉村弘樹に対するごくごくほのかな気持ちとは別に、とても、その先輩のことが好きだった。試合の前に

も、何か友達のケンカに巻き込まれてひどい怪我をして部室に顔を出したときも、その先輩はその独特の口調で言っていた。〝何も怖くないぜ。恐れることはない〟。

誰にも媚びず、美しくある——。貴子は中学に入って以来その先輩のことを見つめ続けてきたし、貴子の今のスタイルも、その先輩に影響を受けたところが大きいかも知れない。でもその先輩には、恋人がいたのだった。とても素敵な、そう、ちょうど小川さくらなんかにちょっと似た、森の奥の湖みたいに静かな感じのひと。——まあ、それもこれも遠い過去の話だけれど。

だが——同時に思った、つい先程まで、新井田和志と相対しているときすら思い出さなかったその先輩の言葉を自分が思い出したというのは——あたしは——やはり、この光子を恐れているのだろうか？

「あたし、ちょっと悔しかったの」

光子が続けていた。

「あなた、きれいだったし、あたしよりいい女だったしね」

貴子は黙って聞いていた。何かおかしかった。すぐに気づいた、なんで、光子は、過去形で、喋っているのか？

「でも」光子の目がいたずらっぽく笑んだ。以下は現在形に戻った。「あなたみたいな女が、あたし、とても好きよ。あたしちょっと、レズっけあるのかな。ふふ。だからとても——」

貴子は目を見開いた。ぱっと体を翻すと、走り出していた。右脚はやや引きずっていたが、それでも、陸上部エースの名に恥じないダッシュだった。

「だからとても——」

光子はコルト・ガバメントをすいと持ち上げた。三度続けて、引き金を絞った。木立の中、ゆるい下り勾配をもう二十メートルばかり向こうまで離れ、なおぐんぐん遠ざかりつつあった貴子のセーラーの背中に正確に三つ穴が開き、貴子はヘッドスライデ

ィングするように前のめりに飛んだ。俯せになったままずずっ、と地面を滑り、左が白、右が赤と鮮やかな対照をなした形のいい脚がスカートを翻して宙に跳ね上がった。すぐに地面に落ちた。

光子が銃を下ろし、言った。

「とても残念」


【残り24人】

38

典子の息遣いが、ますます激しくなっていた。川田が与えた風邪薬も、効果を示していないようだった。時計は午後二時近くを示していたが、わずかな時間の間に、典子の顔からかなり肉がそげ落ちたような感じがした。秋也は、水ボトルのうち一本に残った水を全部使って典子の持っていたハンカチを湿らせ直すと、汗に濡れた典子の顔を拭い、再び典子の額の上に置いた。典子は目を閉じたままだったが、ありがとうというようにちょっとあごを引いて、頷いた。

秋也は川田の方に向き直った。川田はずっと同じ姿勢で木の幹に背を預け、あぐらをかいて煙草をふかしていた。右手はそっと、膝の上のレミントンショットガンのグリップ辺りに置かれている。

「川田」と秋也は呼びかけた。

「なんだ？」

「行こう」

川田が眉を持ち上げた。煙草を口から外した。

「どこへ？」

秋也は唇をぎゅっと結んだ。

「もう我慢できないって言ってるんだ」典子の方をあごで示した。「どんどんひどくなってる」

川田は、目を閉じて横になっている典子の方をちらっと見た。

「もし敗血症なら――」

ちょっと間を置き、続けた。

「あったかくして寝かせたからって、治りゃしないぞ」

「だから」

秋也はまた苛立ちにとらわれかけるのを何とか抑えながら、続けた。

「地図に診療所みたいなマークがついてる。そこまで行ったら、もっと役に立つ薬があるだろう？　集落のずっと北に外れてる。まだ禁止エリアにも入っちゃいない」

「ああ、そうだったな」川田は煙をゆっくり口の端から吐き出しながら答えた。「そうかも知れん」

秋也はもう一度言った。「行こう」

川田は首を傾けた。煙草の煙をもう一回吸い込み、地面で揉み消した。

「診療所まで一・五キロはある。今動いちゃ危ない。暗くなるまで待て」

秋也はぎりっと奥歯を噛んだ。

「暗くなるまで待ってて、診療所が禁止エリアに入っちまったらどうするんだ？」

川田は何も言わなかった。

「おまえ」

秋也は続けた。苛立ちからなのか、それとも、川田と仲たがいせざるを得ないかも知れないという思いからか、語尾がいささかふるえた。しかし、言った。

「おまえが俺たちを殺そうと思ってるとは言わないよ。けど、そんなに危険を冒すのがいやなのか？　そんなに自分のことばっかりが大事なのか？」

秋也はしばらく、川田の目をにらんだ。川田は、静かな表情を変えなかった。

「秋也……くん」

背後から典子の声が聞こえ、秋也は振り返った。

典子は首だけを横に傾けて、秋也の方を見ていた。額のハンカチがぺたっと地面に落ちた。

「やめて。川田くんがいないと、あたしたち、そもそも、助からないのよ」

苦しそうな息の間から、途切れ途切れにそれだけ言った。

「典子」秋也は首を振った。「わからないのか？君はどんどん衰弱してるんだぜ。助かる前に駄目になったら、どうするんだ？」

秋也は再び、川田の方へ向き直った。

「おまえが来ないっていうなら、俺は一人でも典子を連れていく。契約は解除だ。一人で行動してくれ」

秋也は言い捨て、自分と典子の荷物をまとめ始めた。

「待てよ」

川田が言った。ゆっくり腰を上げると、典子の方に近づき、典子の左腕をとって脈をみた。秋也が典子のそばにずっと付き添っていたのとは別に、おおよそ二十分おきに繰り返していた行動だった。

また不精髭の浮いたあごにちょっと触れ、それから、傍らにいる秋也の方を見やって言った。

「どの薬が使えるかなんて、おまえじゃわからないだろ」

少し首を傾けて、秋也を見た。

「わかったよ。俺も行く」と言った。


【残り24人】

39

背中から三発の弾丸を撃ち込まれた後三十分以上経っていたにもかかわらず、また、その傷及び新井田和志にボウガンを撃ち込まれた脚の傷から大量に失血していたにもかかわらず、千草貴子はまだ生きていた。相馬光子はとっくに立ち去っていたが、いずれにしてもそれは貴子の知るところではなかった。

貴子は半ばまどろみ、夢を見ていた。家族が——父親と母親、それに二つ下の妹が、家の門のところから貴子に手を振っていた。

妹の彩子が、泣いているのがわかった。「さよな

ら、おねえちゃん、さよなら」と言っていた。貴子がその顔の大方の特徴を受け継いだハンサムな父親と、少し丸顔でこちらは彩子に似ている母親は、ただ哀しそうな顔をして、黙っていた。そしてその三人の隣、飼い犬の〝ハナコ〟が、うなだれ、しっぽを振っていた。もうずっと小さいときから貴子が世話をしてきた、賢い雌犬だった。

あーあ、と貴子は夢の中で思った。ろくでもないなあ。あたし、まだ十五年しか生きていないのに。ねえ彩子、お父さんとお母さんのこと、お願いね。あんたほんとに、甘えん坊なんだから。ちょっとはアネキを見習って、しっかりしなさいよ。

あーあ、ほんとにろくでもない。まだあたし、ろくに付き合った男の子もいないのに。

それで場面が変わって、陸上部の部室になった。二年の夏なんだ、とわかった。なぜなら、その部室は二年の秋口には取り壊されて、新しいクラブハウスができていたからだ。

ああ。これは、幻想じゃない。実際にあった場面だ。これは——

先輩が、いた。短く刈り込んで前を立てた髪、胸に「FUCK　OFF!」と書かれた白のTシャツ、グリーンに黒のラインが入った競技用ショーツ。ちょっといたずらっぽい、けれど優しい目。あの先輩だった。障害を得意にしていたのだけれど、しばらく前に痛めた膝に、熱心にテーピングを施していた。部室には、貴子とその先輩のほか、誰もいなかった。

「センパイセンパイ」貴子が言った。「センパイの彼女って、素敵な人ですね。すっごくお似合いだと思いました、あたし」

いやはや、先輩と話すときだけは、あたしも月並みな女の子になってしまっていたようだ。なんて能天気。

「そっか?」先輩が顔を上げて、にこっと笑った。「千草の方が、ずっときれいだぞ」と言った。

貴子はちょっと、複雑な気持ちで笑った。初めて

自分の容姿をほめてくれたのはうれしかったが――けれど、そんなふうにほかの女の子をつかまえておまえの方がきれいだ、と言える先輩と恋人の関係は、とても親しく信頼に満ちたものなんだろう、と思えたからだった。

「千草、付き合ってるやつ、いないのか?」

先輩が笑んで、そう言った。

それでまた、場面が変わった。

公園にいるのだけれど、自分の視線の位置が随分低かった。

ああ、この私は子供のころの私だ。小学校二年だか三年だかのころの?

目の前で、杉村弘樹が泣いていた。今みたいに背が高くなく、むしろ貴子の方が高かった。弘樹は、買ってきたばかりのコミックを悪ガキにとりあげられたらしかった。

「あんたねー、男の子が泣くんじゃないわよ、情けないわね。強くなんなさい、もっと。ほら、来なさいって。うちの犬に子犬が生まれたんだ。見にこない?」

「うん……」

弘樹は目を拭いながら、それでもついてきた。

そう言えば、弘樹が拳法の道場に通い始めたのはその次の年ぐらいのことだ。そのころからどんどん背も伸び、貴子を追い越していった。

小学校の終わりごろまでは、まだお互いの家に行ったり来たりの付き合いがあった。ふさぎこんでいる貴子に、あるとき弘樹が「どしたんだよ、貴子。なんかあったのか?」と訊いた。

貴子はちょっと考えてから、それを口に出した。

「あんたねー。あんただったら、誰かに好きだって言われたら、どうする?」

「うーん。言われたことないから、わからねー」

「……あんた、誰か好きなこはいるの?」

「うーん。いない。今のところ」

貴子はそれでまたちょっと考えた。何よ、あたし

のことはなんとも思ってないわけ？

　でもまあ、続けた。

「あっ、そう。早く好きなこでもつくって、告白ぐらいしてみなさいよ」

「俺、根性ないからさー。だめかも知れない」

　場面がまたまた変わって中学校。二年で同じクラスになって、その最初の日に話していると、何かの拍子に弘樹が言った。「おまえ、クラブの先輩でやたらかっこいいやついるんだって？」

　言外に、その先輩のこと好きらしいな、という含みがあった。

「誰から聞いたのよ？」

「ま、ちょっとな。うまく行きそうなのか？」

「ぜーんぜん。先輩、彼女いるんだもん。あんたは、ガールフレンド、まだいないの？」

「ち、ほっといてくれよ」

　――あたしたち、ずっと、つかず離れずだったな。お互いちょっと好きだったかも知れないのに、けど、それは思い上がりかな？　少なくとも、あたしはちょっと、あなたのことが好きだった。それはまあ、先輩を好きだったのとはまた別の話よ。理解してもらえる？

　今の弘樹の顔が浮かんだ。泣いていた。

「貴子。死ぬな」

　何よあんた、男らしくないわねー。泣くんじゃないわよ。体ばっかでかくなって、ちっとも進歩してないじゃない。

　神のいたずらというやつなのか、貴子はもう一度だけ覚醒した。ぼんやり目を開けた。

　午後の穏やかな光の中で、杉村弘樹が、自分を見下ろしていた。弘樹の向こうに、梢と、その隙間でロールシャッハテストみたいに複雑な模様になった青い空の断片が、いくつか見えた。

　最初に思ったのは、弘樹が泣いていない、ということだった。疑問はそのあとでやってきた。

「どうして……」

自分の唇から洩れる声が、錆びついたドアを無理やりこじあけるような感じだった。それで、ああ、もう長くは生きていられない、と確信した。

「……ここにいるの？」

弘樹は、「ちょっとな」とだけ言った。弘樹は貴子のそばに膝をついて、貴子の頭だけをそっと支え起こしてくれているようだった。自分は俯せに倒れたはずだが、仰向けになっている。近くの茂みに弘樹が運んでくれたのか、右てのひらに下草の感覚があった（左手は——いや、左半身全体が痺れていて、何も感じなかった。新井田和志に側頭部をぶんなぐられた、その後遺症かも知れない）。

弘樹はそれから、静かに「誰にやられた？」と訊いた。

そうだ。それは、重要な情報だった。

「光子よ」と貴子はこたえた。新井田和志のことはもう、どうでもよかった。「気をつけて」

弘樹は頷いた。それから、「ごめんな」と言った。

貴子は何のことかわからず、じっと弘樹の顔を見つめた。

「俺、あの分校の外で——隠れておまえを待ってたんだ」

弘樹はそう言い、何かをこらえるように、一旦唇をぐっと結んだ。

「けど——あのとき、赤松が戻ってきた、あそこへ。俺——一瞬だけ、気を取られてしまった。それで——おまえ、全速力で走ってったろ——見失ってしまった。おまえの消えた方へ走って呼んだんだけど——おまえ、もう多分、遠くへ行ってしまってたんだな」

貴子は、ああ、と思った。確かに、分校を出て闇の中を走り出してしばらくしたときに、何かかすかに声が聞こえた気はしたのだ。でも、混乱していて、そら耳かとも思ったし——そら耳でなかったら誰かがいるのだと思って——全速力で走り続けた。

ああ。

弘樹は、自分を待っていてくれたのだ。自分がもしかして、と思った通り、危険を冒して、あそこで待っていてくれたのだ。それで多分――さっき弘樹は〝ちょっとな〟とだけ言ったけれど、自分のことをずっと探していてくれたのかも知れない。

そう思うと、貴子は泣きそうになった。

しかし、代わりに、顔の筋肉を何とか動かして笑みをつくった。

「そう――だったの」と言った。「ありがとう」

貴子は、もうあまり自分が言葉を喋れないのがわかっていたし、何を喋るべきか選ぼうといくつか考えたのだけれど、妙な疑問が頭にわいて、それを訊いてしまった。

「あんた、好きなこいるの？」

弘樹は少し眉を動かしたが、静かに、「いるよ」と答えた。

「まさか、あたしじゃないわね」

弘樹は哀しそうな顔のままで、ちらっと笑った。

「違う」

「そう、それじゃ……」

貴子は一つ、大きく息をした。奇妙にとても冷たく、そして、なぜか同時にとても熱く感じられる体の中に、じわっと毒が膨れ上がるような感じがした。

「せめてちょっとだけ、抱き締めてて。すぐ……終わるから」

それで、弘樹が唇を引き結ぶと、貴子の上半身を起こして、ぎゅっと両腕で自分の体に引きつけた。

貴子の首がぐったり後ろに倒れそうになったが、それも弘樹が支えてくれた。

まだひとこと言えそうだった。

「生き残るのよ、弘樹」

もうひとことオーケイですか、神様？

貴子は弘樹の目を覗き込んで、にっと笑った。

「あんた、いい男になったよ」

「おまえこそ」と弘樹が言った。「世界で一番かっこいい女だ」

貴子はふっと笑み、ありがとう、と言いたかったのだけれど、もうのどから十分な息が出なかった。ただ、弘樹の目をずっと見つめていた。感謝していた。少なくとも、あたしは独りぼっちで死ぬわけじゃないんだ。最後に一緒にいてくれる誰かが、弘樹でよかった。ほんとによかった。

その姿勢のまま、千草貴子は、約二分後に死んだ。目は最後まで開いたままだった。杉村弘樹は、生命を失ってぐたりと全身を重力に委ねている貴子の体を抱き締めたまま、しばらく、泣いた。

【残り23人】

40

「頭を下げろ」

川田が言った。ショットガンを構えて、辺りに慎重に目を配っていた。

秋也は典子を背負ったまま、その指示に従った。一抱えもある大きなニレの木の陰だった。もう、診療所までの行程の三分の二は進んだはずだった。地図のエリアでいうとF＝6かF＝7か、そのへんに差しかかっているはずだ。方向を間違えていないなら（川田が案内役だ、間違えているはずはないが）もうすぐ分校の建物が右手下側に見えるだろう。

秋也たちはまず海岸線に沿って最初にいたエリアC＝4を通過し、それから北の山の山すそに沿って東へ移動していたのだけれど、確かに白昼の光の中、移動するのは容易なことではなかった。少し動いては息をひそめ、深い茂みを抜けなくてはならないときには、川田が小石をいくつか前方に投げて、誰もいないか確かめた。ここまでくるのに、もう三十分近く要していた。

秋也の頭のすぐ後ろで、典子の苦しそうな息が続いていた。

秋也は母親が幼い子にそうするように首を少し後ろへ傾け、「典子、もうすぐだ」と言った。典子が

「ん……」と答えるのがわかった。

「よし、行くぞ」川田が言った。「次はあそこの木のところだ、いいか」

「オーケイ」

秋也は腰を浮かせて、低い草に覆われた、もとは畑だったと見える柔らかい土の上を前へ進んだ。秋也たちのものも含めて荷物を全部左手に持ち、ショットガンを右手に保持した川田がすぐ横にぴったり付き添って、全方向へ首を回していた。ショットガンの銃口が、その首の方向にぴったり一致して動いていた。

今度は少し細めの木にたどり着き、また止まった。秋也は息をついた。

「疲れてないか、七原」

秋也は笑ってみせた。

「典子なんて軽いもんさ」

「なんなら少し休むぞ」

「いや」秋也は首を振った。「早く着きたい」

「そうか」

川田はこたえたが、秋也の胸にふいに疑問がわいた。同時に、俺はもしかしてばかじゃないのか？という気になった。我ながらいつも、事態を早とちりして、大事なことを確認し忘れるきらいがあるのだ。

「――川田」

「なんだ？」

「地図のあのマークは、ほんとに診療所だろうか？」

川田は背中を見せたまま、ふん、と鼻で笑った。

「おまえがそう言ったぞ、確か」

「いや、それは――」

秋也は狼狽したが、すぐに川田が、「診療所だよ。俺は確認している」と言った。

秋也は目を見開いた。

「そうなのか？」

「ああ。夜の間に島中歩き回ったからな、おまえた

ちに会うまで。こんなことならもっと手の込んだ薬も手に入れときゃよかった。要らないと思ったんだ」

　秋也はほっと息をついた。同時に、頭の中で自分をひとつ、ぽかりと殴った。もっとしっかりしなきゃならない。そうでないと、自分どころか典子まで殺してしまうことになる。

　言葉を交わしながらも、川田は次に進むべきところを探していた。

「よし――」

　川田が言いかけたとき、銃声が響き、秋也はびくっと体をこわばらせた。――慌てて姿勢を低くし、辺りを見回した。やはり――何事もなく診療所までたどり着けるなどというのは甘かったのか？

　しかし、周囲に人影は見えなかった。

　川田の方に目を戻すと、その秋也と典子を守るように左腕を伸ばして、進行方向左手を見ていた。秋也たちのいるところからそちらへ向けて緩い上り勾配になっており、十メートルほど向こうで、スギのような背の高い立木の列が視界を塞いでいた。その向こう、ということなのだろうか。

　秋也は胸の奥にたまった息を吐き出した。

「大丈夫だ」川田が低い声で言った。「俺たちが狙われてるんじゃない」

　秋也は敢えて銃を抜き出すことはせず、典子をおぶったまま「近いな」と言った。

　川田は黙って頷いた。途端、銃声が連続した。二発、三発。後で鳴った三発の方が、わずかに音の響きが大きいような気がした。また一発響いた。今度は小さい方の音だ。

「銃撃戦だな」川田がぼそっと言った。「元気な連中だ」

　当座自分たちに危険がないとわかりほっとした秋也だったが、しかし、知らず知らずのうちにも、唇を噛んでいた。

　また、誰かと誰かが殺し合っている。しかも、す

ぐそこでだ。そして、自分はここで、息をひそめてそれが終わるのを待っている。それはまるで――。

また黒服の男のイメージが秋也の脳裏をよぎった。はい、今度はあなた。それにあなた。よかったですね、七原さん、あなたはまだみたいですよ。

背中を見せたまま、川田がその秋也の心の動きを見透かしたように言った（そう言えば言っていたが、快晴の日には心が読みやすいとか何とか、くだらないことを）。

「止めに行こうなんて思ってないだろうな、七原」

秋也はごくっと唾を飲み込み、それから、やや口ごもるように「いや……」と言った。そうだった。今は、典子を無事診療所まで運ぶことが再優先なのだ。他人の余計な争いごとに首を突っ込んでいたら、こっちが危なくなる。

そのとき、典子が背中から「秋也、くん……」と呼んだ。秋也の背中にも十分感じられるほど熱が高く、その声はささやきのようだった。

秋也は首を後ろに振り向けた。自分の肩ごしに、典子の薄く開いた目が見えた。

「あたしを……立たせて……」と典子がようよう言った。「様子、を……もし……誰かが……」と続けた。

言葉はそこまでで荒い息の中に途切れてしまったが、典子の言わんとすることはわかった。誰かもし、このゲームに乗る気のない、言わば無辜の誰かが、今にも殺されようとしていたら？　そして、可能性としては、それは今銃弾を交わしている二人の双方であるかも知れない。

今いる位置は、北野雪子、日下友美子が殺された北の山の山頂から、ほぼまっすぐ南に降りたところだった。しかし、耳に届いている銃声はマシンガンではない。即ち、恐らくは二人とも、雪子と友美子を殺した者とは別の人間だ。だがもし――〝そいつ〟が、雪子と友美子を殺したそいつがこの銃声を聞きつけたら、すぐにも現れる可能性が、あった。

また銃声が交錯した。そしてまた沈黙。

秋也はぐっと奥歯を嚙み締めた。さっと典子を背中から下ろした。身を隠していた木の幹に背を預けさせた。

川田が振り返った。「おいまさか……」

秋也はそれを無視して、典子に「俺が見てくる」と言った。ベルトからスミスアンドウエスンを抜き出してから、川田に「典子を頼む」と言った。

「あっおいこら——」

川田が言うのが聞こえたが、秋也はもう駆け出していた。

それでも四方に目を配りながら斜面を上り、高い針葉樹の間を抜けた。

針葉樹の向こうは深いやぶに覆われていた。秋也はそれをかき分けた。登り勾配になっている地面に取りつき、左右から降りかかる長い、ナイフのような感じの葉をくぐった。

また銃声が交錯した。秋也はようやくやぶの端までたどり着いて、そっと頭を出した。

一軒の家が立っていた。古びた木造の平屋建てで、大きな三角形の屋根を乗せた、典型的な農家のつくりだ。右手に向け、未舗装の進入路が伸びている。敷地の向こう側は囲い込むように山の斜面が切れ落ちており、その上はまた深い緑が覆っている。そのずっと上、ここからも、日下友美子と北野雪子が死んだ北の山の展望台はうかがえた。

秋也から見て農家の母屋は左側にあり、そしてその手前の壁にくっつくように、清水比呂乃（女子十番）が姿勢を低くしていた。そしてその比呂乃がうかがっているのは、庭を挟んで、進入路からすぐのところにある農機具小屋のようなところだ。その入口の脇に誰か、女の子らしい影がのぞいていた。その頭がちょっと上がり、それが、南佳織（女子二十番）なのだとわかった。そしてもちろん——二人とも、銃を手にしていた。二人の距離は、十五メートルもないだろうか。

どういう状況で撃ち合いになったのかはわからなかった。どっちかがどっちかを狙った可能性もあった。しかし、秋也は、そうではない、と見当をつけた。恐らくは、二人とも混乱のうちに偶然出くわし、そして、お互いがお互いを信用していないがために、撃ち合いが始まってしまった――。

その判断自体は秋也の女の子びいきに基づいていたかも知れないけれども、どちらにしても黙って見ているわけにはいかなかった。少なくとも、これをやめさせなければならない。

そうして状況を見て取っているうちにも、佳織が小屋の入口の陰から顔を出して、比呂乃に向けて一発撃った。何だか、子供が水鉄砲で遊んでいるような手つきだったが、それが水鉄砲ではない証拠に撃発音が響き、真鍮の小さな薬莢が空に舞った。比呂乃が二発続けて撃ち返した。こちらの方は随分堂にいった撃ち方で、薬莢は飛ばなかった。一発が佳織のいる小屋の柱に当たり、おがくずを吹き上げた。佳織が慌てて頭を引っ込めた。

秋也の位置から比呂乃のほぼ全身が見えており、比呂乃がリボルバーのシリンダーを開き、空薬莢を排出するのが見えた。それで、比呂乃の左手が真っ赤に染まっているのがわかった。腕のどこかを佳織に撃たれたのかも知れない。その手で、しかし、かなり素早い動作で新しい弾を詰め直した。また佳織の方へ身構えた。

それもこれもわずか数瞬のことだったが、秋也は行動を起こす前に、また、あのおなじみの、悪夢を見ているような感覚に襲われた。南佳織はアイドルが好きで、よく友達とごひいきの誰だかの話をしたり、生写真を手に入れたと言っては喜んでいたりする。一方の清水比呂乃は例の相馬光子の仲間でちょっとひねくれたところはあるが、――とにかく、二人とも中学三年生の、それなりにかわいらしい女の子なのだ。その二人が――撃ち合っている。真剣に、それも実弾でだ。当たり前だが。

――そんなことを考えている場合じゃない。

秋也は、脚に力を込めて立ち上がると、空に向けてスミスアンドウエスンを一発撃った。やれやれまるきり保安官だ、とちらっと思い、しかし、間髪入れずに叫んだ。「やめろ!」

比呂乃と佳織がぎくっと凝固し、それから、同じタイミングで秋也の方を振り向いた。

秋也はその二人の顔を見ながら続けた。「よせ! やめるんだ! 俺は中川典子と一緒にいるんだ!」川田の名前はとりあえず出さない方がよさそうだった。「俺を信用しろ!」

秋也は、言いながら、なんと陳腐なせりふだろうと思った。でも、ほかに言い方を思いつかなかった。すぐに秋也から視線を外し、動かしたのは、比呂乃の方だった。再び、相対する佳織へと。そして――佳織はぼんやり突っ立って、秋也の方を見ていた。

秋也はその一瞬に気づいた、佳織の体は半分方小屋の入口の陰から露出し――から空きだった。

次に起こったことは、秋也がいつか見た交通事故に似ていた。それは秋也がもうすぐ十一歳になろうとしていた秋のある夕刻のことで、運転手が眠っていたのか何なのか、コントロールを失ったトラックがガードレールを突き破り、歩道に乗り上げて、秋也と同様、学校からの帰り、秋也の少し前方を歩いていた小学校低学年の女の子を撥ね飛ばしたのだ。信じられないことに、ランドセルがすっぽり女の子の肩から抜けて、女の子とは別の軌跡を描いて空を飛んだ。ランドセルより先に女の子が歩道に再び――肩から着地し、路傍のコンクリート塀にはばまれてざざっとその歩道の隅を滑った、止まった、――血が流れ出した。コンクリート塀の下端一メートル以上に渡って、血の跡が残っていた。

秋也には、その一連の出来事が――ことにトラックが道路を外れ、女の子にぶつかるまでが、スローモーションのように見えた。これから何が起こるか、

そこに居合わせて見ているものすべてにわかってい
る、しかし、止める手立てがない。その感じ。
完全にノーガードになった佳織に向けて、比呂乃
が銃を構え、撃った。二発続けて。一発目が佳織の
右の肩口に当たり、佳織の体がくるっと右に半回転
した。二発目がその頭をとらえた。秋也は見た、佳
織の頭の一部——左こめかみの辺りから上がきれい
に爆発するのを。
佳織は小屋の入口にどっと崩れ落ちた。
それから比呂乃はちらっと秋也を見やり——
すぐに身を翻すと、左手の方——秋也たちがもと
きた西の方へ走り出した。茂みに飛び込み、秋也の
視界から消えた。
「——くそ！」
秋也はのどの奥からうめき、迷った後、体を茂み
から引き上げて、佳織の倒れた小屋の方へ走った。
古びたトラクターが一台きり収まった小屋から脚
だけ出すような感じで、佳織が横たわっていた。ね
じれた姿勢のまま横向きに転がったその佳織の口元
から血が流れ出し、頭と肩口の傷からの出血と一緒
になって、顔の下、小屋のコンクリートの床に水た
まりをつくり始めていた。水たまりに、小屋の床の
細かな埃が浮いていた。目は見開かれたままぼんや
りと空を見ていた。セーラーの胸元から金色の細い
鎖が床の方に垂れ下がり、その先で、金色のロケッ
トが、血の池の中の小さな島のように見えた。なん
とかいう人気男性アイドルが、にこやかに笑ってい
た。
秋也はぶるぶる震えていた。震えながら、佳織の
そばに、膝をついた。
——ああ——なんてこった——このこはもう——
アイドルの噂話ができないのだ、アイドルのコンサ
ートに行けないのだ、しかも——自分がもう少しう
まいやり方をしていたら、このこは死なずに済んだ
んじゃないのか？
音に気づいて自分がやってきた方を振り返ると、

茂みの中から川田と、川田が片腕で支えているらしい典子が顔を出していた。

川田は典子をそこに残し、小走りに秋也のところまで来た。

川田は、だから言ったろ、と言いたそうな表情に見えたが、何も言わなかった。ただ、冷静にも佳織の銃とデイパックを拾い上げ、それから、思いついたように腰を屈めて右手の小指側で佳織のまぶたを伏せさせると、「行くぞ。早くしろ」とだけ、告げた。

もちろん、危険なのはわかっていた。銃声を聞きつけた誰かが——殊にあのマシンガンの誰かが、今にも現れるかも、知れなかった。

しかし、秋也はそれでも、ついに川田がぐいと自分の腕を引っ張るまで、佳織の死体を見下ろしたまま、しばらし動くことができなかった。


【残り22人】

41

診療所は、平屋建ての小さな古い木造家屋だった。板壁は黒ずみ、屋根を葺いた黒い瓦も時間の経過を示して角の部分が白くなっている。南佳織が死んだ農家と同じように、未舗装の細い道路を引き込む形で、北の山を背にして建っていた。秋也たちは山の中を抜けてきたわけだが、その細い引き込み道路は、島の東岸を走る舗装路に向けて下っているはずだ。診療所の前には、医者が使っていたものなのか、白いライトバンが一台停まっていて、秋也たちのいる位置から、そのライトバンの向こうに海が見えた。

午後の光に海が輝いていた。海の色は城岩町の港、コンクリート護岸にうちつける濁った色とは全く違って、美しい、緑が少し混じったようなあざやかなブルーだった。波はほとんどなく、水面でおだやかに陽の光をちらちらと跳ね返す光の粒が、徐々に密

度を増しながら彼方まで続いている。その先、この島と同じく瀬戸内の海に浮かぶ島々の影は存外に近く見えたが、途中に目標物の何もない海上では距離は少なめに感じられるのだと言う、少なくとも四キロや五キロは離れているということになるのだろうか。

とにかく——着いたのだった。無傷でたどり着けたのは、僥倖だったに違いない。佳織が死んだ場所からはすぐに離れたが、マシンガンの銃声に追われることもなかった。地図上ほんの二キロ足らずの行程だったが、いつ誰に襲われてもおかしくないという緊張感の中でずっと典子を背負い続けてきた秋也は、ひどく疲労していた。早く診療所内に誰もいないことを確かめ、典子のことだけでなく、自分もひと休みしたかった。

だが、ちょっと気になるものが秋也の目をとらえた。

穏やかな海の上に、船が浮かんでいた。もちろん、坂持が言っていた見張りの船だろう。だが——どういうわけか、三隻が並んでいた。東西南北に一隻ずつ、と坂持は言っていたし、西側の海でも一隻しか見なかったのだが。何か起こったのだろうか？

秋也は典子を背負ったまま、草の陰から顔を出して、川田に訊いた。「船が三隻いる」

川田が「ああ」と答えた。

「一番小さいのが見張りの船だ。でかいのが、このゲームが終わった後に分校にいたあの兵士たちを積んで帰る船。間が、このゲームのウイナーを島から運び出すための船さ。優勝したやつがあれに乗る。同じだな。船の型まで同じだ、去年と」

「——去年の兵庫のプログラムもこんな島であったのかい？」

「そう」川田は小さく頷いた。「兵庫も瀬戸内沿いだからな。瀬戸内沿いの県でプログラムがあるときは、大体例外なく島でやるみたいだ。何せ、一千から島があるんだからな、この狭い海に」

川田はそれから、ちょっと待ってろ、と言うと、ショットガンを構えて診療所の方へ斜面を下った。姿勢を低くして、まずライトバンを調べた。車の下も覗き込んだ。次に建物にすっと近寄り、周囲を一回りした。戻ってくると、引き戸になっている玄関を調べた。鍵がかかっているらしく、川田はショットガンを持ち変えると、切り詰めた銃床の端でスリガラスをかしゃんと割った。頭を下げ、しばらく待った。それから、逆三角形に開いた割れ目から手を突っ込んで戸を開き、中へ入って行った。

秋也はそれを見守った後、首を傾けて背中の典子を見た。典子は、頭をぐったり下げて、秋也の背中に預けていた。

「典子。もう着いた」

秋也は言ったが、典子は短く「うん……」とうめいたきりだった。苦しそうな呼吸が、続いていた。

五分たっぷり経ってから川田が玄関から顔を出し、秋也に手招きした。秋也はバランスを失わないよう慎重に二メートルほどの段差を降り、診療所の敷地に入った。

診療所の戸口の脇には、〝沖木島診療所〟という、墨痕が風雨で薄れた分厚い木の看板がかかっていた。川田がショットガンを構えて四方を見渡している横をすり抜け、秋也は戸口をくぐった。すぐに川田が後へ続き、戸をぴったり閉めた。

中に入ったすぐのところが、四畳半ほどの形ばかりの待合室になっていた。クリーム色の擦り切れたじゅうたんの上、左端に寄せて、白いカバーをかけた緑色の長椅子が一つある。壁にかかった柱時計がチクタクと時を刻んでいて、三時前を指していた。右側が、診察室になっているようだった。

川田が手近にあったらしいほうきで戸につっかい棒をし、秋也を促した。「さあ。こっちだ」

本来は靴を脱ぐべきなのだろうが、秋也はスニーカーを履いたまま上へ上がり、右側の部屋に入った。窓際手前側に木の机があり、医者用らしい黒い皮張

りの丸椅子が一つ、そして手前に、グリーンのビニール張りの丸椅子が一つあった。小さな診療所でもそれはそれなり、消毒薬の匂いがした。

　金属パイプに緑色の薄い布を張った間仕切りの奥に、ベッドが二つあった。秋也は典子を運び込むと、手前のベッドに背を向ける形で典子を下ろし、慎重に寝かせた。着せていた自分の学生服の上着を脱がせようかと思ったが、そのままにした。

　川田が窓のカーテンをさっと閉めた後、「毛布だ」と言って、小さく畳まれた薄いブラウンの毛布を二つ差し出した。秋也はそれを受け取り、少し考えて奥のベッドにまず一枚毛布を敷いた。それから、典子を抱き上げてそっちに移し、もう一枚を上からかけた。きちっと肩口を覆った。川田は、それが薬棚なのだろうか、単なる事務用のそれと変わるところのない、グレーのキャビネットを引っかきまわしていた。

　秋也は典子に顔を寄せ、典子の頬に汗でくっついた髪を耳の方へかき上げてやった。典子は意識がおぼつかないらしく、目を閉じて、ただ、苦しそうな呼吸を続けていた。

「ちくしょう」秋也の口から言葉が洩れた。「典子。大丈夫か？」

　典子が目をかすかに開いて秋也の方をぼんやり見つめ、「ん……」と言った。ひどい熱で意識が朦朧としているのかも知れないが、それでもまだ思考の脈絡はきちんとしているようだった。

「水、飲むかい？」

　典子がわずかにあごを動かした。それで、秋也は川田が床に放り出したデイパックから新しい水のボトルを取り、封を切った。典子の上半身を支えて、飲ませてやった。唇の端から水がこぼれ、秋也は指の背で拭ってやった。

「もういい？」

　秋也が訊くと、典子が頷いた。秋也は再び典子を寝かせ、それから、川田の方を振りあおいだ。

「薬はあるのかい？」

「ちょっと待て」

川田は言うと、低い位置にある別の棚を引っかき回して、その中から紙箱を一つつかみ出した。蓋を開け、説明書を読んでいたが、納得したのか、中から小さな瓶やアンプルみたいなものを引っ張り出した。瓶には白っぽい粉みたいなものが入っているように見えた。

「粉薬なのか？」

秋也が訊くと、川田は「いや。注射薬だ」と答えた。秋也はそれでちょっと、どきっとした。

「できるのか？　そんなことが？」

川田は、部屋の隅にある流しの蛇口をひねっていた。やはり水は出ないようで、ちっと舌打ちすると、デイパックから水ボトルを出して、ていねいに自分の手を洗った。それから、小さな注射器に針をセットし、アンプルみたいなものの中身を吸い上げながら言った。「心配するな。やったことはある」

「――そうなのか？」

秋也は、川田に対してのべつこのセリフばかり吐いているような気がしてきた。

川田は先程取り上げた小瓶の封を切って注射針を栓に突き刺し、アンプルから吸い上げた液体を瓶の中へ流し込んだ。針を抜き取ると、瓶を片手で持って小刻みに何度か振った。再び注射針を突き刺し、混合された薬液を吸い上げた。

川田はさらにもう一つ注射器を用意すると、ようやく近づいてきた。

「大丈夫なのか？」秋也はもう一度訊いた。「副作用とか、ショックとか――」

「それを今から調べるんだよ。いいから手伝え。典子サンの腕を出せ」

それで、秋也はまだよくわからなかったが、とにかく毛布の片端を持ち上げ、典子が着ている自分の学生服とセーラーの袖をまくり上げた。典子の腕はとても細く、ふだんは健康的なきつね色に見える肌

が、痛々しいほど白かった。

「典子サンよ」川田が典子に訊いた。「これまで薬でアレルギーになったことないか?」

それでまた典子がぼんやり目を開いた。

川田が繰り返した。「薬のアレルギーはないか?」

典子は小さく首を振った。

「オーケイ。先にちょっとテストするからな」

川田は典子のてのひらが上を向くように腕を固定し、何か消毒液を含ませた脱脂綿みたいなもので手首と肘の間、広い部分を拭った後、慎重にそこへ注射針を突き刺した。ほんの微量の薬液が押し込まれ、皮膚のその部分が小さくぷくっとふくれた。川田はさらにもう一本の注射器を取り上げ、すぐ隣へ同じようなふくらみをもう一つ、つくった。

「これ、なんなんだ?」秋也は訊いた。

川田はさっさと注射器を片づけながら答えた。

「本物の薬は片方だけだ。十五分待って状態が同じなら、まあ極端な副作用が出る心配はない。薬が使えなくもないってことだ。しかし――」

「しかし?」

川田は紙箱の中から、早くももう一つの、今度は少し大きな瓶を取り出しかけていた。それを傍らの小机に置き、さっきと同じように注射の準備をしながら、秋也の方を見た。

「敗血症の診断ってのは難しくてな。はっきり言って俺も、これが敗血症なのか、それともただの風邪なのか、ちょっと判別がつかん。で――抗生物質ってのは劇薬だからな。もちろんだからテストするんだが、いずれにしても、俺の程度の知識と経験でクスリを使おうなんてのはほめられたこっちゃない。それでも――」

秋也は典子の手を握ったまま、ただ川田の言葉を待った。

川田が一つ息をつき、続けた。「もし敗血症だったら、可能な限り早く処置しなきゃならない。手遅れになる」

すぐに十五分が経った。川田はその間に典子の脈拍をまたチェックし、熱も計った。体温計は、三十九度を指していた。ふらふらになるはずだ。

典子の腕、並んだ二つの注射の痕には、秋也が見る限り違いは認められなかった。川田も問題なしと判断したらしく、先程より少し大きめの注射器を手にとった。

「典子サン。起きてるか」

川田が典子の方へ少し屈み込むような感じで訊いた。典子は目を閉じたまま、「うん……」と返事をした。

「正直に言う。俺には、こいつが敗血症かどうか判断がつかん。だが、可能性は高い」

典子はかすかに頷いた。そして、さきほどの川田と秋也のやりとりをきちんと聞いていたのだろう、

「かまわない……打って……」と言った。

川田は頷き、典子の腕に、今度はやや深く注射針を突き刺した。薬液を押し込み、すぐに抜いた。脱脂綿をあてがうと、秋也に「押さえてろ」と言った。

川田は空の注射器を持って流しの方へ歩くと、その中へ放り込んだ。秋也の方へ戻ってきた。

「あとはとにかく寝てることだ。しばらく見ててやってくれ。水がほしいようだったら、ボトルの水は全部使っても構わない」

秋也は「それは——」と言いかけたが、川田は首を振った。

「いいんだ。裏に井戸があった。沸かしたら飲めるだろ」

川田は言うと、部屋を出ていった。秋也はベッドの方に向き直ると、右手は脱脂綿を押さえたまま、左手で典子の手をそっと握って、その顔を見守った。


【残り22人】

42

典子はすぐに寝息をたて始めた。秋也はしばらく

そのまま見守っていた後、注射の後に出血がないのを確かめて脱脂綿を捨て、典子の腕を毛布の下へ戻すと、部屋を出た。

　隣の待合室の奥が、ここにいた医者の住居になっているようだった。秋也はそっちへ進んだ。

　廊下の突き当たり右側に台所があった。川田はそこにいた。流しの横のガスコンロは当然ながら使えないようだったが、水を張った大鍋が乗っており、その下に例の炭の赤い色が見えた。

　川田はテーブルの上に乗り、流しの反対側、天井の下にあるつくりつけの棚の中を調べていた。それで、秋也は初めて、川田のグレーのスニーカーのメーカーが〝ニューバランス〟であることに気づいた。これまでいい加減に見ていて、〝ミズモ〟か〝カゲボシ〟か、その辺の国産品だと思っていたのだ。ニューバランス！　初めて見た！

　とにかく、訊いた。

「何してるんだ？」

「食い物を探してる。米と味噌はあったが、ほかはほとんど何もないな。冷蔵庫で野菜が腐ってる」

　秋也は首を振った。

「ドロボーみたいだな」

「ドロボーだよ。違うと思ったのか？」

　川田はあっさり言い、それから、なおも手を動かしながら付け加えた。「それより、心構えはしとけよ。いつ誰がここへ来るかわからないからな。例のマシンガンを持ったやつに攻撃されてみろ。ここじゃ逃げようがない。覚悟はしとけ」

　秋也は「ああ」と答えた。

　川田はもうしばらく棚を引っかき回した後、テーブルから降りてきた。ニューバランスのシューズが、床にきゅっと鳴った。

「典子サンは眠ったか？」と訊いた。

　秋也は頷いた。

　川田は流しの下からもう一つ鍋を引っ張り出すと、部屋の隅にあるプラスチック製の米びつまで歩き、

その中へ米を落とした。

「メシを炊くのか?」

「そうだよ。あんなパンじゃ、典子サンだって元気出ないだろ?」

川田は答えると、井戸から汲んできたらしい、床に置いてあったバケツの水を茶碗ですくい上げて、米の鍋の中へ入れた。ざっと米をかき回し、一度だけ水を替えた。湯が沸いている隣、もう一つのコンロの上にデイパックから出した炭を幾つか置くと、ポケットから煙草の箱を出して中身をポケットへ移し、空き箱をねじってライターで点火した。それを炭の中へ突っ込んだ。しばらくして炭の間に火が広がると、蓋をした米の鍋をその上へ置いた。実に手際がよかった。

秋也は言った。「ちくしょう」

川田は手を休めて煙草に火を点けながら、秋也を見た。

「なんでも手際がいいな、おまえは」

「——そうか?」

川田は軽い口調で答えたが、秋也の頭の中には、別のことがよぎっていた。ついさっきの、南佳織が死んだ場面が。——何が起こるかわかっているのに止められない。スローモーション。佳織がくるっと回り、そして頭の左側が吹っ飛ぶ。吹っ飛んだんだぞ、見たか? ——自分の代わりに川田が止めに入っていたのなら、あんなひどい結末にはならなかっただろう。

「南のことを気にしてるのか?」と川田が言った。またまた、川田の読心術は冴えているようだった。屋内では太陽光が届かないが、関係ないのか?

秋也は顔を上げ、川田を見た。

川田が首を振り、「気にするな」と言った。「状況が悪かったんだ。おまえは最善を尽くした」

川田の声音は優しかったが、秋也は再び視線を落とした。汚い農機具小屋に横ざまに倒れた南佳織の死体。とろとろとその範囲を広げていた血だまり。

もう今ごろは、その血も徐々に固まりかけているかも知れない。だが、そのままだ。何のとむらいを受けることも無く、まるで打ち捨てられたマネキンのように、佳織は今もあの小屋に転がっている。もっともその点は、あの大木立道も元渕恭一も北野雪子も日下友美子も、そう誰も彼もみんな、一緒だったけれど。

吐き気がした。みんな転がっている、そう、既に二十人近い人数が。

「川田」

言葉が口をついて転げ出た。川田が首を傾け、手にした煙草を少し動かして、それに応じたようだった。

「死んだやつは——死体はどうなる？ このクソゲームが終わるまであのままなのか？ 長引いて腐れようが何だろうがそのままなのか？」

川田は事務的な口調で答えた。

「そうだ。終わったら翌日ぐらいに指定の清掃業者が片づけに来る」

「——清掃業者？」秋也は歯を剝いた。

「そう。これはその業者に聞いた話だ、間違いないだろ。おプライドの高い防衛軍兵士はそんなつまらない仕事はしないんだよ。もっとも、政府の人間が立ち会って首輪の回収と簡単な検死はするそうだがな。ほら、ニュースで言ってるだろ、窒息死が何人とか、そういうやつだ」

秋也は胸くそが悪くなった。あのお決まりのニュースの最後の部分を思い出した。何の意味もない、その死因と人数の羅列。

——だが、同時に別のことにも気づいて、いささか眉をひそめた。

川田がそれを認めたようだった。「どうした？」

「いや——だって、そいつはおかしいんじゃないのか？ これは——」秋也は自分の首筋に手を上げた。既にすっかりなじんでしまったその感触、冷たい表面が指先に触れた。「この首輪は機密なんじゃない

のか？　業者が来る前に回収しないでいいのか？」

川田は軽く肩をすくめた。「清掃業者にその意味なんかわかりゃしない。ただのシルシか何かだと思うだけだろう。実際、俺が話を聞いた業者だって、俺が訊ねるまでそのことは思い出しもしなかった。別に急ぐ必要はない、業者に死体を集めさせてからで十分だろ？」

それは、そうかも知れない。しかし――そうだとしたらもう一つ、気になることがある。

「待ってくれよ。もしこいつが故障したらどうなるんだ？　万一故障して、生きてるやつが死んでるってことになったら、まんまと逃げられちまうんじゃないのか？　ゲームが終わったらすぐに死体ぐらいは確認すべきじゃないのか？」

川田が眉を持ち上げた。「政府側みたいなものの言いようだな」

「いや……」秋也は少し口ごもった。「けど――」

「多分な」すぐに川田が言った。「故障なんかしないんだよ。考えてみろ、でなきゃこのゲームの進行自体に問題が出る。それに、武器を与えた生徒が生きてたら、死体の確認どころじゃないだろ。少なくとも、ちょっとした戦闘にはなる」

川田はちょっと考えるように煙を吸い込んだ。吐いた。「こいつは推測だが」と続けた。

「多分、一ユニットの中に同じシステムを複数積んでるんだろう。そしたら、一つが駄目になっても切り替えが利く。仮に単体でいくらか――それにしたって一パーセントよりは遙かに低いだろうが――故障があるとしても、組み合わせたらその可能性は無視してもいいぐらい小さくなる。つまり」秋也を見た。「俺たちがそんなことで逃げられる可能性は限りなくゼロに近い」

秋也はなるほど、と思って小さく頷いた。それは恐らく、川田の言う通りなのだろう（それにしても川田の思考能力には舌を巻くばかりだ）。

しかし――。

それで、秋也の頭の中、訊かない約束のあの問いがまた戻ってきた。即ち、

――そのような完璧な逃亡防止システムを相手に、川田はどんな対抗策を用意しているというのだろうか？

秋也がそれについて考えをめぐらせる前に、川田が言った。

「そんなことより、俺の方こそ済まなかったな」

「――何が？」

「典子サンのことだ。俺の判断が甘かった。もっと早くに処置すべきだった」

「いや……」秋也は首を振った。「いいんだ、ありがとう。俺じゃ何もできなかったんだから」

川田が新しい煙草に火を点けた。ふう、と煙を吐き出し、壁の一点を見つめた。

「今のところはあれで様子を見るしかない。ただの風邪なら、体を休めてりゃそのうち熱は下がる。もし敗血症だったとしても、あの薬はきちんと効くはずだ」

秋也は頷いた。川田の存在が、ほんとうにありがたかった。川田がいなかったら、自分は典子がどんどん衰弱していくのを、ただ指を咥えて見ているしかなかっただろう。同時に、ここへ向けて出発する際、〝契約は解除だ〟などと川田をなじった自分のことが、いささか恥ずかしく、また子供っぽかったようにも感じられた。恐らく川田は、昼間移動することの危険性と典子の症状を慎重に秤にかけて、ぎりぎりの決断をしようとしていたのに違いないのだ。

秋也はやはり、謝ることにした。

「あの、ごめんよ。――一人で行動してくれとか、俺、興奮しちまって――」

川田は秋也に横顔を見せたまま、笑んで首を振った。

「いや。おまえの判断は正しかった。だからもう、そのことは言うな」

それで秋也も、息を一つついて、その話は切り上

げることにした。

それから、思いついて訊いた。

「親父さんは、今も医者をやってるのかい？」

川田は煙を吸い込みながら「いや」と首を振った。

「どうしてるんだ？　神戸にいるのか？」

「いや。死んだんだ」

川田は何げなく言ったが、秋也は目を丸くした。

「いつ？」

「俺が去年このゲームに参加したときだ。俺が帰ったらもう死んでた。政府と揉めたんだろ」

秋也はやや顔をこわばらせた。川田が〝この国をぶっ壊してやる〟と言ったとき、目の中を横切った光の意味が少しわかったような気がした。川田の父親は、恐らく川田がプログラムに参加することになったことで、政府になにがしかの抗議を試みたのに違いない。そして、もちろん、鉛弾で回答を受け取った。

秋也はそれで、考えた。B組のクラスメイトの親たちで、同じように死んだ者がいるかも知れなかった。

「ごめんよ。悪いことを訊いた」

「いや。構わないさ」

秋也はややあってもう一つ訊いた。

「じゃあ、香川へはお母さんと一緒に？」

川田はまた「いや」と首を振った。

「おふくろは早くに死んでたんだ。俺が七つのとき、こっちは病気だ。親父がよく嘆いてた、自分の嫁さん一人助けてやれなかったってな。もっとも親父はどっちかというと堕胎と外科の仕事が主だったからな。脳神経系の病気なんて親父の専門外だった」

秋也はまた「悪い」と言った。

川田はちょっと、声に出して笑った。

「いいって。親がいないのはおまえも一緒だろ。それに、政府の生活保障ってのは嘘じゃないんだ、金には困ってない。もっとも、ふれ込みほど多額じゃないけどな」

先に炭の上に乗せていた大鍋の水の底、かすかに気泡が生じ始めていた。米の鍋の下の炭はまだ黒い部分が多いが、大鍋の方は炭がほとんど真っ赤になっている。熱気が、秋也と川田が並んで突っ立っているテーブルの前まで届いてきた。秋也は、花柄模様のビニールクロスが張られたテーブルに、しりを預け直した。

前触れなく、「国信とは仲がよかったんだな」と川田が言った。

秋也は顔を川田の方へ向けて、その横顔をちょっと見つめた。顔を前へ戻した。慶時のことを、随分久しぶりに思い出したような気がした。そしてそれは、秋也を少し、申し訳ない気分にさせた。

「ああ」と答えた。「ずっと一緒だったからな」

ちょっと迷った挙げ句、秋也は続けた。

「慶時は、典子のことが好きだったんだ」

川田は煙草をふかし続け、黙って聞いていた。

秋也はその次に頭に浮かんだことも、喋ろうかどうか迷った。川田には何の関係もない話だ。しかし、結局口に出すことにした。川田はもう、自分の仲間だった、聞いてもらってもいい。それにどうせ、たちまちはすることもなかった。

「俺と慶時は、慈恵館ってところに――」

「知ってるよ」

秋也は小さく頷き、続けた。

「いろんな――やつがいるんだ、あのテの施設には。俺は、五歳のときに親が二人とも事故で死んで、あそこに入った。けど、そういうのはむしろ少数だ。多いのは――」

川田が受けた。「家庭の事情。特に私生児の場合」

秋也は頷いた。「詳しいな」

「まあな」

「とにかく、――」息を吸い込んだ。「慶時は私生児だったよ。まあ、そういうことは施設の人も言いやしない。でも、どっかからわかるもんなんだ。そう今じゃ――流行りっていうのかな、不倫っていう

のか？　それで、両方とも、慶時を引き取ろうとはしなかった。それで――」

　鍋の湯がぽこっと音を立てた。

「慶時が、ある時俺に言ったことがある。もうずっと前だけど。小学校のころかな」

　秋也は、そのときのことを思い出した。小学校の校庭の隅、丸太とワイアロープで組んだごつい遊具に二人でまたがって、前後に揺らして遊んでいた。

「なあ秋也。俺さ――」

「なんだよ」

　自分はいつもの軽い調子で答え、地面を蹴って丸太を揺らした。慶時は、あまり力を入れず、丸太の両脇に垂らした足をぶらぶらさせているだけだった。

「いや――あの――」

「何だよ。早く言えよ」

「いや――おまえ、好きなやつ、いるか？」

「なあんだよ」秋也はにやっと笑った。女の子の話だというのは、わかった。「そういう話か？　どしたんだ、誰か好きなオンナ、できたのかよ」

「いや」慶時は言葉をにごし、「とにかく、おまえは、いるか」と重ねて訊いた。

　秋也はちょっと考えてから、「うーん」と唸った。既にリトルリーグの〝ワイルドセブン〟だった秋也は、ラブレターも何度か、もらったことがあった。だが、その当時はまだ、誰かを好きだ、というような感覚を本当にはわかっていなかったと思う。それは、のちに新谷和美に会うまで、言わばとっておかれることになった。

　とにかく答えた。

「いいな、と思う子ならいるけど――」

　慶時が何も言わないので促しているのだと思い、相変わらず軽い調子で続けた。

「河本は結構いいよ。あいつ、俺にラブレターさ、くれたし。返事――っていうか、返事、きちんとしてないけど。それと、二組のさ、バレー部の内海は、結構いいぜ。俺、ああいうオンナ、わりと好きなん

だ。何か、しゃきしゃきしてて」

慶時は、ちょっと考え込んだ様子だった。

「何だよ。言わせるだけ言わせといてさ。言えよ。おまえは誰がいいんだよ」

しかし、慶時は、「いや、そうじゃないんだ」と言った。

秋也は眉を寄せた。

「何だよ。一体何なんだよ」

慶時はなお幾分逡巡した様子だったが――言った。

「あのさ、俺さ、何か、よくわからないんだ」

「?」

「つまりその――」慶時はやはり力なく足をぶらぶらさせながら、続けた。「俺はさ、好きだったら、ケッコンするんだと思うんだ。違うかな?」

「あ、うん」秋也は間抜けな表情で答えた。「うん。俺も――ほんとに好きなやつだったら、ケッコンしたい。――まだ、いないけど、そういうやつ」

「そうだろ?」

慶時は当然だよな? というような調子で言い、さらに、訊いた。

「でさ。たとえなんかあってケッコンできなくてもさ、好きな人との間に子供ができたら、育てるだろ?」

秋也はいささかこそばゆいような感じがした。どうしたら子供ができるのか、ようやくおぼろげながら知ったころでもあった。

「コドモってさ、おまえ、そういうエッチなこと言うなよ。そういうのさ、俺、何か、――」

秋也はそこまで言いかけてようやく、慶時の親が不倫関係を持って、慶時が生まれたのだということ、そして、その双方ともが慶時を育てようとはしなかったのだということを思い出した。ぎょっとなって、後の言葉を呑み込んだ。

慶時はただじっと、自分の両腿の間の丸太に目を落としていた。

そしてぽつりと言った。「俺の親、そうじゃなか

ったんだ」と。

秋也は、急に慶時がかわいそうになった。

「あ、あのさ慶時――」

「だから」慶時がまた秋也の方へ顔を上げ、幾分強い調子で言った。「だから、俺には、あの、わからないんだ。女の子を好きとか、いうこと。俺、何か、そういうの、信用できないような気がするんだ」

秋也は、相変わらず脚は動かしながら、しかし、じっと、その慶時の顔を見つめる以外になかった。何か、別世界の言葉で話しかけられたかのように。にもかかわらず、それが恐ろしい予言に聞こえたかのように。

「多分――」

秋也はビニールクロスに覆われた机の角を、尻の横に置いた両手で軽く握り締めた。川田が煙草を咥えたまま煙を吐き出し、幾分その煙に目を細めたようだった。

「多分、慶時は、そのとき、俺なんかよりずっと大人だったんだと思う。俺は――ろくでもない子供だった。それで――慶時は、それから後になっても――中学に上がっても、俺が、そう――」新谷和美。「あるひとがすごく好きになったと言っても、そんなような話は、一切しなかった。俺は何だか気がかりで――」

また、こぽっという湯の音。

「でも」秋也は川田の方に顔を向けた。「ある日言ったんだ、俺に、中川典子が好きだと。俺はそのとき、軽く流したけど――でも、俺はそのとき、すごくうれしかった。ほんの――ほんの――」

秋也は川田から目を逸らした。自分が泣きそうになっているのがわかったからだ。

それを何とか涙腺の奥までやっつけてから、やはり川田の目は見ないまま、言った。

「ほんの、ふた月前の、話だ」

川田は、ただ黙っていた。

秋也はもう一度、川田の方に顔を向けた。

「だから、俺は――典子だけは、絶対最後まで守る」

川田は、しばらくその秋也の目を見返していた後、「そうか」とだけ言い、煙草をテーブルクロスに直接押しつけて消した。

「典子にそれは言わないでくれ。このゲームを脱け出した後で、俺が言うから」

川田は頷き、「わかった」と短く言った。


【残り22人】

43

マッキントッシュ・パワーブック150がビープ音とともに敢え無くネットワークとの接続を断ち切られてから、もう五時間近くが経過していた。三村信史は、今はもう通信端末ならず、ただの計算機になってしまった150の画面、ウインドウの中の文書をたらたらスクロールしながら、ため息をついた。


あの後何度も電話をいじり直し、接続を確認し、再度の立ち上げを試みたが、150のモノクロ画面は、同じメッセージを表示するだけだった。最終的にはモデムと電話の接続コードを一旦すべて外すに至り、結論したのは、結局、携帯電話そのものが完全に死んでしまったということだ。電話回線に入れない以上、もう、信史の自宅のパソコンに接続することすら不可能だった。当座付き合っている女の子全員に電話をかけ、「俺もうすぐ死にそうなんだけど、おまえのことが一番好きだった」と涙ながらに言ってみることも、もちろん不可能だった。それでも何かが間違っているのではないかと、なおその電話の分解まで考え――しかし、信史はぱたっと作業をやめた。

――ぞっとして。

回線に入れなくなった理由は、もはやはっきりしていた。即ち、政府は、信史が苦労してつくった特製電話、というより苦労して偽造した〝第二のロ

ム〃、ＤＴＴの技術職員が使う回線検査用電話のその番号を突き止め、その接続をもほかの一般電話同様、ストップしてしまったのだ。問題は――なぜ政府がそういう対応を取ったのかということだった。ハッキングを気づかれるようなへまをやったはずはないのだ。それだけは自信がある。

となると、考えられる理由はたった一つしかない。政府は、コンピュータ回線内部の防御システム、警戒システム、あるいは手動操作による監視とは別の方法で、信史がハッキングを試みていることを知ったのだ。そして知った以上――

信史は〃それ〃に気づいたとき同様、また、自分の首に巻かれた首輪に手をやった。

政府が知った以上、自分は、即座にこの中の火薬を遠隔操作で爆破され、殺されていてもおかしくなかったということだった。多分、豊も一緒に。

おかげで、昼過ぎにとった政府支給のパンと水は、ひときわまずく感じられることになった。

豊は、信史がパソコンを止めてしまったのを見て説明を求めたけれど、信史は結局ただ、「だめだ。理由はわからないが、だめになった。電話が壊れたのかも知れない」とだけ答えておいた。

豊も、それ以来すっかりしょげかえった様子で、朝と同じ位置に腰を下ろしている。時々響く銃声にぽつぽつと言葉を交わすほかは、ずっと沈黙が続いていた。豊に〃すごい〃と言わせた三村信史の華麗なる脱出作戦はぱあになってしまったのだ。

だが――

俺をすぐに殺さなかったことを後悔させてやる。絶対にだ。

少し考えてから、信史はズボンのポケットに手を突っ込み、小学校のころから手放したことのない小さな古いポケットナイフを取り出した。そのナイフのキイリングに、金属製の小さな円筒が一つ、くっつけてあった。信史は、あちこち傷だらけになったそれを目の前にかざした。

ナイフは、これまた叔父がもうずっと前にくれたものだ。だが、円筒の方は、そう、左耳のピアスと同じ、叔父が死んだとき、信史がもらったもう一つの遺品だった。叔父が、今自分がそうしているのと同じように小さなナイフにくっつけて、いつも肌身離さず持っていた。

親指ぐらいの大きさのそれは、キャップの中にゴムリングを仕込んだ防水ケースで、通常兵士が持つその種のケースには、負傷時に備えて姓名や血液型、病歴などを書いた紙が入っていたりする。あるいは、それにマッチを入れたりする者もある。叔父が死ぬまで、信史は、中身はそういうものだろうとずっと思っていた。しかし、叔父の死後信史がキャップを開いてそこに見たものは、もっと別なものだった。いや、それ以前にケース自体が全く特殊な合金製の削り出しで、内側にさらに二つ、同じような小さなケースを納めていた。無論、信史はその二つの中身をさらに取り出した。——一見、何だかわからなかった。すぐに見当がついたのは、その二つは組み合わせて使うものらしいということだ。一方のネジ山がもう一方にぴったり噛み合った。バラして厳重に別のケースに納めてあったのは、一緒にしておくと何かまずいことがあるから——。そして、いろいろ調べてその正体を突き止めた後も（当然バラしておくべきだった、そうでなければ危険で持ち歩けたもんじゃない）、叔父がどういう意図でそれを持ち続けていたのかは、わからなかった。なぜならそれはそれだけでは特に何の役に立つものでもなかったし、あるいは、今の信史がこれを持っているのと同様に、そして叔父が、今、信史が着けているピアスを手放さなかったのと同様に、単に誰かの想い出のために持っていただけなのかも知れなかった。ただいずれにしてもそれは、信史に叔父の過去を推測させる一つの手がかりにはなったのだが。

信史はいささかきしむキャップをねじり、それを開けた。開けるのは、叔父が死んだそのあと以来だ

った。入れ子になっている二つのケースをてのひらに落とし、さらにそのうちの小さい方の封を切った。ショック防止のために、中にはたっぷり綿が詰まっていた。そして、その綿の中から、真鍮のにぶい黄色がのぞいていた。

信史はしばらくそれを見つめていた後、キャップを戻した。もう一つの小ケースと一緒に、元どおり大ケースに収めた。本当は――もしこれを使うときがくるとしても、この島を脱出した後になるだろうと思っていたのだ。あるいは分校のコンピュータを狂わせた後、必要なものを揃えて坂持らを急襲するときに使うことも考えないではなかったが、――しかし、いずれにしても今はもう、これに頼るしかない。

信史はキャップをぎゅっと締め込むと、今度はナイフの柄から折り畳みの刃を起こした。陽はだいぶ西に傾きかけていて、その銀色の鋼に映る茂みの中は、ことさら黄色っぽく見えた。それから、学生服のポケットから鉛筆を引っ張り出した。ゲームが始まる前にみんなでそろって〝わたしたちは殺し合いをする〟と書いたあの鉛筆だった。地図に禁止エリアの書き込みをしたり、クラス名簿で死亡者名をチェックしたりするのに使ったため、その先はだいぶ丸くなってきていた。信史はナイフでその鉛筆を少し削った。そして、学生服の別のポケットに納めておいた地図を取り出した。裏返した。当然、白紙だった。

「豊」

信史が呼ぶと、膝を抱えて視線をぼんやり地面に落としていた豊が顔を上げた。目が輝いていた。

「何か思いついたの?」と訊いた。

その時、その豊の何が気に障ったのかよくわからない。口調だったのか、言葉自体だったのか、とにかく、信史の心のどこかで、一瞬、何だよそりゃ、という声がした。俺が脱出方法について頭をひねっている間じゅう、おまえはぼんやりそこに座っててり

やいいってわけなのか？　金井泉の復讐を果たすなんて威勢のいいことを言った割には、何も考えてないじゃないか。おまえはファストフードを買いに来た客で、俺は店員なのか？　ちくしょう、だったらご一緒にポテトも食ったらどうだ？

――しかし、信史はその声を押さえつけた。

豊の丸顔から頬の肉がかなりそげていて、頬骨のラインがくっきり見えた。無理もない、いつ終わるとも知れない殺し合いの緊張の中で、だいぶ疲れているはずだった。

信史自身は、小さいころから体育の授業で誰かに劣ったことがない（中学二年になってから例外が二人現れた。かの〝ワイルドセブン〟七原秋也と、それにもちろん、桐山和雄だ。バスケならともかく、ほかの種目なら勝てるかどうか自信がない）。あの叔父が小さいころよく山登りにも連れていってくれたし、およそ体力勝負である限りは、こっちのものだという自信がある。しかし、誰もかれもが〝ザ・サード・マン〟三村信史のような基礎体力を持っているわけではないのだ。しかも、豊はどっちかというと体育は苦手だったし、風邪のシーズンには学校をよく休んでいた。信史とでは、疲れの度合いが違うのだ。頭がうまく働かないのかも知れなかった。

それから、信史は、あることにはたと気づいてぎょっとした。今、豊にちょっとでも腹を立てたということ自体、自分もまた疲れていることの証拠なのだ。もちろん、助かる見込みがほとんど無いこんな状況じゃ、神経が参らない方がおかしいかも知れないけれど。

だめだ。

気を付けなきゃならない。そうでないと、――これがバスケのゲームなら負けて悔しがるだけで済むところだが――このゲームでは当然の帰結として、死ぬことになる。

信史はちょっと頭を振った。

「どうしたの？」

豊が訊き、信史は顔を上げて、笑んでみせた。

「何でもない。それより、ちょっと地図を検討したいんだ、いいか」

豊が信史の方に体を寄せた。

「あ」信史は声を上げた。「虫が這ってるぞ、おまえ。首のとこ！」

豊がそれで、びくっと首に手を持ち上げた。

信史は「俺が見てやる」とそれを制し、豊に近づいた。豊の首筋に——実は別のものに、目をこらした。

「あ、逃げた」

信史は言い、豊の後ろに回り込んだ。さらに目をこらした。

「シンジ。とれた？　シンジ？」

豊がかん高い、怯えた声で言うのを聞きながら、信史はさらに子細に観察した。

それから、豊の首筋をさっと手で払った。架空の虫をさっとスニーカーの底で踏みつけ、それから、それをつまみ上げて（そのフリをして）、茂みの奥へ放った（フリをした）。

「とれたよ」と言った。豊の前に戻りながら、「ムカデの小さいみたいなやつだった」と付け加えた。

豊が「やだな、もう」と首筋をこすり、信史がそれを放り捨てた（フリをした）方へ目をやって、顔をしかめた。

信史はちょっと笑み、「さあ、地図だ」と声をかけた。

豊がそれで地図を覗き込み——その地図が裏返しになっているのを見て、眉を寄せた。

信史は立てた人差し指をちょっと振ってそれを制すると、鉛筆を握って、地図の裏面に走らせた。利き腕の左手で書いてもあまりうまいとはいえない信史のかなくぎ文字が、紙の端にいくつか並んだ。

〝盗聴されていると思う〟

豊が顔をひきつらせ、「ほんと？　なんでわかるの？」と訊いた。信史は慌ててその豊の口に手を伸

ばした。豊が了解して、丸く見開いたままの目で頷いた。

　信史はその手を離してから、「わかるよ。俺は虫にも詳しい。あれは毒はないよ」と言った。それから、念のため、また鉛筆を走らせた。

〝俺たちは地図を見てる。疑われるようなことを口にするな〟

「いいか、それで、ハッキングが失敗した以上、俺たちにはもう手がない」

　カモフラージュのために信史は言い、続けて書いた。

〝だから、政府は俺がおまえに説明するのを聞いて、俺のマックを回線から切り離したんだ。俺が甘かった。政府は、俺たちのように反抗しようってやつを想定してるはずだ。だったら、てっとりばやい予防策は盗聴だ。当然だ〟

　豊が自分も鉛筆をポケットから出し、信史がかなくぎ文字を並べた、そのすぐ下に書いた。豊の字は信史よりはずっとうまかった。

〝こんな広い島に盗聴機を?〟

〝聴〟の字は信史が書いたのをまねて書いたようだった。〝機〟は字が違ったが、まあいいだろう。国語の時間じゃないんだから。

「だから、とにかく誰かを探そうと思う。俺たち二人じゃ何もできない。それで——」

　信史は言いながら、自分の首に付けられた首輪を指先で軽く叩いた。豊が目を丸くして頷いた。

　信史はまた鉛筆を走らせた。

〝今、おまえの首輪を調べた。カメラまで内蔵してる様子はない。盗聴器だけだ。それと、そのへんにカメラが据えつけてある様子もない。気になるのは人工衛星だが、まあ、ここなら木に覆われて俺たちが何をしてるかは見えないはずだ〟

　豊がまた目を丸くし、頭上をちょっと見上げた。二人を完全に空のブルーから遮断して、梢が揺れていた。

豊はそれから、はたと気づいたように顔をこわばらせた。鉛筆をぎゅっと握ると、地図の裏に向かった。

〃パソコンのやつ、俺に話したから、失敗したんだね。俺がいなかったら、うまくいっていたんだね〃

信史はその豊の肩を、鉛筆を握った左手の人差し指でちょっとつつき、笑んでみせた。それからまた、鉛筆を走らせた。

〃その通りだが、気にするな。俺の不注意だったんだ。政府が気づいた時点で俺たち、この首輪を吹っとばされてたかも知れない。やつらの仏ごころで俺たち、生きてるってわけだ〃

豊がそれで首輪の巻かれた首筋に再び手を上げ、ぎょっとした表情を見せた。しばらく信史の顔を見つめ、それから、ぎゅっと唇を結ぶと、頷いた。信史も頷き返した。

「大体みんなどこに隠れていそうかなんだが――」

〃いいか、だから、俺のプランを今からここに書く。俺は適当なことをしゃべるから、合わせて話してくれ〃

豊が頷いた。それから慌てて、「うーん、けど、信用できるやつって、あんまりいないんじゃない」と言った。

うまいぜ、と思って、信史はにやっと笑った。豊が笑みを返した。

「そうだな。けど、七原とかなら大丈夫だろ。七原に何とか会いたい」

〃先に一つことわりたい。ハッキングがうまく行っていたら、ほかの連中を助けることもできたかも知れん。だが、今はもう、俺たちは自分が逃げることを考えるしかない。それは、いいか?〃

豊がちょっと考えた様子で、それから、書いた。

〃シューヤとかも探さないの?〃

〃そうだ。つらいが、俺たちにはもう、ほかの連中にかまっている〃余裕、は漢字で書けると思ったのだが、わからなかった。信史もあまり、国語の成績

がいい方じゃない。〝よゆうはない。それは、いいか？〟

豊は唇を噛んだが、結局、頷いた。

信史は頷き返した。〝ただ、俺の考えていることがうまく行ったら、このゲームは一時ストップする。そしたら、ほかの連中にも逃げるチャンスはできるかも知れない〟

豊が小さく二度、頷いた。

「みんな、俺たちみたいに山の中に隠れてると思うか？　家の中に隠れてるやつもいるかな？」

「さあ――」

信史は次に書くことを考えていたが、先に豊が書いた。

〝考えていることって？〟

信史は頷き、鉛筆を握り直した。

〝実は俺は、朝の失敗からこれまで、あることが起きるのをずっと待ってたんだ〟

豊が、今度は鉛筆を使わず、首を傾げてみせた。

〝このゲームの中止のアナウンスをだ。実のところ、今も待ってる〟

豊がちょっと驚いた様子で、また首をひねった。

信史はちょっと、笑んでみせた。

〝おまえにいろいろ話す前、分校のコンピュータに入ったとき、俺は何よりまず、そこに入ってる全ファイルのバックアップを探したんだ。それと、ファイル検査ソフト。すぐに見つけた。それで、データを落とすより前に、その二つにウイルスをしかけたんだ。保険としてな〟

豊が、〝ういるす？〟と声を出さずに口を動かした。あっ、豊、自分だけ手を動かすのをサボってるな？

信史は手を動かした。〝つまり、やつらが何かトラブルが起きたと判断して、ファイルを検査するか、それともバックアップからファイルを回復したときに、ウイルスが分校のコンピュータシステムに入るようにだ。そしたら、もう、めちゃくちゃなことに

なって、ゲームの続行は不可能になる〟

豊が、感心したように何度も小さく頷いた。それで、信史は、こんなことは時間の無駄だと思ったのだが、つい書きたくなって、書いた。

〝俺が設計したとんでもないウイルスだ。空気感染する水虫があるとしてだな、それより百倍ひどい〟

豊が、半ば笑い声をこらえるように、ほがらかな笑みを見せた。

〝動き出したら全データをぶっこわして、『スタースパングルドバナー』だけを永遠に演奏する。米帝アレルギーの政府の連中、気が狂うぞ〟

豊がますます、笑いをこらえるようにおなかを抱え、口元を押さえた。信史もちょっと、爆笑の発作を鎮めるのに、苦労した。

〝とにかく〟書いた。〝さっきの俺のハッキングがばれて、やつらがそのファイル回復をやらないかと思ったんだ。そしたらゲームはもう、しばらく中止するしかない。だが、そうはなってない。つまり、やつらは小手先だけのチェックですませたってわけだ。まあ、実際俺は、本体のファイルは全然いじってないんだしな〟

「シラミつぶしに探してみるか」

「――けど、危ないんじゃないの」

「ああ、しかし少なくとも銃があるから――」

〝それで、だ。俺の作戦っていうのは、そのファイル回復をやつらにやらせることだ。そしたらウイルスが作動する〟

信史はパワーブック150を引き寄せ、先刻眺めていた文書を豊に見せた。それは、〝四十二行〟のテキストファイルだった。データのダウンロードは中断されたが、それまでにコピーを終えていたもののうち、信史が一番重要だと考えたファイルだ。横書きのプレーンテキスト、各行の一番左側は「M01」から「M21」まで、続いて「F01」から「F21」までの連続ナンバー、次が十桁の、あたかも電話番号のように見える番号で、これも通しナンバー

になっている。最後に、これはランダムに見える、実に十六桁の番号。各行とも、それら三つの文字列を、半角のカンマが区切っていた。ファイル自体の名前は、これはいささか冒頭部分の意味不明、“gua-dalcanal - shiroiwa3b”というもの。

〃何？ これ？〃豊が書いた。

信史は頷いた。〃俺はこれが多分、この首輪を管理するための番号だと思うんだ〃

豊が、ああ、というように大きく頷いた。そう、即ち「M01」は男子一番（赤松義生だな）、「F01」は女子一番（稲田瑞穂だ。あの、ちょっと電波なオンナ）。

〃思うんだが、要するに、携帯電話と同じシステムなんだと思う。それぞれの首輪の番号があって、同時に暗証番号がある。たぶん爆破をするときにも、この番号で行う。つまり〃

信史は手を止めて、豊の顔を見た。続けた。

〃データがウイルスにやられたら、とりわけこれがやられたら、俺たちはもう、首輪を吹っ飛ばされる心配をしなくて済む。ウイルスはどんどん感染するから、フロッピーなんかで予備のファイルがあってもむだだ。手書きで書き留められてたらちょっとつらいが、それでもシステム自体が壊れるから、時間かせぎにはなる〃

「目星付けたとこに石つぶての雨でも降らせて、誰か逃げ出してくるか確かめるってのはどうだ」

「待ってよ。――それで女の子だったりしたら、大声上げたりしたらさ。こっちも危ないし、そのこだって危ないじゃないか。いや――そのこが、悪いこじゃなかった場合だけど」

「う～む」

〃どうやってそれをやらせるの？〃

信史は頷き、自分もまた字を書いた。

〃あの分校を出るとき、防衛軍の連中がいた部屋を見たか〃

豊が頷いた。

〝あそこにコンピュータがあった。おぼえてるか〟

豊はまた目を丸くして首を振った。〝俺、よゆう、なかった〟と書いた。

信史は軽く笑った。〝俺は連中にガンつけがてらによく見といた。デスクトップタイプがずらっと並んでたし、大型のサーバも一つ、置いてあった。それに、ちょっと毛色の違ったやつがいた〟徽章。漢字。そんなん書けるか。〝軍服のマークでわかったんだが、コンピュータ専門の技官だ。つまり、坂持の言った通り、まちがいなくこのゲームを動かしてるコンピュータはあそこにある。だから俺たちとしては、あの分校を攻撃して、データに少しでも〟ああ。またわからん。〝そん傷があったかもしれないと思わせればいいんだ。いや、きちんと材料さえそろったら、コンピュータそれ自体をほとんどぶっ壊すことすらできるはずだ。つまり〟

信史は一旦書くのをやめ、奇術師のような気障な仕草で手を広げた。地図の裏に戻った。

〝分校に爆弾をぶつける。それから俺たちは、海上へ逃走する〟

豊が、今度こそ目を見開いた。〝ばくだん？〟と口を動かした。

信史はにやっと笑った。

「先に武器になるものを探した方がいいかも知れないな。おまえだって、そんなフォークだけじゃ戦えないだろ」

「うん――そうだね」

〝俺がほんとにほしいのはガソリンだ。給油所が港のとこにあったと思うが、それはもうだめだ。この島にも車が何台かあったろ。ガソリンは入ってるかどうかわからないが、とにかく探す。最悪、軽油でもいい。それに、肥料〟

豊が肥料？　というような感じで眉を寄せた。

信史は頷き、肥料の名前を書こうとしたが、またしても漢字がわからなかった。これはパソコンでワープロを叩き慣れている弊害かも知れない。――ま

あいい。分子式はわかる。それで十分。

〝しょう酸アンモニウムってやつだ。これも、うまくあるかどうかはわからない。しかし、それとガソリンで、爆弾ができるんだ〟

信史はポケットから、ナイフとそれにくっついた円筒を出し、豊に示した。

〝この中に雷管が——起爆装置が入ってる。なんで俺がそんなもん持ってるのかは、ややこしいからはぶく。しかし、とにかくある〟

豊はちょっと考えた様子だった。それから、書いた。

〝例のおじさん？〟

信史は苦笑いして頷いた。自分が何かというと叔父の話ばかりしているので、豊にも想像がついたのだろう。

それから、豊が書いた。

〝けど、どうやってあの分校にぶつけるの？　近づけないのに？　木かなんかででっかいパチンコみたいなのでもつくるの？〟

ハハア。信史は笑んだ。しかし、それでは狙いが正確じゃない。何発も撃てるんならいいが、雷管が一個しかない以上、チャンスは一度だけだ。

〝ロープと滑車だ〟

豊が、あ、というように口を開いた。

〝要するにな、ロープウェイさ。確かに、あの分校のエリアにはもう近づけない、しかし、こっちの山側と、分校をはさんだ向こうの平地側はまだ大丈夫だ〟

信史は地図を一回表の方へひっくり返し、豊に示して見せた。また裏返した。

〝山から平地へ、違うな、平地側から山側へロープを張る。多分、三百メートルたっぷりは必要になるぞ。それで、手早くロープをぴんと張ったら、山の方から滑車を付けた爆弾をすべらせるのさ。分校の上に来たとこで、ロープを切る。あるいはゆるめる。特製のダンクショットってとこだな〟

豊が、またしても感心したように、何度も頷いていた。

「昼間のうちに動いた方が探しやすいかも知れない」

「うん――そうだね。誰か探すよりは簡単だもんね」

〝作業のためにも、その方がいい。滑車はどっかの井戸で見たような気がする。ガソリンは、車から集める。問題はロープと肥料だな。そんな長いロープがあるかどうか〟

ちょっと沈黙が落ちたが、豊がすぐに、いそいそと書いた。

〝けど、それしかないんだろ？　やってみようよ〟

信史は頷き、続けた。

〝うまく行ったら、坂持やあの防衛軍の連中のほとんどもやっつけられるかも知れない。しかし、とにかく、さっき言った、書いた、とおりだ。データに傷がついたと、あいつらに思わせるだけでも十分なんだ。そしたら〟自分の首輪を指さした。〝これでやられることはなくなる〟

〝そのあと海へ逃げるの？〟

信史は頷いた。

〝けど、俺、あんまり泳げないし〟自信なさそうに信史を見た。〝それに、泳ぐぐらいのスピード〟

信史はそこまでで豊の手を遮り、自分が書いた。

〝今日は満月だ。潮流を使う。俺の計算どおりタイミングが合えば、時速六、七キロで俺たちを運んでくれる。合わせて必死で泳いだら、一番近い島まで二十分もかからないさ〟

豊は、今度は目を丸くするのでは足りなかったらしく、首を振って感嘆を示した。

〝けどさ、見張りの船は？〟

信史は頷いた。

〝もちろん、発見される危険はある。しかし、連中はコンピュータに頼ってるから船の方は多分安心しきってるはずだ。東西南北で一隻ずつっていうのも

手薄だしな。そこが付け目だ。とにかくコンピュータがイカれたら俺たちのいる所はわからなくなる。見張りの船は目で俺たちを探すしかない。仮に政府が人工衛星なんてものを使ってるとしても、夜ならそのカメラもほとんど無効だ。そして、首輪を吹っとばされる恐れもない。だったら、俺たちには逃げるチャンスができる〃

〝けど、それでも逃げるのは難しいね〃

〝その点でも一つ考えがある〃

信史は、今度はデイパックに手を突っ込み、小型のトランシーバーを一つ、つかみ出した。これまた、民家で拾ったものだ。

〝これをいじって少し出力を上げてみようと思う。そんなに手間はかからないはずだ。それで、海上に出てからいいかげんなところで、海難救助を求めるんだ。つり船が転ぷくしたとか、何とか〃

豊が顔を輝かせた。

〝それなら逃げられるかもね。どこかの船に助けてもらうんだね〃

信史は首を振った。

〝違う。政府だってその程度のことは勘づく。だから、うその場所を言うんだ。俺たちが逃げるのとは、反対の地点を〃

豊が、再び首を振った。わざわざ書いた。

〝シンジ。えらいよ〃

それで、信史は首を振って笑った。

「よし、じゃあ」時計を見た。四時を回っていた。「五分後に行動開始だ」

「うん」

普段あまり字を書かないので、信史は疲れて鉛筆を放り出した。地図の裏面に、まるきりパソコン通信のログファイルのように大量の字が並んでいた(ほんと、鉛筆で字を書くぐらいならキーボードの方がいい。豊がキーボードを叩けるんなら、150を使えたのだが)。

しかし、もう一度鉛筆を握って、書き足した。

〝あまりいい計画とは言えないな。無事に脱出できる可能性は小さい。しかし、ほかに思いつかない〞
肩をすくめて、豊の顔を見た。
豊がにこっと笑って書いた。
〝やるしかないよ〞

【残り22人】

44

北の山の南側、分厚い緑に覆われた斜面の一角に腰を下ろしたその男は、左手に持った小さな鏡を覗き込んで、前髪にボリュームを持たせたリーゼントの髪を右手の櫛でていねいに整えていた。実に全く、女子を含めて、ゲーム開始以来の三年B組でこれだけの余裕があったのは彼だけだったかも知れない。しかし、そのことに無理はない。彼はごつい顔に似合わず身だしなみには極端に気を遣う男だったし、それというのも、B組のほとんど誰も正確な理由は知らなかったのだが、仲間内で〝ヅキ〞と呼ばれる、いや、この時点でのことを言えばかつて呼ばれたその男はとにかく、――

オカマだったのだ。

位置関係を言うならそこは、三村信史と瀬戸豊がつい先刻まで隠れていた場所から水平距離でほぼ真西に二百メートルほど。また、七原秋也たちトリオのいる診療所からは、北西に約六百メートルほど離れていた。つまり、ちょうど、南佳織が清水比呂乃に撃たれるのを七原秋也が目撃した農家のすぐ上に当たる。視線を上げれば、まだ日下友美子と北野雪子の死体が転がっているはずの展望台が夕日を受けているのが、はっきり見えた。

そして、今髪を撫で付けている彼は、その日下友美子と北野雪子の死体も、また南佳織の死体も、見ていた。いやそれだけではない、南佳織の死体は、彼が見た七番目の死体だった。

んー。やあねもう、また葉っぱがついてるわ。ち

ょっと寝っころがるとすぐこれね。

　男は櫛を持った右手の小指を動かして髪についた草の切れ端を払い、それから、鏡に映った自分の顔の向こう、眼下二十メートルほどの茂みに目をやった。

　き・り・や・ま・く・ん。ね・ちゃ・っ・た・の？

　男は厚めの唇を歪めてにっと笑った。

　不用心じゃないの？　まあさすがのあなたも思わないでしょうけど、あなたが殺し損ねたアタシがここであなたを見張ってるなんて。

　――そう、今鏡と櫛を手にしているそのオカマこそ、桐山和雄が指示した集合場所に現れず、桐山の虐殺を逃れて、今やファミリー唯一の生き残りとなった月岡彰（男子十四番）に、ほかならなかった。そしてその通り、彼が今見下ろしている茂みの中には、ゲーム開始以来既に六人を片づけた、あの桐山和雄がいたのだ。もう二時間以上、そこから動いていなかった。

　彰はまた鏡の中の自分に目を戻し、今度は肌の荒れをチェックしながら、〝桐山くん〟という呼び方のことで、同じ桐山ファミリーの沼井充とよく揉めたことを思い出した。「おいヅキ。ボスのことはボスと呼べよ」とか何とか。しかし、おおよそ怖いものなしの充もこの〝男女〟だけはやや苦手だったのか、彰が余裕たっぷりの流し目で「何よ、細かいことにこだわらないでよ。男らしくないわね」と言うと、ただ苦い表情で口をもごもごさせるだけで、それ以上何も言わなかった。

　ボスと呼べ、か。彰は左右の目元を交互に鏡に映しながら考えた。けどあんた、そのボスにやられてんじゃないの。全くばかなんだから。

　そう、彼、月岡彰は、沼井充よりも多少慎重だった、と言える。充がその死の直前、〝やつにはそれがわかっていたのか？〟と考えたほどに桐山和雄のことを理解していたわけではなかったけれど、ただ

要するに、月岡彰は常々こう思っていただけの話だ、〝裏切りっていつもありうるのよね、この世界ってそうだもの〟と。その点、ケンカ一辺倒のバンカラだった沼井充に比べて、父親の経営するゲイバーに小さいころから出入りし、大人の世界を垣間見てきた彰の方が、多少世間智があったということになるのかも知れない。

彰は分校を出た後まっすぐ約束の島の南端に向かうことはせず、海岸から少し内陸に入ったコースをたどって、木々の間を抜けていった。おかげで幾分手間取りはしたが、それでもせいぜい余計にかかった時間は十分ぐらいだっただろう。

そして、海岸に臨む雑木林の中から、見たのだった。砂浜を二つに区切るように海の中へと伸びた岩の上、学生服とセーラーの三人が倒れており、月明かりの陰になった岩のくぼみに、桐山和雄が一人静かにたたずんでいるのを。

すぐに、沼井充がやってきた。そして、血だまりになったその岩の上で（その血の匂いは彰のいるところまで届いてきた）桐山と二言三言交わした後、あっさりマシンガンの餌食になった——。

あらあら。彰は思ったものだった。たいへん。

そのあと、その場を離れて歩き出した桐山和雄の後を尾け始めるまでに、既に彰は今後の行動方針を決定していた。

このゲームの優勝候補最右翼は、間違いなく桐山和雄だった。桐山と充が何を話していたのかは聞こえなかったが、とにかく桐山がやる気になったのである以上、それはほぼ間違いのない事実だった。おまけに、少なくともマシンガン（これは一体、桐山の武器だったのか、それとも、彼が殺した三人のうちの誰かの武器だったのか？）と、充の持っていた拳銃を手にしていた。恐らく、正面からぶつかっては誰も桐山に勝てないだろう、と思えた。

ただ、月岡彰は、ある種の能力には自信を持っていたのだ。つまり、どこかに忍び入ることとか、相

手の意識の間隙をついての窃盗とか、そしてあるいは尾行とか（好みの男の子を見つけるとストーカーしまくった）、要するにこそこそした行為——こそこそって何よ、失礼ね——全般である。加えて、彰のデイパックから出てきた武器は、ハイスタンダードの二二口径二連発デリンジャーだった。カートリッジはマグナムだから恐らく至近距離なら致命傷を与えることができるが、撃ち合いに向く銃ではない。

そこで彰は考えた、たとい桐山和雄が優勝に向けて突っ走るとしても、その過程のうちには、必ずや誰か匹敵する相手——多分、あの川田章吾とか、あるいは三村信史（うん、三村くんってアタシの好みなのよ）辺り、もし銃を手にしていれば——とやり合い、多少の手傷を負うに違いないと。そして、その戦闘の疲労も蓄積されるに違いないと。

だったら——アタシは最後まで桐山くんを追っていって、最後の最後に桐山くんを後ろから撃てばいいんじゃない？　桐山くんが最後の誰かをやっつけて気を抜いたまさにその瞬間に、このデリンジャーで。まさか桐山くんだって、自分自身が追われてるとは思いもしないでしょ？　コトに最初の集合をすっぽかして逃げ出したはずのこのアタシが追っているとは？

同時にそれは、クラスメイトを次々に殺さなければいけないこのゲームで、自分が手を汚さずに済む方法でもあった。この点、月岡彰の倫理感が強かったというわけではけっしてなく、ただ、彼は思ったのだ、アタシは罪のないこを殺すのなんてヤよ、優雅じゃないもの。誰かを殺すのは桐山くん、アタシはただ彼の後を追っていくだけ。彼が目の前で誰かを殺したとしても、アタシに止められるわけないじゃない、危ないわ、そんなの。それで、最後は、言わば正当防衛で桐山くんを、殺すってわけ。だって、彼を殺さなきゃアタシが殺されちゃうんだもの——といった具合に。

また、桐山和雄を尾けていくことには別のメリッ

トもあった。桐山が進んだ後を正確にたどれば誰かにいきなり襲われる気遣いは少ないし、もし万一襲われたとしても、とにかく第一撃さえ避けられれば、今度はその騒ぎに桐山が反応する。早々に姿を消すことさえできたら、敵は桐山が片づけてくれるはずだった。もっとも、そのあと桐山を尾けられなくなったら計画がご破算になるので、できればそういう事態は避けたかったが。

考慮したのち、尾行の基本間隔を二十メートルに決めた。桐山が進めば進む、止まれば止まることになるが、例の〝禁止エリア〟とやらの問題があった。桐山も当然それは考えに入れているだろうし、多少の余裕を持ってエリアを避けるだろうから、基本的にはその距離でくっついていれば、エリアにかかる恐れはない。止まったなら止まったところで地図をチェックして、エリアに入っていないことを確認すればよかった。

そして、事態は彰の考えた通りに進んでいた。

桐山は島の南端を離れ、一旦集落の中の民家の二、三軒に入った後（きっと何か必要なものを手に入れたのだ）、どういう判断だったのか今度は北の山に向かい、そこで腰を落ち着けた。朝方、遠くで銃声がしたとき、そちらの方をうかがっているようだったが、距離を判断したのか結局動かなかった。しかし、少し経って、日下友美子と北野雪子がすぐ上の山の頂上からマイクで呼びかけを始めると即座に動き出し、結局誰もその呼びかけに答えないのを確かめた後（そう言えばあのとき、別の銃声がした。あれはどうも、友美子と雪子に呼びかけを停止し隠れるよう促したのだと思えた。ああ、すごい、人道主義的な人がいるんだわ、と彰は感動した。感動しただけだったが）、二人を撃ち殺した。そしてそのあと山の北側斜面に下りた。昼前にもう一度遠くで銃声がしたが、これも見送った。それで、これはほんのつい先程、三時前に山のこちら側で銃声が聞こえると、また動き出した。しかし、銃声を追った桐山

が見たのは（従って彰が見たのは）、農家の農機具小屋みたいなところに倒れている、南佳織の死体だけだった。桐山は恐らく荷物を確かめにだろう、佳織の死体を検分しにそこまで降りていったが、どうやら荷物は誰かに持ち去られた後のようだった。そしてそのあとまた少し動いて――

今、ここ、アタシのすぐ下の茂みの中にいる、ってわけ。

桐山の作戦は単純なようだった、少なくとも今のところ。誰かの所在がわかったら、駆けつけて弾をばらまく。日下友美子と北野雪子を殺した容赦のないやり口に彰はいささかあきれもしたが（全くあなたって、名前はキリヤマカズオ、なんてごくごくプレーンなのに、やることは無茶苦茶ね。アタシがツキオカショウ、なんていう芸能人みたいな名前で、こんなにフツウなのに）、しかし、そんなことにけちをつけてもはじまらない。まあ、とにかく今は、桐山が自分の存在に全く気づいていないということに満足すべきなんだろう。

桐山はどうやら、静かに体を休めているようだった。彰が推測した通り、眠っているのかも知れなかった。

その点、彰の方は全く眠ることができないわけだったが、彰はそれにも自信があった。当然だった。男よりオンナの方が基礎体力があるのだ。ものの本によると、まあとにかく。

むしろ、苦痛なのは、彼がヘヴィ・スモーカーであるということだった。煙草の煙、その匂いは、風向きによっては桐山に自分の存在を感知させてしまうかも知れなかった。いや、電子ライターの着火音こそ致命的だ。何せ、自分は桐山のすぐそばにいるのだから。

彰はポケットから輸入煙草のヴァージニア・スリム・メンソール（名前が好きなのだ。この国のこと、入手するのは困難だが、しかしあるところにはあるので、あとは盗めばいい、アパートの自分の部屋に

山積みしてある）をつかみ出すと、その細い紙巻きを唇の間にそっと咥えた。かすかに、煙草の葉と特有のハッカ臭が鼻腔に届いて、禁断症状が緩和された。本当は胸一杯に煙を吸い込みたいところだったが——なんとか押さえつけた。

アタシは死ぬわけにはいかないのよ。まだまだ楽しいことってあるんだもん、この歳なんだから。

気を紛らすために、左手の鏡をかざして、煙草を咥えた自分の顔を映した。顔を少し横に傾け、自分の流し目を観察した。

ああ、と思った。あたしってなんてきれいなのかしら。おまけにかしこいし。当然よね、このゲームでアタシが優勝するのも。美しいものだけが生き残るの。それは神様が——

視界の端、眼下の茂みがちらっと揺れた。

彰は急いで口から煙草を取り、鏡と一緒にポケットに仕舞うと、替わりにデリンジャーをつかみ出した。デイパックを左手にとった。

茂みの端から、桐山和雄のオールバックの頭が現れた。ゆっくりと左右に視線を走らせ、それから、北の方角——ちょうど彰の左手、斜面の上——に目を向けた。

彰はピンクの花をたっぷり付けたツツジの木の陰からそれをうかがいながら、眉を少し持ち上げた。

どうしたのかしら——。

銃声は耳に届いていなかった。何か物音がしたわけでもない。桐山が見ている方に、何かあるのだろうか。

そっちへ視線を飛ばしたが、特にそこに動きがあるわけでもなかった。

桐山はすっと茂みから全身を出した。左肩にデイパックをひっかけ、右肩にはマシンガンを吊って、そのグリップを握っている。木々の間を縫うように、斜面を登り始めた。すぐに彰のいる高さまで至り、さらに上へ向かった。それで、彰は自分も身を起こすと、後を追い始めた。

彰の動きは、百七十七センチの比較的大柄な体に似合わず、猫のようにしなやかだった。木々の間にちらちらとのぞける桐山の黒い学生服から、ぴったり二十メートルの距離を保っていた。この点、確かに彰の自負にはそれなりの能力の裏づけがあったのだ。

そして、前を行く桐山の動きもまた、正確で迅速だった。時々木の陰に立ち止まっては前方をうかがい、深い茂みのあるところでは、地面に膝をついてその下を確かめてから進んでいた。ただし――

背中ががらあきよ、桐山くん。

そのまま百メートルばかり進んだだろうか。ちょうどあの山頂の展望台が、左手上方に見えていた。そこで、桐山は足を止めた。

桐山の前方で木々の列が途切れ、未舗装の細い道が横切っていた。幅は二メートルもない、車が一台通れるか通れないかだ。

ああ――彰は思った。これは、山頂まで登っていく道――さっきも横切ったわ、南佳織の死体を見る前に――

そして、今桐山が目を向けている右手の方、そこはちょうど、山頂までの道のりの休憩所というようなことなのか、ちょっとした広場になっており、一脚のベンチとともに、ベージュ色のプレハブトイレが据えつけてあった。

桐山は辺りを見回し、さらに彰のいる背後にも目を向けたが、彰はもちろん、既に茂みの陰に身を隠していた。それで、桐山はすっと道の方に出ると、そのトイレに駆け寄った。ちょうど彰の方を向いている扉を開くと、そこに入った。また辺りを確かめ、静かにドアを閉じた。何かあったときにすぐ逃げられるようにということなのか、完全には締め切らず、わずかに隙間を空けていた。

――まあ。彰は口元に手を当てた。なんてこと。

それから、彰は、相変わらず身を低くしたまま、笑いを噛み殺さなければならなかった。

確かに、彰がずっと桐山を追っていたその間中、桐山が用を足した場面はなかった。あるいは、夜が明けるまでに入った家でトイレを借りたのかというう推測も立ったが、まあ、どっちにしてもまるまる一日我慢できるようなものじゃない、多分、じっと茂みの中に身をひそめているうちに済ませているのだろうと思っていた（彰はそうした。音を立てないのに苦労したが）。しかし、そうではなかったのだ。桐山和雄は、なんだかんだ言ってもお金持ちのお坊っちゃんだ、きちんとしたトイレ以外のところで用を足すなんて我慢ならないのかも知れない。それで、さっき通過したここにあったトイレのことを思い出して、ここまで戻ってきたのに違いなかった。

そう――そうよね。いくら桐山くんだって、おしっこしないわけにはいかないわ。うふふ、でも、何だかかわいいのね。

すぐに、水が便器を叩いているのだろう、ぱらぱらという音が、彰の耳に届いてきた。それで、彰はまたうふふ、と笑みを嚙み殺した。

それから、彰は思い出して左手首を裏返し、時計を見た。この辺りは、確か、坂持が五時から〝禁止エリア〟に入ると言ったD＝8の付近だったはずなのだ。

優雅なイタリックの数字が並ぶ女物の時計の文字盤、針は、午後四時五十七分を指していた（坂持の放送に従って合わせてあったので、これは正確だ）。それで、彰は急いで地図を取り出し、北の山の周辺を目で追った。しかし、地図には山道を示す点線があるだけで、縦横の実線で区画されたエリアD＝8の中にも外にも、目の前の休憩所と公衆トイレの表示はなかった。

彰は一瞬緊張して自分の首筋、あの金属性の首輪に無意識に手を上げ、もと来た道に今すぐ引き返すべきだという衝動を覚えたが――

まだぱらぱらという音が続いているトイレの方に目をやり、肩をすくめて息を軽く吐き出した。

桐山和雄が、そう、あの桐山和雄だからこそ、いくら自然の要求にせっつかれたからと言って、自分のいる位置を確かめていないわけはなかった。隠れていた茂みから動き出す前に慎重にこっちを見ていたのは、恐らく、トイレがそのエリアD＝8にかかっていないかどうか、目測していたのだ。そして、今自分のいる位置は、桐山が入っているトイレから三十メートルばかり西に外れている。桐山の方がエリアに近い位置にいるわけで、桐山があそこにいるということは、つまり、自分も安全だということだった。そう、ここで根拠のない恐怖感に駆られて桐山から離れてしまったら、計画がおじゃんになる。

彰はさっきポケットに仕舞ったヴァージニア・スリムをまた取り出すと、口に咥えた。それから、夕暮れの近づいた空を見上げた。この時期、日没までにはまだ二時間ぐらいはあると思うが、幾分濃くなった空の青に西からオレンジ色の光が混じり始めていて、二つ三つ浮かんだ小さな雲の片端に、そのオレンジ色がひときわ鮮やかに映っていた。美しかった。アタシと同じ。

ぱらぱらという音は、まだ続いていた。彰はまた小さく笑みを浮かべた。随分我慢してたのね、桐山くん。

まだ続いていた。

ああ。吸いたいな、煙草。シャワーを浴びて、爪の手入れをして、お気に入りのスクリュードライヴァーをつくったら、そのグラスを傾けながら、ゆっくり煙を楽しんで――。

まだ続いていた。

あーあ、早く終わればいいのに、これ。桐山くん、おしっこなんかしてないで早く仕事してよ。

しかし――まだ続いていた。

彰はそこまできてようやく、下がり気味の太い眉を寄せた。煙草を口から取り、体を地面からすっと起こした。茂みづたいに少しトイレの方に近寄り、目をこらした。

まだ続いているぱらぱらという音。そして、桐山がさっきそうした通り、ドアはわずかに開いている。タイミングよく、と言うべきだろう、そのときひゅっと風が吹き、ドアがきいっと音を立てて開いた。

彰は目を見開いた。

そのトイレの中、天井から政府支給の水ボトルがひもで吊り下げられていて、吹き込んだ風にゆらゆら揺れていた。恐らくナイフか何かで穴を開けたものだっただろう、そのボトルから細い水の線が落ち、ボトルの動きに合わせて、ぱたぱたっ、ぱたぱたっ、と音がしていた。

彰は恐慌状態で辺りを見回した。

そして見た、眼下にはるか遠く、木々の間を遠ざかっていく学生服の背中を。その、後ろから見てもはっきりわかる、一風変わったオールバックの頭を。

え？　え？　桐山くん？　え？　それって一体——え、え、だってアタシ——

桐山の姿が茂みの一つの向こうにすっと消えたとき、彰の耳に鈍くこもったどん、という音が聞こえた。一種それは、サイレンサーを付けるか、あるいは枕にでも押しつけて撃つかした拳銃の音によく似ていた。果たしてそれが、政府謹製のプログラム専用首輪に内蔵された爆弾の構造によるものだったのか、あるいは、爆発音が彼自身の体内に反響したためだったかはわからない。

たっぷり百メートルばかり下、桐山和雄はもうそちらを見上げることもなく、ただ、手首の時計にちらっと目を落とした。

午後五時ジャストから、秒針が七秒を超えていくところだった。

【残り21人】

45

わずかにみじろぎした後、典子が目を開いた。午後七時を回っていて、すっかり薄暗い部屋の天井に

ぼんやり視線をさまよわせてから、傍らにいる秋也を見た。

秋也はベッドのそばに寄せておいた椅子からちょっと体を浮かせ、典子の額に置いていた濡れタオルを取ってやった。その額にちょっと手を乗せた。先刻も確かめた通り、熱は既にほぼ下がっていた。心の中、秋也はほっと息をついた。よかった。ほんとによかった。

「秋也くん」幾分まだぼんやりした声で、典子がその秋也を呼んだ。「――今、何時？」

「七時過ぎだ。よく眠ってたね」

「そう――」

典子は言い、ゆっくりとベッドの上に体を起こした。秋也は慌てて手を伸ばし、典子の体を支えてやった。

「あたし――」

秋也は頷いた。

「熱はもう下がったみたいだよ。川田が、多分、敗血症じゃなかったんだって。ひどい風邪だったんだよ、きっと。疲れが出たんだ」

「そう――」典子は自分でも安堵したのかゆっくり頷き、それから、秋也に向き直った。「ごめんね。迷惑、かけて」

「何言ってんだよ」秋也は首を振った。「君が悪いんじゃない、そんなの」

それから、訊いた。

「メシ、食べられるかい？　ごはんがあるよ」

典子は目を丸くして秋也を見た。

「ごはん？」

「ああ、ちょっと待ってろ。川田が用意してくれたんだ」

秋也は部屋を出た。

キッチンの戸口に立つと、川田は壁際の椅子に腰を下ろして、背を壁に預けていた。窓から最後の陽の光の名残――と言っても青い、むしろ藍に近い色の光の粒子が入り込んでいるが、川田のいる位置は

もう、ほとんど薄闇の中に沈みかけていた。

秋也を見ると、「典子サン、起きたのか?」と訊いた。

秋也は頷いた。

「熱はどうだ?」

「もう大丈夫だよ。また上がったりしてない」

川田は小さく頷き、片時も放さないショットガンを手に立ち上がった。ガスコンロの上の鍋の蓋を開けた。秋也と川田は、既に炊けたごはんと味噌汁を腹に入れた後だった。味噌汁の具は、家の裏に生えていた得体の知れない葉っぱだけだったが。

「メシ、冷えちゃったかい?」

秋也が訊くと、川田は「五分か十分待ってろ。持っていってやる」と短く答えた。

秋也は「ありがとう」と言い、診察室に戻った。

再びベッドのそばに腰を下ろして、典子に軽く頷いた。

「ちょっと待ってろな、川田が持ってきてくれる。ほんもののごはんだよ」

典子は頷いた。それから、「ここ、お手洗い、ある?」と訊いた。

「ああ――うん、こっちだ」

秋也は典子がベッドから降りるのを手伝ってやり、そのままま腕を支えて、待ち合い室のすぐ向こうにあるトイレまで典子を案内した。典子はまだふらついていたが、それでも、一時の苦しげな感じに比べれば、すっかりよくなっていた。

典子がベッドに戻るとき、秋也はまた付き添った。典子がベッドの端に腰を下ろすと、かつて小さいころ、慈恵館の安野先生が自分にそうしてくれたように、典子の肩に毛布を巻きつけてやった。

「メシ食ったら――」秋也は毛布の端を引っ張りながら言った。「もうちょっと寝といた方がいいよ。ここ、十一時までには出なきゃならなくなった」

典子が秋也を見つめていた。その目に、まだかすかにはっきりしない感じがあった。

「それって——」

秋也は頷いた。

「うん。十一時からここも禁止エリアに入る」

それは、午後六時の坂持の放送で告げられた情報だった。ほかにG＝1が午後七時から、I＝3が午後九時から禁止エリアになる、ということだった。島の南西岸沿いと、南の山の南側斜面だ。禁止エリアがどこから始まるのか実際にはわかりにくい以上、これで島の南西岸一帯にはほとんど近づけなくなったことになる。

典子は、ちょっと膝頭の辺りに視線を落とし、それから額の上、前髪の下に右手を差し入れて、言った。

「あたし——ばかみたいに眠ってたのね」

秋也はその典子の肩に手を伸ばした。

「何言ってんだい。眠った方がいいに決まってるじゃないか。まだ足りないぐらいだよ。ゆっくりした方がいい」

しかし、典子は、すっと秋也の方に視線を上げると、訊いた。「佳織のほかに——誰か——死んでた？」

秋也は唇を引き締めた。頷いた。

「千草と——それに月岡と新井田が死んだみたいだ」

その通り、坂持の放送によると、正午からの六時間でその四人が死んで、残りは既に二十一人になっていた。ゲーム開始からまだ十八時間ばかりしか経っていないのに、城岩中学三年B組のクラスメイトは半分になってしまったのだ。

それともう一つ——坂持が得々と言っていた、〝えー月岡くんはあ、禁止エリアに引っかかりましたあ。みんな気をつけろよー〟と。

月岡彰がどこで死んだのかまでは坂持は言わなかったが、秋也はとにかく午後の間、特に大きな爆発音のようなものを聞いた記憶がない。だが、坂持に嘘を言う理由があるとも思えなかった。ごつい体と

顔のくせにちょっとカマっぽかったあの桐山ファミリーの〝ヅキ〟は、何かの不注意でエリアに引っかかり、爆弾で首を吹っとばされたのだ。これで桐山ファミリーは、首領桐山を残して全員退場したことになる。

秋也はそのことも典子に言おうかと思ったが、典子が沈痛な表情になったのを見て、やめた。恐らくは胴体から首を引きちぎられた男の話が、まだ半病人の典子にいい影響を及ぼすとも思えない。

「そう――」

典子は静かに言い、それから、「これ、ありがとう」と言って、毛布の下、ずっと着ていた秋也の上着を脱ぎかけた。

「着ててもいいよ」

「ううん、もう大丈夫」

秋也は上着を受け取り、それから典子の肩に毛布をかけ直してやった。

しばらくして、川田が入ってきた。ウェイターのように左手を肩の高さに掲げて丸い盆を支え、皿をその上に乗せていた。皿から湯気が上がっていた。盆を下ろしながら、「へい、お待ち」と言った。

秋也はちょっと笑った。

「蕎麦屋みたいだな」

「残念だが蕎麦じゃない。おねえちゃんの口に合うかな」

川田は盆ごと、ベッドの上、典子の傍らに皿を置いた。

典子がそれを覗き込み、「おかゆ?」と訊いた。

「イエス、マアム」川田が答えた。

はい、奥様。何となく、完璧な英語の発音だ、と秋也は思った。

「ありがとう」

典子が言って、添えられたスプーンを取り上げた。皿を持って、ひとくち、口に運んだ。

「おいしい」声を上げた。「タマゴが入ってる」

秋也はそれで、川田の顔を見た。

「当店のスペシャルでございます」

上品ぶった口調で言った川田に、秋也は「どこにあったんだ、そんなもの?」と訊いた。恐らく政府が早くに住民を追い出したからだろう、ここの冷蔵庫の中の生鮮食料品はすべて腐っていたのだ。多分、島のどこの家を探しても同じだろう。

川田が目の端から秋也の顔を見て微笑した。

「鶏を飼ってる家があったんだ。餌をもらえなくて鶏の方はだいぶ元気がなかったがな」

秋也は大げさに首を振ってみせた。

「さっき俺たち、メシ食ったとき、卵はついてなかったような気がするよ」

川田は眉を持ち上げた。

「一個しかなかったんだ。俺は女の子をひいきするんだ。生まれつきそういうようにできてるんだ」

秋也は笑って鼻を鳴らした。

川田がまた台所へ取って返して、今度はお茶を持ってきた。食事をしている典子と一緒に、秋也も川田も、それを飲んだ。お茶はほんのり甘く、懐かしい匂いがした。

「ちくしょう」秋也はうめいた。「ムヤミに平和な気がするよ、こうやって三人でいると」

川田が笑んで、「後でコーヒーも淹れるよ」と言った。「典子サンは、紅茶の方がいいかな」

典子がスプーンを口に含んだまま、笑みを浮かべて頷いた。

「なあ、川田さ」

秋也は続けて言った。無論自分たちがまだ殺人ゲームの中にいるという事実に変わりはないにせよ、典子がどうやら回復したことで、ちょっと饒舌になっていたのかも知れない。

「いつか、三人でこうやってお茶飲もうぜ。縁側に座って、桜の花見てさ」

それは多分、望めないことかも知れなかったけれども、川田はただ、肩をすくめた。

「ロッカーらしくないぞ、七原。それじゃまるで、

老人じゃないか」

「時々そう言われるよ」

それで、川田がふん、と笑った。秋也も笑い、典子も笑んだようだった。

典子が食べ終えて「ごちそうさま」と言うと、川田が皿を受け取った。秋也に空いた方の手をひらひらさせて湯呑みを寄越すよう示し、秋也はそれを渡した。

「川田くん」

典子が声をかけた。

「もうすっかり気分よくなった。ほんとにありがとう。それに、ごめんなさい、迷惑かけて」

川田がちょっと笑み、「ユア・ウェルカム・マアム」と言った。「でも、抗生物質は余計だったみたいだな、どうやら」

「ううん。ヘンかも知れないけど、あれで安心して眠れたみたい」

川田がまた笑んだ。「まあ、まだ敗血症の可能性も完全に消えたわけじゃないからな。とにかく、もうちょっとゆっくりしな。無理しない方がいい」

川田はそれから、秋也に「俺、少し寝ていいか」と言った。

秋也は頷いた。

「疲れたのかい?」

「いや、そうじゃないが、眠れるときに眠っておきたい。ここを出たら、夜の間は俺が起きている。それでいいか?」

「いいよ。わかった」

川田は軽く頷き、盆を持って部屋を出て行きかけた。

「川田くん、ここで寝たらいいわ」

典子がそう声をかけ、隣のベッドを示した。

しかし、川田は戸口のところで顔だけ振り向け、いいや、という感じの笑みを見せた。

「カップルの邪魔はしない。俺、こっちの部屋のソファで寝てるよ」首を傾け、付け足した。「愛を交

わす場合は隣のお客様にもご配慮を」

　薄闇の中で、典子がちょっと頬を赤らめるのがわかった。

　川田はそのまま出ていった。半開きのドアの向こう、しばらくするとキッチンから隣の待合室に戻る音がした。静かになった。

　典子がちょっと笑んで、言った。「川田くんて、面白い人ね」

　食事をしたせいか、表情にやや生気が戻って見えた。

「そうだな」秋也も笑った。「全然話したことなかったけど、ちょっと、三村に感じが似てる」

　体格やら顔のつくりは全然違うけれど、なんとなく伝法でぶっきらぼうな喋り方、にもかかわらずちょっとおどけてみせるところもある辺りは実に、かの〝第三の男〟三村信史に似ていた。どことなく非優等生的なところも、にもかかわらず恐ろしく頭がよく、頼りになるところも。

「ああ」典子が頷いた。「そうね。ほんとに、そうね」

　それから、ぽつんと典子が言った。

「三村くん、どこにいるのかしらね」

　秋也は息をついた。何か連絡を取る手だてがないものかと考え続けてはいたが、典子が今の状態では、そこまでの余裕はなかった。

「そうだな。あいつがいれば――」

　川田に加えて三村信史がいれば、敵なしという感じがした。あと――杉村弘樹もいれば、それで完璧だ。怖いものなし。

「あたし、まだ憶えてるわ」

　典子が言って、少し顔を天井の方に上げた。

「クラスマッチ――今年のじゃなくて去年の――決勝戦。三村くん、孤軍奮闘してたけど、D組は、三村くんと同じバスケ部のメンバーが四人もいて、三十点もビハインドで。それで、秋也くんがソフトボールの方から駆けつけてきて、それから、巻き返し

て勝ったんだわ」

「ああ」典子もちょっと饒舌になってるな、と思いながら秋也は頷いた。しかし、それは歓迎すべきことだ。「そんなこともあったたな」

「あたし、声からして応援してた。勝ったときには幸枝とかと、きゃーきゃー言って跳ね回ってたわ」

「うん」

秋也もそれを憶えていた。ふだんは大人しい典子が、一番大きな声で叫んでいたので。そして——赤松義生ほどとは言わないけれど、体育はからきしだった国信慶時が、典子たちとはちょっと離れたところに立っていた。秋也がそっちを見ると、慶時が親指と人差し指、小指を立てた右の拳を振っていた。ささやかだったけれど、そして大歓声を上げてくれた典子たち女の子には悪いけれど、秋也にとって一番うれしかった祝福は、慶時のその仕草だった。

慶時——。

秋也はぼんやりと目を典子に戻し、それで、俯いた典子が泣いているのに気づいた。

秋也は手を毛布に包まれた典子の肩に伸ばし、「どした?」と訊いた。

「うん……」典子がかすかに、しゃくり上げた。「泣かないでおこうって思ったんだけど、——思って。あんなにいいクラスだったのにって思って——」

秋也は頷いた。まだかすかに残っている熱か、それともあるいは薬のせいかも知れない、典子はちょっと、感情の起伏が激しくなっているようだった。典子が泣きやむまで、肩に手を乗せていた。

そのうち、典子が「ごめんなさい」と言って目を拭った。

それから、言った。

「秋也くん、気にしたらいけないから言わずにおこうかと思ったんだけど」

「何だい?」

典子は秋也の目を覗きこんだ。

「秋也くん、すごくもてるのよ、知ってた？」

急に話題がすっとんだので、秋也はちょっと苦笑いした。「なんだよ、それ」

しかし、典子は真剣な表情で続けた。

「恵と——それから、雪子もそうだった、多分」

秋也はいぶかるように顔を傾けた。江藤恵と北野雪子。もう、ゲームを退場した二人の名前。

「あの——」この場合、〝あの〟という言い方は正しいのだろうか？「あの二人が、何？」

典子は秋也の方に顔を上げ、静かに言った。

「二人とも、秋也くんのこと好きだったわ」

秋也は顔がこわばるのを感じた。

ややあって、声を押し出した。「——ほんと？」

「うん——」典子は秋也から視線を外し、頷いた。「女の子の間だと、なんとなくそういうの、わかっちゃうものなの。だから、——憶えておいてあげて」

首を傾け、もうひとこと、付け加えた。「なんか、今のあたしの立場でそういうこと言うとごうまんな感じ、するけど」

秋也は、少しだけ、江藤恵と北野雪子の顔を思い浮かべた。少しにしておいた。それぞれ小さじ二分の一ぐらい。「そうか——」と、息と一緒に言葉が転び出た。

それから、言った。

「逃げ出してからでもよかったな、それ、聞かせてくれるの」

「——ごめんなさい。ショックだった？」

「うん、ちょっと」

「でも、——」典子はまた首を傾けた。「あたしが死んだらわからなくなっちゃうから」

秋也はさっと顔を上げ、右手で典子の左手首をぎゅっとつかんだ。

「お願いだから」言った。「もう、そういう仮定はナシだ。いいか、俺たち、最後まで、一緒だ。一緒に、生き延びる」

典子は秋也の剣幕に驚いた様子で、もう一度「ごめんなさい」と言った。

それから、秋也は言った。「あのな」

「え？」

「典子のこと好きなやつを、知ってるよ、俺」

今度は典子がちょっと目を見開いた。

「ほんと？　あたしなんかに？」

無邪気にそう言った後、典子のその表情がすぐに抜け落ちた。秋也は、その典子の瞳の中、消えかかる、窓からのカーテンごしの光が、かすかな、あるかないかの四角いハイライトになって浮かんでいるのを見た。

訊いた。「――その人、うちのクラスのひと？」

秋也はゆっくり首を振った。あの愛嬌のある、ぎょろっとした目を思い出しながら。ちくしょう。十年来の親友と、三角関係で悩めたら、どんなに平和だったことだろう。でももう、それは問題にならないな。そりゃもう、永遠になりませんよ、ご主人様。

「違う」

典子は幾分ほっとした様子で自分のスカートの膝辺りに視線を落とし、ただ、「そう」と言った。

それから、また顔を上げて、言った。

「誰？　あたし、クラブも入ってないし、ほかのクラスの人、よく知らないんだけど」

秋也は首を振った。

「言わない。これを抜け出したら、言うよ」

典子はちょっといぶかしげな表情をしたが、それ以上何も言わなかった。

しばらく沈黙が落ちた後、秋也は顔を上げて天井を見た。清潔が旨のはずの診療所らしくもない、傘が埃まみれの蛍光灯が下がっていたが、これは使えない。もっとも、使えたとしても点けるわけにはいかなかったが。

「そうかァ」と言った。「江藤……さんと」さんづけになった。男ってゲンキン。「北野さんか。ほんとなら――俺なんか、どこがよかったのかなあ」

もうほとんど真っ暗闇に近かったが、典子がちょっと、笑んだように見えた。

「あたしの意見を言ってもいいかしら？」

「聞くよ」

典子が首を傾けた。「秋也くんは、全部いいな」

秋也は笑って首を振った。

「なんだよ、それ」

「好きになるってそういうものよ」典子が妙に生真面目な口調になって言った。「秋也くんだって、あのひとのこと、そう思うでしょ？」

秋也は新谷和美の顔を思い浮かべながら唇を結んだ。考えた。迷ったけれど、自分なりに正直になることにした。

「うん。そうだな。そんな感じかな」

「そうでないとウソよ」

典子は幾分おかしそうに言い、それから、ふふっと唇の先だけで笑った。

「何？」

「くやしいなあ。こんなときでも、そういう話って、やっぱり」

秋也は、もうほとんど表情がうかがえない典子の顔の辺りに目をやって、またまた言うべきかどうか迷ったけれど、これも正直に言うことにした。

「だけど、典子のこと好きだっていうやつの気持ちもわかる」

典子がまた顔を上げて秋也を見た。

「典子は、とてもすてきな女の子だよ」

典子がはっきりした眉をちらっと動かしたようだった。唇が、どこか寂しそうに笑みの形をつくったように見えた。

「そう？　うそでもうれしいな」

「うそじゃないよ」秋也は言った。

典子はちょっと、黙り込んだ。それから、「お願い。ちょっといい？」と言った。

秋也は何？　というように目を開いてみせたが、その表情が典子に見えたかどうかはわからない。典

子はちょっと上半身を倒すと、ただそっと、正面に座っている秋也の上腕に両手をかけ、頭を秋也の肩にあずけた。典子の肩までのショートヘアが、さらっと秋也の頬と耳に触れた。

窓の外のかすかな光がやがて月明かりに変わるまで、だいぶ長いこと、そのままでいた。


【残り21人】

46

夕暮れの薄闇が完全に闇に変わる前に、清水比呂乃（女子十番）は隠れていた茂みの中から西へ向けて動き出した。それ以上我慢できなかったのだ。全身が熱く、炎熱下の砂漠にいるような気分だった。

水。

水が必要だった。

南佳織に撃たれた傷は、左腕上部だった。血でぐっしょり濡れたセーラーの袖を破いて確認したところ、どうやら弾丸は完全に比呂乃の腕を貫通していた。特に銃創の出口側で皮膚が大きく裂けていたが、太い血管を危うくそれたらしく、破いたセーラーの袖を包帯がわりにくくりつけた後、出血はしばらくして止まった。しかし——徐々にその傷は熱を持ち、全身にそれが広がっていた。午後六時の坂持の放送を聞くころには、比呂乃は手持ちの水を全部飲み干してしまっていた。佳織を倒した後、七原秋也から逃れて二百メートルほど走り、茂みの中に隠れたのだったけれど、そのとき、傷を洗おうと思って水をかなり使ってしまったこともある（ひどく後悔した、それを）。

それからもう、二時間近くが経っている。しばらくはセーラーの下、汗が大量に噴き出していたのだけれど、今は、それも出なくなっていた。要するに、脱水症状に近づいていたと言っていい。比呂乃は中川典子とは違い、本物の敗血症を起こしかけていたし、傷を消毒しなかったこともあってか極めて早

く症状が進行していたのだけれど、もちろん彼女はそんなことは知るよしもなかった。

ただ、――水だ。

緑に覆われた山肌をそれでも精いっぱい慎重に移動している比呂乃の頭の中を、南佳織への憎悪がぐるぐる回っていた。全身の熱とのどの渇きが、その回転を加速していった。

清水比呂乃は、このゲームで誰一人として信用するつもりはなかった。もちろん彼女は相馬光子とずっと付き合ってきたし、出席番号でいうと女子では光子の一つ前、従って、出発のときに間に挟まっていた杉村弘樹さえやりすごせば、何とか光子と合流することもできたのだけれど、それはしなかった。光子がどんなに恐ろしい女か、十分わかっていたのだ。そう、例えば――ほかの学校の同じような不良娘と衝突したことがあって、しばらく後、そのリーダー格の女（その歳で暴力団構成員の情婦だった）が車に轢き逃げされて重傷を負った。危うく死ぬような大怪我だったらしい。光子は何も言わなかったけれど、もちろん、彼女が知り合いのオトコを使ってやらせたのだとわかった。光子のためなら何でもするというオトコがごまんといる――。

仮に合流なんてしようものなら、多分光子は自分をさんざ利用した挙げ句、最後には容赦なく後ろから撃つだろう。同じグループでもいささかのほほんとした矢作好美なら光子を信用するかも知れない（そう言えばもう彼女は死んでいた、何となく、比呂乃は光子がやったんじゃないかと直感的に思った）、しかし、比呂乃は絶対にそんな真似はごめんだった。

クラスのほかの連中が信用できるともとても思えない。ふだん善人ヅラしているやつらに限って、こんなときには平気で人を踏みにじってみせるのだ。たった十五年生きてきただけだったけれど、比呂乃はそのことを十分よく知っていた。

だが、かといってクラスの連中を殺して回ること

にも躊躇があった。売春をやったりクスリを試したり、愛想をつかした両親とケンカを繰り返したりしながらも、それでも彼女の中にはまだ、殺人への禁忌だけはあったのだ。もちろんこのゲームのルールではそれは容認されているし何らの犯罪にもならないのだけれど――あたしは確かに悪いことをしてきたかも知れないけど、それは大方誰の迷惑にもならない範囲でやってきたことだ。売春だってやったけど、ふだんお嬢さんヅラして伝言ダイヤルなんかでしらっと〝お付き合い〟を繰り返してるやつに比べたら（天堂真弓がそうなのを彼女は知っていた）、こっちは相馬光子のつてでプロの組織に入ってたんだからむしろいさぎよいってもんだ。クスリだって試したくなるときぐらいある、そんなの個人の自由じゃない？　百貨店の化粧品売り場が万引きされてそんなに困るか？　大資本が経営してるくせに？　そりゃいじめだってやったけど、それは、いじめられる方にだって鼻につくところがあったからだ。あるいはほかの学校の生徒とのケンカ、それこそまさに、言わばお互い怪我をするのも了解済みのはずだ、シロウトじゃないんだから。とにかくあたしは――平気で人殺しをするような女じゃない。その点は確かだ。

ただし、ただし、――

正当防衛なら別だ。誰かが自分を殺そうとするなら、それは全くいたしかたない。そしてその挙げ句に自分がこのゲームで生き残ったら――うちに帰ってシャンペンでも飲もうってもんじゃないか？　あるいは時間切れがきて自分が死ぬことになるなら――彼女はこの点についてどうにもうまく考えられなかったのだけれど――とにかくどうしようもないことだ、それは。

そこで、彼女はずっと、あの、南佳織と撃ち合いになった家に隠れていたのだった。

家の中に誰もいないことを確かめてからそこに落ち着き、時々窓の外を覗いていたのだけれど、ぎょ

っとしたのは、自分のいる母屋の向かい、倉庫の中に、誰かの影がちらっとかすめたときだった。恐怖と緊張で、胸がどきどきした。

　数分ほど迷った挙げ句　彼女は自分から家を出ることにした（何せ家出は得意技だ）。誰かがすぐ近くにいるというのが、我慢できなかった。裏口が無かったので、倉庫に面した、一番端の窓をそっと乗り越え――

　そのとき、まさにそのとき、佳織が倉庫の入口から外をうかがうように顔を出したのだった。そして、いきなり撃ってきた、こっちが何もしないのにだ。佳織の撃った弾は比呂乃の腕をとらえ、比呂乃は窓の外にほとんど転げ落ちた。それでも何とか態勢を立て直し、支給の銃を初めて構えて撃ち返した。そして家の片端、壁に張りついて動くに動けずくぎづけになっているとき――七原秋也が現れたのだ。

　あのカマトト女――。ふだんはアイドルグループにきゃーきゃー言ってるぶりっこのくせに、遠慮なくあたしを殺そうとしやがった。とにもかくにも彼女は片づけることができたけれど（正当防衛だ、これは。陪審評決十二対ゼロ間違いなし）、ほかの連中も彼女と同じような感じなのだとしたら、こっちも容赦すべきじゃない、多分。

　それから、比呂乃は、七原秋也のことを考えた。少なくとも七原秋也は、自分に銃を向けてはいなかった（だからこそ余裕を持って佳織を撃つことができた）。中川典子と一緒なのだとも言った。

七原秋也と中川典子――あの二人、付き合っていたんだろうか？　そんなふうには見えなかったけれど。二人して、逃げ出そうとでもいうんだろうか？

比呂乃は無意識に首を振った。

ろくでもない、こんな状況で誰かと一緒にいるなんて、そんなやばいことはない。グループなんか組んでたら、後ろから撃たれても文句言えないじゃないか？　それに、逃げ出すなんて、とても無理だ。

　中川典子の姿は見えなかったけれど、もしあの話

が本当なのだとしたら、遠からず七原秋也は中川典子を殺すだろう。あるいは、中川典子が七原秋也を殺すのかも知れない、わからない。どっちかが残ったら——そのときは、また、その一人とやり合うことになるかも知れない。しかしそんなことは今はどうでもいいとにかく——

水だ。

いつのまにか、かなりの距離を移動していた。西の空にかすかに残っていた陽の光はもう見えなかった。天空は漆黒の闇、その中で、ゲームが始まった前日未明と同様、満ちた月だけが不気味に明るく光り、比呂乃のいるこの島を蒼く照らし出している。

南佳織を倒したリボルバー——コルト・ハイウェイパトロールマン三八口径を握り締めたまま、比呂乃は茂みの間をざざっと走った。頭を低くし、息を殺した。茂みの陰からそうっと顔を出した。狭い畑の向こうに、家が一軒、ぽつんと建っていた。比呂乃がいる位置が北の山側で、家の向こうには低い丘が迫っている。左手を見渡すと、畑がいくつかあって、ずっと向こうに、同じような家がもう二軒うかがえた。その向こうに、南の山の盛り上がりがある。地図からすると、その山の手前には、島を東西に横切る比較的太い道路が一本、横たわっているはずだ。そして、山の位置からすると、どうやら比呂乃がいるのはもう、島の西岸に近い辺りらしかった。移動前に確認した通り、禁止エリアの心配は、今のところこの付近にはない。

比呂乃はのどの渇きを我慢して、しばらく目の前の家を観察した。辺りはしんと静まり返っている。

姿勢を低くしたまま、畑を抜けた。家のある敷地は、畑より少し高くなっていた。比呂乃は畑の端で止まり、まず後ろを見回してから、もう一度家を観察した。何の変哲もない、古びた平屋建ての農家だ。ただし、比呂乃が先に隠れていた家とは違って、屋根は瓦葺きになっている。比呂乃がいる畑の左手から未舗装の道路が引き込まれていて、家の前に軽ト

ラックが一台停まっていた。原付と自転車も一台ずつ見えた。

　比呂乃が最初に隠れた家では、水道が使えなかった。ここも多分、それは同じだろう。比呂乃は視線を左右に飛ばし——

　それは、右手、引き込み道路の方から見て敷地の一番奥にあった。——井戸だ。ごていねいに、きちんとつるべを支える柱が付いている。周りに何本か、葉をたっぷり付けたミカンのような細い木が植わっていたが、低い位置には枝が無いため、誰かがそこに隠れているという気遣いは無かった。

　左手は使えなかったので、銃を一旦スカートの前に差し込み、比呂乃は月明かりの下で畑の土を手探りした。手ごろな大きさの石を一つ見つけた。

　上へ向けて放った。放物線を描いて石は屋根の上に落ち、がん、というかなり大きな音がした。かたかた、と瓦の列を転がり落ち、端から地面に落ちた。ぼとっと鈍い音がした。

　比呂乃は銃を握って、しばらく待った。時計の針を見た。もうしばらく待った。

　五分経った。家の窓にも玄関にも、誰かが顔を見せる様子は全く無かった。比呂乃はざっと家の敷地へ上がり、井戸の方へ走った。渇きと熱で、頭がぐらぐらしていた。

　井戸は、高さ八十センチほどのコンクリートの円筒だった。比呂乃は銃を握ったままの右手を、その縁にかけた。
　六、七メートルたっぷり下に、月明かりを湛えた小さな円が見えた。その円の中、自分の影がシルエットになって映っていた。
　——水だった。ああ、枯れ井戸じゃなかったんだ。

　比呂乃は再びリボルバーをスカートの前に差し、痛む左肩から、右手でデイパックを下ろした。土の上に、それがとさっと落ちた。つるべの柱、横木から井戸の中に落ちている、擦り切れたロープを握った。

ロープを引くと、水面に小さなバケツがぽしゃっと顔を出した。比呂乃は必死でロープを引っ張った。つるべの横木には大時代ものの滑車が付いていて、二つのバケツから交互に水が汲めるようになっているようだったが、左手がほとんど痺れて動かないため、少し引き上げるごとに井戸の縁のコンクリートに膝でロープを押しつけ、何とかそれを引き寄せた。

ようやくバケツが、井戸の縁まで来た。最後にもう一度膝でロープを保持し、バケツの把手をつかんで、井戸の縁に置いた。水だ。なみなみと、水が入っている。この際、おなかをこわそうがなんだろうが構わない。とにかく、あたしの体には水が必要なのだ。

しかし、比呂乃はあるものを発見して、ぐっと小さくうめき声をもらした。

指の先程の蛙が、中を泳いでいた。月明かりを跳ね返して、そのいやらしい小さな黒い目と背中が(陽の光のもとで見たなら、それはきっと、いけすかない蛍光性のグリーンなのだ。あるいは、汚らしい土色か)、ぬるりとした光を放っていた。比呂乃の一番嫌いな生物の、その特有の皮膚の感じが視覚から伝わり、比呂乃の背筋の辺りをざわざわさせた。

だが、比呂乃はぐっとその嫌悪感を押さえつけた。もう一度バケツを引き上げる気力はなかった。のどの渇きはもう、耐え難いまでに強まっていた。何とかこの蛙を追い出すのだ、それから――

途端、バケツの縁に這い上がった蛙がぴょんと跳ね、比呂乃の方へ飛んできた。比呂乃は小さく悲鳴を上げて体をひねった。生死をかけた状況だろうと何だろうと、嫌いなものは嫌いなのだ。おかげで蛙はよけられたが――右手はバケツを離してしまい、バケツはあっけなく井戸の中に墜落してしまった。がらん、ばしゃっという音が響いて――それでおしまいになった。

比呂乃はうめき、蛙が跳んだ方向を目で追った。殺してやる、殺してやる、ぶち殺してやる!

ところが――比呂乃の視界は別のものをとらえていたのだった。

ほんの四、五メートル先、学生服姿の黒い影が、びくっと足を止めていた。

比呂乃は家の方に背を向けていたのだったけれど、その影の向こうで、勝手口らしいドアが開いていた。

その影が足を止めた様子で、比呂乃の脳裏を幼いころの記憶が――鬼が振り返ったときに動いてたらダメ、というやつだ――無意識によぎったが、そんなことはどうでもよかった。問題は、その、痩せぎすで背の低い、それこそ何か蛙を思わせる不細工な顔の男――織田敏憲（男子四番）が、両手に細いリボンのようなものを握っていることだった。一瞬のちに、比呂乃はそれがベルトなのだと認識した。

見ろ――織田敏憲は、町の高級住宅地に住む会社社長のお坊っちゃんだ。いつもはごくごく普通の男の子だ。確かバイオリンが特技で（何か県のコンクールで入賞したこともあるらしい）、お上品を気取っている大人しい男だ。そいつが――

あたしを殺そうとしている！

ビデオ映像の一時停止が解かれたかのような感じで、敏憲が唐突に動き、右手で握ったベルトを振り上げて襲いかかってきた。大きめのバックルが月明かりの反射光を一瞬引きずった。あんなもので殴られたら、肉が弾け飛ぶだろう。距離はわずかに四メートル――。

十分だった。

比呂乃は右手を体の前へ走らせ、リボルバーを握った。すっかりおなじみになったグリップの感触が手に伝わった。

敏憲は、もう目前に迫っていた。撃った。今度は三発続けて撃った。

その全弾が敏憲の腹に命中し、敏憲の学生服が鮮やかに裂けるのが見えた。

敏憲はくるっと半回転すると――俯せに横たわった。土埃が少し舞うと、もう、ぴくりとも動かなかった。

った。

比呂乃はリボルバーを再びスカートの前に差し込んだ。焼けた銃身がおなかに当たってちりっと痛んだが、気にしていられない。とにかく、今は——水だった。

自分のデイパックを拾い上げると、家の中へ入った。家の方に背を見せていたのはうかつだったが、もう、誰かが隠れている気遣いは絶対にない。そして、敏憲の持っていた水があるはずだ。

政府支給の懐中電灯を出そうかと迷ったが、敏憲のデイパックは、あっさりドアの内側に見つかった。比呂乃はしゃがみこみ、右手だけで何とかジッパーを開けた。

水のボトルがあった。一本はまだ封を切っておらず、もう一本もまだ半分方残っている。——ありがたかった。

比呂乃は膝をついた姿勢のまま、半分残っている方の蓋を開けると、しゃぶりつくように唇を押しつけ、ボトルを傾けた。自分を殺そうとした男と——おまけにもう死んだ男と間接キッス？——どうでもいい、そんなことは遠いどこか、赤道の下とか、旗に雪が積もっている極点での話だ。あるいは月の上とか。こちらアームストロング。この一歩は私にとっては小さな一歩だが——。

ごくごくと水を飲み下した。うまかった。文句なしにうまかった。こんなにうまい水は飲んだことがなかった。ぬるい水がそれでものどを下り、胃へ降りていくにつれ、まるで氷水のように感じられた。うまかった。

一気にそのボトルを空け、息をついた。

突然、のどにしゅるっと何かが巻きついた。ちょうど、あの、クラスの誰にも平等に付けられた首輪の上の辺り。げほっと咳き込み、口の中に残っていた水が唇から霧になって飛んだ。

比呂乃はその、のどの下に食い込んだものを、使える右手で引き離そうともがきながら、首をねじ曲

げた。自分の顔のすぐ右側に、引き攣った男の顔があった――織田敏憲、ついさっき死んだ男の顔が！

ぎりぎりとのどが締めつけられた。自分の首を巻いているのが、さっき敏憲が手にしていたベルトだと理解するのに数秒を要した。

なんでなんでなんで――なんで生きているんだ、この男は？

家の中の闇を見ていたはずの視界が、赤い色に染まり始めた。ベルトを引きはがそうとする、比呂乃の右手の指から、爪がばりばりともげていた。血が指を伝った。

そうだ銃を――

比呂乃は思い出し、スカートの前に差した銃に手を伸ばしかけた。

その腕が、上等な革靴を履いた足に蹴飛ばされた。ぼきっと音がして、比呂乃の右手は左手に続いて感覚を失っていた。その一瞬、ベルトが緩んだが、

――すぐに元に戻った。比呂乃はもうベルトを握ることもできず、ただ、不気味に歪んだ右腕を振り回した。

それも、十数秒のことだった。腕がだらんと垂れた。体がぐったり力を失った。比呂乃は千草貴子や相馬光子とまではいかなくともまずまず美しい少女だったし、それも中学生というよりは高校生か大学生に見えるぐらいの大人びた魅力があったのだが、今やその顔は鬱血して膨れ上がり、通常の倍ぐらいに膨張した舌が、だらっと口の中央から下へこぼれていた。

それでも、織田敏憲は、さらに執拗に比呂乃の首を絞め続けた（もちろん、辺りを時々見回すことは忘れなかったが）。

五分余りが立ち、ようやく敏憲はベルトを比呂乃の首から離した。もう息をしていない比呂乃の体がぐたりと前に傾ぎ、上がりがまちの上にどさっと倒れ込んだ。ぱきっというこもった音がした。比呂乃の顔のどこかの骨が折れたのかも知れなかった。比呂乃。パ

ンクふうに上向きにセットしてあった髪は今やそれぞれめちゃくちゃな方向へ乱れて闇に溶け込み、セーラーの襟元からのぞくうなじと、袖を破り取った左腕だけが、鮮やかに白く、浮き上がっていた。

織田敏憲は、しばらく、ぜえぜえと荒い息を吐きながら立ち尽くしていた。まだ腹に痛みはあったが、さほどじゃない。全く、デイパックを開けてグレーのごわごわした変なチョッキが出てきたときにはなんなんだと思ったが、性能は添付の使用説明書どおりだった。たいしたものだった。

防弾チョッキというやつは。


【残り20人】

47

既に辺りは真っ暗だったが、月齢ほぼ一五に満ちた月のおかげで、北の山の山すそ、小高い丘になったそこからは、海が遙かに見渡せた。黒く沈んだ海の中に瀬戸内の島々が浮かんでいるが、政府の航行制限だろう、近い位置に船の光は全く見えない。〝見張りの船〟もまた明かりを消して碇泊しているのか、その位置をうかがうことはできなかった。

一度、見た風景だった、ただし前はもっと低い位置から。そう、あの分校を出たときに。もっとも、懐かしい、とか言ってる場合じゃないが。

「よしこっちだ」

信史は言い、銃をベルトに差して先に岩によじ登ると、豊に手を貸した。山を登ってきたこと、それに、闇の中で誰かにいきなり襲われるかも知れないという緊張感も手伝ってか豊は息を切らしていたが、何とか信史の手をつかんで、その岩に這い上がってきた。

それから、二人で、腹這いになって岩の向こう側を見下ろした。

眼下に黒々とした木々の連なりが続き、そしてその向こう、かすかな明かりが見えた。坂持がいる、

あの分校だった。光がほとんど洩れていないのは、窓にあの鉄板を張りつけてあるからだ。距離は約百メートル余り。もちろん、その分校のあるエリアG=7は既に〝禁止エリア〟に指定されていたし、そこに入ったら即座に死ぬのだが、余裕は見てある。まだ昼の光があるうちに地図と磁石を使い、クロス・ベアリングの手法を駆使して、信史はほぼ完璧にそのエリアの範囲を割り出していた。分校はどちらかというとそのG=7の中、信史たちが今いるエリアF=7との境界線に近い方に建っており、地図上、境界線からの最短距離は約八十メートル。そして、六時の放送の禁止エリアの追加でも、分校を挟むF=7とH=7は、なおそれに含まれずに済んだのだ。上々だった。

そう言えば六時の放送で、月岡彰がその禁止エリアに引っかかったと坂持が言っていた。いけすかないオカマだったし(「三村くん、今度アタシとデートしない?」)、他人のことを構っている場合じゃないのだが、恐らく首根っこを爆弾に引きちぎられて死んだのだろう月岡彰のことは、少し哀れでもあった。一体どこで引っかかったのだろうか。

それに、千草貴子が死んだのも、信史の胸にいささかしこりを残した。少なくともクラスで一番きれいな女だったし(ま、俺の好みなんだけど)、そしてそれよりも、貴子はあの杉村弘樹の幼馴染みのはずだった。B組のほかの連中の多くが誤解しているところ、実際は弘樹が貴子と付き合っているわけではなかったが(それは弘樹自身から聞いた)、それにしたって、弘樹にはショックだったに違いない。

杉村——どこにいるんだ、おまえ。

しかし、信史は、現在のことに集中することにした。眼下の分校と、それを取り囲む地形をよく観察した。ここからあの分校を越えて、エリアの向こう側までロープを張らなければならないのだ。実際に見てみれば、それはやはり相当な距離だった。

鉄板付きの窓から洩れるあえかな光を遠目に認め

ながら、信史はクソ、と思った。坂持たちは、あそこにいるのだ。夕飯の時間だ、案外、のんきに焼きうどんでも（なぜ焼きうどんかというと、それは叔父が一人住まいの狭い借家で信史に何度かごちそうしてくれて以来の信史の好物で、今、欲しくてたまらなかったからなのだが）食っているかも知れない、クソ野郎め。

既に、必要なものはすべて手に入れていた。

地図上の表示はなかったが（確認したところ、それはどうも民家扱いで、青い点で表示されているようだった）、信史たちは分校の少し南、島を東西に横切る道路の近くで、〝農協〟を見つけた。壁も屋根もスレートの建物の入口に〝高松北部農協沖木島出張所〟と書かれたそれは（ここが高松市沖に浮かぶ沖木島だということは信史はとっくに承知していたのだが、豊はへええ、と感心していた）、普通イメージするような農協ではなく、きちんとした事務所も現金自動支払機の一つもなかった。ただ、倉庫のようなその建物の中に、トラクターやらコンバインやら脱穀機やらがごろごろ転がっているだけで、あとは、ひと隅を間仕切りして事務机を置いてあるだけの代物だったが、とにかくそこで、硝酸アンモニウムはあっさり見つかった。ありがたいことに新品同様で、湿っているということもなかった。それに、車から集めるまでもなく、燃料容器にたっぷり入ったガソリンもあった。

滑車も、その農協の少し東、信史がゲーム開始直後、マッキントッシュ・パワーブックを入手した家の隣の井戸で見つかった。

硝酸アンモニウムと並ぶ最大の問題はロープだった。今、眼前にあるこのエリアG＝7を横切ってロープを張り渡すには、最低でも三百メートル以上が必要だ。しかも、作戦の決行直前までは坂持たちに気づかれないよう、かなり緩めておかなければならないから、本当はもっと長くてもいい。その長さのロープ、となるとこれは容易に見つかりそうになか

った。農協出張所にもロープはあったが、せいぜい二百メートルもなかったし、それに、それはビニールハウスか何かに使うものでもあったのか直径が三ミリもなく、いささか強度に問題がありそうだった。

しかし、幸いなことに、あの、今はもう集落とともに禁止エリアに入ってしまった港から海岸沿いに南へ離れたところで、個人用らしい漁具倉庫を見つけることができた。漁業用の、いささか潮にさらされ風化したロープだったけれども、それに三百メートル分以上となるとひどい重さと量だったけれども、信史と豊はそれを何とか手分けして運び、農協に隠しておいた。

そして、それらの材料はすべてそこに残したまま、ここへ来たのだ。

信史は闇に目をこらした。今自分たちがいる北の山の山すそは、分校のこちら側、つまり北側と、右手、つまり西側を取り囲む形で広がっている。分校の左手、東側には林が広がり、そのまま集落の北側、海際まで続いていた。そして、分校の向こう側は、田んぼだ。ところどころに立木の塊があり、その間に、住宅もいくつか見えた。そのまた向こう、信史たちが道具一式を置いてきた農協の建物も、何とかそれと判別できる。その左手すぐからはもう、徐々にごちゃごちゃと屋根が並び始め、禁止エリアのラインをまたいで集落へと続いていた。

豊が肩を叩いたので、信史は右側にいる豊の方に顔を向けた。豊が、生徒手帳をポケットから出して、その白紙のメモ欄に何か書き始めた。

そう、動き出す前に、とにかく余計なことはいっさい喋らないことを、またメモ書きで確認しておいた。何せ――信史がまだ何か〝よからぬこと〟を計画していると坂持たちが知ったら、今度こそ容赦なく、遠隔操作で信史たちの首輪を吹っとばすだろうことははっきりしていたのだ。

坂持がなぜすぐに信史と豊の首輪を吹っとばさなかったのか――それも考えた、多分、それは、この

ゲームの性格が、〝できるだけ、生徒たちを互いに戦わせる〟ことをその目的としているからだ。その点、信史には一つ、思い当たることがあった。つまり、政府の高官が、このゲームで〝賭け〟をするのだ、という噂。恐らく、もしそんなものがあるのなら、豊のことはわからないが、当城岩中バスケ部の天才ガード、〝ザ・サード・マン〟三村信史は、結構下馬評上位に挙がっているに、違いない。だからこそ、坂持は軽々に自分を殺せない——そういう推測が、たった。そういう意味では、出発前に殺された国信慶時や藤吉文世は、その賭けにはおおよそ関係がなかった、いやもっとはっきり言えば、彼らに賭けたやつがいなかったのだろう、とも。

——ただ、だとしても、坂持が(クソ、あのサカモーチョ・キンパッティ)このゲーム進行の全権を握っているのである以上、いつそれが起きても不思議じゃない。何とかあの分校に爆弾をぶつけるまで、それが起こらないことを祈るばかりだ、ということになる。それは、もちろん信史の気には入らなかった。自分の生殺与奪を誰かに握られているというのは、叔父の薫陶を受けて何事も自分で律してきた信史にはたいへん気に入らない。

しかし、今、信史は、分校の光を見下ろしながら、首を振った。それは言っても始まらないことだろう。

〝どうしようもないことを気にするな。できることをやるんだ、信史〟。叔父の声が蘇った。〝たとえ可能性が一パーセントもないのだとしても〟

豊がメモを書き上げたらしく、また肩をつついたので、信史は目を戻して、それを覗き込んだ。暗くてちょっと読みにくかったので、月明かりにかざした。

〝どうやってロープを張るんだい〟と書かれていた。

〝ここからあんなロープを向こうまで投げるなんてむりだよ。それに、ロープは置いてきちゃったじゃない。どうするの?〟

そう、その点の説明はまだしていなかった。〝ロープウェイ〟の材料集めに必死で、それどころじゃなかったのだ。信史は小さく頷くと、自分も鉛筆を取り出して、その生徒手帳のメモ欄に書いた。

〝糸を持ってきた。それを張り渡して、向こうでそれにロープをつなぐ。あとでもう一度ここに来たとき、糸を引っ張ってロープをたぐり寄せるんだ。決行の直前に〟

豊に渡した。豊は目をこらした後、得心したのか、信史の顔を見て頷いた。それから、書いた。

〝石かなんかに結びつけて糸を飛ばすんだね〟

信史は首を振った。豊は、え？　というように目を開き、それから、少し考えた様子で、また書いた。

〝弓矢みたいのでもつくるの？　それに糸を結んで飛ばすの？〟

信史はまた首を振り、手帳を受け取ると、鉛筆を走らせた。

〝それでもいいかも知れん。どっちにしても、いくら俺でも三百メートルもソフトボール投げはできないからな。しかし、ねらいを外すわけにはいかないんだ。もし外して、分校に石だの矢だの当たってみろ。それでなくても、失敗してどこかに引っかかって、やり直しで引っ張って糸が切れたりしたら、代わりはもうないんだ。もっと確実な方法をとる〟

今度は鉛筆を握らず、豊はただ、〝？〟というように信史を見た。それで、信史はまた手帳を引き寄せ、続けた。

〝こっちでとにかく糸をそのへんの木に結んで、俺たちは糸の一方のはしをにぎって山を下りる。ぴんとまっすぐ張るのは向こう側に着いてからでいい〟

豊はそれを読み、しかし今度は即座に不審そうに眉を寄せて、いそいそと書いた。

〝できないよ〟と読めた。〝ぜったい木に引っかかるじゃないか。とちゅうでさ〟

それで、信史はにやっと笑った。

そう、豊が不可能と思うのも無理はなかったかも

知れない。何せ、今さら言うまでもなく、ここまで信史と豊がたどってきたコースには、大小の木がびっしり生えていたのだから。分校のあるエリアG=7を避けて糸を這わせ、後で糸を引っ張っても、糸はそれらの木に引っかかってしまって、ただ、山の中に大きなカーブを描くだけ、ということになる。いささか風変わりな屋外型の現代美術。作品自体は巨大なものですが、五メートルも離れるともう見えないので全体は見渡せないのです。その点が自然と人間の関係の微妙なバランスを――おまけに木がたっぷり生えているのはエリアG=7の中も同じ、分校のすぐ近くまでそれは続いている。身長百メートルとかいうような巨人ならともかく（そう言えば信史が叔父のところで見せてもらった昔の特撮ヒーローもののビデオで、そういうのがあった。地球を守って怪獣と戦いながら、まちをことごとく踏みつぶしてしまうやつ。最近はそういうのはあまり見ない）、木を全部切り倒しでもしない限り、糸をスムーズに分校の近くまで移動させることなど、どうしたってできないのだ。そんなことは言わば当然、だからこそ、豊がロープをどうやって投げるのか（むりだよ、けど）、と最初に訊いた由縁でもあった。

しかし、信史は優雅に（といっても腹這いになっていたので効果はいまいちだったが）両手を広げ、それから、書いた。

〝アドバルーンでもあげようぜ、豊〟と。

豊はそれを読んでまた眉を寄せたが、信史は手振りで豊に岩から降りるよう促し、とにかくそこから降りた。岩の下に腰を落ち着けると、デイパックの中に手を突っ込んだ。中身を引っ張り出して、地面に並べた。

殺虫剤ぐらいのボンベ缶が一つ、百メートル巻きの細目のたこ糸数個（これが農協で発見できたすべてだった）、ビニールテープ、それと、家庭用の黒いゴミ袋だった。

信史は、そのボンベ缶をとって豊に示した。それ

には青地に〃ボイスコンバーター〃と赤の派手な字体で書いてあり（すぐ下に〃これでパーティーの主役はアナタ！〃とのアオリ文句。ああ、そうなの）、その下、そう、信史にはわかるのだが、これはアメリカの〃ウォルトディズニー〃のキャラクターをもじったアヒルの絵が描いてあった。そして、ボンベの上には、笛の吹き口のようなものが突き出していた。

〃実のところな〃信史は書いた。〃俺がこの作戦をやれると思ったのは、これを見かけたのを思い出したからなんだ、パワーブックを見つけた家で。知ってるだろ、これ〃

そう、信史は滑車を入手する前に隣の家に寄り、このボンベを持ってきたのだ。

豊がのどに手をやって、少し口を開けた。信史は頷いた。

〃そう。あのガアガアってアヒルみたいな声が出るやつさ。とにかく、中身はヘリウムガスなんだ。しかも、こいつは製造中止になった不良品でな。むちゃくちゃにたくさんガスをつめてある〃

豊はまだ釈然としないようだったが、信史は実演した方が早いと思って、ゴミ袋の包みを破り、一枚取り出した。一端を開き、ボンベの先の吹き口（実際は吸い口だが）を突っ込んで、ビニールテープで固定した。袋は完全に密閉した。それから、ボンベのスイッチを押すと、袋は一気に膨らみ始めた。

スイッチを押し続けながら、ほんとはコンドームの方がおもしろかったんだよな、と信史は考えた。しかし、たとえ膨らませたとしても小さすぎる、ちょっと。え？　持ってるのかって？　いやあそりゃあ本来はこれ、修学旅行でしたから。旅先じゃ、何が起きても不思議じゃないでしょう？　え、着替えとか捨てちゃったのにまだ持ってるのかって？　いやはやそれが持ってるんだよね、いや、まだなんかさ、役に立つかも知れないじゃん。細かいこと、言わない言わない。

ほぼ一杯にガスを入れてから、信史はボンベにくっつけてあるそのすぐ上をねじり、ビニールテープで縛った。たこ糸のひと巻を取り、その糸の端をくっつけて、さらに縛った。それから、下側のテープをはがして、ボンベから離した。念のため袋の端を折り返して、もう一度テープで巻いた。

信史は、その手を離した。

ふわっ、とそのゴミ袋が浮き上がった。糸巻きから、糸がぴんと上に伸びるところまで上昇し、糸巻きをもほとんど持ち上げるかに見えたが――しかし、止まった。信史と豊の目の高さで。

「な?」

信史は、これは声に出して言った。豊はもう、作業の途中で気づいていたのだろう、何度も小さく、頷いていた。

信史はそれから、風船の下側に伸びている糸に、もう一つ別の糸巻きからほぐしたたこ糸を結びつけた。念のため、ビニールテープで頑丈に固定した。

そして、風船から下がった二本の糸を両手に持つと、歩く人の脚のように動かしてみせた。それから、手近な木を指さした。また、糸を動かした。そう、即ちこれが、巨人の脚。まちを踏みつぶすには貧弱過ぎるし、今はまだちょっと、俺より短いぐらいだけど。

豊が、もうすっかり了解したのだろう、大きく二度、頷いた。それから、声は出さずに口だけを動かした。〝すごいよ、シンジ〟と読めた。でもあるいは、〝くどいよ、シンジ〟かも知れない。いや、どうでもいいことなのだが。

信史はまた手帳を手にとって、書いた。

〝もう一つか二つ、風船を作ってくっつける。けど、それでも、糸をどれぐらい吊り下げられるかはわからない。それに、風の問題もある。しかし、とにかくやってみよう〟

豊がそれを読んで、頷いた。

信史は空をちょっと見上げた。黒い袋だ、月の方

向からしてもまず坂持たちにバレることはない。今のところ、風もあまり強くない。だが、上空のことは、わからなかった。

それから、言った。

「さ、早くしようか」

信史は豊に一個目の風船を持っておくよう手振りで示し、ゴミ袋をもう一枚、引っ張り出した。


【残り20人】

48

午後十時過ぎになって、川田が起き上がる気配がした。

ベッドに横たわった典子にずっと付き添っていた秋也は、ほとんど真っ暗な部屋の中を半ば手探りしながら、隣の待合室へ出た。

「コーヒーを沸かすよ」

川田は秋也の顔を見てそう言い、すたすたと廊下を進んでいった。かなり夜目がきくようだった。

ベッドのところへ戻ると、典子が毛布をどけて体を起こしていた。

「もう少し横になってていいよ」

秋也が言うと、典子は「うん……」と頷き、それから、ちょっと口ごもるように言った。

「あの……川田くんに、頼んで。お湯を沸かすんだったら、カップ一杯分でいいから、余計にもらえないかって」

窓からカーテンごしに入るわずかな月明かりの中、典子はベッドの縁に腰掛けて、両腿の脇に手をついていた。ちょっと、俯いて首を横に向けていた。

「いいけど――どうするんだい？」

秋也が訊くと、典子は少しためらったようだったが、答えた。

「あの……汗かいたから、体、拭きたくって……ぜいたくかしら？」

秋也は「あっうん」と言い、慌てて頷いた。「オ

ーケイ、言ってくるよ」

部屋を出た。

川田は、真っ暗なキッチンで湯を沸かしていた。鍋の下に入れた炭の火と、川田が咥えた煙草の先が、珍種の蛍の群れと、それからはぐれた一匹みたいに、対をなして赤く光っていた。

「川田」

秋也が声をかけると、川田が振り向き、煙草の火の位置が移動した。残像が秋也の目に一本太いラインをひき、すぐに消えた。

「典子がお湯を余計に沸かしてくれないかって」続けた。「典子はカップ一杯でいいって言ったけど――」

「ハハア」

みなまで言わせず、川田が遮った。煙草が口から離れ、窓からのかすかな月明かりで、川田が笑ったのがわかった。

「いいよ。カップ一杯だろうが洗面器一杯だろうが」

体を動かすと、床に置いてあったバケツからお椀で水を汲み上げ、鍋の中に足した。五度ばかり、繰り返した。どうやら鍋の中の湯はずっと炭の火を小さく起こして保温していたらしく、かすかな蒸気が流れて、秋也の肌に触れた。

川田はそれから、「女の子だな」と言った。

どうやら川田は秋也ほど鈍感ではなく、典子がなぜお湯が欲しいと言ったのか、わかっているようだった。

秋也が何も言わないでいると、川田が珍しく自分から続けた。

「おまえといるからさ、きれいでいたいんだよ」

川田が煙を吐いた。

秋也はちょっと沈黙した後、「なんか手伝うことないか？」と訊いた。

「いや」

川田が首を振ったようだった。目をこらしてよく

見ると、テーブルの上にはカップ三つと、ペーパーをセットしたドリッパーが既に置いてあった。また、これは典子のためか、ティーバッグも準備してあった。

「おまえさ」

川田が声をかけたので、秋也は眉を持ち上げた。

「何だよ、饒舌じゃないか、珍しく」

川田はちょっと笑った。続けた。

「国信のことはそれはそれでわかるけどな、典子サンの気持ちも大事にしてやれよな」

秋也は再びしばし沈黙した。それから、言った。どうしてだか、どこか不平そうな感じが口調に混じったかも知れない。「わかってるよ」

「おまえ、付き合ってるオンナ、いるのか?」

川田が続けて訊き、秋也は肩をすくめた。

「いいや」

「じゃ、いいじゃないか、別に」

川田は相変わらず窓の方へ視線を向け、煙草をふかしていた。

「愛されるってのは悪くないことだ」

秋也はまた肩をすくめた。それから、訊いた。

「おまえは、女の子、いないのかい、特別に」

煙草の先がふうっと赤くなった。何も言わなかった。煙がゆっくり、闇の中を流れた。

「黙秘かい」

「いや――」

川田は言いかけたのだが、ふいに、煙草を口から取って、水の入ったバケツへ放り込んだ。「頭を下げろ、七原」とささやき、同時に自分も身を屈めた。

秋也は慌てて、言われた通りにした。襲撃か?体がぎりっと緊張した。

「典子サンを連れてこい。音を立てるな」

川田がまたささやいた。秋也は言われなくてももう、典子のいる診察室の方へ移動を始めていた。

典子はベッドの端に、まだぼうっと腰掛けていた。

秋也が身振りで体を伏せるよう促すと、すぐに了解

したのか、息を呑んだ様子でベッドから降りた。秋也は典子に手を貸し、体を半ば支えるように、キッチンまで移動した。途中で玄関の方を振り返ったが、硝子戸の外に人影は見えなかった。

川田はもう、水などを詰め替えた三つのデイパックをまとめ、ショットガンを手にして勝手口のそばに膝をついていた。

「何だ?」

秋也がささやき声で訊くと、川田は左手を上げて、制した。それで、秋也は黙った。

「外に誰かいる」川田がささやいた。「入ってきたら、別の方向から出る」

闇の中に、鍋の下の炭の火だけがあかあかと見えていた。もっとも、流し台の位置からして、それは外からはわからないだろう。

かたっというかすかな音が、ようやく秋也の耳にも届いた。玄関の方だった。つっかい棒をしてあるので、開かないはずだ。ガラスが割れているから、外にいる誰かは、少なくともここに人が入ったことには気づくだろう。そして、恐らくはまだ中にいることにも。

かたっかたっという音がして、すぐにやんだ。玄関を開けるのはあきらめたようだった。

「ちくしょう」川田がうめいた。「火でも付けられたら面倒だぞ」

息をひそめて待ったが、音はしなかった。しかし、川田が、身振りで玄関の方へ出るよう促した。川田の耳には、何かかすかな音が届いているのかも知れない。

三人で、半ば床を這うように移動した。

途中で、最後尾を進んでいた川田が、先頭の秋也に腕を伸ばして、動きを止めさせた。秋也は首を振り向け、闇の中で肩ごしに川田を見た。

「また前へ回り込んでる」手を後ろへ振った。「裏から出よう」

それで、また廊下をキッチンの方へ戻った。

キッチンに入る前に、川田がまた動きを止めた。

「くそ、何でだ?」と低く唸った。

要するに――外にいる誰かは、また裏口の方へ回ってきたようだった。

沈黙が続いた。川田はんだショットガンを構え、秋也も、川田との間に典子を挟む形で、南佳織が持っていたシグ・ザウエルを握り締めた(スミスアンドウエスンは川田に渡していた。装弾数が一発でも多い方を秋也が持つことにしたのだ)。

しかし、その沈黙はあっさり破られた。キッチンの窓の外から声がしたのだ、「杉村だ」と。続いた。「戦う気はない。返事をしてくれ、三人とも、一体、誰なんだ?」

それは、まぎれもなくあの杉村弘樹(男子十一番)の、三村信史と並んで秋也が信用できる数少ない男の声だった。

「なんてこった」秋也はうめいた。「まさか――」

それは、願ってもないことだった。まさか会えるとは思ってもいなかったのだ。典子と顔を見合わせた。典子も、安堵した表情を、見せていた。

すぐに腰を上げかけようとした秋也を、川田が制した。

「――なんだよ」

「しっ。声を上げるな」

秋也はその川田の真剣な表情を覗き込み、大げさに肩をすくめて笑んだ。

「大丈夫だよ。あいつなら俺が保証する。信用できる」

しかし、川田は首を振って、言った。

「なんであいつは、俺たちが三人だとわかったんだ?」

それで、秋也はそのことに初めて気づいた。川田の顔を見ながら、考えた。――わからなかった。

わからなかったが、しかし、今弘樹がすぐ近くにいるという事実の前では、そんなことはどうでもいいような気がした。とにかく、早く弘樹の顔が見た

かった。

「遠くからここに俺たちが入るのを見てたんじゃないか。それで、誰だかまではわからなかったんだよ」

「それならなぜ今ごろここへ来た？」

秋也はまたちょっと考えた。

「誰か確かめるのを決心するのに時間がかかったんだよ、きっと——とにかく、杉村なら信用できるよ、心配ない」

なお何か言いたげな川田を無視し、秋也は窓の外へ向けて声を上げた。

「七原だ、杉村。川田章吾と、中川典子と一緒だ」

「七原——」安堵した声が返ってきた。「入れてくれ。どこから入ればいい？」

秋也が答える前に、川田が「川田だ」と声を上げた。「玄関へ回れ。両手を頭の後ろで組んで、動くな。わかったか？」

「川田——」


秋也は非難する口調で言いかけたが、すぐに、弘樹の「わかった」という声がした。窓のスリガラスの外を、弘樹の上半身らしい影が横切った。

川田が先に立って、玄関へ回った。秋也は典子の体を支えて後を追った。

川田は玄関口で頭を下げ、ガラスの割れ目から外を覗いた後、ショットガンを構えた姿勢でさっとつっかい棒を外し、戸を開いた。

杉村弘樹が、頭の後ろに手を組んで立っていた。川田よりわずかに高いぐらいの長身だが、もっと細身の感じだ。秋也と同じような癖のある髪が、額のちょうど半分まで落ちている。足元にデイパックと、どういうわけか一メートル五十センチぐらいの棒が一本、転がっていた。

本物だった。秋也が信じられない、というように首を左右に振ると、弘樹はその秋也の顔を見て、にやっと笑ってみせた。

「ボディチェックする。動くな」

「川田、もう――」

秋也が言いかけるのにも川田は頓着せず、ショットガンを構えたまま前へ出ると、弘樹の後ろへ回り、まず頭の後ろの手を調べた。それから、学生服を撫でるように空いている左手を走らせた。

ポケットのところで、手が止まった。

「なんだ、こりゃ」

手を組んだまま、弘樹が言った。「出していいぜ。ただし、取り上げないでくれ」

川田がそれを引っ張り出した。分厚い手帳みたいなサイズと形の代物だったが、材質はプラスチックかスチールのようだった。片面を覆う滑らかなパネルが月明かりを映すのが、秋也にも見えた。

川田はそれをしばらくひねくった後、「ハハア」と言った。持ったままちょっと体を動かし、パネル部分を月明かりにかざしてもう一度見つめた。頷いて、弘樹のポケットへそれを戻した。それから、弘樹のズボンの先までていねいに調べ、ついでにデイパックの中もチェックして、ようやく「オーケイ」と言った。

「悪かったな、手を下ろしてくれ」

それで、弘樹は組んでいた手をほどき、足元のデイパックと棒を拾い上げた。どうやら棒は、武器として持っていたらしい。

「杉村」秋也は顔をほころばせた。「入れよ。コーヒーがあるんだ、飲むかい?」

弘樹はちょっとあいまいな感じで頷き、秋也たちと一緒に玄関の中に入った。川田が外を確かめ、戸を閉めた。

弘樹は、そこで立ち止まった。川田が、弘樹の横手、スリッパが並んだ靴箱に背を預けて、じっと弘樹を見つめていた。レミントンの銃口は下げられていたけれど、川田の指がまだ引き金にかかっているのに気づいて、秋也はちょっといやな感じがした。しかし、とりあえずそれは気にしないことにした。

弘樹があらためて秋也と典子の顔を見、それから、

その川田の方をちらっと見た。それで、秋也は、自分が、典子はともかくとして、川田と一緒にいることを、弘樹が気にしているのだと気づいた。

「七原」川田がそれを口に出した。「杉村は、おまえたちに言いたいみたいだ、俺と一緒にいて大丈夫なのかと」

弘樹がそれで、軽く笑みを浮かべて川田の方を向いた。「いや——」と言った。

「いささか奇抜な組み合わせだと、思っただけだ」

笑みを残したまま、続けた。「あんたが敵に回るような男なら、七原が一緒にいるわけがない。七原は、俺の知る限り結構ばかなところがあるが、それほどじゃないだろう」

川田がそれに応えてにやっと笑った。相変わらず指は引き金から外していなかったけれど、とにかく、それで、当座弘樹と川田のあいさつは済んだようだった。

秋也は「ひどいよ、杉村」と笑んでみせた。

それから今度は典子が、「上がって」と口を開いた。「ね。ひとの家だから、汚いところ、とも言えないけど」

それで弘樹はにこっと笑ったけれど、しかし、玄関口から動こうとはしなかった。

秋也は典子を左手で支えたまま、右手を中へ動かした。

「上がれよ。もうすぐ動かなきゃならないけど、まだしばらくは時間がある。おまえの歓迎パーティ、しようぜ」

それでも、弘樹はまだそこにじっと立っていた。秋也は、大事なことを言い忘れているのを思い出した。パーティ、なんていう言葉に、弘樹はあぜんとしているのかも知れなかった。

「杉村、俺たち、逃げ出せるんだ。川田が、俺たちを助けてくれるんだよ」

弘樹はそれで、ちょっと目を丸くした。

「そうなのか？」

秋也は頷いた。

しかし、弘樹はややあって、顔を俯けた。すぐに上げた。

「いや――」と言い、首を振った。「俺、ちょっと、用があるんだ」

「用?」秋也は眉をひそめた。「けど、とにかく上がって――」

弘樹はそれには答えず、逆に、「ずっと三人、一緒だったのか?」と訊いた。

秋也はちょっと考え、首を振った。

「いや――俺と典子は、一緒だった。それで――」

それで、朝のことを思い出した。大木立道の割れた頭が久々に鮮やかに脳裏に蘇って、あらためてぞっとした。

「――うん、とにかくいろいろあって、川田と合流したんだ」

「そうか」弘樹は頷き、それから、言った。「あのな、琴弾を見なかったか?」

「琴弾?」

秋也は聞き返した。琴弾加代子? 女子八番の? お茶をやってる、その割にはおしとやかというよりおちゃめな感じの女の子?

「いや――」秋也は首を振った。「見てないけど――」

秋也が思いついて川田の方へ顔を向けると、川田も弘樹の方へ首を振った。「俺も見ていない」と言った。

もちろん、琴弾加代子だって、この島にいるのは間違いない。坂持の放送でまだ名前が読み上げられていない以上、生きているはずだ。そう――午後六時以降これまでに死んでいなければ。

それで秋也は、多くのクラスメイトを見殺しにしようとしているのだということにあらためて思い至り、暗い気分になった。

「加代子が――?」典子が訊いた。

「いや――」弘樹は首を振った。「ならいい。あり

がとう。悪いけど、俺、行かなきゃ」

言うと、弘樹は川田の方へもちょっと目であいさつをし、体を翻しかけた。

「待てよ杉村！」秋也は呼び止めた。「どこ、行くんだ？　俺たちと一緒にいたら助かるって言っただろ？」

弘樹は秋也の方へ顔を振り向けた。その目はどこか哀しげだったけれど、それでも、そこには、いつもの弘樹らしい、ちょっと皮肉なユーモアの光があった。それは、国信慶時（故、だ、ちくしょう）はもちろん、三村信史とか、まずまず秋也と仲のいい連中に——あるいは川田にも——共通する光だったかも知れない。

言った。「俺、琴弾にどうしても会わなきゃならない用があるんだ。だから、行くよ」

用。動き回ったらそれだけ死に近づくこの状況で、用とは、一体、なんだろう？

とにかく、秋也は言った。

「ちょっと待てよ、行くったって、おまえ、ろくな——武器も持ってないじゃないか。危ないよ。それに、どうやって探すんだ？」

弘樹はちょっと、下唇を口の中へ巻き込んだ。それから、ポケットからさっきの携帯情報端末みたいなものを取り出し、秋也の方へ示した。「俺のデイパックに入ってた〝武器〟がこれだ」と言った。

「そこの川田センセはもうわかってるようだけどな。こいつで、どうも」装置を持った手で自分の首を指した。秋也にも典子にも川田にも、同じようにくっつけられている銀色の首輪が、光っていた。「これを着けてるやつの位置がわかるようだ。ごく近いとこまで行けば。スクリーンに表示が出る。それが誰か、まではわからないが」

それで、秋也はようやく、さっきの疑問の答えに思い当たった。弘樹が家の中にいる秋也たちを三人、と言い当てたのは、そして、秋也たちが移動するのに合わせて先回りできたのは、その装置のおかげだ

ったのだ。それは、あの分校で自分たちの位置を管理しているコンピュータと同じように、首輪を着けているものの位置を突き止めることができる、というわけだ。弘樹が言ったように、それが誰かまではわからないにしても。

弘樹は装置をポケットに納めた。「じゃあ――」と言って踵を返しかけたが、「そうだ」とそれを止めた。

「相馬光子に、気をつけろ」言って、秋也の方から、川田の方へも厳しい視線を動かした。「あいつは、やる気になってるぞ。ほかのやつは知らないが、それだけは確実だ」

川田が訊いた。「出くわしたのか、相馬に?」

「いや」弘樹は首を振った。「そうじゃないが、貴子が――千草貴子がそう言った、死ぬ前に。貴子は相馬にやられたんだ」

それで、秋也は、千草貴子がもう死んでいたのだということを思い出した。六時の坂持の放送でそれを聞いて、弘樹のことが気になってはいたのだけれど、今、弘樹の顔を見たうれしさで、そんなことはすっかり忘れていたのだ。

そう、弘樹と千草貴子は、ごくごく、仲がよかった。一時期などは、秋也はすっかりこの二人は付き合っているもんなんだと誤解していたことすらある。しかし、一度それとなく訊くと、弘樹は笑ってこたえた、「俺は貴子と付き合えるほど男前じゃないよ。幼馴染みなんだ、昔、よくかくれんぼとかしたのさ。ケンカすると、俺が泣かされてな」。それは何だか――確かに千草貴子は女子では抜群の運動センスを持っていたし、十分に気の強い女の子だったけれど、それでも、今、身長が百八十センチを超え、拳法の段位を持っている弘樹と見比べれてみれば(いつだったか、そう、家に一度だけ遊びに行ったときにいやいやながらも見せてくれた、てのひらの手首に一番近い部分――掌底でぶあつい杉板をぱん、と一撃で割るのを)、それは何だか笑い話のように聞こえ

た。

だが、その千草貴子はもう、死んでいたのだ。そして――今の弘樹の言い方というのは、その貴子の臨終に、立ち会ったということなのだろうか。

典子が「一緒だったの？」と静かに訊いた。

弘樹が首を振った。

「最期だけだ。俺は――出発したとき、あの分校の前で隠れて、貴子を待ってたんだ。――けど、赤松が戻ってきて、気をとられてるうちに貴子を見失った。それで――今度は貴子を探してるうちに、七原、おまえや、三村と合流する機会も失ってしまった」

秋也はあごを小さく上下させ、頷いていた。あの赤松義生が戻ってくるまで、弘樹は分校の前にいたのだ。多分、林の方かどこかに身を隠して。もちろん、それは危険であったに違いない。だがそれは、弘樹にとって、貴子の存在がいかに大事だったか、ということだった。

「けど――」弘樹が続けた。「見つけた、貴子を。でも――遅かった」

そこまで言って、弘樹は視線を落とした。首を左右に揺らした。みなまで言わなくても、弘樹が貴子を探し当てたときには、貴子は相馬光子にやられて、死にかけていたのだということがわかった。

秋也は、赤松義生がそのあと天堂真弓を殺し、自分も危うく殺されそうになったことを説明しようかと思ったが――まあ、あまり意味はないことだった。赤松義生ももう死んでいるのだ。

「適当な言葉かどうか――」典子が言った。「とにかく、お悔やみを、言うわ」

弘樹がちょっと笑って頷いた。「ありがとう」

「とにかく」秋也は言った。「上がれよ。話をしてからでも――」

遅くない、と言おうとしたが、口ごもった。弘樹が、お互い生きているうちに琴弾加代子に会うつもりなのだとしたら、どうしたって遅い。千草貴子のことはともかく、弘樹がなぜ琴弾加代子を探してい

るのかは不思議だったが、とにかく、ここでこうして話しているうちにも、琴弾加代子は誰かと戦闘になり、死にかけているかも知れなかった。

弘樹がその秋也の心の動きを察したのか、またちょっと笑った。

秋也は唇をなめた。川田の方をちらっと見て、それから、言った。

「どうしてもって言うんなら――」弘樹の目を見て続けた。「俺たち、一緒に探してやる、琴弾を」

弘樹はしかし、あっさり首を振った。典子をあごで示した。

「中川、怪我してるじゃないか。危ないよ、そんなことは頼めない」

「けど――」秋也は、どうにもたまらない気分だった。「けど、せっかく助かるっていうのに――ここで別れたらまた会うのは――」

そうなのだ。一度別れてしまったら、また合流するのは容易じゃない。

ふいに、川田が「杉村」と呼んだ。その手はまだショットガンをつかんでいたけれど、もう、引き金に指はかかっていなかった。

弘樹が顔を向けると、川田は空いた方の手でポケットから、何か小さなものをつかみ出した。口に近づけ、一端の金具みたいなものを歯で咥えると、本体部分をひねった。

ちい、ち、ち、ちゅく、ちゅく、と鳥の鳴き声がした。随分鮮やかで大きな、そして楽しげなさえずりだった。ツグミか、シジュウカラか、何かそんなような。

川田が口から手を離し、秋也は、それが、川田の手にしているもの――バードコールってやつなのか？　なんで川田がそんなものを持っているのかは別にして？――から出た疑似のものなのだと了解した。

「琴弾に会えても会えなくても」川田が言った。「俺たちに会いたくなったら、どこかでたき火をし

て、生の木を燃やせ。それで、煙が上がる。たき火は二つにしてくれ。もちろん、すぐにそこからは離れろよ、目立つだけだからな。それと、火事にならないようにも気をつけてくれ。それで、俺たち、それを見たら、俺がこいつをかっきり十五分ごとに——そうだな、十五秒ずつ吹く。それを頼りに、俺たちのところまで来い」

弘樹にバードコールを示した。

「こいつの音がチケットだ。気が向くなら俺たちの列車に乗れ」

弘樹が頷いた。

「わかった。そうするよ、ありがとう」

「それとな」川田はポケットから畳んだ地図を出して広げ、鉛筆と一緒に弘樹へ差し出した。「時間を取って悪いが、千草がどこで死んだかこれに書き込んでくれ。もし、ほかにも誰かに出くわしたんなら、その場所も」

弘樹はちょっと眉を持ち上げてそれを受け取り、窓から月明かりの射し込む靴箱の上にそれを置いて、鉛筆を持った。

「おまえの地図も出せ。俺たちが知ってる死体の場所を書いといてやる」

川田が言い、弘樹は手を止めて自分の地図を差し出した。二人が並んで、書き込みを始めた。典子が「コーヒー持ってくる」と言って、秋也の腕から体を離した。壁に手をついて、右足をひきずりながら奥へ向かった。

「千草は、相馬がマシンガンを持っていたと言ったか?」川田が作業を進めながら訊いた。

「いや」弘樹も顔を上げずにこたえた。「それは聞かなかった。ただ、貴子は背中に何発かくらってたようだ。一発じゃない」

「そうか」

二人が作業を進める横から、秋也は、赤松義生と、それに大木立道、元渕恭一のことを説明した。弘樹が鉛筆を走らせながら、頷いた。

川田は書き込みを終え、弘樹に地図を示した。

「ここで南がやられた。清水が逃げるのを、七原が見てる」と説明した。

「正当防衛かも知れんが、どっちにしても清水には気をつけろ」

弘樹が頷いた。それから、意外なことに「俺も、南に会ったんだ」と言い、地図を示した。

「今日の昼前だな。いきなり撃ってきたけど、多分、混乱してたんだと思う」

川田は頷き、弘樹と地図を交換した。

典子が、カップを持って廊下へ出てきた。秋也は少し廊下を戻って、おぼつかなげな典子の手からそれをリレーした。差し出すと、弘樹はちょっと匂いをかぎ、軽く口笛を吹いて、それを受け取った。典子へ「ありがとう」と言い、一口飲んだ。

ほとんどすぐに、カップを上がり口の上に置いた。まだ大方残っていた。

「じゃあな」

「待てよ」

秋也は、ベルトからシグ・ザウエルを抜き出した。銃把を前にして、弘樹に差し出した。ポケットから、予備マガジンもつかみ出した。

「これ、持ってけよ、どうしても行くっていうんなら。な、俺たち、ショットガンに、もう一丁拳銃がある」

最初は元渕恭一のもので、そのあと秋也が持っていたスミスアンドウエスンは、川田がズボンの前に差し込んでいた。いずれにしても秋也のシグ・ザウエルを渡せばチームの戦闘能力は落ちることになるが、川田は何も言わなかった。

しかし、弘樹は首を振った。

「そいつはおまえに必要なもんだろ、七原。中川を守れよ。俺は、それは、受け取れない。やるって言っても、イヤだ」ちょっと首を傾け、秋也と典子の顔を見渡し、軽く笑みを浮かべて言い足した。「前から不思議だったんだ、なんでおまえたち、付き合

ってないのかってな」

それだけ言うと、秋也にも典子にも川田にも少しずつ頷いてみせ、玄関の戸を静かに引き開けた。

「杉村くん」典子が呼んだ。静かな声だった。「気をつけて」

「ああ、ありがとう。そっちも、幸運を祈ってるよ」

「杉村」秋也は何だか勝手にこわばったあごから、何とかもう一度、言葉を押し出した。「俺たちまた会うんだ。約束だよ」

弘樹は頷き、出ていった。秋也は典子を支えて玄関口へ降り、弘樹を見送った。弘樹は、すぐに右手の山の方へと上がっていき、姿を消した。

川田が何も言わずに秋也と典子を後ろへ退がらせ、戸を閉めた。

秋也はため息をついて、顔を中へ振り向けた。上がり口に残されたカップからまだ湯気が立ち上っているのが、かすかに見えた。

49

【残り20人】


中天に高く、月がかかっていた。雲が全くない。ほぼ真円に近いその月からこぼれた白い光が薄い膜になって残りの空を満たし、おかげで、星は見えなかった。

前を進んでいた川田が立ち止まり、秋也も、典子に肩を貸した姿勢のまま足を止めた。

「典子。大丈夫か?」

秋也が声をかけると、典子は「大丈夫よ」と小さく頷いた。しかし、秋也の腕に伝わる感じでは、まだ体がふらついていることには違いないようだった。

秋也は時計を見た。十一時を回っていたが、既に禁止エリアに入ったG=9は抜けていた。次は、新しい落ち着き先をどこにするかだ。

とりあえずもと来た道をたどって北の山の山すそ

を移動してきており、辺りはまばらな木立が続いていた。もうしばらく進めば、南佳織が死んだ場所の近くに出る。すぐ左手の方に、島の東岸の集落から続く狭い平地が見えていた。畑の中に民家が点在する平地は西へ向けて徐々に狭くなり、扇形に収れんしている。そのかなめの部分を、島を横切る道路が通過して西岸へ抜けているはずだ。

川田が振り向いて「さて、どうする？」と訊いた。肩に提げたデイパックの上に、典子のための毛布を丸めてくくりつけてある。

「どこかの家にまた落ち着くわけにいかないか？」

「家か――」川田は秋也から視線を外し、目を細めた。「基本的にあまりよくはないんだがな。だんだんエリアが狭まって入れる家が減ってきてる――みんな何か欲しくなったら家に入ってくる、メシなり、何なり」

「あの」典子が言った。「あたしなら、もう大丈夫よ。外だったたって、平気だわ」

川田はちらっと笑うと、黙って平地の方を見渡した。杉村弘樹が地図に残してくれた書き込みのことを考え合わせているのかも知れなかった。

弘樹は、地図に自分が見た死体のほか、どんな死に方だったかも詳しく書き込んでくれていた。千草貴子が死んでいたすぐ近くで新井田和志の死体。これは目をつぶされたうえ（！）のどを何かで突かれていた。すでに禁止エリアに入った集落の中では、江藤恵。これはのどを刃物で切られていた（典子に、〝秋也くんのこと、好きだったのよ〟と聞かされた後だったので、これはいささか秋也の胸にこたえた）。そこからやや東、島の東岸の集落から南の山にさしかかる辺りで倉元洋二と矢作好美。洋二は頭に刺し傷、好美は銃で撃たれていた。それに、島の南の端では、金井泉、黒長博、笹川竜平、沼井充がまとめて死んでいたらしい。沼井充は銃弾を四、五発撃ち込まれ、ほかの三人はのどを刃物で切られていたということだった。――桐山の取り巻きが三人

一緒に死んでいたわけだ、禁止エリアに引っかかったというあの月岡彰は別にして。

「川田」

秋也が声をかけると、川田が視線を戻した。

「北野と日下をやったのは相馬だと思うか？」

秋也はそうして質問しながらも、またまたどこか、非現実的な感じがしてならなかった。杉村弘樹の言ったことだから信用しないわけではないが、一方、女の子は悪いことなんて絶対しない、という一種思い込みに近いような妙な信念もある。

「いや」川田は首を振った。「俺はそうは思わない。日下と北野が死んだとき、マシンガンの音の後で二発、単発で銃声がしたろ。あれは、二人にとどめを刺したんだ。しかし、千草は撃たれた後、杉村に会うまで生きていたっていうんだろ。こっちはちょっと、緻密さに欠ける。まあ、どうせすぐに死ぬだろうからと放っといたのかも知れないがな。しかし、時間と場所を考えたら、俺は、どうも、相馬とマシンガンのやつは別だと思う」

秋也は午前九時前に聞こえたマシンガンの銃声を思い出した。そいつは間違いなく、まだこの島を動き回っている。それに、それより少し後、遠く聞こえた別の銃声。これは、相馬光子の方なのだろうか？

「そいつは——」

川田は唇を笑みの形に曲げて、首を振った。

「いずれ会うことになるさ。恐らくな。そのときにわかる」

秋也は、もう一つ気になっていたことを思い出して、訊いた。

「杉村のあの機械で思い出したんだけど、俺たちが一緒にいることは坂持にはわかってるんだよな。それに、俺たちの位置も」

川田は平地の方を見渡しながら「そうだ」と答えた。

秋也はちょっと肩を動かして、典子の体を支え直

した。

「それは、俺たち、逃げ出すのに障害にならないのかい？」

川田は背を向けたまま軽く笑っただけだった。言った。「ならないね。てんで問題にならない。ま、任せとけって」

川田はそれからまた平地の方を見渡し、「やっぱり元の場所へ戻ろう」と言った。

「このゲームでやる気になってるやつが普通とる作戦っていうのは、何か騒ぎが起きたのを聞きつけてそこへ顔を出すことだ。二十四時間の時間切れの問題さえなかったら無理をする必要はないが、とにかくやれるときにやる。それに、誰かを殺して回ってるってことはまず一人でいるって意味だから、あまり眠る余裕はない、短期決戦になるんだ。近い場所ならそこへ行って、もし戦闘が始まってたら、様子を見てて、生き残った方を片づける。——だから、俺たちはあまり誰にも出くわさないところにいた方がいい。錯乱したやつに出くわして揉めたら、次にはスター級が出てくる。元にいたところなら、誰かに出くわす可能性は少ないだろう。何せ、最初にあそこに隠れてた大木と元渕はもういないんだからな。それに、あっちは人家もほとんどない」

「だけど、清水は俺たちがもといた方向へ逃げたよ」

「いや、彼女はそう長い距離を移動しちゃいないさ。必要がないからな」

川田は言って、平地の方を親指で指した。

「ただし、彼女がいる可能性のあるこっちの山は避ける。別ルートを取ろう」 秋也は眉を持ち上げた。

「平地を移動して大丈夫かい？」

川田は微笑して首を振った。「いくら月が明るくても、昼間とは違う。むしろ、やぶのある山の中よりは安全なぐらいさ」

秋也は頷いた。川田が先に立って緩斜面を下り始め、秋也は右手にぎゅっとシグ・ザウエルを握り締

めると、典子の体を支えて後を追った。

　木立が切れて足元が短い丈の草地になり、それから最初の畑はどうやら、カボチャのようなものを栽培していた。そこを抜けると、麦畑になった。こんな小さな島だから、販売用の作物ではないのかも知れない。もっとも、大東亜共和国政府はのべつ食料自給率を上げろと号令をかけているから、その限りではこんなふうな小さな畑もそれに貢献しているわけだが。畑の端を進んで行くと、島から人がいなくなって少なくとも二、三日は経つからなのか、スニーカーの靴底に伝わる土の感じは、少し乾いているようだった。それでも、麦の健康的な匂いが夏の近い夜気に流れて、秋也の鼻を快く刺激した。

　いい匂いだった。血の匂いを嗅ぎ慣れた後では、特に。

　進行方向左手に、トラクターが一つ、放置されていた。その少し向こうに、民家が一つある。

　何の変哲もない、比較的新しい二階屋だった。多分、バナナホームだとかセキツイハウスだとかその辺りの、大量生産型の安物だ。畑の真ん中にあるのに、ごていねいにブロック塀をめぐらしてある。

　秋也は、前を行く川田の背中に目を戻した。

　何かが頭に引っかかった。

　目を振り戻した。左肩に寄り添って歩いている典子の頭のずっと上、中空に、視覚が何かをとらえた。月明かりにきらっと光るもの。そして、それは、――秋也たち三人に向け、放物線を描いて飛んできていた。


【残り20人】

50

　リトルリーグ時代、何が秋也を名プレイヤーたらしめていたかというと、それは動体視力のよさにほかならない。動くものを見る力。秋也はかすかな明かりの中でも、今、自分たちに向けて飛んできてい

るものが、何か缶のようなものだと了解した。もちろん、この穏やかな瀬戸内のこと、竜巻じゃあるまいし、空から空き缶が降ってきたりはしない。とにかく、空き缶のわけはない。

まさか——。

その一瞬、秋也は典子の右脇の下に入れていた左肩を外した。川田に声をかけるヒマも惜しく何も言わなかったが、川田が異常な気配を察したのか、ばっと振り返った。典子が秋也の支えを失って、少しよろけた。

そのときには、秋也は三、四歩のダッシュを経て、高くジャンプしていた。凄い跳躍力だった、と言っていい。かつて——リトルリーグの県大会準決勝、十一回裏、サヨナラヒットになるはずだった打球を、遊撃の位置から見事なファインプレーで止めて見せたときのように。

秋也の左手は空中でその打球を——いや、缶をキャッチした。右手に持ち替え、降下が始まったときには、体をひねって思い切り遠くへ投げ飛ばしていた。

秋也が着地する前に、かっ、と白い光が夜を満たした。

続いて、空気が膨れ上がる感じがしたと思うと、轟音が鼓膜に乱暴な体当たりを食らわせた。秋也はまだ足が着かないうちに爆風で吹き飛ばされ、土の上へごろごろ転がっていた。しかしもちろん、それが——手榴弾が地面に落ちるのを待ってから対応していたとしたら、秋也も典子も川田も、ミンチ肉の仲間入りをしていたに違いない。その手榴弾は坂持らが分校に投げ入れられるのを警戒して幾分装薬量を減らしてはあったものの、人間を殺傷するには十分過ぎる能力を持っていたのだ。

すぐに顔を起こした。音が全くしないのに気づいた。耳がおかしくなっているのだ。その無音状態の中で、秋也は左手に典子が倒れているのを見た。そして川田の方を振り返ろうと顔を上げ——見た、缶

がもう一つ飛んでくるのを。

もう一回だ！　もう一回やらなきゃ――しかし、間に合うわけはなかった。

機能を失っていた耳にばん、とこれは明らかな、しかしやや小さな撃発音が届いたと思うと、ほとんど同時にもう一度、空中で爆発が起きた。その音もいささか小さく聞こえたが、とにかく今度は、少し距離があって、秋也は吹き飛ばされずに済んだ。すぐ横にいる川田が膝立ちの姿勢でショットガンを手にしていて、クレー射撃よろしくそれで手榴弾を撃ち落とした、少なくとも爆発前に弾き飛ばしたのだとわかった。

秋也は典子のもとへざっと走り、抱き起こした。典子が口元を歪ませた。うめいたようだったが、聞こえなかった。

「七原！　下がれ！」

川田が左手を大きく動かし、同時に右手一本でショットガンを撃った。ぱらららららら、という別の銃声が聞こえ、秋也のすぐ前で麦の穂がちぎれて舞った。川田がまた、今度は二発続けて撃った。秋也はわけもわからないまま、典子を、畑を区切るあぜの陰まで引きずり込んだ。伏せた。すぐに、川田が銃を撃ちながら横へ滑り込んできた。また撃った。ぱらららららら、という音がして眼前すぐのあぜの土が吹き飛び、砂粒がいくつか、目の中へ飛び込んだ。

秋也はシグ・ザウエルを抜き出して、あぜの陰から顔を出した。川田がポイントしている方向へ、闇雲に引き金をひいた。

そして秋也は見た、三十メートル弱ほど向こう、あの民家のブロック塀の切れ目、特徴的なオールバックの頭がすいと引っ込むのを。

桐山和雄（男子六番）だった。そして、秋也は、いささか聴覚がおかしくなっているにせよ、そのぱらららら、という銃声に聞き覚えがあった。あの、日下友美子と北野雪子が北の山の山頂で倒れたとき、

はるか遠くから聞こえてきた銃声。もちろん、マシンガンを持っているのが一人だけとは限らない、ただ、それでも、今目の前にいる桐山は、なんの予告もなく自分たちを殺そうとしたではないか、しかも手榴弾で！

友美子と雪子を殺したのは桐山だったのだ、と秋也は確信した。二人の死に様が蘇り、怒りが噴き上がった。

「なんだ！　なんなんだ、あいつは！」

「叫んでないでとにかく撃て」川田が秋也に、スミスアンドウエスンを渡した。自分はショットガンにシェルを詰め直している。

秋也は両手に拳銃を持って、そのブロック塀へ向かって次々に引き金をひいた（二丁拳銃だ！　ばかみたいだ！）。まずスミスアンドウエスン、次いでシグ・ザウエルも弾が尽きた。弾を詰め直さなければならない！

桐山がその間隙をついて、すっと上半身を起こした。ぱらららら、とその手元から火花が噴いた。秋也が頭を引っ込めると、桐山は体をブロック塀の陰から出しかけた。

今度は川田のショットガンが吠えた。桐山の体が、再びすっと消えた。ショットガンの粒弾の群れが、塀の一部を吹き飛ばした。

秋也はシグ・ザウエルからマガジンを落として、ポケットから取り出した装弾済みのマガジンを押し込んだ。スミスアンドウエスンのシリンダーを開き、シリンダーの真ん中についているロッドを押して、撃発で直径が膨れ上がった薬莢を排出した。薬莢の一つが銃を握った右手親指の腹に触れ、ほとんど火傷しそうになった。構わず、川田が横に転がしてくれた三八口径の弾を急いで詰めた。再び、桐山のいる家の方に向き直った。

川田がもう一発撃った。また塀の一部が吹き飛んだ。秋也もシグ・ザウエルから二、三発撃ち込んだ。

「典子！　大丈夫か！」

秋也が叫ぶと、横にいる典子が「大丈夫」と答えた。その声が聞き取れたことでようやく秋也は耳が回復してきたのだと悟ったが、しかし同時に、その典子が、俯せの姿勢で、秋也が放り出したシグ・ザウエルの空マガジンに九ミリショートの弾を詰め直しているのを目の端にとらえ、ゲーム開始以来これまでの何であるよりもその光景にこそ、本当にめまいがしそうになった。典子のような女の子が戦闘行為の手伝いをするなんて――

ブロック塀の向こうからすっ、と手が突き出した。手は、マシンガンを握っていた。それがぱららら、と再び吠え、秋也も川田も頭を引っ込めた。

間髪入れず、桐山が身を起こした。銃を撃ち続けながら、しなやかな動きで前へ走った。すぐに、あのトラクターの陰に走り込んだ。――距離が詰まっていた。

川田がまた一発撃った。こちらに横腹を見せているトラクターの運転パネル部分が消失した。

「川田」二発続けて撃ってから、秋也は呼びかけた。

「なんだ」川田がショットガンに弾を詰めながらこたえた。

「百メートル、何秒で走れる?」

川田がまた一発撃ってから(トラクターのリアランプがこなごなになった)答えた。「遅いよ。十三秒はかかる。しかし背筋力なら自信がある。それがどうした?」

途端、また桐山の腕がトラクターの陰から突き出された。ぱららら、と火花が吹いて、桐山の頭が一瞬のぞいたが、秋也と川田が同時に撃ち込むと、すぐに引っ込んだ。

「山へ後退するしかないんだろ?」秋也は早口で続けた。「俺は、十一秒台前半でいける。典子と一緒に、先に行ってくれ。俺が桐山をあそこに足止めする」

川田がちらっと秋也を見た。それだけだった。了解したのだ。

「元の場所だ、七原。ロックの話をした場所だ」

それだけ短く言うと、川田はショットガンを秋也に押しつけ、伏せたままの姿勢で後ろへ下がった。秋也の左にいる典子の方へ回り込んだ。

秋也は息を吸い込み、ショットガンから三発立て続けにトラクターへ撃ちこんだ。それを合図に、川田と典子が体を起こし、もと来た方へ走り出した。秋也は典子と、一瞬だけ目を合わせた。

桐山がすっとトラクターの陰から上半身を出した。秋也はまたショットガンを立て続けに撃った。川田と典子に銃をポイントしかけていた桐山は、それで頭を引っ込めた。ショットガンの弾が尽きたことが分かり、秋也はスミスアンドウエスンに持ち替えて、さらに撃った。五発の弾はすぐに尽きた。シグ・ザウエルに持ち替え、さらに撃った。すぐにホールド・オープンしたが、典子が弾を詰め直した予備マガジンを押し込んで、さらに撃った。撃ち続けることが重要だった。

川田と典子が、山の中に消えるのがわかった。シグ・ザウエルがもう一度ホールド・オープンした。もう予備マガジンはない、弾を詰め替える以外に手はない――

その一瞬に、桐山がトラクターの、今度は土を掘り返すフォークがついた前の方から腕を出した。ぱらららららら、とイングラムマシンガンが吠えた。さっきと同じだった。桐山は走ってくる！

秋也はもう、銃撃戦に拘泥しなかった。ホールド・オープンしたシグ・ザウエルだけを握ると（ポケットの中にはまだ九ミリ・ショートのばら弾が七発分あった）、身を翻して、走り出した。遮蔽物のある山の中に入ってしまえば、桐山も容易に追ってこれないはずだった。ただ、秋也は、一瞬の判断で、東へ足を向けた。典子と川田は、元の場所まで、西へ向かうはずだ。桐山を、少しでも二人から引き離したかった。

ダッシュ力だけが勝負だった。なぜなら、――短

い時間のうちにとにかく可能な限り遠く、桐山から離れる必要があったのので。マシンガンというのは弾丸のシャワーであって、近距離なら絶対に当たる銃器なので。どれだけ離れられるか、それだけが勝負だった。

秋也は走った。B組の中で一番速い（はずだ、三村信史よりコンマ一秒速かったし、そう、桐山があの体力測定のとき、手を抜いていたのでなければ）足だけが頼りだった。

あと五メートルで木立の陰に入れると思った瞬間、背後でぱらららら、という音が鳴った。秋也の左脇腹に、思い切り殴られたような衝撃が跳ねた。

秋也はうめいてバランスを崩しかけたが、走るのはやめなかった。背の高い立木の列の間に走り込み、ゆるい傾斜面を、上る方へ向かって走った。また、ぱらららら、という音がして、今度は左腕が、意志とは無関係に跳ね上がった。肘のすぐ上に弾が当たったのだとわかった。

それでも秋也は走った。そのまま東へ向かいかけ、――ヘイヘイおにいちゃん、そっちは禁止エリアですよ――北に方向を転じた。また背後でぱらららら、という音がした。秋也のすぐ右の細い木がぱん、と裂け、マッチ棒のような木っ端がいくつか噴き上がった。

またぱらららら、という音がした。今度は当たらなかった。いや、当たったのかも、知れなかった。もうわからなかった。ただ、追ってきているんだな、と秋也は思った。オーケイ、これで少なくとも典子と川田には時間ができる。

木立の間、茂みの間を抜け、坂を上り、また坂を下り、秋也は走り続けた。誰か闇に息をひそめている別のやつに狙われるかも知れないなどということは、もはや考慮していなかった。もう、どれだけ走ったかわからなかった。どっちへ向かっているかも、よくわからなかった。ぱららら、という音が、時々、聞こえるような気も、聞こえないような気も、した。

判別がつかない、あの爆発音の後遺症、耳鳴りかも知れなかった。とにかく、まだ安心できなかった。遠くへ。遠くへ行かなくてはならない。

ふいに秋也の足元が滑った。いつの間にか丘のようなところを走っていて、その斜面が急に切れ落ちていたのだとわかった。大木立道と格闘したときと全く同じように、秋也は急な傾斜を転がり落ちた。

体がその底で、どん、と跳ねた。シグ・ザウエルが、手の中にないことがわかった。そして秋也は立ち上がろうとし――

立ち上がれないことを悟った。出血のせいで、意識が混濁しているのかな、とぼんやり考えた。いや――頭を打ったのか？

そんなばかな。これぐらいの傷で立てないなんてわけが――ない俺は典子と川田のところへ戻らなければなら――ないんだから俺は典子を守らなければならないんだから俺は典子と約束したんだから俺は――

体が起き上がりかけた姿勢から、ぐらりと前へ傾いだ。

秋也は意識を失った。

【残り20人】

51

ほとんど真っ暗闇、ただわずかに月の光が入る窓際で、信史は手にしたものを、もう一度、床へ放った。それ自体が床にぶつかる音は、折り畳んで分厚く敷いた毛布のおかげでほとんどしなかったが、かしっ、と小さく何かが弾けるような音がして、同時に、びいん、という、細い音が響き始めた。

信史はすぐに床からそれを拾い上げ、毛布の横に落ちた小さなプラスチックの小片を、それの一端に押し込んだ。音がやんだ。

「ねえ、早くしようよ」

そばで見守っている豊が言ったが、信史はそれを

手で制して、もう一度テストを繰り返した。信史が拾い上げ、かしっ、びいんと、音が続いた。止まった。

もう大丈夫だろうか。だが、これが作動不良を起こしたりしたら、今まで整えてきた準備がすべて無駄になる。もう一回ぐらい——

「ねえ早くしないと……」

豊がもう一度言い、信史はちょっといらついた顔になりかけたが——何とかそれをなだめて、多少心残りな感じはしたけれども、「わかった」と言い、それでテストを切り上げた。電池とテストのための小型モーターを結んでいたリード線を外し、モーター本体を電池に固定していたビニールテープも引きはがし始めた。

信史と豊は、〝高松北部農協沖木島出張所〟に戻っていた。

そこは、島の中にある建物では、分校や港の漁協と並び、ほとんど一番大きなものだったかも知れない。明かりも当然無いまま闇に沈んだ空間は、大方バスケットコートがまるまる一つとれるぐらいあり、トラクターやコンバインなどの農機具が、あちこちに鎮座している。修理中なのかジャッキで持ち上げ車輪を外した軽トラックもあった。そしてひと隅には、各種の肥料の袋がどっさり積み上げてある（もっとも、危険物の硝酸アンモニウムはそのさらに奥、一応鍵のかかる大型キャビネットの中に保管されていて、信史はその鍵を壊したのだったが）。スレートづくりの壁は高さが五メートルたっぷりあり、うち北側の壁に張り付くような形で中二階のようなものがしつらえてあって、その上にも、肥料やら農薬やら、こまごましたものが並んでいた。中二階へは、信史たちが今いるのとは反対側、即ち東側の壁に沿って鉄製の階段が斜に伸びており、その階段の脇に、出入りのための大きな引き戸がある。その引き戸を挟んで階段の向かい、南東側隅には事務所のような空間が仕切り壁でつくられており、開け放したドア

の向こう、事務机やファクスなどの輪郭がぼんやり見えていた。

　分校のあるエリアG＝7にたこ糸を渡す作業はかなり手間取った。最初あの岩の後ろの高い木のてっぺんに糸の一方を結びつけ、それからもう一方を持って木の間を抜け始めたのだが、上空は結構強い風が吹いているらしく、ゴミ袋の風船はすんなりついてきてはくれなかった。信史は実に、十回以上にわたって木によじ登り、ひっかかった糸を外さなければならなかったのだ。おまけにどこに敵がひそんでいるかわからない闇の中、豊のことも気遣いながらのその作業は、信史をすっかり疲弊させてしまった。

　とにかく三時間たっぷりかかって何とか糸のセットを終え、息をついたそのときに、ごく近くで激しい銃撃戦の音がした。十一時過ぎのことだ。何か爆発するような音まで聞こえたが、関わり合いになる余裕はなかったので、急いでこの農協まで戻ってきた。それまでには、銃声は止んだ。

　それからようやく信史は雷管の通電装置をつくり始めたのだが、これも存外に手間取った。何せ十分な道具がないうえ、しかもかなり微妙なバランスが要求される仕掛けだ。分校に衝突するそのときのショックに反応して電気が流れるようにしなければならないが、しかし、〝ロープウェイ〟の途中――例えばロープの結び目を滑車が通過するときの振動でスイッチオンになってしまうほど過敏なものでも困る。

　だがそれも何とかやっつけ、雷管の代わりにモーターをつないだ（ひげそりから外したのだ）それのテストを始めた直後、つまりさっき、午前零時の放送が、あったのだった。死んだのは信史がゲーム開始直後に見たあの清水比呂乃（女子十番）一人で、それは十一時過ぎのあの激しい銃撃戦らしきものと関係があるのかとも思ったが、――坂持はそんなことより遥かに重大なことを言った、少なくとも信史と豊の二人にとって。即ち、信史たちが分校を見下

ろしたあの岩のあるエリアF＝7が、午前一時をもってかの禁止エリアの指定を受けるのだ、と。

豊がせかすのも無理はなかった。あそこに入れなくなったら、すべてはすっかりご破算になる。完全に、アウトだ。凝った指し手でチェックメイト寸前まで行きながら、盤面の上、最後の一手を動かす先に地雷が突然出現したというような間抜けな話は避けたい。

信史は手早く、ナイフにくっついているケースから電気雷管を取り出した。闇の中、鈍く金属の肌を光らせている二つのパーツを組み合わせ、終端部から伸びるリード線のビニール被覆をはがした。それから、先に通電装置のスイッチになっているばね式のプラスチックの小片をテープで固定しておき、雷管のリード線の一方を、通電装置から伸びている線の一本と撚り合わせた。テープでぐるぐる巻きにし、絶対に外れないようにした。誤爆防止のためもう一本は山の上で作業することにし、被覆をはがした先をテープで電池の側面に貼りつけた。

「よし」

信史は言って立ち上がり、完成した起爆装置をポケットに収めた。

「急ごう、準備だ」

豊が頷いた。信史は念のためラジオペンチや予備のリード線などもデイパックに放り込み、いくつかに分けたロープの山を肩に担ぎ上げた。足元を見た。ガソリンと硝酸アンモニウムを混ぜて一杯に満たした灯油缶があった。酸素を補う工夫として、空気を封入したエアクッション材をちょうどひだのような形に詰め込んである。注ぎ口には今は蓋がしてあるが、その脇、雷管のホルダーとして別に用意したゴムキャップが、把手からビニールひもでぶらさがっていた。

それから、時計を見た。零時九分だった。――十分間に合う。

オーケー。いささか武者震いに近いような感覚を

覚えながら、信史は思った。いろいろあったが、と にかくこれで材料はそろった。用意したロープを全部つなぎ、一端をエリアH＝7の中、あの山の上から目星をつけておいた木に固定する。それから、今は石を置いて端を動かないようにしてあるたこ糸にロープのもう一方を結びつける。ロープをほぐしてそこへ置いておき、分校を迂回して、山側、エリアF＝7に出る。木のてっぺんに結んでおいたたこ糸をとり、それを一気にたぐり寄せる。向こう側からロープがくっついてくる、そしたら起爆装置をセットした灯油缶にゴンドラよろしく滑車を付けて、そのロープを通す。ロープを分校の上へ一気に張り詰める、立木かなんかに固定する、そしたら——あとはレッツ・パーティってわけだ。ハヴ・ファン！イエアウィゴナメイクイット！

そして分校のコンピュータ、その電源系統か配線の一部でも破壊してシステム不良を疑わせることができたら、いや、この火薬量ならそもそもそのコンピュータ自体、いいやそれどころじゃ済まない、分校の半分方が吹っ飛ぶのを見届けたら、これはエリアF＝7の岩の後ろに既に隠してきたタイヤチューブの浮輪を抱えて走り、予定通り島の西岸から海上へ逃げる。トランシーバーを使ったニセ救難信号で政府を攪乱し、計算通り三十分弱で隣の豊島までたどり着けたら、今度は船に乗る（プレジャーボートなら経験があった。全く、叔父の遺徳には感謝するばかりだ）。そこから多分——岡山の方へ逃走するとして、どこか目立たない海岸に船を着けられれば、後はこっちのものだ。田舎の貨物列車でもつかまえる。あるいは、通りがかりの車を調達する。何せ、こっちは銃を持っている。カージャック。すばらしい。

それで、信史は、ズボンの前に差し込んでいるベレッタM92Fをちょっと見下ろした。改造トランシーバーで誘導作戦はとるつもりだが、それでも海上で発見されたときのことを考えて、数本のコーラ瓶

に特製の硝酸アンモニウム&ガソリンをつめ、しっかり蓋をしてデイパックに入れてある。しかしそれは、起爆装置がない以上、基本的にはただの〝よく燃える火炎瓶〟に過ぎない。もし発見されそうになったときには、機先を制して水中からでも船に近づき、こっちの方から船に這い上がって戦うのが一番上策だ。うまくしたら逆に武器を手に入れられるし、船を動かせれば、それで逃げることもできる。だが、そのためには、正確な射撃がほとんど必須の条件になるだろう。

かすかに——気になった。今までそのベレッタを抱えて島をかけずり回ってきたが、考えてみればまだ一発も撃っていないのだ。そして、さすがの叔父も銃までは持っていなかったし、撃ち方も教えてくれなかった。

しかし、信史は首を振った。〝ザ・サード・マン〟、三村信史。大丈夫。初めて重いバスケのボールを手にしてフリースローを放ったときだって、ボールは見事にリングを抜けたじゃないか。

「シンジ」

豊が呼ぶ声がし、信史は顔を上げた。

「準備できたか?」

「いや——」

豊は情けない声を出し、それから、手帳を出して何か慌てて書いた。

信史は、窓際の月明かりでそれを読んだ。〝滑車がない〟と読めた。

ぱっと豊の方を見た。こわい顔に見えたのかも知れない、豊がちょっと体をひいた。

ロープの半分と滑車は、豊が持つ手はずだった。滑車はそもそも井戸で手に入れたときからずっと豊の担当で、ここへ持ち込みどこかに置いたはずなのだ。

信史はロープとデイパックを再び肩から降ろした。床に膝をついてとにかくその辺りを覗き込み始めた。豊もそれにならった。

二人でトラクターの向こうやら作業机の下の闇を手探りしたが、見つからなかった。信史は立ち上がり、もう一度時計を見た。針は零時十分からむしろ十五分に近づいていた。

それで、デイパックから政府支給の懐中電灯を引っ張り出した。ランプ部分を手で囲って、スイッチを入れた。

光が余計に洩れないよう注意はしていたのだが、倉庫のような自称農協の中に、ぽう、と黄色っぽい色が広がった。豊の狼狽した表情が見え――そして、信史はその肩の向こうに、あっさり滑車を見つけた。机の向こう、なんでもない壁際の床の上、それは窓からの月明かりが届かない陰の部分に、転がっていた。豊のデイパックの置いてあるところから、一メートルと離れていなかった。

信史は豊に目くばせし、さっと電灯のスイッチを消した。豊が急いでその滑車を拾い上げた。

「ごめんよ、シンジ」

豊がすまなそうに言い、信史は苦笑いした。

「ヘイ。頼むぜ、豊」

それから、デイパックとロープをもう一度担ぎ上げた。灯油缶を持ち上げた。体力自慢の信史だが、この二つの荷物は、いささか重かった。ロープの方は途中までだが、実に二十キロの灯油缶は、山の上まで運び上げなきゃならない。しかも急ぐ。

豊もロープを担ぎ(半端な量じゃないので、まるきり甲羅を背負った亀みたいに見えた。まあ、その点は信史も同じだが)、二人で建物東側の引き戸の方へ歩いた。引き戸は十センチばかり開いてあって、そこから蒼白い月の光が一条、細い帯になって射し込んでいる。

「ごめん、シンジ」

豊がまた言った。

「いいんだ。気にするな。それより、こっから先をきちんとやろう」

信史は灯油缶を左手に持ち換え、重い鉄製の引き

戸に右手をかけると、開いた。蒼い光の帯がぐうっと広がった。

建物の外は未舗装の広い駐車場になっていた。右手の方が入口で、この農協は細い道路に面しているのだが、その入口近くに、ワゴン車が一台停まっている。島を東西に横切る太い道路はその向こう、まだもう少し南だ。

引き戸の正面、駐車場の東側はすぐ畑に面していて、中に民家がぱらぱらと点在している。そのさらに奥は集落で、夜目にも住宅がかたまっているのがわかった。

左に目を向けると、敷地の一番奥には小さな物置が一つ建っていて、その先、やや高い位置に、丘に抱かれるようにあの分校が見えた。手前、一軒の二階屋の脇にちょっとした木立が見えるが、その中のひときわ高い一本が、ロープを結ぶ予定の木だ。信史と豊は、あの左側、畑の水路のすぐ脇に、山から引っ張ってきたたこ糸の先を固定してきた。つまりその糸は、あの分校の脇を通って、一直線に山腹中ほどの岩のところまでつながっている。実に、三百メートル以上にわたって。

全く俺もよくやるよな。あのたこ糸は、果たして切れることなく、山の上までロープを引き上げてくれるだろうか?

信史は息をつき、それからちょっと考えたのち、口を開いた。別に、盗聴されても問題は無いはずだ。

「豊」

左側の豊が、信史の方に顔を上げた。「何?」

「俺たち、死ぬかも知れない。覚悟、いいか?」

豊はちょっと、黙った。しかし、すぐに答えた。

「うん。覚悟してる」

「オーケイ」

信史は灯油缶の把手を握り直し、笑みかけた。

それが凍りついたのは、視界の隅、何かがかすめたからだった。

駐車場の東側、一段低くなっている畑の中から、

人の頭がのぞいていた。

「豊――！」

信史は言いざま、豊の腕をつかみ、出てきたばかりのスレート壁の農協の建物、引き戸の向こうへ走った。豊は重いロープを抱えているせいもあり一瞬よろめいたが、それでもついてきた。引き戸の陰に腰を屈めたときには、信史はもう、その影に向かって銃を抜き出していた。

その影が喚いた。「うわ、撃つな！　三村！　撃たないでくれ！　俺だよ！　飯島だよ！」

それで、信史は、その影が、飯島敬太（男子二番）であるのに気づいた。飯島敬太はクラスでは比較的信史や豊と仲のいい男だったが（まあ、一年のときからクラスが一緒だったからだ）、このとき信史の心を占めたのは、仲間が増えたという安堵感ではなかった。むしろ、まずい、という気持ちにほかならなかった。それで、信史は、今になってほかのやつが仲間になるということについて、あまり自分がよく考えてなかったことに気づいた。くそ、よりにもよってこれからってときに！

「飯島だ、シンジ。飯島だよ」

後ろにいる豊の声がはずんでいるのが聞こえ、信史はちょっと場違いな気がした。

敬太がそろそろと体を起こし、農協の敷地に上がってきた。左手にデイパックを提げ、そして右手には包丁のようなものを握っていた。おそるおそる、という感じで、「光が、見えてさ」と言った。

信史は奥歯を噛んだ。それは、滑車を探すために一度だけ点けたあの光だっただろう。自分らしくもない、気が急いてライトを使ったことを、信史は後悔した。

敬太が続けていた。「それで――ここまで来たら、おまえらだってわかったから――何、してたんだ？　今、担いでたの、何だよ？　ロープか？　俺も、俺も仲間にしてくれよ」

盗聴のことがあるので、豊が眉をひそめて信史を

見た。その目が、ちょっと丸くなったようだった。信史が銃口を下げていないことに、気づいたのだ。

「シンジ――シンジ、どうしたんだよ？」

　信史は空いている右手を動かし、豊が前へ出ないよう制した。「豊。動くな」

「おい」敬太が言った。震えるような声だった。

「なんで俺にそんなものを向けるんだ？　三村？」

　信史は息を吸い込み、敬太に向かって「動くな」と言った。隣で、豊が体をこわばらせるのがわかった。

　飯島敬太は、月明かりでもそれと見てとれる情けなげな顔で、一歩前へ踏み出した。

「なんだ？　なんだってんだ？　俺の顔忘れたのか、三村？　俺も仲間に入れてくれよ」

　信史はがちっとベレッタの撃鉄を起こした。飯島敬太の足が止まった。距離はまだ七、八メートルたっぷりある。

「来るな」信史はゆっくり、もう一度、言った。

「おまえとは、組めない」

　豊が傍らで悲痛な声を出した。「なんでだよ、シンジ。飯島なら、信用できるじゃないか？」

　信史は黙って首を振った。それから、思った。ああ、そうだ、おまえは知らないんだったな、豊。

　大した話ではなかった。むしろ、ささいな話だった。

　二年の三学期も終わりに近づいていた三月のことだ。信史は飯島敬太と、映画を観に高松まで出かけた（城岩町には映画館がなかった）。ほんとうは豊も来るはずだったのだけれど、風邪で寝込んでいたのだ。

　強面の高校生が三人並んで近づいてきたのは、アーケードのある長いメーンストリートから折れた裏通りだった。映画を観終わって、書店やレコード屋も回って（信史は古本屋で輸入もののコンピュータ関連書籍を買った。掘り出し物だった、技術書といえども洋書は政府のチェックが厳しくてなかなか手

に入らない）、これから駅に向かおうというときだったのだが、敬太はコミックを一冊買い忘れたと言って、本屋に一人で戻っていた。

「おい、金、持ってるか？」と、高校生の一人が訊いた。百七十二センチと、バスケ部員としては小柄な信史より、十センチたっぷり背が高かった。

　信史は肩をすくめた。

「二千五百七十円持ってるな、確か」

　信史に質問したやつが、残りの二人に〝しけてるな〟というような顔をした。それから、信史の耳元に顔を寄せた。信史は不快だった。シンナーか、それとも最近流行りのおかしな薬ででもしょっちゅうラリっているのか、歯ぐきがやせて歯に隙間ができた高校生の口からはいやな匂いがした。歯、みがけよ、おっさん。

　そいつが言った。「全部出せ。おら、何やってんだ、早くしろよ」

　信史は大げさに驚いた表情をつくってみせ、「あ、あんたら浮浪者なのか」と言った。

「だったら、二十円ぐらいで我慢しとけよ。くれてやらないでもないぜ、土下座して俺に媚びるならな」

　〝歯にスキマ〟が、これはこれは、というような顔をした。連れの二人の顔を見た。二人がにやにや笑った。

「おまえ、中学生だろ？　目上のもんに対する口のきき方がなってないぜ」

　言うなり、信史の肩をつかんで、腹に膝を入れた。信史は腹筋に力を込めてそれを耐えた。実際、耐えるほどのショックでもなかった。脅しのためだけの膝げりだった。こいつらはきっと、同年輩のやつ相手にはけんかなんてとてもできないのに違いない。

　信史は平然とその高校生の体を押し離した。言った。

「なんだ今の。ロシア式の抱擁か？」

　その連中はきっと、抱擁、という単語すら知らな

いのに違いなかった。しかし、信史の口調そのものに反応してか、〝歯にスキマ〟は細面のしまりのない顔をねじ曲げた。

「なめんな、こら」

信史の顔を拳で殴った。これも全然なってなかったが、それでも、信史の口の中がちょっと切れたようだった。

信史は口に指を突っ込んでその傷を確かめた。ちりっと痛んだ。指を出すと、血が付いていた。まあまあだった。

「おら、早く出せよ、財布ごとだぜ」

俯いたまま、信史はにやっと笑った。顔を上げた。目が合うと、〝歯にスキマ〟の方が、どこかぎくっとした表情を見せた。

信史は楽しそうに言った。「手を出したのは、あ・な・た」

言うなり、手にしていたハードカバーの洋書をショートフックの要領で〝スキマ〟のその汚い口へ一撃した。歯が折れる感触が伝わり、〝スキマ〟がのけぞった。

あとは、ほんの十秒でカタがついた。信史にすべてを教えてくれた叔父のレクチャー項目には、ケンカのやり方もきちんと入っていたのだ。てんで問題にならなかった。

むしろ問題は別のところにあった。

うずくまった高校生たちと、遠巻きに見ている通行人をしり目に書店まで行って探すと、敬太はコミック売り場にいた。お目当てだったらしい本は、既に店の袋に収まってその手の中にあった。所在なげにうろうろしていたが、信史が声をかけると、「ごめんごめん、見てたらほかにも欲しい本思い出して――」と言った。それから、目を丸くして、「どしたんだ、その口」と言った。

信史は肩をすくめて「帰ろうぜ」と言ったが、知らなかったわけではなかった、信史が三人に囲まれているとき、通りの曲がり角から一瞬、敬太が顔を

のぞかせ、そしてすぐまた引っ込めたのを。警察でも呼びにいってくれたのかとも思ったが（まあ、いずれにしても犯罪者取り締まりよりは民衆取り締まりの方に熱心な警察だ、アテにはならないが）——なるほど、まだ欲しい本があったんですか、そうですか。

おかげで、城岩町まで帰る列車の中は、あまり快くはなかった。

きっと、敬太は、信史なら三人の高校生ぐらいどうとでもできると思ったのだろう。それはまあ、その通り。敬太は、ケンカに巻き込まれて怪我をしたくなかったのだろう。なるほど。多分、警察を呼ぶという形ですら、高校生たちに顔を憶えられるのがいやだったのだろう。へえ。そして、自分のしたことを信史に詫びる気もないのだろう、何、世の中潤滑に回すには嘘も必要ですよ。

仕方のないことだ、叔父がよく言っていたように、気が小さいのも卑怯だったりするのも、そいつのせいじゃない。何事も本人のせいだったりしない。

しかし、信史が買った専門書は、表紙カバーが破れてしまった。おまけに端に、〝スキマ〟の歯の痕と唾液の染みまで付いていた。それは信史にはたいへん、気に入らなかった。本を引っ張り出すたびにあの不快なツラを思い出すことになる。第一、自分でも神経質だと思うのだが、信史は本が破れたり汚れたりしているのは大嫌いなのだ。読むときも、必ず汚さないようにカバーを外しておく。

叔父が言っていた、ただし、何か結果が生じてそれが俺たちの気に入らない場合、俺たちは原因になったやつに罰を押しつけるんだよ、信史。腹いせのためにな。

そこで信史は、以後、その程度の友人として付き合う、という罰を胸のうちで飯島敬太に押しつけた。何、大したペナルティじゃありませんよ、飯島さん。絶交だ、なんていうのも大人げないですしね、いいんじゃないですか、お互いのために。

――かくもささいな話だった。豊にも、その話はしなかった。

しかし、ささいな話をばかにしたらこのゲームの場合、死ぬんじゃないか？　これは腹いせじゃないよ、叔父さん。こいつは、これもあんたのよく言っていた、リアリティってやつだ。俺はこいつと、絶交する必要がある。

「そうだよ」

豊の言葉を受けて、飯島敬太が両手を広げた。右手の文化包丁がきらっと月の光を撥ね返した。

「俺たち――友達じゃないか」

信史は、それでも銃口を下げなかった。

敬太が信史のその態度を見て次第に泣きそうな顔になり、ついに、文化包丁を地面に放り出した。それから、言った。「ほら、俺、敵意なんかないんだ。これでわかったろ？」

信史は首を振った。「だめだ。早く消えてくれ」

敬太の顔に、今度は怒りの色が沸き上がった。

「なんでだ？　なんで俺を信用してくれないんだ？」

「シンジ――」

「黙ってろ、豊」

そのとき、敬太の顔が、はっと緊張したように見えた。沈黙し――それから、震える声で、言った。

「あの――あのときの、ことなのか？　三村？　そうなのか？　俺が逃げたことなのか？　だから、俺を信じてくれないのか？」

信史は銃をポイントしたまま、何も言わなかった。

「三村――」敬太の声がまた哀願調に変わった。ほとんど泣き声だった。「謝るよ、三村。許してくれよ、三村――」

信史は唇を引き締めた。敬太のこれは本音なのか、演技なのか、一瞬、迷ったのだ。しかし、それを振り払った。今、俺は一人じゃない。豊を危険にさらすわけにはいかなかった。どこかの国の国防総省の原則――相手の意志より能力に備えよ。そして、午

前一時のタイムリミットは刻々と迫っている。

「シンジ、一体――」

信史は右手で豊を制した。

敬太が前へ歩み出した。「頼むよ。一人でいたら怖いんだよ。仲間にしてくれよ」

「来るな!」信史は叫んだ。

飯島敬太は泣きそうな顔を左右に振って、また足を踏み出した。そろそろと、信史と豊に近づき始めた。

信史は銃口を下に向け、初めてその銃の引き金をひいた。ぱん、という乾いた撃発音とともに、ベレッタから弾き出された薬莢が月明かりに蒼白い軌跡を引き、敬太の足元で土ぼこりがもわっと上がった。

敬太は、それを何か、珍しい化学の実験でも見守るように見つめた。

しかし、それから、また歩み出した。

「止まれ! とにかく止まるんだ!」

「仲間にしてくれ。頼む」

敬太が、もはや前へ進むことを運命づけられたぎこちないぜんまい式の人形のように、また足を踏み出した。右。左。右。

信史はぎりっと奥歯を噛んだ。敬太が何か包丁以外のものを抜き出すとしたら、右腕だ。

狙えるか? 今度は威嚇じゃないぞ? 正確に、間違いなく?

もちろん。

もう猶予はなかった。信史は引き金をもう一度ひいた。

――引き金にかけた指先が、ずるっと滑ったような気がした。

ぱん、という音がする前の一瞬に、信史は認識した。汗だ。緊張で汗をかいているのだ、俺は。

あっけなかった。飯島敬太が、右上半身を殴られたように、体を傾がせた。投擲直前の砲丸投げの選手のような形に両腕を広げ、次の瞬間、どさっと膝を折って、仰向けに横たわった。右胸の穴から、思

い出したように小さな噴水が上がるのが、夜目にもはっきり見えた。それも一瞬だった。

「シンジ！　何するんだ！」

豊が叫び、敬太に駆け寄った。その脇に膝をつき、丸く口を開いた敬太の体に手を置いて、それから、わずかの躊躇の後、その手を首の方へ動かした。みるみる、豊の顔から表情が抜け落ちていった。「死んでる――」

信史は、銃を構えた姿勢のまま、しばらく動けなかった。自分が何も考えていないような気がしたが、そうではなかった、ざまあねえや、という声が、頭の中に響いていた。どうでもいいことだが、ふろ場で独り言を言うときのように、エコーがかかっていた。

ざまあねえや。狙ったシュートは外さない、それが〝第三の男〟三村信史じゃなかったのか？　城岩中の天才ガード、三村信史じゃ？

信史は立ち上がり、そして前へ足を踏み出した。自分が唐突にサイボーグになったように、体が重かった。三村信史はある朝目覚めると、ターミネイターになっていた、グレイト。

ゆっくり飯島敬太の体に歩み寄った。

その信史を、豊がきっと見上げた。

「なんでだ、シンジ！　なんで殺したんだよ！」

信史は、立ち尽くしたまま答えた。「飯島が包丁のほかにも何か持ってたらまずいと思ったんだ。腕を狙った。殺すつもりは無かった」

豊はその言葉を受けて、さっと飯島敬太の体を探った。ほとんど信史に見せつけるように、デイパックの中も調べた。それから、言った。

「何もありやしないよ！　ひどいよ、シンジ！　何で信じてやれなかったんだ！」

信史は、急速な脱力感に襲われた。しかし――必要なことだったのだ。叔父さん、俺は間違っちゃいないだろう？　なあ？

信史は、何も言わず、自分を見上げる豊の顔を見

下ろした。だが――そうだ――急がなければ、ならない。今は一つのミスに拘泥している場合じゃない――

豊の顔に何かが走ったのは、信史がそのことを言おうとした直前だった。

その口が、わなわなと震えた。「まさか――シンジ、まさか――」と言った。

信史はその意味がわからず、「何だ？」と訊いた。

豊が、ぱっと跳び退った。信史から距離を取った。

その豊の震える唇から、なお言葉が洩れた。「シンジ、まさか――わざと――ほんとは――」

信史は唇を引き結んだ。左手に提げたベレッタをぎゅっと握り締めた。

「俺が――俺が時間が惜しくてわざと飯島を撃ったって言うのか？　それは――」

だが、豊はぶるぶる首を振った。一歩、二歩と、今やあとずさりながら言った。「違う――違う――ほんとは――ほんとは――」

信史は眉をひそめ、その豊の顔を見つめた。豊、なんだ？　おまえ、何言ってるんだ？

「――ほんとは――ほんとは――逃げるなんて――ほんとは――」

豊の言葉は意味をなしていなかったが、もちろんその頭蓋の中のCPU速度では人後に落ちない信史のこと、そこまででもう、豊が何を考えているのか、その答に到達した。

まさか――

でも、それしか答がなかった。

要するに、豊は、信史がこのゲームに乗った、〝やる気〟になっているんじゃないか、本当は逃げる気なんかないんじゃないかと言っているのだ。だから、敬太を撃ち殺した――。

信史の顔が驚愕に歪んだ。口が開いたかも知れない。

だが、すぐに叫んだ。

「ばか言うな！　だったらおまえといる必要なんか

ないだろ！」

豊がぶるぶる首を振った。「そんなの――そんなの――」

豊はそれ以上言わなかったが、信史はそれも了解した。眠るときの見張りとか、とにかく、信史が生き残るために豊を利用しているんじゃないか、と言いたいのだろう。いや、しかしちょっと待ってくれ、坂持に立ち向かうために俺はパソコンも駆使したし、それが当座失敗した後も、これだけの準備をしてきたじゃないか？　それもこれも、頭のいい俺のこと、パソコンも、そして携帯電話も適当にいじって豊を信用させただけだし、ガソリンや肥料を手に入れたのも、ただただ自分の身を守るため、このゲームで勝つためという、隠された狙いがあったのだと？　手持ちの武器が拳銃一丁である以上、特製火薬は、俺が勝ち残るためには有効な武器になるだろうと？　分校爆破の計画実行直前になって、俺が〝やっぱりやめとこう〟と言うつもりだったと？　ハッキングの件で〝だめになった〟と言ったときと同じように？　いいやしかしちょっと待ってくれ、じゃあ一体、分校の横に張り渡したあのたこ糸は何だったんだ？　目下電話回線停止中のこの島で、俺が糸電話会社でも開設してひと儲けするとでも言いたいのか？　それとも、あれもいかにも巧妙なカモフラージュか？　いや、豊には思いもよらない俺ならではの利用法があるとでも言うのか？

でも、でも、金井泉の復讐を果たすと豊が言い、俺が手伝うぜと言い、豊は泣いたじゃないか？　それも、俺のトリックだったのだと？

――そいつは考えすぎじゃないか、豊。そりゃあ、疑い出したら何だって疑うことはできる。しかし、考え過ぎってもんだ。ばかばかしいよ、そんなのは。はっきり言って、お笑いだ。おまえ、おまえの冗談よりちょっとおもしろいぞ。おまえ、疲れで頭がおかしくなっているんじゃないのか？

理性のレベルではそう思った。そして、きちんと

順序だてて話せば、豊だってそれらすべての疑いがばかげたものであることはわかったはずだった。いや、あるいは豊は、そんなこんなのすべてを考えて信史への疑いを口にしたわけではなかったかも知れない、単に、疲れと、眼前で、豊にとってはごく親しい友達の飯島敬太が死んだショックで、心の底にひそんでいた一つの考えが、ふいに顔をのぞかせただけだったのかも知れない。だが――まさに、それは、そこにあったからこそ表れたのだ。その、自分に対する一抹の疑念は。信史自身は、豊を毫も疑ってはいなかったのに。

信史の体を覆っていた脱力感が、一気に強くなっていた。水平対抗十二気筒、ターボ付き。このクラスの脱力感だとダントツのパワーですよ。お買い得だと思いますけど、お客さん。

信史はベレッタの撃鉄を戻し、豊に向けて投げた。豊が、とまどったように、それでもその銃を受け取った。

信史は言った。ふいに力が抜けて、がっくり膝に手をついた。

「俺が信じられないなら、今、俺を撃て、豊。かまわないから、撃て」

豊が、目を見開いて信史を見た。

信史は俯いたまま続けた。「俺、おまえを守らなきゃと思ったから、飯島を撃ったんだぞ、ちくしょう」

豊は一瞬茫然とした表情になった。それから、

「あ――あ――」とほとんど泣き顔になって声を洩らした。駆け寄ってきた。

「ごめん！　ごめんよ、シンジ！　俺、飯島が死んだんで、ちょっとびっくりして、それで――」

豊は信史の肩に手をかけて、わんわん泣き出した。信史は、膝の上に両手をついたまま、地面を見つめていた。いつの間にか、自分も涙ぐんでいるのがわかった。

心のどこか、無意識の領域にいる自分が語りかけ

ていた、おいおい、そんなことやってる場合かよ、信史。いがみあいしてるなんて、スキだらけじゃないか？　敵に囲まれてるってのを、忘れたのか？　大体おまえ、時計見ろよ。もう時間ないぞ——叔父の声に、それは似ていた。

しかし、その声はいいかげんすり減った神経、疲れ、豊に疑われたというショックにはばまれて、意識の領域まで届かなかった。

ただ、泣いていた。豊。俺、おまえを守ろうとして。疑うなんてひどいじゃないか。俺は、おまえを信じていたのに——ああ、でももしかしたら、飯島敬太も同じ気持ちだったかも知れない。信じている相手に信じてもらえなかったその気持ちというのは。俺、ひどいことをしてしまった。

その悲しみやら脱力感やら後悔やらが一緒くたになった感情の中で、信史はぱらららららら、という、何か古臭いタイプライターのような音を聞いた。

一瞬遅れて、体のあちこちに、焼け火箸を突っ込まれたような感覚が襲った。

既にそれはほとんど致命的な傷だったけれど、その痛みこそが信史を覚醒させた。信史の肩に手をかけていた豊の体がずるっと地面へ落ちた。その向こう、農協の駐車場の一番奥に、学生服の影が見えた。手に銃を——拳銃よりは大きい、まるでカステラの箱のような銃を——持っていた。それで、自分の体に突き刺さった何か——当然銃弾だ、クソ——は、豊の体を貫通してから自分のところへやってきたものなのだとわかった。

体の中が熱っぽく、何だかごわごわしていたが（鉛弾で外科手術されたんだ、当然だろ？）、信史は反射的に左へ体を倒し、豊が取り落としていたベレッタを拾い上げた。地面の上をくるっと一転して立ち上がると、影——桐山和雄（男子六番）に向けて構えた。連射した。腹へ向けて。

桐山和雄は、その前に、すいと右へ動いていた。また、ぱらららららら、という音とともに、その手

元が時期向早の花火のように光った。

それで、先程に倍するショックが右脇腹、左肩口、左胸の辺りに跳ね、信史の手からベレッタがこぼれた。

だが、信史はそのときにはもう、農協の建物の方に走り出していたのだ。一瞬よろめきはしたが、しかし、体を下げ、足を飛ばして、一気に頭から引き戸の向こうに飛び込んでいた。弾着の列がその信史を追い、逃げ切った、と思った信史の右脚の先、バスケットシューズの爪先を吹き飛ばした。信史の頭に、今度こそ本物の痛みが突き抜けた。

だが、信史は休むわけにはいかなかった。引き戸の陰に置いてあった灯油缶だけを引っつかむと、トラクターやコンバインが並んだ闇の中を、ほとんど左腕と左脚だけで這いずりながら後退した。右手で灯油缶を引きずった。

口から血があふれているのがわかった。多分、体に十発以上弾が入っている。それに――だらんと伸びた右脚の爪先、最も鋭く痛みを突き上げてくるにもかかわらず、もはやそこには何もないバスケットシューズの先をちらっと見た――もう、俺はバスケはできないな。絶対に無理だ。仮にできたとしても、二度とスタープレイヤーにはなれない。天才ガードの伝説に終止符。

だが、信史はそれよりも、豊のことを考えた。豊は――まだ、息があるだろうか？

桐山――唇の端から血をごぼごぼこぼしながら、信史は奥歯を噛み締めた。――上等だ、おまえはこのゲームに乗ったわけだ。だったら俺を追ってこい。豊はもう動けないが、俺はまだ動くぞ、豊にとどめを刺すのなんて後回しでいい、俺を、追ってこい。頼むから、俺を、追ってこい。

その信史の思いに応えるように、トラクターの下の隙間から見える引き戸、そこから伸びる蒼い光の帯に、影が差した。

次の瞬間、またぱらららら、という音とともにフ

ラッシュを焚くような光が連続し、建物の中に弾丸がばらまかれた。どこかの農機具の一部が吹き飛び、対面の窓がこなごなに割れた。

止んだ。弾が尽きたのだ。だがもちろん、桐山はすぐにマガジンを詰め替えるだろう。

信史は、手近にあったドライバーのようなものをつかみ、それを左手の方に放った。何かに当たって、かん、と音がし、次にコンクリートの床にがちっと落ちた。

桐山はそこを撃つだろう、と思ったが、むしろ、そこを中心に扇形を描くように弾をばらまいた。信史は体を伏せて、ただそれが当たらないよう祈った。止んだ。信史は首を上げた。

そして――桐山の気配はもう、建物の中にあった。

そうだ――。信史は血にまみれた唇を歪めて笑った。俺はこっちだ。こっちへ来い――。

信史は右手で灯油缶を持ち上げ、自分の腹の上に乗せた。そうして、極力音を立てないように注意しながら、また左腕と左脚だけで後退した。背中に何か硬い箱のようなものが当たり、それを迂回してさらに退がった。もちろん、音が聞こえていないわけはない。桐山は、自分がこっちの闇の中にひそんでいることをもう知っている。それに、こぼれ続ける血の痕こそごまかしようがない。

桐山もまた、体を低くして、農機具や修理中の軽トラックやなんやかやの下を窺っているのがわかった。一つ一つ確認しながら、近づいてくる。

信史は辺りを見回した。建物の反対側、中二階のりんかくがかすかに見えた。そして、戸口のところからそこへ上る鉄の階段も。体が十分な状態だったら、中に入ってきた桐山に、あそこから飛びつくこともできただろう。だが、もちろんそれは叶わない。

東の壁際の方に、台車があった。荷物を運ぶための、小さな車輪が四つついた手押し車だ。そして、その向こうはもう建物の隅、あの間仕切りした事務所になっていて、すぐ脇に、外へ通じる通用口があ

った。引き戸の方はいっぱいに開けば車も入れるようになっているが、こちらは人間だけが出入りするためのものだ。ドアは、閉まっていた。

あれは——確か——俺が、鍵を閉めた、ほかのすべての窓やなんかと一緒に。あれは——あの鍵をひねるのに、どれだけ時間がかかるだろう？

考えている余裕はなかった。信史は手押し車の方に体を引きずり、その横まで行き着くと、灯油缶をその上に静かに置いた。注ぎ口の蓋を外した。ビニールひもでぶらさげておいた、真ん中に穴が開いたゴムの塊を押し込んだ。

ポケットに収めておいた起爆装置を取り出し、傷のせいなのかうまく動かない指先で、しかし、何とか電池の脇のビニールテープをはがした。雷管から伸びているコードの一本が、それでぺろんと垂れ下がった。信史はそれと、通電装置のコードの先を撚り合わせた。手早く、通電装置のスイッチからテープを引きはがし、雷管を灯油缶のゴムキャップに深く突っ込んだ。電池と通電装置を灯油缶の上に置いたが、もはやしっかり固定するヒマはなかった。脱穀機の右側、桐山の足元が、見えていた。

もちろん、そうだ。これは一縷の望みだった。だが、豊も俺も傷つき、今さら山の上に這い上がることはできない。だから——

特別プレゼントだ、桐山。

信史は台車を左脚で後ろから思い切り蹴ると、それが諸々のガラクタの隙間を抜けてごうっと桐山の方に滑っていくのももう確認しないまま、通用口のノブに飛びついていた。

ロックは〇・二秒で回った。信史はもはや爪先のない右足も動員して床を蹴り、ほとんどドアに体当たりするような感じで、建物の外に飛び出していた。

その信史の背後で一瞬、農協のスレート壁がぐうっと膨らみ、そして、島を覆う夜の空気を、轟音が揺るがせた。桐山が秋也に投げつけ、その耳を一時的に麻痺させたあの手榴弾の音よりも、それは数倍

凄まじかった。信史は、あ、完全に俺の鼓膜は破れた、と思った。

伏せた体自体が爆風で地面を幾分こすり、額の皮膚が擦り剝け、周りを何かの破片やら屑やらが吹き過ぎ、しかしそれでも信史が即座に顔を振り向かせたとき、本来建物の壁があった辺り、あの修理中の軽トラックが、実に、逆さになって宙に浮かんでいた。恐らく、ジャッキで持ち上げられていた分、その腹の下に爆風が強い圧力を叩きつけて吹き飛ばしたのだろう、ガラスやスレートやあるいはコンクリートや、さまざまな細片（既に体にいくつか突き刺さっているような気がしたが、真っ直ぐ飛んできたやつじゃなくて中空に吹き上げられたやつ）が満たした空間の中、それは、ゆったりと回転しながら大げさな放物線を描いて、横腹からぐしゃっ、と駐車場の中央に落ちた。さらに九十度横転し、再び完全に逆さになって、止まった。後部の荷台が絞り雑巾よろしくねじれて半ば引きちぎれ、タイヤの付いていないホイールが、どういう加減かくるくる回っていた。

さらさらと細片が降り積もり、そして、高松北部農協沖木島出張所は、もうもうと噴き上がる煙の中、もはや骨組みしか残していなかった。中二階のある北側の方だけにわずかに壁が残り、しかし、その中二階は煙の向こう、丸見えになっていた。屋根も南側の方はほとんど吹き飛んでしまい、中にあった農機具や何かがごろごろと横転し、そしてそのすべてが、夜目にもはっきりと、黒こげになっていた。何かが燃えているのか、明るい炎が二、三箇所に見えた。信史が飛び出してきた通用口は、壁の残骸にその下側のちょうつがいだけをへばりつかせ、おじぎするようにこちらへ傾いでいた。間仕切りしてあった事務室ももはや跡形もなく、そこには何も残っていなかった。いや、どういうわけか事務机だけが、やはり爆風に押されたのだろうコンバインに尻を突っつかれるように、破壊を免れた壁に貼りつきまだ

その存在を主張している。

何か高く高く吹き上げられていたものがあって、それがついに落ちてきたのだろうか、ひどく間の抜けたタイミングで、煙の中からこきん、と高い金属音が鳴った。ただ、信史にはほとんど聞こえなかったが。

気がつけば体の周りを覆い尽くした壁や何かの破片から、信史は上半身を持ち上げ、その建物の残骸を見つめて、「は」と言った。

そう、手製の灯油缶爆弾は、よくできていたのだった。その破壊力なら間違いなく、あの分校を消し去ることもできたに、違いなかった。

だが、それはもう、済んだことだ。今はとにかく、目の前の敵を倒した。そしてそれよりも――

「豊――」

つぶやきながら、信史はようやく体を起こし、瓦礫の上に右膝をついた。そうして口を開いた途端に歯の間から血がどうっとこぼれ、やはり胸から腹にかけてものすごい痛みが跳ねた。もはや、自分が生きているのが不思議だった。しかし、両手を突っ張って右脚を踵から降ろし、次に左脚を伸ばして、何とか立ち上がった。豊が倒れている駐車場の奥に目をやって――

そして信史は見た、ひっくり返った軽トラックのドアが、恐らくそれもおかしくなっていたのだろう、がきっ、と鈍い音を立てて開くのを（それはかすかながら聞こえた、聴覚が戻ってきたのかも知れない）。

桐山和雄が、すい、と地面に降り立った。何事もなかったように、カステラの箱みたいなマシンガンを、右手に掲げていた。

おい――

信史は笑い出したい気分だった。いや、実際、その鮮血にまみれた唇は、笑いの形をつくっていたかも知れない。

――冗談だろ？

そのときにはもう、桐山が撃っていた。信史は今度こそ正面から九ミリパラベラムのシャワーを浴び、瓦礫に覆われた地面を後ろへよろめき下がった。何かに背中が押しつけられた。もはや確認する何の必要もなかったが、それは、駐車してあったワゴン車のフロントのようだった。そのワゴン車も爆風で尻から後ろの電信柱に突っ込んでその木製の柱を幾分傾がせ、フロントガラスは、衝突した何かの破片でくもの巣のようになっていた。

建物の中の炎から届く明るい色の光に縁取られて、桐山和雄がただ静かに佇立していた。そしてその向こうに見えた、瓦礫に半ば埋め尽くされるように、豊が俯せに倒れている。すぐそばに、これは仰向けになった飯島敬太の顔が、信史の方を、向いていた。

思った。桐山。クソ、俺は結局おまえに負けたわけか。

思った。豊、俺は一瞬、気を抜いてしまったんだ。すまない。

思った。叔父さん、ざまあねえや。

思った。郁美。おまえは幸せな恋をしろよな。にいちゃんはマトモな恋が、もうできない。にいちゃんは――

もう一度桐山和雄のイングラムが火を噴き、信史の思考はそこで中断した。銃弾が、信史の言語中枢を引きちぎったのだ。頭の周りで、既にひびだらけになっていた車のフロントガラスが割れ、大方は車の中へなだれこんだのだけれども、ただ、細かい、霧のような破片が、とっくに埃にまみれた信史の体に、さらに降りかかった。

それから、信史はゆらりと前のめりに倒れた。ひとくれの瓦礫がかしゃん、と跳ね上がった。脳のほかの部分が死ぬまでに、三十秒もかからなかった。彼が敬愛した叔父の形見――かつて叔父が愛した女のピアスリングを、左耳からこぼれた血が汚していて、建物の中の炎を映し、鮮やかに赤く、輝いていた。

こうして、〝ザ・サード・マン〟と呼ばれた男、
三村信史は死んだ。

【残り17人】

第3部

終盤戦

Now 17 students remaining.

52

茂みの中、毛布を肩から羽織ったまま、典子は膝を抱えて、ただ、俯いていた。闇が濃く、その底で何かの虫が低く、絶命寸前の蛍光灯みたいなじいっという音を立てている。

川田と一緒にこの場所にようやく戻ってきた直後、午前零時の坂持の放送があった。典子自身は見ていないけれど、南佳織を倒して秋也の前から逃げた清水比呂乃（女子十番）の名前が報告され、さらに三箇所のエリアが追加された。一時からF＝7、三時からG＝3、そして、五時からE＝4。典子と川田がいるエリアC＝3は、関係がなかった。そして、秋也の名前は呼ばれなかったのだが――

そのほんの十分か二十分後、再び遠くで銃声、そしてあのマシンガンの音がして、典子の心臓をわしづかみにした。音が続いた。

それは、忘れようとしても忘れられない、間違いなく、あの桐山和雄のマシンガンの音だった。ほかに同じ銃を持っている者がいるのなら別だが。そしてそれは、秋也がなお桐山に追われていて、ついに見つかったのかという恐ろしい推測につながった。

しかし、そのことを川田に言おうとする前に、ものすごい爆発音がした。あの桐山和雄との戦闘のときの手榴弾など、比較にならないぐらいだった。そして、その音の後ではほとんどかすかと言ってもいいマシンガンの音がもう一度か二度聞こえ、それきり、後はまた静寂が戻ってきた。

その音には、川田も多少驚いたようだった。何かナイフで弓矢のようなものをつくっていた手を止め、「ちょっと見てくる。ここを動くな」と言って、茂みの外に出ていった。すぐに戻り、「東の方で何か建物が燃えてる」と報告した。

典子は「それって――」と訊きかけたが、川田は首を振り、「俺たちが桐山に会ったところより随分

南だ。七原は山側に逃げたはずだ、七原じゃない」と言った。「とにかく、七原を待とう」

それで典子も当座胸を撫で下ろしたのだけれど、しかし、その時点からもう、一時間近くが経っていた。秋也は帰ってこなかった。

典子は、茂みの隙間から落ちて来るコイン大の月明かりに手首をかざし、時計を見た。午前一時十二分になっていた。さっきから、おまじないのように何度もその行為を繰り返していた。

そして、また膝を抱えたスカートの間に顔を埋めた。

頭の中を、いやなイメージがかすめた。秋也の顔。いつかの音楽室、先生の目をかすめて休み時間に〝イマジン〟という歌（ロックのスタンダードだ、と秋也は言った）を歌ってみせてくれたときのように、その口は半ば開き、目はどこか遠くを見ているような感じ。しかし――その額にヒンズー教徒のように黒い、大きな点が付いている。予告なく唐突に、その点から赤い液体が盛り上がってくる。大きな点は実は、ひどく暗く、そして深い穴だったのだ。その奥の脳のある場所から、ゆるやかに血が流れ出す、その血が秋也の顔に広がっていく、ガラスにヒビが入るように――

典子はぶるっと頭を振ってその妄想を打ち消した。傍らで、じっと木の幹に背を預け、煙草を吸っている川田の方へ顔を上げた。その脇には手製の弓が置かれ、矢が数本、地面に突き刺してある。

「川田くん」

暗いせいでほとんどシルエットになって見える川田が口から煙草を取り、立てた右膝の上にその右手首を預けた。

「何だ？」

「遅すぎるわ、秋也くん」

川田はまた煙草を口に差し込んだ。煙草の先が赤くなったが、それでかすかに照らし出された川田の顔は、ごくごく無表情だった。それで、典子は、ち

ょっといらいらする感じを憶えた。川田の顔がまた闇に沈み、その口元からゆっくり煙が流れた。

「そうだな」

その川田の淡々とした言い方も、焦れったかった。しかし、川田が何度も自分や秋也を助けてくれたことを思い出して、典子はそのいらつきを抑え込んだ。

「何か――あったんだわ」

「そうだろうな」

「そうだろうって――」

川田のシルエットが両手を上げた。煙草の火の位置が移動した。

「まあ待てよ。さっきのマシンガンは間違いなく桐山だ。同じマシンガンが出回ってなけりゃな。で、あの場所で爆発があったっていうことは、桐山は七原じゃない、別のやつとやり合ったんだ。七原は桐山からはとにかく、逃れたんだ、それは間違いない」

「じゃあ、どうして秋也くん――」

「それは」川田が遮った。「どこかに身をひそめてるんだ、多分。道に迷ったのかも知れん」

典子は首を振った。

「怪我をしたのかも知れないわ、ううんそれどころか――」

典子は背筋がぞくっとして、それ以上口に出すことができなかった。またあの、口を半開きにして顔に赤いくもの巣を広げた秋也の映像が、脳裏を横切った。秋也は、桐山からは逃れたものの、致命的な怪我をして、今にも死にかけているのかも知れなかった。そうでないとしても、もし山の中を逃げているうちにほかの誰かに狙われたら――いや、あるいはどこかで気を失ったりしたら、そしてそれがもし禁止エリアの中だったとしたら、秋也はそのまま死んでしまうのだ。そう――秋也が逃げ込んだ可能性のある北の山の山すそ、ちょうど分校の北側に当たるエリアF＝7は、午前一時からの禁止エリア入りが通告されていた。そして、もう、一時は過ぎてい

た。それはつまり——

　典子はまた頭を振った。そんなわけない、秋也くんは絶対死んだりしない。だって——だって秋也くんは、ギターを持った聖人みたいな人だもの。誰にも優しくて、人の痛みを自分のことのように哀しんで、けれどあの力強い笑みを決して失わない、健全で透明で無垢で、けれど強靱な心を持った、あたしにとっての守護聖人みたいな人だもの。そんな人が死ぬわけない。死んだりするわけない——けれど——

　川田が静かに言った。「そうかも知れない、そうでないかも知れない」

　典子はまた腕を裏返して、神経質に自分の時計を覗いた。それから、痛む脚を動かして川田ににじり寄り、川田が膝の上に休めている左手を、ぎゅっと両手で握った。

「お願い。秋也くんを探しに——探しに行けない？　一緒に行ってくれない？　あたし一人じゃだめだわ、お願い」

　川田は何も言わず、ただゆっくりその左手を持ち上げると、そのまま典子の手を典子の膝の上へ戻し、ぽん、と叩いた。

「それはだめだ。一人で行くって言ってもさせない。そんなことしたら、七原が俺におねえちゃんを預けた意味がなくなっちまう。あいつが危険を冒して俺とおねえちゃんを先に行かせた意味がなくなる」

　典子は、唇を噛んで川田の顔を見つめた。

「そんな顔するなよ。つらいよ、女の子にそんな顔されるのは」

　川田は煙草を持った手で頭をかいた。それから、言った。

「けど、典子サンは七原が好きなんだろう？」

　典子は頷いた。はっきり頷いた。

　川田が頷き返し、言った。

「だったら、七原の意を汲んでやんなよ」

　それで、典子はまた唇を噛み、——それから、視

線を落とし、頷いた。

「わかったわ。待ってるしかないのね」

「そうだな」

川田が頷いた。

しばしの沈黙の後、川田が、「第六感っていうのを、信じるか、典子サンは？」と訊いた。

ちょっと唐突な話題のような気がして、典子は目を丸くした。何か別の話題で、気を紛らせてくれようとしているのだろうか？

「うん……少しは。よくわからないけど」と答えた。

「……川田くんは、信じるの？」

川田は煙草の火を地面で揉み消した。それから、「いや。俺は全然信じない」と言った。

「と言うかまあ、無視して差し支えないってところかな。ユーレイだとか、死後の世界だとか、宇宙パワーだとか、第六感とか占いとか超能力とか、ああいうのは実際的対応をするだけの能力がなくて現実逃避しようとするアホの言うことだ。失礼、ちょっとは信じるって言ったかな？　まあ、俺の勝手な意見だと思ってくれ。とにかく、しかし――」

典子は川田の目の辺りを見つめた。「しかし？」

「しかし、俺はときに、何らの根拠もなく、未だ不明確なことについて確信を抱くことがある。それで、それが外れたことは無いんだな、どういうわけか」

典子はただ黙って、川田の顔を見つめていた。

川田が言った。

「七原は生きてる。帰ってくるよ。なぜか俺はまた、確信している」

典子はふっと、表情をゆるめた。今川田が話したことはそれもこれもすべて、作り話かも知れなかった。ただ、それでも、そう言ってくれるのがうれしかった。

「ありがとう」と言った。「優しいのね、川田くん」

川田は肩をすくめた。「感じたままを述べてるのさ」

それから、言った。

「いいな。七原は」

典子は目を動かして川田を見た。「え？」

「そんなに愛されちゃって」

典子は、少し、少しだけ、笑った。「川田くん誤解してるけど」

「何を？」

「片思いなのよ、あたし。秋也くん、好きなひとがいるの。あたしなんか比べものにならない、素敵なひとだわ」

「――そうなのか？」

典子は俯き、頷いた。「とてもかっこいいひと。なんていうんだろう。潔いっていう感じのする、だからとても――きれいなひと。秋也くんがひかれるの、わかるわ。悔しいけど」

川田は首を傾け、「そうかな」と言った。ライターのストライカーを二、三度回してまた煙草に火を点けると、「七原は、今は、典子サンのことが好きだよ、多分」と言い足した。

典子は首を軽く振った。

「まさか」

「帰って来たら」川田が笑んだ。「心配かけてばかって叫んで、コマせばいいんだ」

典子はまた少し笑った。

それから、川田が煙を吐きながら言った。

「体を横たえとけよ、まだ完全に回復しちゃいないんだから。それで、眠くなったら眠るといい、俺は一晩中、起きている。七原が帰ってきたら、キスして起こすように言ってやる」

「うん」典子は笑んで頷いた。「ありがとう」

それでもなお十分ほど座って待った後、典子は毛布に身をくるみ、横になった。

しかし、眠れなかった。


【残り17人】

53

杉村弘樹は、憔悴していた。無論、ゲーム開始からずっと歩きづめなのだから疲労については無理はなかったが、坂持の六時間ごとの放送を聞くたび、即ち報告される死人の数を聞くたび、その憔悴は階段を上るようにがくっがくっと強まっていた。もう、残り二十人――いや、弘樹が知る限り、既に十七人に、なっていた。あの三村信史が、死んでいたのだ。瀬戸豊と、そして飯島敬太と一緒に。

七原秋也ら三人がいた診療所を出た後、弘樹はそれまで歩いていなかった島の北西岸へ向かったのだけれど、十一時を過ぎてしばらくしたころ、激しい銃撃戦の音が聞こえ、その音を頼りに島の中央やや東寄りへ戻った。しかし、たどり着くまでにはその音は止み、結局何も発見できなかった。そのあと零時の放送で禁止エリアの追加が告げられ、弘樹はまたそれをひとつずつ当たることにした。それで、一時から禁止エリアになるという分校北側のF＝7に入りかけたところで、一発の銃声が届き――そしてすぐに、再びあのマシンガンの音を聞くことになったのだ。

平地の方を見下ろせる山の上にいたため、弘樹には、集落のすぐ西辺りの畑の中で、恐らく銃口からのマズルフラッシュだろう、光が何度も明滅するのが見えた。そしてそこへ向けて山を下っていく途中、耳をつんざく轟音が聞こえた。木々の間からのぞける夜空が、一瞬、明るくなったようだった。そしてまた、ぱらら、という音が聞こえた。

山を下り切ってみると、光が明滅していた辺りで、何か建物が燃えているようだった。弘樹は、マシンガンを持った敵がそこにまだいるかも知れないということも考えたが、しかし、江藤恵のときと同じ、確かめないわけにはいかなかった。慎重に畑の間を縫って進み、――

まだ火が残っているそこで、三村信史の死体を見つけたのだ。何か大きな倉庫のような建物が、やはりあれは爆発だったのだろう、ぼろぼろになっており、その脇、大小の破片が散らばった駐車場のようなところ、一台のワゴン車の前に、信史は俯せに倒れていた。身体中に、弾を浴びていた。そして、すぐそばに、瀬戸豊と飯島敬太の死体も、瓦礫に埋もれて、あった。

信史とやりあったはずのマシンガンの誰かの姿はなかったが、ほかに誰か〝やる気の〟やつがやはりそこに現れる可能性を考えて、弘樹は早々にそこを離れた。

そして、島を東西に横切る道路を渡り、南の山の山すそに駆け込んでから、あらためて、あの三村信史が死んだのだ、と思った。それは、多少とも信史を知っている自分にとって、やや信じがたいようなことだった。言い方は悪いが、殺しても死なない男――そういうイメージがあったのだ。自分などは確かに街の武道道場に通い、拳法を習ったりしているけれども、そういうのは所詮、技術に過ぎない。持って生まれた信史の身体能力にはかなわない、恐らく、試合をしたとしたら、たとえ自分がなじんだ拳法のルールであっても、そして、自分の方が十センチたっぷり背が高いにも拘わらず、信史にはかなわないのではないか、と思っていた。おまけに、信史は自分などよりは遙かに頭がよかった。たとえこのゲームを抜け出すようなことはできなかったとしても(しかし、それを考えていた可能性も十分ある)、よもや誰かにやられるはずはない、そう思っていた。その信史を、あのマシンガンの誰かは倒したのだ。

信史のことを悼んでいる余裕は無かった。今はただ、琴弾加代子を見つけることだった。早く見つけなければ――あのマシンガンの誰かの手にかかれば、加代子などはものの一秒で殺されてしまうだろう。

結局、ちょうど三時から禁止エリアに入るG=3が南の山、山頂の北側に当たっていたので、弘樹は、

そっちへ向けて歩くことにした。

　こっちの山に入るのも、もう何度目かだった。そして、そのＧ＝３に出る手前の山の中腹、エリアＨ＝４の中には、千草貴子の死体が今も転がっているはずだ。埋葬もしてやれず、ただ目を閉じさせ、胸の上で手を組み合わせただけの死体が。まだそこは、禁止エリアには入っていない。

　闇の中を慎重に進みながら、弘樹は、俺はひどいやつだな、とぼんやり考えた。一番仲よしだった幼馴染みのそばにいることすら、してやれないでいる。恐らく、今も、エリアＧ＝３に向けて、ただそのそばを通り過ぎるだけだろう。

　ごめんよ、貴子。俺はまだやることがある。今は――琴弾加代子に会わなきゃならないんだ。どうか許してほしい――。

　それからまた、別のことが頭に浮かんだ。瀬戸豊のことだ。

　豊は、弘樹と出席番号が並んでおり、あの分校から、弘樹の次の次に出てきた。だが、弘樹は、そのときにはまだ状況を確認し、分校の出口が見えるところに十分に身を隠すことに必死だったし、気がついたときには豊は姿を消してしまっていた。そこで弘樹はもう、貴子を最優先すると心に決めて、続く谷沢はるか（女子十二番）も、あるいは滝口優一郎（男子十三番）も見送ったのだ（しかし、それだけ慎重にことを運びながら、赤松義生の登場にうろたえ、貴子を見失ってしまった）。――豊はどうやら、仲の良かった信史や飯島敬太と何とか合流していたらしい。だがその豊も信史と一緒に、死体になった――。

　急がなければ。また思った。琴弾加代子にだけは、死んでほしくなかった。

　あまり枝を付けていない立木のそばで一旦歩みを止め、弘樹はまた左手に握ったレーダーを確かめた。バックライトのない液晶画面は月明かりだけでは読み取りにくかったが、ずっとそうしてきたように目

を細め、結晶状の分子が作り出す微妙な陰影をたどった。

　しかしやはり、画面は変わることなく、弘樹自身の存在を示す星型のマークを一つ、示しているだけだった。弘樹はかすかにため息をついた。

　いっそ、大声を上げて琴弾加代子を呼んだ方がいいのだろうか？　弘樹は、何度も考えたその問いを、また反芻した。千草貴子は、弘樹が見つけたときには、もう手遅れだった。それを繰り返さないためには？

　いや。だめだ。それはできなかった。第一、加代子が自分の呼びかけに応えるとは限らない。むしろ、逃げる可能性すらある。それに、大声を出して、自分が誰かに狙われるのは構わないが、加代子がそれに応えて出てきたら、加代子まで標的にしてしまうことになる。

　結局、政府支給の簡易レーダーを頼りにするしかないわけだった。そしてそう、これがなかったら、もっと苦労するだろう。このクソゲームに自分たちを投げ込んだ政府を弘樹は十分憎悪していたが、その点だけはありがたかった。こういうのをなんと言うのだろう、不幸中の幸いじゃなくて憤激中の感謝、か？

　草が茂った低い丘を一つ抜け、立木がまばらに生えた緩い斜面に出た。もうそろそろ、貴子が眠っているエリアH＝4に入るはずだ。弘樹はまたレーダーを持ち上げ、液晶パネルに月明かりがうまく反射するよう、少し動かした。

　パネル中央、弘樹自身の存在を示す星型のマークが、だぶって見えた。いけない、俺は疲れているんだ、目までおかしくなっている。

――。

　そうではない、と気づいた瞬間、弘樹は頭を下げていた。同時に体を回転させ、右手に握った棒を一閃させた。習い憶えた棍術の型どおり、空間に鮮やかな曲線の軌跡を残す美しい動きだった。

背後に立っていた影の腕を棒は見事にとらえ、影が「うっ」とうめいて、手にしていたもの——拳銃を取り落とした。その誰かは、弘樹が気を抜いていたほんの一瞬のうちに、銃を構えてすぐ後ろまで近づいていたのだ。

影が地面に落ちた銃へ走った。弘樹は、その眼前にすいと棒を突き出した。影の動きが止まった。よろめくように後ろへ下がり——

そして弘樹は見た、まず、立ち尽くしたその誰かがセーラー服を着ているのを。次に、さやかな月明かりを受けたその美しい顔——天使のように愛らしいその顔——見間違えようもない、出発直後、弘樹がまだ十分に身を隠すこともできず、ただ分校の運動場の隅で息をひそめていたとき、自分のすぐ後に校舎から出てきたその顔——相馬光子（女子十一番）の顔を。

ふいに、光子が顔の前に両手を上げて後ろへ退がった。「殺さないで！　お願い、殺さないで！」と叫んだ。よろけてしりもちをつき、ひだスカートの下から白い脚が腿の付け根近くまでのぞいて、なおそれでも後ろへ退がろうとするうちに、月明かりに青白く、なまめかしく動いた。

「お願い！　話しかけようとしただけなの！　あたし、誰かを殺そうなんて思ってないわ、お願い！　助けて！　助けて！」

弘樹はただ黙って、その光子を見下ろしていた。

その沈黙を、弘樹に当座敵意がないと読み取ったのか、光子はゆっくり、顔の前に上げた手をあごの下まで下ろした。怯えた小動物の目で、弘樹を見た。その目に、涙が光っていた。

「信じて——くれるの？」と言った。涙でくしゃくしゃの顔に光明が差し、かすかな笑みが目元に浮かんだ。もちろん、相手をうまく騙しおおせたといったような勝ち誇ったそれではなく、心底の安堵があふれ出た、という笑みだった。

「あの——あのあたし——」言いかけて、初めて腿

が露わになっていることに気づいたように、スカートを左手で引っ張った。「杉村くんなら、信じられると思って――だから――あたし、怖かったの、ずっと――ひとりで――こんなことになって――恐ろしくて――」

弘樹は黙って、光子が取り落とした銃を拾い上げた。撃鉄が起きているのを見てそれを片手で戻し、光子のところまで歩くと、銃把を先にして差し出した。

「あ――ありがとう――」光子がおずおずと手を差し出した。

ぴたっと止まった。

弘樹が手の中で銃をくるっと回転させ、その手に握ったので。その銃口が、ぴたりと光子の眉間に向けられていたので。

「な――何。何するの、杉村くん――」

光子の顔が驚愕と恐怖に歪んだ――少なくとも歪んで見えた。全く、見事としか言いようがなかった。

いくら相馬光子についてのもろもろの噂を聞いていたところで、この愛らしい顔を歪ませて哀願されたら、大抵の者は(特に男だったら)信じないわけにはいかないだろう。いや、信じなくても、光子の言う通りにしてやろうと心を決めてしまうだろう。へたをしたら、弘樹ですらも。ただ、今の弘樹にはいささか特別な事情があった。

「もういいんだ、相馬」弘樹は言った。銃を構えたまま、少し、背筋を伸ばした。「俺は貴子に会った、貴子が死ぬ直前に」

「あ――」

光子が形の整った、大きな目を震わせて弘樹を見上げた。貴子にとどめを刺さなかったことを後悔しているのだとしても、そんな色は微塵も表れなかった。ただ、怯えた表情。理解と保護を求める表情。

「ち――違うわ。あれは事故なの。そうよ、あたし、ずっと一人でいたわけじゃないわ。ただ――貴子に会ったとき――貴子の方だったのよ、あたしを――

あたしを殺そうとしたの――そのピストルだってほんとは貴子の――だから――だからあたし――」

弘樹はさっき戻したコルト・ガバメントの撃鉄をがちっと再び起こした。光子の目がすっと細まった。

「俺は貴子をよく知っている。貴子は、進んで人を殺すような女でもないし、錯乱して誰にでも銃をぶっぱなすような女でもない。たとえこのクソゲームの最中だろうと」

弘樹がそう言うと、光子はちょっとあごを引き、それから、顔を傾けた。弘樹の顔を見上げ――そして、その唇がすっと笑みを形づくった。それはぞっとさせるような笑みだったにもかかわらず、その瞬間にこそよりいっそう、光子の美しさを引き出したと言っていい。

ふふ、とかすかに光子が笑った。

「即死だと思ってたわ、貴子は」と言った。

弘樹は何も言わず、じっとガバメントを光子にポイントしていた。

それから、光子は、座り込んだ姿勢のまま、左手の親指と人差し指でついとスカートの端をつまみ上げた。ゆっくり後ろへ引いた。またあの、なまめかしい白い脚が露わになった。

弘樹を見上げた。

「どう？　あたしを助けてくれたら、好きにさせてあげる。悪くないわよ、あたし」

弘樹は銃を構えた姿勢のまま、動かなかった。光子の目を、正面から見据えていた。

「だめっか」光子が言った。軽やかな口調ですらあった。「そりゃそうよね、隙見せたらあたし、あなたを殺すもんね。それに、自分の女を殺した女と寝られないよねー」

「貴子は俺の女じゃないよ」

それで、光子がまた、弘樹の目を覗き込んだ。

弘樹は続けた。

「けど、俺の、一番大切な友達だったんだ」

「あらそう」光子が眉を持ち上げた。それから、

「だったら、どうして撃たないの？」と訊いた。「杉村くん、フェミニストだから、女は撃てないっていうの？」

その光子の自信に満ちた顔は、相変わらず美しかった。千草貴子の研ぎ澄まされた、そう、ギリシャ・ローマ神話辺りに出てくる戦さの女神のような美貌とは、また違った美しさだった。十四、五歳の魔女というのがもしいるなら——こんなふうなのに違いない。おきゃんであどけなく、愛らしく、しかし、冷え切っている。月明かりの下、その目の奥に、冷え切った光が満ちている。弘樹はめまいがしそうだった。

「どうして——」かすれた声が自分ののどから出るのが聞こえた。「どうしておまえは、平気で誰かを殺せるんだ？」

「ばっかねー」光子が言った。額に銃口が向けられていることになど、まるで頓着していない口調だった。「それ、このゲームのルールじゃないの」

弘樹は目を細め、首を振った。「誰もがそれに乗ったわけじゃない」

光子がまた首を傾けた。ややあって、相変わらずにっこり笑ったまま、「杉村くん」と呼んだ。ちょっと好きな男の子がたまたま隣の席になった教室で、朝のホームルームの前に何か話題を探して話しかける、そんな、平易で、親しみのこもった言い方だった。

「きっと、杉村くんは、いい人なのね」と言った。

弘樹はわけがわからず、眉を寄せた。口が少し開いたかも知れない。

光子がうたうように軽やかに続けた。

「いい人はいい人よ。ある局面ではね。けれど、その人もいつだって、悪い人になりうるのよ。あるいは、一生いい人のままで終わる人だっているかも知れないけどね。そう、あなたはそうかも知れない」

光子は弘樹から視線を外し、首を振った。

「ううん、そんなことはどうでもいいの。あたしは

奪われるよりは奪う側に回ろうと思っているだけよ。そうすることがいいとか悪いとか、正しいとか間違ってるとか、言ってるんじゃないわよ。あたしはただ、〝そうしたい〟の」

　弘樹の口元が、無意識に、ひきつるように震えた。

「――なんでだ？」

　光子がまたにこっと笑った。

「わかんない。でも強いて挙げると、そうね、一つはねえ――」

　まっすぐ弘樹の目を覗き込んだ。そして、言った。

「あたし、九歳のときに強姦されたの。三人、かわるがわる、三回ずつね。ああっと、一人は四回やったかなあ。あなたと同し、男がやったことよ。おじさんだったけど。あたし、そのころ、胸なんかぺったんこで、脚も棒みたいで、やせっぽちの子供だったのに、そんなのがよかったみたい。そうそう、あたしが泣き叫んだら、ますます興奮してたみたいよ。だから、今でもそういう変なおじさんの相手するときは、泣き真似したげるわよ」

　一気にそれだけ喋った光子の、変わらず、にこやかな笑顔を見つめながら、弘樹は慄然としていた。その凄まじい話に、打ちのめされていた。

それは――

弘樹は何か、言おうとしたかも知れない。

だがその前に、光子の手元から銀色の光がしゅっと走った。それで、弘樹は、光子の右手が背中に回っていたことにようやく気づいたが、そのときにはもう、弘樹の右肩に両刃のダイヴァーズナイフが深々と突き刺さっていた（もちろんそれは、そもそもは江藤恵が持っていた政府支給の武器だった）。弘樹ののどからうめき声が洩れ、銃こそ放さなかったものの、痛みで後ろへよろけた。

　光子はその隙を逃さず体を起こすと、弘樹の脇をすり抜けるように、弘樹の後方の木立の間に走り込んでいた。

　弘樹が慌てて振り向いたとき、その背中が一瞬見

え、――すぐに闇に消えた。

きっと――相馬光子を今倒しておかなければ、琴弾加代子すらもその手にかかるかも知れないとわかっていたのに、弘樹は、光子を追うことができなかった。ただ、ナイフの周り、学生服に血がじくじくと滲み出す右肩を左手で押さえ、光子が消えた闇の奥を見つめていた。

もちろん――もちろん、光子の話は、こっちの意表を突くための作り話だったのかも知れない。しかし、弘樹にはどうしてもそうは思えなかった。光子は、真実を語っていたのだ。しかもそれは――多分、まだ一部に過ぎない。弘樹は、自分と同じ中学三年生の女の子がなぜああも冷酷になれるのかといぶかったのだが、何のことはない、光子はとっくに大人の精神構造を有していたのだ。歪んだ大人の。いや、それはむしろ違うのか？　歪んだ子供の、という方が正しいのか？

袖の中を流れた血が、右手に提げているコルト・ガバメントに伝わり、銃口の先から細い筋になって落ち始めた。足元に積もった腐葉土に、音もなく吸い込まれた。

【残り17人】

54

午前三時半を過ぎたころ、織田敏憲（男子四番）は、隠れていた家を出た。その家がどうやらエリアE＝4の中にあるらしいことはそこに身を隠した直後から見当がついていたのだが、そのE＝4が五時から禁止エリアになると、坂持の放送で告げられたからだ。

勝手口のドアを開けて出る前、上がり口脇に引き込んでおいた清水比呂乃の俯せの死体をちらっと見やった。しかし、見やっただけだった。特にかわいそうとも思わなかった。何と言っても、こいつは真剣勝負なのだ。お互いさまってやつだ。事実、清水

比呂乃は自分を見た途端容赦なく撃ってきたのだから。もっとももちろん自分の方も、背後から何とか比呂乃の首を絞めようと忍び寄ってはいたけれども。

新しい落ち着き先については幾分迷ったものの、敏憲は、東、集落の方へ進むことに決めていた。地図上各エリアの広さはおおよそ二百メートル四方。そして、島の東端の集落から続く狭い平地には、畑の中に点々と家屋の表示があった。十分余裕をもってエリアを抜けたら、そこでまた適当そうな別の家に隠れればよかった。何しろ彼は城岩町では一、二を争う邸宅のお坊っちゃんだったし（一位は恐らく桐山和雄の家だったが、敏憲は認めなかったに違いない）、やぶの中に身を隠すなどという下品な行為は我慢ならなかったのだ。誰か別の者が既に潜伏しているかも知れない家に入ることは危険でもあったが、彼はあまりひどく心配してはいなかった。何せ、今や彼は防弾チョッキ（高性能証明済）を身につけてもいれば、清水比呂乃から奪ったリボルバーを手にしてもおり、おまけに、――

家で見つけたフルフェイスのバイク用ヘルメットをかぶっていたので。

空に細い雲が出始めていた。既にかなり低い位置、満ちた月にその端がかかって、ゆっくりと動いている。くだんのスーパーデラックスフル装備、敏憲はヘルメットのあごの辺りをもう一度確かめると、とりあえず家の庭を横切り、隣接する狭い畑の端に降り立った。

そこからは、東岸まで続く平地の全景が見渡せた。平地と言ってもところどころアップダウンがあり、その大方を占める畑が、月明かりにごく薄い濃淡でその存在を示している。左側、北の山の山すそ沿い、百メートルほど向こうに家が一軒。その右、さらに百メートルほど向こうに一軒。そのちょっと左手奥にはもう二軒。そこから先はどういうわけかしばらく家の列が途切れ、三、四百メートルほどの間を置いて、また畑の中にぽつぽつと家が現れてくる。北

の山からせり出した丘と雑木林のせいでここからはよく見えないが、それはそのまま東の集落まで続いているはずだった。零時の坂持の放送のすぐ後に強烈な爆発音が響き、何か火の手が上がっているように見えたのは、その丘の先端からすぐ右手の辺りだ。しかし、火は消えてしまったのだろう、今はもう、そこも闇に沈んでいる。

今いるところの右手前方、南側にも、家が二軒並んで建っているのが見えた。しかし、これはそう、地図上、民家の位置を示す青い点の表示を信じるなら、エリアE＝4とF＝4の境界線上に当たる。そして、背後はもう、南北二つの山が近接していて――というより、北の山の山すそが島の西岸沿いにずっと丘のように伸びていて、家は見あたらなかった。もっとも、これも地図によれば、山に上がった辺りにもう一、二軒あるらしかったが。

地図を読み違えていない限り、東へ三軒目または四軒目の位置まで動けば、まず禁止エリアを抜けられるはずだった。ただし、近づいてみて、あんまり汚い下品な家なら、もう少し先まで進むことを考慮しなければならないかも知れない。第一に自分は汚い家は大嫌いだし、第二に下品な場所には下品な連中が集まると相場が決まっている。

――とにかく、敏憲はそちらへ向けて動くことにした。

畑のあぜの端に沿い、身を低くして慎重に歩を進め出したが、途端に足にからみついたその下品な土の感触に、敏憲はまた癇の虫が疼くのを感じた。清水比呂乃（あのアバズレ）に防弾チョッキごしに撃たれた腹部の鈍痛も、それに拍車をかけた。なんで自分がこんな下品なゲームに放り込まれて、クラスの下品な有象無象どもと（これは県東部最大の食品会社を経営する彼の父親が家の中でよく使う言葉で、彼自身も〝普通のやつら〟をさげすむ言葉として愛用していた、もっとも、彼もふだんは良家のお坊っちゃんを気取っていなければならなかったので、間

違ってもそんなことは口にしなかったが）一緒になって地面を這いずり回らなければならないのか？

彼、織田敏憲にそう言ってのける資格があるかどうかはともかく、各クラブのエース級から男女不良代表、さらにオカマまで（そのオカマならもう死んだ、すごく下品なオカマだった）、大方タレント揃いと言ってよかったB組のクラスの中でも、いや、城岩中全体でも、彼がいささか特殊と言える才能を持っていたことは間違いない。

彼は、四歳のころから個人レッスン付きでバイオリンを始め、今や、中学生では県下でも屈指のプレーヤーになっていた。天才の域ではなかったけれど、かといって凡俗の範疇に収まるわけでもなかった。音楽科のある東京の有名私立高校に進学する話がほぼまとまっていたし、多分将来は、少なくとも県政府交響楽団の指揮者ぐらいには収まれる――といったところだっただろうか。

それゆえに――彼自身は少なくとも考えた、彼はこんなところで死ぬわけにはいかなかった。音楽家の肩書きを得て、適当に上品で美しい女と結婚し、金をたっぷり持った上品な連中と付き合う（会社は兄の忠憲が継ぐことになっていた。もちろん、金回りのいい社長の立場は魅力ではあったが、敏憲は思っていた、要らないぜ、食品会社なんて下品な代物。そんなのはあの下品な兄貴にくれてやればいい）。クラスのほかの連中みたいな有象無象とはわけが違う。やつらは死んでもなんてことはない連中だが、自分は才能に恵まれた、価値ある人間なのだ。そして生物学的に言っても、他と峻別される価値を備えたものこそが生き残るべきなのではなかったか？

もちろん、ゲームのスタート時点では防弾チョッキなどというわけのわからないものを渡され、こそこそ隠れているしかなかったのだけれど、今や、彼は、銃を手にしていた。容赦なくやるつもりだった。何、音楽を愛する者の美しい心？　そんなのはドシロウトの言うことだ。確かに自分はまだ十五歳に過

ぎず、そう多くの世界を覗いたわけでもないけれど、少なくとも、音楽家の世界がどんなものかはよく知っている。天才は別にしても、それに至らない才能しか持ち合わせていないものにとっては、コネと金がすべてだ。そして、他の才能をいかにつぶしておくか、自分がつぶされずに生き延びるか。——客観的な事実は措いて、とにかく、彼、織田敏憲はそう思っていた。

三年B組の〝有象無象〟に、親しい友達など無論いるわけはなかった。彼はむしろ、下品なクラスメイトを憎悪していたぐらいだった。ことに——そう、その理由の一端には、七原秋也の存在があったかも知れない。

敏憲は、〝特に下品な有象無象〟が集まる城岩中の音楽部には属していなかった。あの連中ときたら、のべつ下品なポピュラー音楽ばっかり演奏しているのだ（違法な輸入音楽の楽譜すら部室を飛びかっているらしい）。そう、特に、七原秋也。

幼時から鍛えられた音感、複雑な旋法の理解、音楽的レベルで言えば、圧倒的に敏憲の方がランクが上だった。なのに、にもかかわらず、クラスの下品なメスどもときたら、七原秋也が幼稚園児なみの初歩的なコードでギターをかきならす下品な音に、きゃーきゃー下品な声を上げる（全く、音楽の時間の前の短い休み時間、七原秋也の演奏に耳を傾ける女どもの顔ときたら、額の上辺りに〝ああ、七原くん、あなたとしたいわ、今すぐ、ここで〟と極太のゴシック体で書いてあるような具合だ）。敏憲が音楽教師の指名で鮮やかに歌劇の一節を弾きこなしても、おざなりの拍手しかしないくせに。

それは一つには、メスの有象無象には上品なクラシック音楽の価値なんてわからないからだろうし、もう一つには、そう、単に七原秋也の顔がいいからだろう（敏憲はそれと意識したことはなかったけれど、深層心理のレベルでは、自分の醜い顔が大嫌いだった）。

いいだろう。女なんてそんなものだ。所詮、別の生き物に過ぎない。子供を生産させるため（ああ、それにもちろん、男が必要なときに必要なだけ快楽を得るため）の道具に過ぎず、多少見栄えが良ければ、成功した男のそばに置いておく飾り物に過ぎない。そう、問題は——金とコネなのだ。そして俺には、金とコネを使うに値するだけの十分な才能がある。従って——

生き残るべきなのは、俺だ。

夜の間これまでも時折銃声が聞こえていたし、何よりあのものすごい爆発もあったけれど、今は、島は闇に包まれ、しんと静まり返っていた。敏憲はほどなく一軒目の家を迂回して通り過ぎ、二軒目に近づいた。ほとんどシルエットしか見えない状態でも、随分古い家だということがわかった。周りをぐるっと取り囲む形で木が植えられ、手前、西側に特に大きな広葉樹が梢を広げている。幹周りが多分四、五メートル、高さも七、八メートルはあるだろうか。

まさか——あの上に誰かいたりはしないだろうな——。

敏憲は銃を握り締め、家だけでなく、その木にも注意しながら、ゆっくりと歩を進めた。無論、ときどき足を止めて全方向に目を配ることも忘れなかった。下品なやつらはどこから現れるかわからない。ゴキブリがいい例だ。

たっぷり五分ばかりをかけてその家の横を通過してから、肩ごしに首を振り向かせ、大小の木に囲まれたその家をもう一度見渡した。ヘルメットの正面に開いた四角い窓みたいな視界の中、特に不審な動きはなかった。

——よし。

目指す三軒目の家は、もう、すぐ近くに見えていた。

——。

敏憲は首をもう一度振り向けた。

家を囲む木の間、地面に近いところで、丸い黒い

ものがかすかに動いたような気がした。それは——人の頭、と認識したときには、敏憲はもうそちらへ向けて銃を持ち上げていた。もうすぐ禁止エリアに入ろうというこの地域でまだうろうろしている、一体何者なのか——

そんなことはどうでもよかった。

引き金を絞った。てのひらに収まったコルト・ハイウェイパトロールマンの木製グリップから快い刺激が伝わり、やや軽めの撃発音とともに銃口からオレンジ色の火炎が伸びて、敏憲の背筋を痺れさせた。そう、彼は下品な有象無象が大嫌いだったにもかかわらず、あまり上品とは言えない趣味、バイオリン演奏とはかけ離れた趣味を——モデルガンのコレクションを、続けていたのだ。父親は猟銃をいくつか持っていたが、触らせてもらったことはなかったので、本物の銃の引き金をひくのはこれが初めてだった。——ほんものだ、ちくしょう。俺はほんものの銃を撃っている!

敏憲は二発撃ったが、その誰かは頭を下げて動けないようだった。撃ち返してもこなかった。そりゃあそうだろう、銃を持っていたら、自分が背中を見せたときに撃ってきているはずだ。だからこそ今自分も、安心して引き金をひけたというものではないか。

敏憲は、ゆっくりその影の方へ近づいた。

「待て!」と、声が上がった。

その声で、その影が杉村弘樹(男子十一番)なのだとわかった。あの、下品な空手みたいなことをしているのっぽの男(敏憲はちなみに、背の高い男も嫌いだった。彼の身長は百六十二センチしかなく、クラスでは瀬戸豊の次に低かったのだ。彼が嫌いなもの、一、顔のいい男。二、背の高い男。三、総じて下品な男)。確か、あの、下品な具合に髪を染めて、下品なアクセサリをじゃらじゃら着けている千草貴子と付き合っている男だ——ああそうか、彼女はもう死んでいる。顔だけは、ちょっときれいな女

だった。

「俺は戦う気はないんだ!」弘樹の声が続いた。

「おまえ、誰だ? 滝口か?」

弘樹は、敏憲の次に背の低い滝口優一郎(男子十三番)の名を口にした。そう、敏憲と同じぐらいのサイズでほかに生き残っているやつと言えば、その滝口と瀬戸豊ぐらいだ。黒長博はとっくに死んでいたし。

とにかく、敏憲は一瞬思考をめぐらせた。やる気がないだって? そんなばかな。このゲームでやる気がないというのは、自殺を決めたという意味だ。トリックか? だとしても、銃を持っていないなら――

敏憲は作戦を変えることにした。銃を下ろした。フルフェイスのヘルメットのあごのガード部分を左手で少し押し下げ、「織田だよ」と言った。ああ、どもった方がいいよな、少し。「す、すまない。け、怪我しなかったか?」

それで、杉村弘樹がゆっくりと、その大きな体を持ち上げた。敏憲と同じように左肩にデイパック、右手には棒のようなものを握っていた。破れたのか、破り取ったのか、学生服の右袖がなく、その下のシャツもなく、右腕は剝き出しになっていた。肩口に、何か白っぽい布のようなものを巻きつけている。棒を握ったその剝き出しの右腕は、そこだけ未開の裸族にでもなったという具合だった。下品な裸族。

弘樹が少し、首を傾けたようだった。「大丈夫だ」それから、敏憲の頭を見ながら、言った。

「ヘルメットか?」

「あ、ああ」

敏憲は、答えながらも畑の土を踏んで前へ出ていた。よし、あと三歩だ。

「こ、怖くて、さ――」

〝さ〟の音が完全に終わらないうちに、敏憲は右手を持ち上げていた。距離五メートル。外すわけがない。

弘樹の目が見開かれた。遅い、遅いよ、下品な空手野郎め。下品な死にざまをさらして下品な棺に収まって、下品な墓に入りやがれ。そしたら、俺が特別下品な花を捧げてやる。

——しかし、コルト・ハイウェイパトロールマンから噴き出した火炎の先に、弘樹の体は無かった。ほんの一瞬前に、予想もつかない動きで弘樹が体を左へ——敏憲から見て右側へ倒していたのだ。拳法の動きを応用したものだなどと敏憲には知るよしもなかったが、とにかく——信じがたい素早さだった。

そして、傾いだ姿勢から、弘樹が棒を持っているのとは反対側、左手に銃を抜き出していた（この点も敏憲には知るよしがなかったが、弘樹は、三村信史と違って矯正はしていたものの、もともと左利きだった）。銃を持っていたのだ、だったら何で最初から使わないいんだこのバカは——ほとんどそのように思う間もなく、敏憲の目が小さな火炎をとらえた。

途端、右手から銃が消えていた。次の瞬間、ものすごい痛みが右手薬指で爆発し、敏憲はぎゃあっと叫び声を上げた。地面に両膝をついた。左手でその痛みの根っこを押さえ——そして、薬指が消失していることを悟った。血がしゅうっと噴き出した。防弾チョッキを着ていても、ヘルメットをかぶっていても、指は無防備だったのだ。

ああ——あいつ——俺の指を——バイオリンの弓を精妙に操る俺の右手の指を——！　うそだ、こんな——映画だと銃が撃ち飛ばされるだけで指なんか飛ばないいじゃないか！

弘樹が銃を構えて近づいてきた。敏憲は右手を押さえたまま、ヘルメットの奥から、怯え、錯乱した目でそれを見守った。そのヘルメットの中、急速に噴き出した脂汗で、顔面がぬるぬるしていた。

「やる気十分なんだな」

弘樹が言った。

「撃ちたくないが——俺は撃たなきゃならない、どうしても」

その言葉のほんとうの意味はわからなかったし、ひどい痛みを抱えてもいたが、とにかく、敏憲にはまだ余裕があったと言っていい。なぜなら——、その銃口は、敏憲の胸へ向けられていたのだ。それはそのはずだった、敏憲がヘルメットをかぶったことには、その実際の防弾効果以上に、敵がそこを狙わず、敏憲の体を狙うよう仕向けるという思惑があったのだから。そして、学生服の下には防弾チョッキがある、というわけだった。防弾チョッキが銃弾を止めてくれれば、そして隙をみて、自分の銃を握り直せば——人差し指は生きている、引き金はひける——勝てる。

自分の銃は、足元に転がっていた。

敏憲のぎらぎらした視線の先、杉村弘樹はなお数瞬の間を置いたが——とまれ、口元をぎゅっと結ぶようにすると、静かな目で引き金を絞った。敏憲は、清水比呂乃と相対したときのことを思い出しつつ、今度はどうやったらリアルに〝死ねる〟か、その寸前までいささか思案していた。

しかし、ことは敏憲の予想以上に簡単に終わった。弘樹の銃は、かちんという小さな金属音を立てただけだったのだ。

弘樹が狼狽した表情になり、慌ててもう一度撃鉄を起こし、引き金をひいた。再び、かちん。

歪んだ笑みが、ヘルメットに隠れた敏憲の口元にわき上がった。空手野郎。そいつは不発弾だ。そのオートマチックじゃ、もう一度遊底を引いて新しい弾を装塡しなきゃ撃てないぜ。

敏憲は、足元に転がった自分の銃にばっと飛びついた。弘樹は一瞬、右手の棒を動かそうとし——距離を測ってあきらめたのか、くるっと背を向けて家の向こう——山の方めがけて逃げ出した。

敏憲は銃を拾い上げた。指を一本失った手はずきずき痛んだが、なんとかうまく銃を握ることができた。撃った。グリップのホールドが十分でない分、体の中心をとらえることはできなかったけれど、弘

樹の右の大腿部――しりに近い辺りに命中したのがわかった。かすっただけか？　とにかく、弘樹の体がぐらっと傾ぎ――しかし、倒れなかった。走り続けた。敏憲は自分も走り出しながら、もう一発撃った。今度は当たらなかった。さっきは快かった銃の反動が傷ついた手に突き刺すようで、激昂した。さらにもう一発。これも当たらなかった。脚を撃たれたにもかかわらず、弘樹の方が足が速いのだとわかった。

弘樹は山すその木立の中へ消えた。

――くそ！

追うべきかどうか敏憲は数秒迷い――やめた。向こうは手負いだが、それはこっちも同じだった。銃のグリップが、失われた薬指からの出血でぬるぬるしていた。それに、山の中へ入ったら、弘樹は銃に弾を装塡し直して反撃してくるだろう。そう考えれば、――遮蔽物もなく、体を無防備にさらしているのは危険だった。慌てて、身を低くした。

最初の――最初に目指していた家にたどり着かなきゃならない。しかも、入るところを弘樹に見られないようにしなければならない。

敏憲は銃を握ったままの右手を押さえ、痛みをこらえながらよたよたとそちらへ向かった。あぜ道の中を抜けながら、ますます強くなる激痛で、めまいがしそうだった。まずはこの手だ。何よりも、この手を治療しなきゃならない。それで、戦闘態勢を立て直すことだった。ああ、しかし、ちくしょう、リハビリを果たして再びバイオリンを持てるようになったとしても、指を失ったこの手は、演奏のとき――特にテレビ中継があってアップにでもなったりすれば――さぞかし目立つに違いない。これで俺もあの仲良しグループ、ショーガイシャの仲間入りってわけだ。ショーガイを克服し優雅な調べ。クソ、ろくでもない！

目標の家はもう、すぐ目の前に近づいていた。敏憲は、もう一度肩ごしに後ろを振り返った。目をこ

らしたが、杉村弘樹らしい影は見えなかった。大丈夫だ、追ってきている様子はない。

敏憲は首の向きを家の方に戻した。

そして、見た、目指す家の手前、六、七メートルばかり向こうの畑のあぜに、男が立っているのを。さっきまで何もなかった空間に、わき出したように現れたその男を。襟足がいささか余計なほどに長いオールバックの頭、その顔の中に光る冷たい目を。

桐山和雄（男子六番）だ（またもや彼の嫌いなタイプ、範疇一、顔のいい男）、と認識した時には、ぱららら、という音とともにその手元から激しい火炎が噴き上げ、敏憲の上半身にいくつもの衝撃が叩きつけた。敏憲は後ろに吹っ飛び、仰向けに倒れていた。痛みのせいで十分力を込められていなかった右手からコルトが離れ、少し右手でかつん、と何かに当たる音がした。背中がずずっと土をこすった。ヘルメットをかぶった頭が、続いて地に落ちた。

銃声の残響がすっ、と夜の空気の中に消えた。再び静寂が支配した。

しかし無論、織田敏憲は死んではいなかった。息を殺し、体をぴくとも動かさずにそこに横たわりながら、ほくそ笑みたい衝動を押さえ付けていた。その邪悪な喜び、右手から伝わる強烈な痛み、杉村弘樹を取り逃がしたことへの苛立ち、はたまたいきなり範疇一の男に急襲された怒りと、彼の情動をつかさどる大脳辺縁系辺りはもはやほとんどめちゃくちゃなことになっていたと言っていいが、とにかく、清水比呂乃にやられたときと同じで、体（右手薬指除く）の方は全然平気だった。やはり、ヘルメットをかぶっていたのは正解だったわけだ。桐山は、防弾チョッキに守られた、敏憲の胴体部分を狙ったのだった。そして――桐山はきっともう、清水比呂乃がそうだったのと同じように、敏憲が死んだものと思い込んでいるに違いない。

ほんのわずか開いたまぶたの薄い隙間、映画のパノラマスクリーンみたいなその視界の端に、コルト

がちかっとかすかに月明かりを返しているのが見えた。そして——学生ズボンの後ろに差し込んでおいた包丁の（これは清水比呂乃を殺したあの家で手に入れたものだ）ごつごつした感触は、今もそこにあった。刃に巻いた布を取るのに一秒とはかからないだろう。

　こればかりは制御しようという意志の及ばぬところ、相変らずだらだらと脂汗を流しながら、敏憲は思った。さあ、そこに転がった俺の銃を拾えよ。そしたら俺は、おまえのその下品な喉笛を、包丁で抉り取ってやる。あるいは背を向けて去るか？　それとも今度は杉村弘樹を追うか？　それなら、俺は銃を拾い上げて、おまえのその下品な後頭部に通気孔を一つ、開けてやる。さあ。どれでもいい、早く選びやがれ。

　しかし、どういうわけか、桐山はコルトの方へ動かず、まっすぐ敏憲の方へ進んできた。

——。

まっすぐ進んできた。敏憲をその冷たい目で見据えたまま。

——なんでだ？　心の中、敏憲はそう問うた。俺はもう死んでるんだぞ？　見ろ、こんな完璧な死人がほかにいるもんか。

　桐山の足は止まらなかった。ただ、まっすぐ進んできた。一歩、二歩——。

俺はもう死んでるんだよ！　なんでだ！

柔らかな土を踏むかすかな音がますます大きくなり、視界に桐山の姿がいっぱいに広がった。

——！

　ふいに恐怖と狼狽が敏憲を支配し、敏憲は我を忘れて目を見開いた。

　その瞬間、ヘルメットをかぶったその頭へ向けて、桐山のイングラムから再び火線が伸びた。至近距離から放たれた弾丸の何発かはヘルメットの強化プラスチックの表面を削り取って色付きの火花を噴き、何発かは敏憲の頭蓋骨を貫通した後ヘルメットの中

で跳弾して、敏憲の頭がヘルメットごとがくがく揺れた（体は奇妙なブギを踊った。きっとそんな下品な踊りは本人の気に入らなかったに違いないが）。そして当然ながらそれが終わったときには——敏憲の頭部は、ヘルメットの中でもはやぐちゃぐちゃに砕けていた。

敏憲は、今度ばかりは死んだフリをしていたわけではなかったけれども、もう、ぴくりとも動かなかった。すっかりスープだかソースだかのボウルみたいになったヘルメットの端、首との境目から、とろとろと血がこぼれ出した。

そういうわけで、下品な有象無象が大嫌いだったどちらかというと愚かな男、織田敏憲は、防弾チョッキの存在を過大評価し、桐山和雄の冷静さを過小評価したためにあっさりと死んだ。前日朝の日下友美子と北野雪子の死に様をよく観察していれば、とどめを刺す、ということがありうるのだとわかったはずなのだが、彼にはそれほどの学習能力はなかったのだ。なお、彼にはもはや関係のないことだが、彼は無論、彼を倒した男、桐山和雄が、城岩町の、敏憲のそれよりも大きな自宅のテラスでしばらく前、敏憲よりもはるかに優雅にバイオリンを弾きこなしてみせたことなど（ついでに彼がそのあとそのバイオリンをくずかごに突っ込んでしまったことも）、知るよしもなかったに、違いない。

【残り16人】

55

話し声。移動に伴う物音。あるいは殺しても殺しきれないかすかな息遣いでもよかったが、相馬光子（女子十一番）の耳に聞こえてきたのは、液体が草をたたくぱらぱらという音だった。ごく近くのやぶの中、誰かが用を足しているのだとわかった（そう、この島に犬でもいるのでない限りは）。夜明けが近く、首をちらっと上に向けると、漆黒にかすかに青

い色がにじみはじめた空が見えた。

　杉村弘樹と出会い、どうにか逃げおおせた後、光子がまず考えたのは、銃が必要だということだった。江藤恵と出くわしたのはほとんどアクシデントだったが、そのあと、矢作好美と倉元洋二の争う声を聞きつけて、二人を倒し、うまく銃を手に入れることができた（ほんとは最初から銃があれば、あの分校へ戻り、出てくるやつを次々に片づけることもできたのだが）。そして銃さえあれば多少大胆に動き回るのも平気だったし、新井田和志とやりあった後の千草貴子を倒すのも簡単だった（しかしとどめを刺しておかなかったのはほんとにまずかった。気を付けなければならない）。

　しかし今は、丸腰だ。江藤恵が持っていたナイフも使ってしまったし、手元には、最初に自分に支給されたカマがあるきりときている。なんとしても再び銃を入手する必要があった、なぜなら、〝やる気〟になっているのは自分だけじゃない、あの、日下友美子と北野雪子を倒したマシンガンの誰かがいる。そのマシンガンの音は、ほんの三十分ばかり前にもまた、聞こえたばかりだ。

　もちろん、その分逆に、無理して自分がほかのクラスメイトを減らすことはない、そいつに任せておいて、自分は無理なくやれるときに無理なくやるということでもいい、とは言える。事実、午前零時過ぎにやはりマシンガンの音が響き、そして、爆発音がそれに続いたときには、光子は近づかない方がいい、と判断したのだ。拳銃とマシンガンではどうしてもこっちに分が悪い。そして、ただ様子を見ようと遠目にそこをうかがえる位置まで動くうちに、杉村弘樹を見つけ、後を追った。そしてそれこそ、無理なくやれる仕事のはずだったのだけれど――。

　とにかく、最終的にはそいつ、そのマシンガンの誰かとやりあうことになる可能性が高い。そのときに銃がないというのは圧倒的に不利だ。拳銃とマシンガン、どころじゃない、カマとマシンガンではそ

もそも勝負にならない。

　もちろん弘樹をこっそり尾けていくこともできたが、弘樹から銃を奪い返すのは困難なような気がした。あの男は、だてに拳法だかなんだかをやっているわけではなかったのだ。棒で打たれた右手はまだじんじんしていた。それに、今度こそ、自分を見つけたら、容赦なく撃つだろう
　そういうわけで、光子は島の中央を東西に抜ける道路に沿って西へ進み、そのあと北の山まで移動して、ほかの誰かを探し始めた。それから約三時間が経過し――

　今、ようやく、耳に物音が届いている。

　光子はその音を頼りに、やぶをかき分けて進んだ。ただし慎重に。こちらが音を立ててはならない。

　やぶが切れた。茂みの中にぽっかり開いた、四畳半ぐらいもないほんの小さな空間がそこにあった。正面も右手もやはりやぶになっている。左手もまたそうで――その隅に、学生服の男が、背中を向けて立っていた。ぱら、ぱら、という音がまだ続く中、落ち着きなく顔を左右に振り向けている。

　もちろん、誰かに襲われやしないかと不安でたまらないのだろうが、それで、男が旗上忠勝（男子十八番）なのだとわかった。野球部に入っている、どうというところのない平凡な男だ。身長は高め、がっちりした体で、顔はまあ十人並み。趣味は――さあ、あるのかしら、聞いたことないけど。それに、今さら聞いてもしょうがないようだけど。

　そんなことより何より、その忠勝が、用を足しながらも右手にしっかり握っているものが光子の目をとらえた。

　――銃だった。やや大型の、回転式だ。光子の口元に、またあの堕天使の笑みが浮かび上がった。

　忠勝の小用は、まだ終わらないようだった。随分長く我慢していたのかも知れない。忠勝は相変わらず首を左右に振り向けながら、膀胱が空になるのを待っているようだった。

光子は物音を立てないようにゆっくりとカマを右手に抜き出し、待った。ズボンのジッパーを上げるとき、忠勝は両手を使わざるを得ないだろう。無理して片手で済ませるとしても、隙ができる。

そのときがあんたの終わりになるみたいよ、どうもね。なんだか昔の刑事ドラマで、用を足してるときに殺されたのがいたけど。

音がまばらになった。一旦止まり——もう一度ぱらっと音がして、今度は完全に止んだ。忠勝はまた辺りを見回すと、さっと両手を前へ回した。

そのときには、光子はもう忠勝の背後へ忍び寄っていた。短く髪を刈り上げた忠勝の後頭部が、目の前に迫った。右手のカマを持ち上げかけた。

誰かが背後で「あ——」と言うのが聞こえ、忠勝がそれでびくっと振り返ったのだけれど、びくっとしたのは光子も同じだった。カマを振り上げるのは(当然ながら)やめ、声のした方を振り返った。

滝口優一郎(男子十三番)が、立っていた。こちらは忠勝よりひと回り小さい、童顔のかわいらしい男の子だ。右手に、それが武器なのか金属バットを提げ、光子を見つめて口を開けていた。

忠勝が光子を認めてこちらも「あ——」と言い、それから、「くそっ」と言って、光子に向けて銃を持ち上げた。優一郎の出現自体に驚いた様子がないところを見ると、優一郎と忠勝は一緒にいたようだった。光子は内心、歯噛みした。忠勝は、ただ用を足すために少し優一郎から離れていただけだったのだ。それを確認しなかったなんて、あたしはなんてバカなんだろう! 何よ、男どうしでいるんならおしっこぐらいその場ですりゃあいいでしょうに!

それどころではなかった。忠勝の持ったリボルバー(どうでもいいことだが、スミスアンドウエスンM19・357マグナムだった)の銃口が、まっすぐ光子の胸の辺りを狙っていた。

「旗上! やめろよ!」

優一郎が、恐らく状況に対する混乱と、それに、

今、目の前で人が殺されようとしていることに対する狼狽でか、引き攣った声を上げた。忠勝は今にも引き金をひきそうだったけれども、多分、撃鉄が落ちるほんの〇・数ミリ手前でその指が止まった。

忠勝が銃は光子にポイントしたまま、優一郎の方を見た。

「なんでだ！　こいつ、俺を殺そうとしていたんだ。み、見ろ！　カマか？　カマなんか持ってるじゃないか！」

光子は「ち、違うわ」とのどの奥から消え入りそうな声を絞り出した。語尾を高く震わせ、もちろん、体を一緒にすくませるのも忘れなかった。またまたこのたびの主演女優、相馬光子さんの見せ場ってわけ。目あけてよっく見とくのよ。

「あ、あたし」

カマを捨てようかと思ったが、握りっぱなしの方が自然に見えそうだったのでやめておいた。

「話しかけようとしただけだわ。そ、そしたら、あなた、あの、おしっこしてるって、わかったから」光子はちょっと俯き、頬を赤らめてみせた。「だから――」

忠勝は銃を下げなかった。「嘘つくな！　おまえは俺を殺そうとしてたんだ！」

銃を握ったその手が、ぶるぶる震えていた。多分――引き金をひくのをためらわせているのは、実際に人を撃つことの恐ろしさだけだろう。光子を見た途端、ついさっきなら、勢いですぐにも撃ったところだっただろうが、優一郎に止められて考える余裕ができた分だけ、ためらいが生じたのだ。そしてそれは――

あんたの負けっていうことなのよ。

「やめろよ、旗上」優一郎が、懇願するように続けた。「さっきも言ったろ、俺たち、仲間を増やさなきゃ――」

「冗談じゃねえよ」忠勝が首を振った。「こんな女と一緒になんかいられるもんか。おまえ、この女が

どんな女か知ってるだろ？　あの――日下と北野をやったのだって、こいつかも知れないんだ」

「ち、ちが――あたし、そんなの――」

光子は目に涙をにじませた。

優一郎が、必死な調子で言った。「相馬さんはマシンガンなんて持ってないじゃないか。銃だって持ってないよ」

「そんなのわかるか！　弾がなくなって捨てただけかも知れない！」

それで、優一郎は少し沈黙したが、ややあって、

「旗上。大声上げちゃだめだよ」と言った。

それは、それまでとはちょっと違う、落ち着いた、穏やかな声だった。忠勝が、虚をつかれたように口を薄く開いて、優一郎を見た。

光子もちょっと、おや、と思った。確か滝口優一郎はアニメとかが大好きな三年B組おたく代表みたいな男の子だったのに、随分堂々とした感じに、それは聞こえたのだ。

優一郎が首を振った。

「それに、証拠もないのに疑うなんてだめだ」諭すように続けた。「考えてみてくれよ、相馬さんはおまえを信用したからこそ話しかけようとしたのかも知れないんだぞ」

「じゃあ――」

忠勝が眉を寄せた。相変わらず銃は光子に向けていたが、引き金にかかった指の緊張は、幾分ゆるんでいた。

「じゃあ、どうしろっていうんだ？」

「どうしても信用できないなら、俺たちが相馬さんを交代で見張ってたらいいじゃないか。つまり、今、相馬さんにどこかに行くように言ったって、旗上の不安が解消されるわけじゃないだろ。また隙を狙われるってさ」

光子はますます感心した。なかなかどうして、やるじゃない、このこ。論理的だし、話しぶりも適切だわ。まあ、やろうとしてることの当否は別にして

も（今撃った方がいいのよ、あたしをね）。

忠勝が、それで、唇をちょっとなめた。

「な。俺たち、仲間を増やさなきゃだめなんだ。それで、なんとか抜け出す方法を探さなきゃ。しばらく一緒にいたら、相馬さんが信用できるかどうかだって、わかるはずだろ？」

優一郎が駄目を押すように言い、忠勝は、ようやく、まだ疑わしげに光子を見ていたけれども、頷いた。疲れたような感じで、「わかった」と言った。

光子は、ほうっと全身の力を抜いた（ように見せた）。涙をにじませていた目を、左手でちょっと拭った。優一郎も、ほっと息をついたらしいのがわかった。

「そのカマを放せ」

忠勝が言い、光子は慌てて放り出すようにそれを地面へ落とした。それから、落ち着きなく忠勝と優一郎へ、視線を交互にさまよわせた。

続けて、「ボディチェックしろ、滝口」と忠勝が言った。光子は、忠勝の方へ視線を振り戻し、え？という感じで目を丸くしてみせた。

次に優一郎の方を見ると、ちょっとびっくりした感じで突っ立っていた。忠勝がもう一度言った。銃をなおぴたりと光子に向けていた。

「早くしろよ。遠慮なんかするんじゃない。命がけなんだぞ、それはわかるだろ？」

「ああ――うん」

それで、優一郎がバットを地面に置くと、おずおずと前へ進み出た。光子のそばで、立ち止まった。

「早くしろよ」忠勝が促した。

「う、うん」

さっきの堂々とした態度はどこへやら、優一郎はいつもの頼りなげなおたく少年に戻っていた。

「けど――」

「早く！」

それで、優一郎が「あ、あの、相馬さん、ごめんね。こんなことしたくないんだけど」と言い、光子

の体に軽く手を走らせた。夜明けの薄闇の中でも、顔が真っ赤になっているのがわかった。まあ、かわいいのね、と光子は思ったけれど、もちろん、自分もちょっと、恥ずかしそうにするのは忘れなかった。

ひととおり終えて優一郎が手を離したところで、忠勝が「スカートの下も調べろ」と言った。

「旗上――」

優一郎が非難するように忠勝を見たが、忠勝は首を振った。

「別にスケベ心で言ってるんじゃない。俺は死にたくないんだ」

それで、優一郎は、ますます顔を赤らめ、光子に「あの――あの、スカート、少し持ち上げてくれるかな」と言った。

あらあら、鼻血出すんじゃないでしょうね、このこ。

しかし、光子は「う、うん」と小さく答え、またまた恥ずかしそうにしながら、スカートを、下着が見えるか見えないかぐらいまで持ち上げた。いやはや、何だかこれじゃまるきり、〝マニア特選！ 現役女子中学生出演！〟のアダルトビデオみたいだ。出たことあるけどね。

優一郎は光子が何も隠していないのを確かめ、「も、もういいよ」と言った。

忠勝が、「よし」と頷いた。それから、「滝口。おまえのベルトでこいつの手を縛れ」と言った。

優一郎がまた忠勝に非難の視線を向けたが、忠勝は銃を構えたまま、譲らなかった。

「それが俺の条件だ、滝口。もしそれがだめだと言うなら、俺は今すぐこいつを撃つぞ」

優一郎が光子と忠勝を交互に眺めて、唇をなめた。それで、光子は、優一郎に、「滝口くん」と呼びかけた。「構わないから、そうして」と言った。

優一郎はちょっと光子の顔を見ていたが、ややあって小さく頷くと、自分のベルトを抜き出して、光子の手をとった。「ごめんね、相馬さん」と言った。

忠勝が、相変わらず光子に銃を向けたまま、「相馬なんかさんづけで呼ぶこたないんだよ」と言ったが、優一郎はそれは聞こえなかったように、ただ黙って、光子の手首に軽くベルトを巻きつけた。

　素直に前に手を差し出したまま、光子は考えた。全く、カマを持ち上げる前に見つかったのは不幸中の幸いだった（カマの血も拭ってあった。大ラッキー）。

　さて。どうしようか。


【残り16人】

56

「だからさ。どうしても、誰かを探さなきゃって思ったんだ」

　優一郎はそう言い、言葉を切って、ちらっと光子の顔を見た。もうすっかり夜が明けて、その顔が土で汚れているのがはっきり見えた。

　茂みの中で、二人は並んで腰を下ろしていた。もっとも、光子の手には相変わらずベルトが巻かれていたし、光子が持っていたカマは、優一郎が自分のズボンの後ろに差していたけれど。旗上忠勝は、少し離れたところで、すうすう寝息をたてていた。これまたもっとも、銃だけは自分が握り締め、おまけにハンカチで自分の手に縛りつけすらしていたけれど。

　光子がとにもかくにもこのチームに加わった後、交代で眠ろうと言い出したのは、忠勝だった。「仲間を探すのはいいよ、滝口。しかし、まず眠ろうぜ。俺たち、ずっと起きっぱなしだ。判断も鈍る」。優一郎が了解すると、忠勝は「まず俺か滝口が眠る。相馬はそのあとだ」と言い、優一郎が、「俺、後でいいよ」と言って、とにかく順番が決まった。それで、忠勝は銃を握ったまま（本来は見張り役の優一郎にそれを渡すべきなのだろうが、そんなことはひとことも口にしなかったし、優一郎も特に文句を言

わなかった）すぐに横になり、ほんの十数秒もしないうちに寝息をたて始めたのだった。

恐らく――光子は見当を付けた、忠勝はゲーム開始以来優一郎と合流するまで一睡もしていなかったのだろうし、合流したのちも、眠れなかったのに違いない。なぜって、もし万一、優一郎が自分の寝首をかくことがあったら？　と恐れたからだろう。しかし、その優一郎以上に、いやいや遙かに怪しかろうとなんだろうと光子が加わったことで、自分が眠っても、光子と優一郎はお互いに監視し合うことになる。だからまあ、自分が銃を放さず、気をつけてさえいれば眠っても大丈夫だ――こんなところだろう（もちろんその点、光子だって一睡もしていなかったが、てんで大丈夫だった。その辺のヤワな中学生とは、育ち方が違う）。

それで、優一郎と光子はしばらく黙っていたのだけれど、そのうちに、優一郎が忠勝に会うまでの顛末を話し始めたわけだった。

どうやら優一郎も昼の間は動くに動けなかったらしいが、夜なら大丈夫だろうと考えて（ただ、それは趣味の問題だな、と光子は思った。夜なら確かに相手に見つかりにくくはなるが、同時に相手の姿も見えにくくなるのだ。まあもっとも、まずいと思ってから逃げるには夜の方が都合がいいだろうが）陽が落ちてから慎重に動き出し――そして、光子が二人と出くわすほんの二時間ほど前に、忠勝と出会ったらしかった。それで――二人で脱出の方法がないかどうか話したがうまい方法は思いつかず――忠勝が用を足すために少し離れ、しかし、随分時間がかかるので心配になって優一郎が様子を見に行った、そこで光子を見つけた――ということらしい。

「最初は怖くてさ。誰も信じられやしないと思った。けど、きっと、ほとんどのやつは俺と同じようにこれから逃げようと思ってるはずだって。考え直したんだ」

優一郎はそこで言葉を切り、光子の方をちらっと

見た。三年B組おたく代表の滝口優一郎は、あまり人と目を合わせて話をしない。またすぐに視線を落とした。

それでも――そうして話しかける優一郎には、光子をさほど警戒する様子がなかった。どういうわけか。

それで、光子も、少し安心したふうを装い、訊いた。

「旗上くんはあのピストルを持ってたのね」

優一郎が「そうだよ」と頷いた。

「旗上くんのことは、怖くはなかったの？」オーケイ、ひと安心して少し饒舌。「ううん、今だってそうだわ。彼、あれを握って放さないじゃない」

優一郎はちょっと笑った。

「えーと、それはさ、まず、旗上は少なくとも、すぐに俺を撃ったりしなかったしさ――銃は向けるだけは向けたけど、俺に――、それに俺、旗上とは小学校で同じクラスだったこともあるんだ。だからまあ、よく知ってる方だったし」

「けど」光子はちょっと、青ざめた感じの表情を浮かべてみせた。「見たでしょ、友美子と――日下友美子と北野雪子が死んだところを。やる気になってる人がいるのよ。旗上くんがそうじゃないなんて、わからないじゃない」

言ってから、俯いた。

「――だから、旗上くんだってあたしを疑うんだわ」

優一郎は少し口元を引き締め、何度か小さく頷いた。

「そうだね。けど、じっとしてたって死ぬだけだろ。だったら、試してみる方がいい。日下や北野みたいなことはできないけど、何とか少しずつでも仲間を増やしたいって、思ったんだ」

光子の目をほんの一瞬覗き込み、また俯いた。いつもの内気さ以上に、何だか、間近に女の子の顔を見るのに慣れていないふうだった（多分その通りな

んだろう。おまけに相手がこれ以上はないっていう美少女ときているではないか)。

「それにさ、旗上があの銃を放さないのはしょうがないよ。あいつ、きっと怖くてたまらないんだ」

光子は首を傾け、少し笑んでみせた。

「えらいのね、滝口くん」

優一郎が、「え?」と目の端から光子の顔を見た。

光子は笑んだまま言葉を継いだ。

「そんなふうに勇気のあるところも、それに、こんな状況でも、ひとの気持ちを考えられることも」

それで、優一郎がまた面映ゆそうに視線を落とした。ぼさぼさの髪を神経質に右手でなでつけ、「そんなこと、ないよ」と言った。

それから、光子の方を見ないまま、続けた。

「だから——だから、旗上が相馬さんのこと疑うの、許してやってくれないかな。あいつきっと、怖いからさ。人間不信になってるんだ」

人間不信、という語彙が、これはほんとにちょっとおかしくて、光子は微笑した。

それから、ちょっとため息交じりの感じで、言った。

「仕方ないわ。あたし、疑われても仕方ないようなことばかりしてきたんだもの。あなただって、あたしのこと、怪しいと思うでしょ?」

優一郎は、少し間をおいてから、首を回して光子の顔を見た。今度はちょっと長い間、見つめていた。それから、「いや」と言った。

言ってから、また地面の方へ顔を向けると、続けた。

「怪しいって言うんなら旗上だって怪しいさ。俺だってそうだよ。そりゃあ——」足元から草をちぎった。朝露に濡れたそれをまた、両手で細かくちぎり始めた。「そりゃあ、相馬さんのことで、あまりいい話は聞かないよ。けど、そんなの、今の状況じゃ関係ないだろ。案外、いつもは善人ですっていうやつの方が、ギリギリの状況になるとさ、見境なかっ

たりするじゃないか」

ちぎった草を、足元へ放った。また光子の方へ顔を上げた。

「俺は、相馬さんは、そんなに悪い女の子じゃないと思う」

光子は首を傾けた。

「どうして？」

正面から光子が見つめたせいか、優一郎はまた慌てて視線を外した。

それから、言った。

「あの——相馬さん、ほら、目なんだ」

「目？」

優一郎は俯いたまま、また草をちぎり始めた。

「相馬さん、いつもはちょっと怖い目をしてるね」

光子はちょっと笑ってみせた。肩をすくめようとしたが、手首にベルトを巻きつけられているせいでうまくいかなかった。

「そうかもね」

「けどさ」草が四つになり、八つになった。「相馬さんさ、時々すごく哀しげな、すごく優しい目をしてるよ」

光子は優一郎の横顔を見つめて、黙って聞いていた。

「だからさ」また草を放り出し、優一郎が続けた。「俺、前から思ってたんだ、相馬さんはみんなが言うほど、悪い女の子じゃないって。きっと、多分、もし、悪いことをしてるんだとしてもさ、そうでもしなきゃいられないような、理由があるんだって。それは、相馬さんが悪いわけじゃないって」

何だか随分恥ずかしげな、まるで好きな女の子に告白するような緊張した声音で、つっかえながら、それだけ言った。

付け加えた。

「少なくとも、俺は、それがわからないようなつまらない男にはなりたくないって思ったんだ」

光子は胸の内でかすかに、ため息をついた。もち

ろん——甘すぎるわね、滝口くん、と思っていたのだ。しかし——

「——ありがとう」

光子は微笑して、そう言った。自分でもびっくりするような、優しい声が出た。もちろんそう装ったのではあるけれども、それが光子自身にとっても出来過ぎと思える演技になり得ていたのだとしたら、それは、もしかしたら、その言葉に、ほんのちょっとばかり、本物の感情が混じっていたからかも知れない。

ただ——それはそれだけのことではあったけれど。

ややあって、優一郎が訊いた。

「相馬さんは、どうしてたの？　俺たちに会うまで？」

光子は、「うん——」と語尾を引っ張った。体を少し動かすと、草を濡らした朝露がスカートの布地ににじわっと伝わった。

「ずっと、逃げ回ってたの。近くでほら、ピストルの音、したりとか。だから——だから、旗上くんを見つけたときも怖かったんだけど——でも、もう、一人でいるのも、怖くて。声、かけようかどうしようか迷ってたの——あのとき。旗上くんなら大丈夫かなって思ったんだけど——でもやっぱり。ほんとに、声かけた方がいいのかどうか、迷って——」

優一郎はまた小さく、頷いた。また光子の目をちらっと覗き込み、また視線を下げて、「それでよかったんだよ、どうやら」と言った。

光子は笑んで、「うん。そうね」と言った。二人で顔を見合わせて、笑みを交わした。

優一郎はそれから、「そうだ」と言った。

「ごめんよ、気がつかなくて。のど、乾いてないかい？　荷物、なくしてたろ？　長いこと、水、飲んでないんじゃないのかい？」

デイパックは、杉村弘樹とやり合ったときに、その場に残したままになっていた。確かに、のどは乾いている。

光子は頷いた。「少し――少し、もらえる?」

優一郎は光子の顔を見ないまま頷き返し、近くに転がしてあったデイパックに手を伸ばして拾い上げた。水のボトルを二つ取り出し、見比べた後、封を切っていない方のボトルを手に残して、もう一つをまたしまい込んだ。新しいボトルの封を切った。

光子は、ベルトで縛られた両手を差し出した。優一郎はボトルを光子に渡しかけ――しかし、ふいにその手を止めた。寝息を立てている忠勝の方を見やった。手にしているプラスチックボトルへその視線を動かした。

それから、ボトルを自分の脚の脇に置いた。

あらら。飲ませてくれないのかしら? 捕虜を甘やかしたら旗上鬼軍曹が怒るからやっぱりやめとく?

しかし、優一郎は、黙って光子の手をとり、少し上げさせると、巻きついているベルトに指をかけた。ほどき始めた。

「滝口くん――」光子はびっくりしたように言った(事実少しびっくりしていた)。「――いいの? 旗上くんが怒るわ」

優一郎は、視線を光子の手首に集中させたまま、答えた。

「いいんだ。武器は俺が預かってるんだし。それに、縛られた手で水なんか飲んでも、おいしくないよ。そうだろう?」

――。

優一郎がまたちらっと光子の方へ顔を上げた。光子がにこっと笑って「ありがとう」と言うと、また少し頬を紅潮させて、視線を落とした。

ベルトが外れた。光子は両方の手首を交互に撫でた。ベルトがゆるく巻かれていたせいで、別に異状はない。

優一郎が光子にボトルを差し出し、光子はそれを受け取って、二口ばかり、かわいらしくこくっと飲んだ。ボトルを優一郎に返した。

「もういいの？」ベルトを自分のズボンに戻しかけた手を止め、優一郎が訊いた。「もっと飲んでいいよ。なくなったら、どこか井戸のある家ででも調達すればいいんだから」

光子は首を振った。「ううん。もう十分」

「そう」

優一郎が、ボトルを受け取った。デイパックへ仕舞い込んでから、自分の腰へ手を戻し、ベルトのバックルをかけた。

その優一郎に、光子は「滝口くん」と呼びかけた。

優一郎が、顔を上げた。

光子はいましめを解かれた両手をすっと伸ばして、優一郎の右手をそっと握った。優一郎はびくっと緊張したようだったが、もちろん、これは光子が何かたくらんでいるのかと警戒したわけではなく、女の子に手を握られたことに、ということだろう。

「な、何？」

光子はまたにこっと笑った。形のいい唇を丸く開いて、そっと言葉を押し出した。

「よかった。滝口くんみたいな人に会えて。あたし、ずっと怖くて震えてたけど――もう、大丈夫ね」

優一郎は、幾分はにかんだ様子だった。緊張した口元が幾度か動き、最後に、「大丈夫だよ」と言葉を返した。

優一郎は自分の右手を早く引っ込めたいというふうだったが、光子は放さずにじっと握っていた。それで、そのうち、少し言い淀んだし、またまた緊張した口ぶりでもあったけれど、優一郎が「俺、相馬さんを守ったげるよ」と言った。

「旗上だっているしさ。あいつ今はちょっとナーバスになってるけど、落ち着いたら、相馬さんが敵なんかじゃないってわかるよ。そしたら、三人で、ほかのみんなを探そう。それで、逃げ出す方法を考えようよ」

光子はにこっと笑んだ。

「ありがとう。うれしい」

優一郎の手を握っている自分の両手に、きゅっと力を込めた。優一郎がますます顔を赤くして、視線をまたどこかへさまよわせた。

優一郎は、今度は全く光子を見ないまま言った。

「あ、あの、相馬さんさ。ほんとに、き、きれいだね」

光子は眉を持ち上げた。

「うそ——ほんと？」

優一郎のあごが、何度か引かれた。頷いたというよりは過度の緊張でぶるぶる震えたという方が正しいような感じだったので、光子はそれでまたちょっと、笑った。自分でも思ったのだが、その微笑には、悪意は含まれてはいなかった。

まあ、多分、ほとんど。


【残り16人】

57

結局、午前六時の坂持の放送で、忠勝が目を覚ました。二時間弱しか眠っていなかったが、忠勝は「十分だ」と言い、手からハンカチをほどいて銃を握り直すと、光子と優一郎のそばに座り込んだ。優一郎は光子に先に眠るよう勧めたが、光子は辞退し、優一郎が横になった（ちなみに、放送では、飯島敬太、織田敏憲、瀬戸豊、三村信史の四人がまた新たに死んだことがわかった。禁止エリアの方は、当座光子たちがいる場所とは関係がなかった）。

光子の手からベルトが外されているのを見て忠勝は文句を言ったが、優一郎が説得して、なんとか収まった。もっとも、たとえ外されていなくても光子は外してもらうつもりだったが。忠勝に。

——さて。

あまり方法を選んでいる余裕はないようだった。

杉村弘樹がまたここに現れでもしたら、すべてがおじゃんになる（そう言えば、杉村弘樹は一体なんでうろうろしていたんだろう。優一郎や忠勝と同じように、仲間を探そうとしていたんだろうか？）。それに——例のマシンガンの誰かの存在も、頭にあった。

「俺、眠れないかも」と光子に笑って言っていた優一郎だったが、五分もすると、すっかり寝入ったのがわかった。おたく少年だけに、あまり体力には自信がないはずだ。疲れているんだろう。軽いいびきまじりのような感じだった忠勝とは違って、すやすやと、赤ん坊のような静かな寝息だった。

忠勝は、光子の左側、三メートルたっぷり距離をとり、立木に背を預けて座っていた。短く刈り込んだ髪、頬骨の上のところに、少し、ニキビがある。そしてその上の目は——光子の方を、じっと注視していた。右手のリボルバーの銃口は今は光子の方に向いてはいなかったけれど、引き金には、しっかり指がかかっていた。いつでも撃てるぞ、という意思表示のようだった。

光子はなお三十分ばかり待ち——もう一度、こちらに背を向けて眠っている優一郎の姿を確認してから、忠勝の方を向いて静かに言った。

「そんなに見てなくても何もしやしないわ」

忠勝が顔を歪めた。

「わかるもんかよ」

その忠勝の険のある口調に反応したのか、優一郎が少しみじろぎした。しばらく、光子は忠勝同様、その背中を見つめていた。すぐに、元のなめらかな寝息に戻った。

それで、光子は、今度は忠勝の方に視線は動かさず、同じ姿勢にくたびれたといったふうに息をつくと、脚を動かした。右膝を地面に付け、左膝を体に引きつけて少し立てる感じにした。

するっとひだスカートが腿を滑り、白い脚が大方露わになったが、光子は無関係な方に視線をさまよ

わせたまま、気づいていないふうを装った。

　忠勝の全身が、少し緊張するのが伝わった。ふふ。下着の端っこ、見えてるかしら？　ピンクのシルクの、色っぽいやつなんだけど。

　しばらく、光子はその姿勢を保っていた。それから、ゆっくり忠勝の方へ顔を向けた。

　忠勝が、慌てた感じで、顔を上げた。もちろん――それまで、その視線は光子の腿にくぎづけになっていたはずだった。

　しかし、光子はなおそれに気づいた様子を見せず、「ねえ、旗上くん」と呼びかけた。

「――なんだ」

　忠勝はせいいっぱい恫喝する調子を保とうとしていたようだったけれど、今は、その声に、かすかな動揺が含まれていた。

「あたし、すごく怖いの」

　忠勝は、また毒づくかとも思ったのだけれど、何も言わず、光子の顔を見つめていた。

「旗上くんは、怖くない？」

　忠勝は眉をちらっと動かしたが、ややあって「怖いさ」と言った。

「だからおまえを警戒してるんだ」

　光子はただ、哀しげな目をして忠勝から視線を外した。「まだ信じてくれないのね」

「悪く思うなよ」

　忠勝は言ったが、その声からは、とげのある感じが半分方抜け落ちていた。

「何度も言うが、俺は死にたくないだけだ」

　光子はすっと忠勝の顔を振り返った。少し強い調子で言った。「あたしだって同じよ。死にたくないわ。けど、信じてくれないんじゃ、協力して助かる方法を探すなんてとても無理だわ」

「あ、うん――」忠勝がやや気圧されたように頷いた。「そりゃ――わかるけど」

　光子はにこっとほほえんだ。相手をまっすぐ見据えて形のいい赤い唇の両端をきゅっとつり上げる

——滝口優一郎といささか牧歌的な会話をしていたときとは違う、今度は相馬光子オリジナルの堕天使の微笑だった。忠勝の目が、それに魅入られたようにぼんやりした。

「ねえ、旗上くん」

　また不安な少女の顔に戻って光子は続けた。入れ替わる表情、処女と娼婦、昼と夜。ワーオ、まるで映画のタイトルみたい。

「な、なんだよ?」

「何度も言うようだけど、あたしすごく怖いの」

「う、うん」

「だから——」忠勝をまた正面から見据えた。

「だから?」

　今や、忠勝の声からは、表情からは、敵愾心や疑念といったものがすっかり消えてしまったように見えた。

　光子は少し首を傾けて、訊いた。「ちょっと、話、できない?」

「——話?」忠勝がけげんそうに眉を寄せた。「話って、今してるじゃ——」

　光子が声をかぶせた。「ばか。全部言わせないでよ、ばかね」

　忠勝の目から視線を外さないまま、優一郎の方に、あごをしゃくった。

「ここじゃだめ。ね? 少し離れたところで。あたし、滝口くんじゃなくてあなたと話をしたいのよ」

　忠勝は、薄く口を開いてぼんやり優一郎の方を眺め——それからまた光子に顔を戻した。

「いい?」

　光子は言って腰を上げると、少し辺りを見回し、忠勝の向こう側の茂みがよさそうだと見当をつけた。忠勝の前まで歩いて、首をちらっと傾けると、先に立ってそのまま進んだ。ついてくるかどうかが勝負だったが——、しばらくして、その気配がした。

　優一郎が眠っている場所から二十メートルばかり離れたところで、光子は立ち止まった。先程までい

たところと同様、ここも回りが茂みに囲まれた小さな空間になっていた。

振り返ると、茂みを割って、忠勝が現れた。ぼんやりした目。しかしまだ、これは無意識にか、銃だけはしっかり握っている。

光子はすぐに、スカートのサイドジッパーを下ろした。ひだスカートがすとんと地面に落ち、白い腿が、まだ幾分鈍い朝の光にさらされた。忠勝が、ごくっとつばを飲む音が聞こえた。

続いて、スカーフを抜き取り、セーラーも脱いだ。ほかの女子生徒みたいにTシャツの重ね着なんて色気のないことはしていないので、それで、光子は、下着だけの姿になった。ああ、いけない、靴も脱がなきゃね。それでスニーカーも脱ぎ捨てた後、あの堕天使の微笑で、忠勝の顔をすっと見据えた。

「そ、相馬――」

忠勝の、緊張して薄く開いた唇から言葉が洩れた。光子は駄目を押すことにした。

「怖いの。旗上くん。だから――」

忠勝が、一歩、二歩とぎこちなく光子に歩み寄った。

光子はふと気づいたように忠勝の右手に視線を落とし、言った。

「そんなもの、どこかそのへんに置いといて」

それで、忠勝は初めてリボルバーの存在に気づいたように右手を持ち上げて凝視し、それから、慌ててそれを少し離れた地面に置いた。

あらためて光子に近寄った。

光子はにこっとほほえんで両手を差し伸べた。すぐに、忠勝の首にそれが巻きついた。忠勝の全身がそれでびくっと震えたが、光子が自分から唇を求めると、忠勝はすぐにむしゃぶりついてきた。光子も息を喘がせてそれに応じた。

しばらくして、ちょっと唇が離れた。

光子は、忠勝の目を見上げて言った。「初めてなのね？　そうでしょ？」

「関係——ないだろ？」忠勝が言った。語尾が震えていた。

それで、光子が下になって、草の生えた地面に倒れた。

忠勝が、性急に光子の胸に手を伸ばしてきた。

——ばかね。そういうのはもうちょっとキスをしてからよ、全く。

光子は思ったけれど、ただ、「あ——」と声を出すだけにした。忠勝のごつい手が下着をずらし、露わになった光子の豊かな胸をわしづかみにした。そこに忠勝の顔が降りた。

「あ——あっ——」

相変わらず感じているふうを装いながら（しかもややアダルトビデオ風に大げさに、だ）、しかし、光子の右手は、自分の下着の——下の方の——腰の横、やや後ろ寄りに伸びていた。

指の先に、硬い、薄いものが触れた。

多分——いまどきの不良少女は、こんな無粋で安っぽいものは使わないのだろう。しかし、光子は、随分前から、それを愛用していた。ここ一番で役立つには、やはり下着の中に隠せるものでないと困る。

忠勝は、ただやみくもに光子の胸を愛撫しており、その頭頂部が光子の目に見えていた。忠勝の左手が、すっと光子の脚の間に伸びた。光子は少しうめいてみせ——しかし、忠勝の視線は、光子の胸に集中していた。

光子はゆっくり、右手を忠勝の首の横まで近づけた。

ごめんね、旗上くん。でも最後にちょっぴりいい思いしたんだから、いいでしょう？　ま、全部させてあげられないのは、残念だけど。

光子の右手の薬指が、そっと忠勝の首筋に触れた。それ、は人差し指と中指の間に挟んでいた。

けけけけけっ、と鳥の鳴き声がした。しかも——光子から見て右手の方で。

それで、忠勝がびくっと顔を上げ、そちらを見た。

それは単に鳥の鳴き声に過ぎなかったし、忠勝が目を見開くことになったのは、もちろん、――顔のすぐ前に光子が手にしたカミソリの刃を認めたからに違いない。

――ち！

なんだってこんなときにと思わないでもなかったが、光子は委細構わず、そのカミソリを振った。

しかし、忠勝はうおっと短い吠え声のようなものを上げると、光子からばっと身を引いていた。カミソリはその首筋をかすめたが、とても致命傷には至らない、浅い傷だった。あらあら、大した反射神経。さすが野球部。

忠勝は立ち上がり、目を見開いて、地面に上半身を起こした光子を見つめていた。何か言いたいのだが、言葉が見つからないといったふうだった。

光子はそんな忠勝には構わず、自分もばっと起き上がると、少し右手で転がっているリボルバー目がけて走った。

目の前を、忠勝の体が飛んで過ぎた。まるきり、ヘッドスライディングの要領だった。地面から銃をすくい上げ、一転して膝立ちに起き上がった。七原秋也が小学校のころ守っていた（リトルリーグで天才と呼ばれていた秋也のことは、小学校の違った光子すら聞き知っているぐらい十分に有名だった）ショートを今は忠勝がやっているらしいけれど、これで城岩中野球部も安泰ってもんじゃない？　しかしまあ、ズボンを脱ぐ前でよかったわよね、サマにならないわよ、裸だと、それも。

そんなことはともかく、忠勝の方が先に銃を拾うと悟った直後、光子は方向を転じていた。背後で銃声がしたが、どこにも当たらないまま、光子は茂みの中へ駆け込んだ。

忠勝が追ってくる音がした。追いつかれる。もちろんだろう、それは。

茂みを抜けた。滝口優一郎の姿があった。銃声を聞き、起き上がり、それから光子と忠勝がいないこ

とに気づいて辺りを見回していたようだったが、光子の姿を認めると、目を丸くした（そりゃそうだ、半裸なんだから、あたしは。全く大サービスってもんじゃない？　相馬光子ワンナイトショウ。あ、朝か）。

「滝口くん！」

光子は声を上げ、優一郎に走り寄った。泣き顔をつくるのも忘れなかった。

「そ、相馬さんどうし――」

旗上忠勝が茂みを割って現れたときには、光子は優一郎の背後に回っていた。優一郎の背が光子よりわずかに四、五センチ高いだけなので、すっかり隠れるというわけにはいかなかったが、まあとにかく。

「滝口！」忠勝が足を止め、銃を構えて吠えた。

「そこをどけ！」

「ま、待てよ」

優一郎が寝起きの頭でまだよく状況が理解できないのか、慌てた調子で言った。光子は、その優一郎の肩に後ろからつかまり、半裸の体をその背中にぴったり寄せていた。

「なんだっていうんだ？」

「相馬が俺を殺そうとしたんだ！　俺の言った通りだ！」

光子は優一郎の後ろに隠れたまま、「ち、違うわ」と弱々しい声を上げた。

「旗上くんが、あたしを――無理やり――。あのピストルで脅したの。滝口くん、助けて！」

忠勝の顔が、信じられないといった具合に歪んだ。

「な――こいつ――違う、違うぞ、滝口！　そ、そうだ、ここ見ろ！」

忠勝が、銃を持っていない左手の指で自分の首筋を指した。細い傷に、わずかに血がにじんでいた。

「カミソリで切りつけたんだ！」

優一郎が首を回して、目の端から光子を見た。光子は首を振った（至極かわいく。怯えたふうに。今度は清純派）。「あたし――夢中で爪でひっかいた。

そしたら――旗上くん、怒って――撃とうとしたの、あたしを――」

カミソリは、とっくに茂みの中に捨てていた。素っ裸になって身体検査されても（既にほぼ素っ裸だが）、証拠はない。

忠勝は、今や怒りで赤黒い顔になっていた。

「どけ、滝口！」叫んだ。「俺はそいつを撃つ」

「待てよ」何とか落ち着いた声を出そうと努めるように、優一郎が言った。「俺には、うん、そうだ、どちらが嘘を言っているのか、わからないよ」

「――何だと！」

忠勝が怒声を上げたが、優一郎は動じず、忠勝の方に右手を差し出した。

「その銃を俺に渡してくれ。それから、どっちが嘘を言ってるのか、確かめようじゃないか」

忠勝の顔が歪んだ。ほとんど泣きそうな、やるせなげな表情だった。その顔で、叫んだ。

「そんなまだるっこしいこと言ってる場合か！　おまえも、おまえも殺されるんだぞ、今、そいつをやらないと！」

光子は「ひどい」と泣き声を上げた。「あたし、そんなことしない。助けて、滝口くん、助けて」ぎゅっと優一郎の肩を握り締めた。

優一郎が、辛抱強く右手を伸ばした。「渡せ。旗上。おまえが嘘をついているのでないんなら」

忠勝がまた顔を歪めた。

しかし、ややあって、肩を大きく上下させて息を一つ吐き出すと、銃を下げた。トリガーガードに指をかけてくるっと回し、グリップを前にして、あきらめたように優一郎の方へ差し出した。

もちろんなお泣き顔を保ったままだったけれど――光子の目の奥が、きらっと光った。優一郎が銃を握ったときが勝負だ。優一郎から銃を奪うのは、それほど難しくはないはずだった。問題はどういう方法を使うかだ。

優一郎が頷き、前へ進み出た。

しかし——

それは実に、杉村弘樹がコルト・ガバメントを使って光子の目の前でやってみせたのとほとんど同じ芸当だった。忠勝の手の中で、手品のようにくるっと銃が再び回転していたのだ。忠勝は同時に、右膝をついて、体を傾がせていた。その銃口は、優一郎の左肩の脇を抜けるラインで、光子にぴたりと向けられていた。優一郎の背中から離れた今、光子の体は、がらあきになっていた。

優一郎がその銃口の延長線を追って、光子をばっと振り返った。

光子は目を見開いた。

やられる——。

忠勝が、間髪入れず、引き金を絞った。

銃声。二発。

光子の眼前、スローモーションのようにゆっくりと、優一郎の体がくずおれようとしていた。

その向こうに、忠勝の狼狽した表情が見えていた。

光子は、そのときにはもう、優一郎が眠るとき脇に置いていたカマを拾い上げていた。

投げた。回転しながら空を飛んだそれは、忠勝の右肩に見事にそのバナナ型の刃を食い込ませ、忠勝がぐっとうめいて、その手から銃がこぼれていた。

光子は遅滞なく、今度はバットを拾い上げて、ダッシュしていた。俯せに転がった優一郎の体を跳び越え、忠勝に走り寄ると、その勢いを乗せて、右肩を押さえてよろめいた忠勝の頭へ向けフルスイングした。

ほうら。あんたにはおなじみのバットよ。満足する？

がっ、とそのバットの先が忠勝の顔の真ん中をとらえた。鼻の軟骨が砕け、何本かの歯をもぎとって顎骨が陥没する感じが光子の手に伝わった。

忠勝はその場に昏倒した。光子はすかさず、今度はその額の辺りに向けてバットを振り下ろした。ぼこ、と忠勝の額がへこんだ。目が半分飛び出し、体

の脇、忠勝のその両の手がぎゅっと拳の形に握り締められた。もう一発、今度はもう一度鼻の上辺りを狙った。相馬光子の特別トレーニング、千本ノック。ほらほら、次はセンターよ。

その一撃で、ぶしゅっ、と忠勝の鼻腔から血がしぶいた。

光子はバットを下ろした。忠勝は顔全体を血に染め、既に絶命していた。歪んだ鼻の穴同様、耳の穴からも、太い血の筋がこぼれてしたたっていた。

光子はバットを放り出し、左手の方に転がっていたリボルバーを拾い上げた。

それから、俯せに倒れている優一郎の方に歩み寄った。

優一郎の体の下、草の間を縫うように、血の染みが広がっていた。

光子をかばったのだ。あの一瞬。

光子は、そっと、優一郎の体のそばに膝をついた。顔を近づけると、優一郎がまだ息をしているのがわかった。

光子は少し考え、忠勝の死体が優一郎に見えないように自分の体を動かしてから、その肩をぐっとつかんで、あおむかせた。

それで、優一郎が、「う――」と声を上げ、目をぼんやり開いた。学生服の左胸と脇腹に一つずつ穴が開いて、血がごぼごぼとあふれ出しては、黒い布地に吸い込まれていた。光子はその優一郎の上半身を抱き起こした。

優一郎が、その視線を幾分さまよわせた後、光子の顔を見た。はっ、はっ、と、まるで心臓の鼓動に合わせるような、間歇的な、短い呼吸をしていた。

「そ、そうま、さん――」と言った。「はた、はたがみは――」

光子は顔を左右に振った。

「あなたを撃って怖くなったのよ。逃げてったわ」

忠勝がまず何よりも光子を殺そうとしていた以上、それは論理を欠く説明だったし、忠勝と光子とどっ

ちが嘘を言っていたかという問題もうやむやになっていたが、もう、頭がうまく働かないのかも知れない、優一郎は、かすかに頷いたように見えた。

「そ、そう――」その目も、左右でどこか焦点が違っていた。多分、光子の姿もぼんやりとしか見えていないのかも知れない。「け、怪我して、ない？」

「うん――」

光子は頷いた。それから、言った。

「かばって、くれたのね」

優一郎はちょっと笑ったようだった。

「ご、ごめんよ。俺、もう、そうま、さんをまもれないや、俺、もう、う、うごけ、な――」

言う唇の端から、ぶくっと血の泡が噴き出した。肺に穴が開いているようだった。

光子は、「わかってる」と言い、そっと優一郎の体を抱き締めた。身を屈めた。優一郎の胸に光子の豊かな黒髪がぱらっと落ち、その先が傷口から流れ出す血に濡れた。光子がそのまま優一郎の唇に自分の唇を重ねる前に、優一郎は一瞬、わずかに目を動かしたが、すぐに閉じた。

こればっかりは、ほんのついさっき忠勝に与えた娼婦のキスとは違っていた。柔らかで温かい、心のこもったキスだった。血の味はしたが、とにかく。

唇が離れた。優一郎が、うすぼんやりとまた、目を開いた。

「ご、ごめ――」と言った。「俺、もう――」

光子は笑んだ。

「わかってる」

どん、どん、どん、とこもった銃声がし、優一郎が目を大きく見開いた。

それで、そのときにはもう、光子の顔を見つめたまま、多分何が起きたかわからないまま、滝口優一郎は、死んでいた。

光子は、まだ銃口から煙を吐いているリボルバーをゆっくり優一郎の腹から離し、それから、もう一度、優一郎の体を抱え直した。今はもう何も見てい

ない優一郎の目を、覗き込んだ。

「あなたちょっと、すてきだった。あたしちょっと、うれしかった。忘れないわ、あなたのこと」

それだけ独り言を言うと、目を閉じて、もう一度、名残を惜しむかのように 今は命を失った優一郎の唇に、自分の唇をそっと重ねた。もちろんまだ、温かかった。

その北の山の西斜面にも陽の光がようやく射し込み始めていた。その光を遮る光子の頭の下で、優一郎の瞳孔が急速に散大していた。


【残り14人】

58

七原秋也（男子十五番）は、ふと目を覚ました。

その目に、鮮やかな緑色の草に縁取られるように、青い空が見えた。

秋也はがばと体を起こした。そして見た、自分の周りを囲む草の向こう、穏やかな陽の光の中に見慣れた城岩中学の校舎が建っているのを。

グラウンドの方に体操服の何人かがいて、体育の授業でソフトボールか何かやっているのか、はしゃいだ声が届いていた。

秋也がいるのは、学校の中庭の端の植え込みだった。頭上にフェニックスが大きな葉を広げていた。秋也が時折昼休みに、あるいは授業をさぼったときにも、居眠りする場所だった。

秋也は立ち上がり、自分の体を見回した。

傷などどこにもなかった。学生服に草の細かなくずがついていて、秋也はそれを払った。

夢――。

秋也はまだぼんやりしている頭を振った。そして、今度こそはっきり悟った。

夢だ。すべては、夢だったのだ。何もかも。

悪夢を見た後いつもそうであるように、ひどい寝汗をかいていた。首筋を手で拭うと、べったり汗が

ついてきた。
なんて――なんてひどい夢だったんだろう？　殺し合いだなんて？　あの〝プログラム〟に自分たちが選ばれるなんて？

それからはっと気づいた。グラウンドの連中――体育？

時計を見た。すっかり、午後の授業の時間に入っていた。寝過ごしたのだ！

秋也は急いでその植え込みを出ると、小走りに校舎の方へ向かった。今日――今日は――それも走りながら時計を見ると、木曜日だとわかった。

木曜午後いちの授業は、国語の時間だった。それで、秋也は少し安心した。国語は好きな科目だし、成績もまずまずいいから、秋也は担当の岡崎かずこ先生にも比較的ウケがいい。何とか、頭を下げるだけで済みそうだ。

国語。好きな科目。成績。岡崎先生。

頭の中に浮かぶそれらの言葉が、何だかひどく、懐かしかった。

実際、秋也は国語が好きだった。たとえ教科書にのっている小説や随想が共和国賛美のスローガンやくだらない〝主義〟の綱領に満ち満ちていても、その隙間に、秋也は自分の好きな言葉を見つけることができた。言葉は秋也にとって、音楽と等しく重要なものだった。ロックには詞が不可欠だから。

詞と言えば――そう、その国語がクラスで一番得意な中川典子の書く詩は、美しかった。秋也が自作のロックに四苦八苦してつける詞に比べたら、ずっと言葉が適切で、鮮やかで――穏やかで優しいのに、しかし一方で厳しく、強く、それは、秋也がイメージする女の子一般というものが、そのまま言葉の世界に現れたような、感じだった。そして少なくともそれが、秋也の心をとらえていたのは間違いない。まあ、国信慶時が典子のことを好きなのは別にしても。

それで、秋也はあらためて、ああ、慶時が生きて

いるんだ、と思い、ばかばかしいと思いながらも、小走りしながら、一瞬、安堵感で泣きそうになった。ほんとにばかばかしい。慶時が死ぬなんて、よくもそんなろくでもない夢をみたもんだ。

それから、そのろくでもない夢の中、何で典子と——いや、典子サンだよ、俺、いつから彼女のこと呼び捨てにしてるんだ？　あつかましい——典子サンと自分が一緒にいるようなことになっていたんだろう、と思った。夢の中にはそれなりの脈絡はあったような気がするが——でも、それというのはつまり、俺は、彼女の詩を好きだという以上に、少しばかり、彼女のことを気にしてたんだろうか？　おやおや、それじゃ慶時と大喧嘩になっちまうぞ。たいへんだ。

そうは思いつつも、その幸福な空想で、秋也は自分の口元に笑みが浮かぶのがわかった。

秋也は授業中でしんとしずまった校舎に入り、階段を駆け上がった。三年B組の教室は三階にある。二段ずつまとめて足を運んだ。

三階へ出て、廊下を右に折れた。二つ目の教室がB組だ。

秋也は戸口の前で一旦立ち止まり、岡崎先生に対する言い訳を考えた。気分が悪くて——いや、たちくらみがして、にしよう。しばらく休んでたんです。信じてもらえるだろうか、大方健康優良児の自分が？　慶時がおおげさに肩をすくめて見せ、瀬戸豊辺りが「シューヤ寝てたんじゃないの？」とか何とか言い、三村信史が鼻の頭をかきながら秋也を見つめ、杉村弘樹は腕組みして、かすかにおもしろそうな表情を見せている。そして、典子が、頭をかく秋也ににこっとほほ笑む。オーケイ、それでいいや。別に恥をかいても構わない。

秋也は戸口に手をかけ、すみませんという気持ちを全身で表しつつ、そうっとそれを引いた。

教壇の方に向かってかしこまって頭を上げようとした秋也の鼻を、しかしそのとき、ぷんと何か生臭

い匂いがついた。

秋也はばっと顔を上げた。戸を思い切り引き開けた。

最初に目に入ったのは、教壇のところに誰かが倒れているということだった。

岡崎先生――

それは岡崎先生ではなかった。担任の林田昌朗先生だった。そして――

その頭が消失していた。頭があったはずのところに、血だまりができていた。メガネのフレームが片方だけ転がっている。

秋也はその林田先生の死体から目を引きはがし、ぐっと教室の中へ顔を向けた。

机と椅子が並んでいた。いつものように。

いつものようでないのは、見慣れたクラスメイトたちが、皆、その机に突っ伏していることだった。

そして――

その床をべったり血が覆っていた。強烈な匂いが、立ち昇っていた。

秋也は一瞬立ち尽くした後、慌てて、すぐ前の席の天堂真弓に手をかけ――そして気づいた、その背中に何かのアンテナみたいな銀色の矢が生えていることに。真弓のセーラーの腹からその先端が突き出し、そこから真弓のスカートへ、さらにスカートの裾から床へ、血がしたたっていた。

秋也は足を進めた。新井田和志の体を揺すった。和志の体ががくんと傾き、その顔が秋也の方を向いた。

秋也の中に悪寒が突き上げた。和志の目は真っ赤な空洞と化し、そこから血と、どろどろした卵の白身みたいな液体が一緒になって流れ出していた。そして――口の中に、何か太い柄のついたキリのようなものが刺さっていた。

秋也はひっと叫んで国信慶時の席に駆け寄った。その学生服の背中に三つ大きな穴が開いて、中にそれぞれ血の花が咲いていた。抱き起こすと、慶時の

首がだらっと肩の方へ垂れた。そのぎょろりとした目は、天井の方をぼんやり見上げていた。

慶時――！

秋也は声を上げた。そして、混乱の中で辺りを見回した。

今や、全員が椅子にだらんともたれかかり、あるいは床に転げ落ちかけていた。

江藤恵ののどがすぱっと裂けて、スイカの切り口みたいになっていた。倉元洋二の頭にカマが刺さっていた。小川さくらの頭が熟し過ぎた果実のようにはぜ割れていた。矢作好美の頭が半分なくなっていた。大木立道の顔にナタが刺さり、その顔の左右がピーナッツを割ったときのように上下にずれていた。元渕恭一の腹がソーセージ工場のクズカゴみたいになっていた。旗上忠勝の顔がぐしゃぐしゃにつぶれて、血まみれになっていた。清水比呂乃の顔は、どす黒く腫れ上がり、ぽかんと開いた口の端から、ナマコみたいなサイズの舌が突き出していた。あの〝第三の男〟三村信史の体は、穴だらけになっていた。

要するにみんな――死んでいた。

秋也の目に、あるものが止まった。川田章吾――あの評判の悪い無愛想な転校生――の胸に、深々とナイフが突き立っていた。その目は柔らかく半分閉じて床の方に向いており――何も見ていなかった。

秋也はそれから、ごくっと唾を飲み込み、中川典子の席を見やった。慶時のすぐ後ろなのだからもっと前に気づいてもよかったはずだ。しかし、なぜか、それぞれのクラスメイトの席が今や死体と一緒にぐるぐる移動しているような感じで、秋也はそこでようやくその典子の姿を認めたのだった。

典子はまだ、席に突っ伏していた。

秋也は典子に駆け寄り、その体を抱き起こした。

ごろっ、とその首が〝外れ〟た。それはセーラー服を着た体だけを残して床にごつっと落ち、血の池の中をころころと転がって――秋也を見上げた。怨

嗟に満ちた目で。あたしを助けてくれるって言ったじゃない、七原くん？　あたし、死んじゃったわ。あたし、あなたが好きだったのに。とても、好きだったのに。

秋也は、視線はその典子の首にくぎづけにされたまま、両手で頭を抱え、思い切り口を開いた。気が狂いそうだった。

自分の腹の底から、叫び声が絞り上げられるのがわかった。

ふいに、秋也の視界に白っぽいものが映った。

自分の身体感覚——体が地面に対して水平になっているというそれ——と、視覚をつなぎ合わせ、秋也はそれが天井だ、とようやく認識した。視界の端、右の方に、蛍光灯もきちんとあった。

誰かがそっと、秋也の胸元に手をふれた。

秋也はなお荒い自分の息に気づきながらも、その手から腕、腕から肩へと目で追って、見た、セーラー服姿、三つ編みの髪、女子委員長の内海幸枝（女子二番）が静かにほほ笑んでいるのを。

「よかった。目が覚めたのね」幸枝が言った。

【残り14人】

59

秋也はがばっと体を起こしかけた。途端、体のあちこちに激痛が跳ね、慌てて体をもとに戻した。それで、自分が、ぱりっとしたシーツのかかった柔らかいベッドの上に寝ていることがわかった。

幸枝がまた秋也の胸にそっとふれ、それから、ふわふわした毛布を秋也の首のところまで引き上げた。

「だめよ、無理しないで。大怪我してるんだから。——だいぶうなされてたけど、大丈夫？」

秋也はそれにきちんと答える余裕はなく、ただ、首を回して辺りを見た。狭い部屋だった。自分が寝ているベッドのすぐ左側に安っぽいクロスを張った壁があり、右側、幸枝の向こうにはもうひとつベッ

ドがあるが、ほかには調度はほとんど何もない。毛布の向こう、足元の先にドアがあったが、それは閉じられていた。その木枠の感じが随分古い。頭の上に窓があるようで、にぶい光がそこから射し込み部屋の中を満たしている。光の感じからすると、外は曇りなのかも知れない。だが――ここは――一体、どこだろう？

「――へんだな」秋也は言った。とにかくそれで、声が出ることがわかった。「委員長とホテルにチェックインした覚えがない」

秋也は半ばまだぼんやりしたままだったのだが、幸枝は安堵したように息をつき、それから、厚めの唇をきゅっと曲げて、ふふ、と笑った。

「七原くんらしいわね。安心した」

それから、秋也の顔を見つめて付け足した。

「七原くん、ずっと眠ってたのよ。もう――そうね」左手首の時計を見た。「十三時間ぐらいになるわね」

十三時間？ 十三時間。十三時間って俺はその前に――

秋也は目を見開いた。記憶と現在がかちっと噛み合い、今度こそ完全に目覚めた。

訊くべきことがあった。真っ先に。

「典子は――中川典子は？ 川田章吾は？」

秋也はそこまで言って、ごくっと唾を飲み込んだ。生きているのか？

幸枝が幾分不思議げに秋也を見て、それから、言った。

「典子も――川田くんも無事だと思うわ。さっき正午の放送があったけど、二人とも名前は呼ばれなかった」

秋也は大きく息を吐き出した。典子と川田は逃げきったのだ。桐山は秋也を追って、典子と川田の方は見失ったのだ、桐山は――

秋也はそれで、また幸枝の顔をぱっと見上げた。

「桐山だ。桐山がいるんだ！」口調に焦燥感が混じ

った。「ここはどこだ？　委員長、一人なのか？気をつけてないと危ないんだ！」

　幸枝は、毛布の外に出た秋也の右手にそっとふれた。「落ち着いて」

　それから、訊いた。

「七原くんが怪我をしたのは、桐山くんなの？」

　秋也は頷いた。

「あいつだ、桐山が俺達に攻撃してきたんだ。あいつは完全にやる気になってる」

「そう――」

　幸枝は小さく頷き、それから、続けた。

「ここのことは大丈夫。あたしたち、ここには七原くんを別にしても六人いるわ。ほかのみんながきちんと見張ってくれてる。心配しないで、あたしの仲のいいこばかりよ」

「誰？」

　秋也は眉を持ち上げた。六人？

「中川有香でしょ」幸枝は、典子と姓が同じの、活発な女の子の名前を挙げた。続けた。「野田聡美と松井知里。谷沢はるか。それと、榊祐子」

　秋也は少し、唇をなめた。幸枝がその秋也の表情を見て、言った。

「何？　信用できない？　誰が？　みんな？」

「――いや」秋也は首を振った。「委員長の友達なら、俺は信用するよ」

　だが、女の子六人、それも仲のいい連中ばかりなんて、どうやって集まることができたのだろう？

　幸枝が、うれしそうに笑んで秋也の手を握った。

「うれしいな。七原くんにそう言ってもらうと」

　それで、秋也もちょっと笑んだ。しかし、その笑みもすぐに自分の顔からひくのがわかった。訊くべきことはまだあったのだ。自分は、零時、六時、そしてまた零時、三回分の放送を聞き逃している。

　口を開いた。

「死んだ――やつは？　俺が――だから、今日の零時と六時と正午？　三回放送があったろ？　誰かま

た――死んだ？」

　幸枝はきゅっと口元を引き締めると、傍らの小さなサイドボードに置いてあった紙片を手にとった。地図と、名簿だった。畳み方と泥の汚れに見覚えがあって、それは秋也自身が学生服のポケットに入れておいたものだとわかった。

　幸枝が目を走らせ、言った。「清水さんね。それと、飯島くん。織田くん、瀬戸くん、滝口くん、旗上くん、それに三村くん」

　秋也は口を開いた。もちろんゲームは進んでいて、残りがもう十人余りになったのだということもあったし、リトルリーグでかつて一緒にプレーした旗上忠勝のこともあったが――

「三村が……」

　あの〝ザ・サード・マン〟三村信史が、死んだのだ。信じがたかった。信史だけは、何としても死なないような気がしていた。

　幸枝が静かに頷いた。

　秋也は、しかし不思議に、自分の心がそれほど動揺していない、と思った。慣れてしまったのだ。恐らくは。ただ、信史のあのにやっと笑う顔だけが胸に浮かんだ。それから、あの分校で、自分に落ち着け、とサインを送ってくれたときの真剣な表情も。

　城岩中の天才ガード、〝第三の男〟のあのプレーは、もう見られないのか――。ただ、そう思って、秋也の胸が、ちりっと痛んだ。

「三村は――何時に名前を言われたんだい？」

　幸枝が「朝よ」と答えた。「飯島くんと瀬戸くんも朝だった。もしかしたら一緒にいたのかもね、仲よかったから」

「そう――」

　夜中零時の段階では、信史はまだ生きていたのだ。そして、幸枝の言う通り、信史は瀬戸豊や飯島敬太と一緒にいたのかも知れない。

「夜のうちに」幸枝が付け加えた。「何かすごい爆発音がしたわ。それに、銃声も。あれだったのかも

ね」

「爆発音？」

秋也は桐山和雄が自分たちを狙った手榴弾のことを思い出した。

「それは――あのさ、桐山が手榴弾を使ったんだ。それじゃないかな？」

幸枝は少し眉を持ち上げた。

「それは――そうか。十一時過ぎのやつね。でもそうじゃないわ、七原くんをここに運び入れた後だもの。零時過ぎぐらい。その十一時のより、もっとずっとすごい音だったわ。見張りしてたこが、島の真ん中の方で空が明るくなったって」

秋也は唇をすぼめたが、しかしそれよりも、それで、ここがどこなのかという話が途中になっていたことを思い出した。

それを訊く前に、幸枝が名簿と地図を差し出した。

「あなたのよ。地図もチェックしておいたわ」

秋也は、そう言えば禁止エリアの問題もあったのだと思いながら、それを受け取った。地図の方を開いた。

〝ロックの話をした場所だ、七原〟。

その場所――島の西岸、海際に近いエリアC＝3は、ほかの幾つかのエリア同様、斜めに走らせた鉛筆のラインで、ざっと塗りつぶされていた。細かい数字、〝23日、AM11〟。即ちもちろん――今日の朝十一時、秋也が寝ているうちに、そこにはもう入れなくなった、という意味だった。

秋也は唇を引き結んだ。典子も川田ももうそこにはいない。もちろん、ようやく思考能力が正常に戻ってきた、正午以降これまでに死んでいなければ、の話だが。死んでいるわけはない、と思ったが、しかし、夢の中、慶時や信史のそれと一緒に川田と典子の死体も見たのだということを思い出し、秋也はわけもわからずぞっとした。

だが、とにかく、生きているはずだ、今は、そう信じるほかない。しかし、とにかくじゃあ一体、ど

うやって合流すればいいのか？

　秋也は地図を自分の胸の上に伏せた。今の状況で無駄に考えをめぐらすのはばかのやることだ。まず情報だった。それに、自分一人じゃないのなら、何か方法はあるかも知れない。

　幸枝の顔を、見上げた。

「あの、委員長、ここ、一体どこだい？　俺、なんでここに寝てるんだろう」

　幸枝が頷き、それから、窓の方を見上げて「ここ、灯台の建物よ」と言った。

「灯台？」

「そう。島の北東の端になるわ。地図に表示があるでしょう？　あたしたち、これが始まってすぐ後からずっと、ここにいるのよ」

　秋也はそれで、もう一度地図を見た。灯台は、幸枝の言う通り島の北東、少し突き出たエリアC＝10にあった。周辺に、禁止エリアはまだほとんどない。

「それで。七原くん、昨日の夜よ。この灯台の前、崖になってるんだけど、あなたがそこから落っこちてきたの。見張りしてたこが見つけて――それで引っ張り入れたの。すごい怪我だったたわ。血だらけで。すぐにも死んじゃうかと思った」

　秋也はそれでようやく、自分が上半身裸で、左の肩口、めちゃくちゃに痛む部分に包帯が巻かれているのに気づいた（これは感じからすると銃弾が肩甲骨を割って――しかもそこに止まっている）。首の右側――例の首輪のすぐ下も焼け付くようで、そこにも包帯の感触があった（しかしこれは多分かすっただけ）。それに左の肘の上（これは重い感触。多分銃弾が貫通しているが、骨だか腱だかを削り取られたのか、ほとんど動く感じがしない）。さらに、左脇腹（これは端っこの方を銃弾が貫通していると思う、しかし、内臓に至るような傷じゃない、多分）。秋也は無事な右腕をぎこちなく動かして毛布を少し持ち上げ、自分が包帯だらけになっていることを確認した。

毛布を戻して、訊いた。

「手当てしてくれたんだね」

「ええ」幸枝が頷いた。「ひと通りの救急用具はここにそろってたから。傷ね。ちょっと、縫ったわよ。素人のやることでめちゃくちゃだったし、糸と針も裁縫セットのやつだったけど。肩の傷は多分――弾が残ってる。でも、どうしようもなくて。ほんとは輸血しなきゃならないんじゃないかと思った。すごい血だったから」

「――世話かけたね」

「いいのよ」幸枝はにこっと笑った。「男の子のカラダにさわれるなんて、あたしカンドーしちゃった。脱がせるのもね」

秋也はそれで、ちょっと笑った。頭の回転の速さも繊細な心遣いもある一方で、こういう一種豪快なもの言いもまた、委員長の幸枝らしかった。そう、いつかの雨の日、小学校の体育館、リトルリーグの室内練習で女子バレークラブとスペースの交渉をしたあのころから、彼女はそういう女の子だった。そしてそう、自分は慶時に言ったことがあったのだ、〝一組の内海は結構、いいぜ。俺、ああいうしゃきしゃきしたオンナ、好きなんだ〟と。

もちろんささやかな感傷に浸っている場合ではなかっただろう。だが、幸枝が「そうだ。これ」と水の入ったコップを差し出してくれたので、秋也はひゅうと口笛を吹いた。ちょうど、のどが渇いていたのだ。そのコップは、秋也からは死角になっているサイドボードの上、ちゃんと準備してあったらしい。

思った。さすがだ、委員長。君はきっと、いい奥さんになる、いや、いい女になる。いや、それどころかもう既にいい女かも知れない。いいや実際のところ、だいぶ昔からそう思ってたんだ、俺は。

受け取って、首を持ち上げ、飲んだ。嚥下するとき、首の傷が痛んで顔を歪めた。しかし、全部飲み干した。

「ぜいたく言うようで悪いけど」コップを返しなが

ら言った。「もうちょっと大量に飲んだ方がよさそうだ。それと——何か、鎮痛剤みたいなものがあったらくれないかな。なんでもいいんだ。気休めになる」

　幸枝が頷いた。「わかった。用意するわ」

　秋也はちょっと唇を拭い、それから、また訊いた。

「でも、よくみんな納得してくれたね。俺なんかを引っ張り入れること。敵かも知れないのに」

　幸枝は首を振った。「目の前で人が死にかけてるんだもの。中々いやだとは言えないわよ。それと——」

　秋也の目を覗き込んで、いたずらっぽく笑んだ。

「七原くんだったからね。あたし、一応リーダーシップとってるから、無理やりみんなに納得させた」

　てことは——委員長もまた、あの小学校の体育館以来の付き合いを、多少は意味あるものと考えていてくれたということだろうか。だが、秋也は、もう一つの方の推測を口に出した。

「てことは——いやがったこもいたんだ、やっぱり」

「それはほら。こういう状況だから」幸枝は視線を落とした。「悪く思わないでよ、みんな混乱してるの」

「うん」秋也は頷いた。「そりゃ、わかる」

「でも、あたしが納得させたの」幸枝が顔を上げ、また笑った。「感謝してよね」

　秋也は頷きかけたが、しかし、今笑んだばかりのその幸枝の目に、涙がたまっているのだということに気づいた。どういうわけか。

　秋也をじっと見つめて、幸枝が言った。

「心配したのよ。死んじゃうかと思った、七原くん」

　秋也はちょっとびっくりしてその顔を見守った。

　幸枝が続けた。「あたし、あなたが死んじゃったらどうしようかと思ったわ」

　それは既にすっかり、涙声になっていた。

「――この意味、わかる？　あたしがどうして無理にでも七原くんを助けたか、わかる？」

秋也は涙に濡れた幸枝の目をじっと見つめたまま、ゆっくり頷いた。それから、考えた。どうしよう。こんなにもてていいのか、俺？

もちろん――これは一種の篭城心理なのかも知れない。自分たちがいずれ死ぬかも知れないという状況で（いや、ルール通りなら間違いなく死ぬのだ。神の恩寵あらんかの〝プログラム〟で、優勝者以外の誰かが生き残ったなんて話は聞いたことがない）、なおかつどんどん生き残りが少なくなっているという状況で、そう、かつて小学校の体育館のひと隅で言葉を交わして以来、〝少し〟好きだった男の子は、〝死ぬほど〟好きな男の子に変わったのかも知れない。

――でも、いや、やっぱりそうじゃないだろう。ほんとに自分のことを好きでいてくれるのでなかったら、仲間の反対を押し切って助けることなんてできなかっただろう。いや、秋也を信じること自体が。

言った。「わかる。ありがとう」

幸枝が、右てのひらの底で、ちょっと目を拭った。それから、言った。

「聞かせて。さっき、典子と川田くんのこと、訊いたわね？　おれたち、って言ったわ。一緒にいたの？　もしかして？」

秋也は頷いた。

幸枝が眉をひそめた。「典子はいいけど――ほんとにあの川田くんと一緒にいたの？」

秋也は幸枝の質問の意味を察した。

「川田は悪いやつじゃないよ。あいつ、俺を助けてくれた。俺と典子、あいつのおかげで生き残っていられた、これまで。きっと今も、典子のこと、川田が守ってくれてる。――いや、それどころじゃない」勢い込んで続けた。「忘れてた、俺たち、助かるんだよ、委員長」

「助かる？」

秋也は大きく頷いた。

「川田が助けてくれる。あいつが脱出の方法を知ってるんだ」

幸枝が目を見開いた。

「ほんと？　ほんとに？　どうやって？」

そこで、秋也はちょっと詰まった。川田はそれは、最後まで言えない、と言ったのだ。

考えてみれば――何の根拠もない話だった。もちろん秋也は川田を信用していたけれど、ずっと川田と一緒にいたわけじゃない幸枝にそれを説明しても、信じてくれるかどうかは疑わしかった。川田自身が何度も秋也に言ったように、川田が、秋也たちを利用しようとしているだけだと考えるかも知れない。

しかし、秋也はとにかく、最初から説明することにした。

説明した。出発地点で赤松義生に襲われたこと、そのあと典子とずっと一緒だったこと、大木立道と戦闘になり、そのあと元渕恭一に撃たれかけたところを川田に救われたこと、それからずっと三人でいたこと、脱出の話、川田が去年の〝プログラム〟の生き残りだということ、典子が熱を出して診療所まで移動したこと、そう、それに杉村弘樹のこと。弘樹が、相馬光子は危険だと言ったこと。それから、移動中に、桐山の襲撃を受けたこと。

「大木くんのことは」ひととおり聞き終えてから、なぜか幸枝は真っ先に大木立道の名前を出した。

「事故だったのね」

「――そうだよ。今言った通りだ」

答えてから、秋也は眉を寄せて幸枝を見た。

「それが？」

幸枝は「ううん」と首を振り、すぐに話題を変えた。

「はっきり言って悪いかも知れないけど、にわかには信じがたいわ、川田くんのこと。ううん、脱出の方法があるってことが」

秋也は、なぜ幸枝が立道のことを訊いたのか不思

議だったが、あまり重要なことにも思えなかったので、うっちゃって、目下幸枝が提出した疑問に首肯した。

「そう思っても仕方ないよ。けど、俺は川田は信用できると思う。うまく言えないけど、あいつは悪いやつじゃない」もどかしげに、自由になる右手を顔の横で振った。「一緒にいたら、わかる」

幸枝はちょっと右手の指を唇に当て、それから、言った。

「わかったわ。話を聞いてみる価値はありそうね。ほかに手は無いわけだから」

秋也はしばし、その幸枝の顔を見やった。

「どうするつもりだったんだい？」

幸枝は肩をすくめた。

「ほとんど絶望してたわ。みんなと話したんだけど、いちかばちか逃げ出すのがいいのか、ここで少しでも長く待つのがいいのか、まだ結論が出てなかったとこなの」

それで、秋也は一つ訊き忘れていたことに気づいた。

「そっちはどうやってまとまったんだい？　六人っていうのは？」

「ああ」幸枝が頷いた。「あたし、一旦あの出発地点に戻ったのよ。それで、みんなに声かけたの」

秋也は驚いた。「いつ？」

「ちょうど、七原くんと典子が逃げた後ってことになるわね。いいえ、新井田くんが走り去るのは見たのよ。——あたしは、ほんとは七原くんに間に合いたかったんだけど。とにかく、それで、二人——死んでいるのもわかったわ。あの分校の出口で」

秋也は眉を持ち上げた。「赤松は気絶してただけだろ？」

幸枝は首を振った。

「あたしは近くで見てないけど——死んでたみたいよ、そのときには。首に矢が——刺さってたって」

——。

ったら、新井田が――」

幸枝が頷いた。「そういうことになるわね」

秋也はそれから、訊いた。

「恐ろしくなかったの？　赤松みたいなやつがほかにいるとは思わなかった？」

「それはね。そういうことも考えたけど――。でもとにかく、ほかに方法がないと思ったの、何とかグループをつくらなきゃって。あの正面の林ね。身をひそめてたらそうは見つからないだろうって。見つかったとしても、仕方ないって」

秋也は、ほんとうに、心から、感嘆した。自分は、もちろん怪我をした典子を抱えていたとはいえ、他の連中のことなんかすべてうっちゃって、とにかく逃げ出したのだ。あの杉村弘樹も千草貴子を待っていたと言ったが、弘樹は男だし、それに、拳法の心得もあった。

「すごいや。さすが委員長」

幸枝が笑んだ。

「典子は名前で呼ぶのにあたしは委員長なのね」

秋也は言葉に詰まった。「いや、うん。あの――」

「いいわよ、無理しなくても」

幸枝がまたちらっと笑んだ。ちょっと寂しそうに。それから、続けた。

「それで、中川有香が出てきて――呼んだの、有香を」

「すぐに納得したのかい、ユカさんは？　いやうん、委員――委員長は、人望あると、思うけどさ」

「ああ、それはね」幸枝は頷いた。「あたし、一人で戻ったわけじゃないのよ。あたし、最初は混乱しちゃってた。けど、どうしても戻らなきゃって思って、それで、分校まで戻る途中で、これは全く偶然なんだけど、はるかを見つけたのよ。あたしとはるかって、ほら、一番仲いいでしょ」

秋也は頷いた。谷沢はるかも確か幸枝と同じバレー部だ。

「それで、はるかと話して、あたしが戻ろうって言

ったら、はるかは最初いやそうだったんだけど、武器も――あたしの荷物の中にピストルもあったし。――それで、二人で声かけたから、有香も信用してくれたんだと思う」

秋也は少し考えたのち、例の〝法則〟を口に出した。

「けど――しかし、二人でいるから信用できるとは限らない、このゲームじゃ」

幸枝は頷いた。「そうね。その通りだった」

「どういうこと？」

「とにかく、男の子は除いて――ごめんね、相談して、男の子はちょっとまずいってことになったのよ。とにかく、男の子は除いて、あと、聡美でしょ、文世は――」幸枝が言葉を切った。藤吉文世（女子十八番）は出発前に死んでいたのだ。「飛ばして、知里でしょ。そこまでで五人確保よ。それで、南佳織にも声、かけたんだけど――」

秋也が後を引き取った。「――逃げた？」

「うん。逃げた」

秋也は、南佳織が自分の目の前で死んだことを幸枝に話していなかったことに気づいた。言おうかと思い――やめた。佳織を殺した清水比呂乃ももう死んだのなら、あまり意味がない、とにかく。それに、秋也にとっていい思い出じゃない。また、言い方は悪いが、死人の話題で時間をつぶしている場合でもなかった。

「矢作さんも南さんと同じだった？」

秋也はそうして女子の出席番号の最後、矢作好美の名前を南佳織のそれと一緒に口にしながら、だがふいに、ぞっとした。死人の名前。両方とも。両方とも、だ、ジーザス。――あの黒服の男の笑顔が、久しぶりに秋也の頭をよぎった。やあやあ七原くん。君、まだ、生きてたの？　しぶといなあ。

「ああ」幸枝は秋也から視線を外し、唇をきゅっと口の中に巻き込んだ。目を細めた。「それは違うの」

「何が？」

幸枝は息をついた。

「――あたしは、声をかけようって言った。でも、何人か反対したの。ほら、矢作さんって、相馬さんのグループでしょ。だから。信用できないって」

秋也は黙った。

幸枝が顔を横に向けたまま、言った。

「彼女、もう死んだわね。見殺しにしたのよ、あたしたちが」

秋也は「そりゃ違う」と言った。幸枝が秋也に目を戻した。

「しょうがないことっていうのはあるよ。誰が悪いわけでもない」

およそ論理的じゃないなとわかっていたが、とにかくそう言った。

幸枝が苦い笑みを浮かべてため息をついた。「優しいのね、七原くん。あなたはいつも、優しいな」

沈黙が落ちかけたが、秋也は話のとっかかりを見つけて言葉を継いだ。「三村を――仲間にすればよかったのに」

その、出席番号の最後の方なら、少なくとも三村信史に（もう死んでしまったのだけれど）幸枝たちが声をかけることはできたのだ。

「三村なら――頼りになったはずだ」

幸枝がまたため息をついた。「あたしもそう思ったけど――三村くんって、あんまり女の子ウケしない――しなかったのよ。ほら、三村くんって、ちょっと、プレイボーイみたいなとこ、あ――ったでしょ。それに、切れ者過ぎてちょっと怖いって言うのかな。確かにほら――三村くん、典子が怪我したとき気遣ってくれたけど、あれって計算じゃなかったのかなとか、誰だったか、言い出して」

それは、信史を見かけたという川田が秋也にした説明と、全く同じだった。

「――結論が出ないうちに、三村くん、姿を消しちゃったわ」

幸枝は肩を一つ揺すった。

「とにかく、男子はやめた方がいいだろうって、それをもう最初に決めたから。だから、山本くんにだって声はかけなかったわ」

そうだ。むしろ、小川さくらと付き合っていて、二枚目であるにもかかわらずごくごく温厚で飾らない山本和彦こそ、女子にはウケがよかったはずだった。幸枝たちはしかし、それはやめておいたわけだ。そしてその原則からするなら——秋也をここに運び込むことでひと揉めあったのも、無理はなかった。

それから、秋也は気づいた。今の幸枝の話だと、その五人でグループ編成は終わったはずだ。榊祐子(女子九番)の名前がない。

「榊さんは？　それだと、榊さんが入ってない」

幸枝が頷き、顔を秋也に戻した。

「祐子も偶然なの。あたしたち、昨日の朝にはここに入ってたんだけど——要塞としては中々のもんでしょ、だって？　——昨日の夜になってから、そう、八時ぐらいだったかな。ちょうど祐子がここを通りがかったの。すごく脅えてたけど」

幸枝はそこで少し言葉を切った。いわくありげな言葉の切り方だった。秋也はそれが何なのか訊こうとしたが、その前に幸枝がまた口を開いた。

「——とにかく、祐子ならみんなよく知ってるし、問題なかったわ」

それで、幸枝は話を終えた。秋也は榊祐子のことを訊こうかと思い——やめた。昨日の夜まで一人でいたのなら、祐子は何か恐ろしい目にあったのかも知れない。誰かに襲われて逃げ延びたのか、あるいは目の前で誰かと誰かが殺し合うのを見たのか。それとも、戦闘の後のひどい死体にでも出くわしたのか——。

秋也は小さく何度か頷いた。「よくわかったよ」

「もう一つ疑問があるわね」幸枝が言った。秋也が視線を上げると、幸枝は「たいしたことじゃないけど——」と続けた。

「杉村くんは、加代子に会いたいって言ってたのね。

それで、七原くんたちのグループにも加わらなかったって」

弘樹のことは、さっき幸枝にはしょって話をしながらも、気になっていたことだった。弘樹は生きている、そして、琴弾加代子も生きている。弘樹はもう、琴弾加代子に出会えたんだろうか？

「用事って言ったのね。——なんだったのかしら」

秋也は首を振った。

「俺たち、訊かなかったんだ。あいつ、急いでたし。俺たちもそれは不思議だったんだけど——」

話しながら、秋也は何か頭の隅に引っかかるのを感じた。杉村弘樹はもう、琴弾加代子に出会えたんだろうか？　出会えたんなら——

川田の声が蘇った。〝こいつの音がチケットだ。気が向くなら俺たちの列車に乗れ〟

秋也は目を見開いた。「バードコールだ」と呟いた。

「え？」


秋也は幸枝の方を見た。「典子と川田に合流する方法がある」

「——そうなの？」

秋也はぐっとあごを引いて頷いた。それから、体を何とか動かしかけた。説明は後でもいい。「とにかく、川田と典子に連絡を取りたい。俺、行かなきゃならない」

「まあ待って」幸枝が制した。「体を休めた方がいいわ」

「そうはいかないよ。俺がぼやぼやしてる間にもし——」

「待ってってば。あなたにホレてる女の子の言うことに耳を傾けなさいよ」

幸枝がちょっと頬を赤らめ、それでもそう言ってのけて、いたずらっぽく笑んだ。

「あなたは、とりあえず目が覚めたって動けないだろうってことで、ここに収容したのよ。怖がることがいるわ、そんなに元気があるんじゃ」

秋也は目を丸くした。しかしそう、それはそうかも知れない。だからこそ、幸枝が一人でここにいることにほかの女の子も納得したのかも知れない。

幸枝が続けた。「とにかくちょっとここにいて。あたし、みんなに、今の七原くんの話、してくる。七原くんは信用できるからってあらためて説得してくる。それに川田くんのことも。それと、典子たちに連絡をつけるって言ったって、あなただけじゃ行かせられないわ、危なくて。そのことも相談してくる。だから待ってて」

それから、付け加えた。「ごはん食べられる？」

「ああ」

確かに腹は減っていた。典子と川田のことは心配だったが、とりあえず何か詰め込んだ方がよさそうだった。銃の傷に抵抗力をつけるためにも、そうした方がいい。

「少し分けてもらえるとありがたい。体力がない感じだよ、さすがに」

幸枝が笑んだ。

「今、ちょうど昼ごはんの準備してるところよ。持ってくるわ。シチューか何かだったけど、いい？」

「シチュー？」秋也は聞き返した。

「ああ。あのね、ここ、食料たっぷりあったの。貯蔵用の缶詰とレトルトだけどね。でも、水も固形燃料もあったし、料理できるのよ」

秋也は「すごい」と言った。「ありがたいや」

幸枝がベッドの端に添えていた手をすっと離した。ドアの方に歩きながら、「悪いけどカギ、かけるわよ」と言った。

「え？」

「ごめんなさい、そうでないと安心しないこがいるのよ。悪いけど待っててね」

幸枝はそれだけ言ってにこっと笑うと、ドアを開けて外に出た。二本の三つ編みの髪が何か秋也の知らない不思議な動物の尾のようにくるっと揺れ、セーラーの下、スカートの背中側に拳銃を差している

のがちらっと見えた。

閉じたドアの向こうでがたっと音がした。カギ――かんぬきのようなものなのかも知れない、それもわざわざ秋也のために、作ったのだろうか？

秋也は無理して右肘をついて上半身を起こし、頭の上の窓を見た。窓には、角材がいくつも打ちつけられていて、その隙間から、光が落ちてきていた。もちろん、これは第一には外部からの侵入を防ぐ意味なのだろうが――今の秋也にとっては、要するに、格好の監獄というわけだった。

秋也の、ほとんど動かない左手の指先が、毛布の下で無意識にコード進行をたどった。もちろん秋也にギターをくれたあの中年男のアイドルのヒット曲、ダンス・トゥ・ザ・ジェイルハウス・ロック・ロック・ロック。

秋也は息をつき、またベッドに体を横たえた。そうやって動いただけで、脇腹の傷がぎりっと痛みを突き上げてきた。


【残り14人】

60

沖木島灯台は、古いが堅牢なつくりの灯台だった。北に面して高さ十七メートルの灯塔を擁し、それを南側から包み込む形で、レンガづくりの平屋建ての住居部が付設されていた。灯塔のすぐ南側にダイニングキッチン兼リビング、その南側に倉庫とバス・トイレ、さらにその南側、正面玄関に近い方に大小の寝室が一つずつと倉庫がもう一つあり、建物の西側を走る廊下がそれらを結んでいた（秋也は玄関に近い方の小さい寝室に寝ていたことになる）。

その、学校の教室ぐらいの大きさはゆうにある広めのキッチン兼リビングの中、部屋のひと隅に寄せて、これは不釣り合いに小さなテーブルがあり、榊祐子（女子九番）は、それを囲んだ丸椅子の一つに腰を下ろして、居眠りするようにぐったりと、テー

ブルの白い上板に体を預けていた。ほかの五人より長時間島をさまよっていたことによる疲労は、ひと晩経ってもさほど解消されていなかった。無理もない、彼女はある理由から、夜の間もよく眠れなかったのだ。

内海幸枝のチームはこの部屋を、寝室を含めた居室として使っていた。塔の上に見張りを立てることは必要だったが、そのほかの皆は一緒にいた方がいいだろうと、幸枝が判断したのだ。

祐子のすぐ後ろ、谷沢はるか(女子十二番)と松井知里(女子十九番)が、止められたガスの代わりに固形燃料の炎が上がるコンロの前で、忙しそうに保存食料の調理を進めていた。バレー部アタッカーで、セッターの幸枝と名コンビを組んでいるはるかは身長が百七十二センチあり、髪もショートで、小柄で髪の長い知里と並ぶと、さしずめ男女のカップルみたいに見える。メニューの方は、缶詰の野菜をいくつか入れたレトルトのシチューだった。その向こう、曇り空からの鈍い光が入ってくるスリガラスの窓には、倉庫にあった木材が、乱暴に打ち付けられている。外部からの侵入を防ぐためだった。幸枝らは、ここへ入ってすぐ、内側からこの施設の出入口をすべて封鎖したのだ(唯一の出入口は玄関に指定してあって、そこから祐子も助け入れられたのだけれど、今は机やロッカーなどのバリケードを積み直してあった)。

一方、ちょうど祐子の位置から見渡せる部屋の反対側、隅には、ファクス電話やパソコンなどが乗った書き物机がある。その左側、本来あった応接セットのうち、テーブルは玄関のバリケードに動員されていて、壁に寄せて残されたソファに、野田聡美(女子十七番)が座っていた。聡美は幸枝と並ぶ優等生で、いつもはクールな感じなのだが、今はやはりいささか疲弊しているのか、ボストンタイプの眼鏡を持ち上げ、眠そうに目をこすっていた。

そのソファのさらに左、このキッチンの端にある

ドアは、玄関まで続く廊下に面している。もう一方、祐子からは右手になる部屋の奥のドアは灯塔の真下へ直接続いていて、そこから灯室まで上る鉄の階段の最下段何段かがのぞいていた。今、その灯台の上には中川有香（女子十六番）がいて、外を見張っているはずだった。祐子自身はまだ見張りに立ってはいなかったけれど、灯台施設の後ろはすぐ海、前面も港の方から続く狭い道路が一本入っているきりで、あとは山が迫っているから、見張りはそれほど困難な作業ではないと、内海幸枝が言っていた。その幸枝は今、七原秋也を収容した、玄関からすぐの部屋にいる。

七原秋也を。

また少しだけ、祐子の中に恐怖がぶり返した。同時に、もはや一生忘れられないだろうあの映像が祐子の頭をよぎった。ばかん、と割れた頭。そこから抜き出された血染めのナタ。そして、そのナタを手にした男の姿が。

それは、身を凍らせる記憶だった。そして、その男――七原秋也は今、この灯台、同じ屋根の下にいるのだ。それは――

いや、大丈夫だ。大丈夫だ。

祐子は、ともすれば自分をとらえそうになる震えを何とか押さえ付けようと、テーブルの白い上板をじっと凝視しながら、考えた。そう、彼はほとんど死にかけているのだから。目を覚ますことはないだろうという傷、そして、出血量だった。

誰かが肩を叩いた感触で、祐子は顔を起こした。谷沢はるかが隣の椅子に腰を下ろしながらその祐子の顔を覗き込み、「少しは眠れたの?」と訊いた。

調理の手を休めたらしい。松井知里の方は、調理法を確認しているのか、保存食料のパッケージとにらめっこしていた（その知里だが、今日の朝、部屋の隅で静かに泣いていた。午前六時の放送で三村信史の死が告げられたせいだと、確か谷沢はるかがそうささやいた。知里が三村信史を好きだったことを、

祐子は初めて知った。今もまだ、知里は目が赤い)。

祐子は笑顔をちょっと無理にでも浮かべ、「うん、少し」と答えた。大丈夫だった。よく見知った女の子六人でいる限りは大丈夫だった。安息がここにはあった。たとえそれが時間切れまでの安息に過ぎなくても。ただ――

「ねえ、昨日あなたが言ったことなんだけど」はるかが切り出した。

「ああ」祐子は笑んだ。「そのことならもういいの」そう。もうよかった。事実、考えたくもなかったのだ。あのシーンを思い出すだけで、体がぞっとした。芯から震えがきた。だが――そう――

七原秋也は、二度と目を覚まさないはずだ。なら、いい。もう。

はるかがちょっと複雑な笑い方をした。「うん。ならいいんだけど」

そう――祐子は昨日、気を失った七原秋也がこの灯台施設の前で発見されたとき、その収容に、かなり強硬に反対したのだった。自分が見たことを説明して(説明というよりは喚いていると言った方が正しかったかも知れないが)。大木立道の、ばかんと割れた頭から、七原秋也がナタを抜き出したことを。七原秋也は危険だ、ということを。生かしておいたらきっとみんなを殺そうとする、ということを。

それで、祐子と内海幸枝は危うく大ゲンカするところだったのだけれど、結局、はるかからほかの女の子が、どっちにしても死にかけている人を放ってはおけないととりなし、七原秋也はここに運び込まれた。祐子はその、皆に抱えられた血まみれの秋也を、少し離れたところから、青ざめた顔で見守った。子供のころ夢に見てうなされた得体の知れない怪物を、家に招き入れるようなものだった。いや、それはまさにその通りなのだ。

しかし――しばらく時間が経つうち、祐子も何とか自分を納得させたのだった。そう、まさに七原秋也は死にかけている、あれだけの傷だもの、目を覚

ますはずがない、と。もちろん、死にかけているとわかっていてすら気持ちが悪かったが、祐子は何とか、自分を抑えた。ただ、条件として秋也の部屋にカギをかけることだけは譲らなかったのだが。

はるかが続けた。昨日何度か繰り返された質問だった。

「七原くんが大木くんを――殺したのを見たって言ったけど、正当防衛だったかも知れないわけでしょ?」

そう、あの身をひそめていた茂みからほんの数メートル先、どすんというにぶい音に気づいて顔を出した祐子が覗き見たのは、七原秋也が大木立道の頭からナタを抜き出した、その場面だけだった。自分はすぐに、そこを離れたのだ。

つまり、はるかの言う通り(それは祐子自身がそう説明したのだからそうだ)、祐子が見たのは、最後だけだ。可能性としては正当防衛だったとも言えるかも知れない。しかし――

はるかや幸枝に何度同じことを言われても、祐子の頭はそれを理解できなかった。いや、そもそも受け付けなかったと言ってよい。

――可能性ってなんのことなの? 自分は見たのだ、あのばかんと割れた頭を。ナタを手にした七原秋也の姿を。あのナタを染めた血。したたっていた、血。

そのシーンが頭の中心にへばりついて、少なくとも七原秋也の件に関しては、祐子はもう、論理的思考ができなくなっていた。それは多少、洪水だとか竜巻のような天災に似ていたかも知れない。秋也のことを祐子が何か考えようとして細い思考が流れ出したところで、そのシーンが、その恐怖が、それをどっと押し流してしまうのだ。後に残るのは――七原秋也は危険だ、という、一種皮膚感覚に近い定理だけだった。

この点には、多少理由があったかも知れない。祐子は、暴力が嫌いだった。耐えられなかった、と言

っていい。かつてのB組の教室でも、祐子は、友達がスプラッター映画の話をしているのを聞いて（その友達は中川有香だっただろうか？　――もちろん笑っていたけれど、いやー、大したことなかったわよ、内臓とか、もっとどばっとでなきゃね、あはは）、気分が悪くなって保健室に運ばれたことがある。

それには多分に、父親にまつわる記憶が影響していた。継父ではない、実父だったにもかかわらず――祐子の父親は、よく酒を飲んで、暴力をふるった。祐子の母親に、祐子の兄と、それに、祐子自身にも。そのころあまりにも自分が幼く――祐子はその理由は、知らなかった。今に至るまでも、母親にその理由を訊いたことなどない。思い出したくもなかったから。いや、そもそも特に理由などなかったのかも、知れない。わからない。ただ、その父親が賭博がらみらしいトラブルでやくざ者に刺されて死んだとき――祐子はそのとき小学校一年生だったが――、そう、悲しむよりもむしろ、心から、ほっとした。そしてそれからは、母と、兄と、自分とで、平和な生活が続いている。友達に、家に来てもらえるようにもなった。父の存在が消えた家庭には、心からの安息が、あった。

ただ、今でも時々夢に見ることがあった。ゴルフクラブ（貧乏だったのにそれだけひどく高級な代物だった）で頭を殴られ、血を流していた母親の姿。灰皿を投げつけられて、あやうく失明しかかった兄の姿。そして――煙草の火を押しつけられて、声を上げることもできずに怯えていた自分（それを止めた母親が、また殴られた）。

――そのせいかも知れない、そうではないかも知れない、とにかく、祐子が今考えられるのは――七原秋也は危険だということだけだった。

「そうでしょ？」

念押しするようにはるかが言うのが耳には入っていたのだけれど、それは、祐子の認識の領域にまで

届いていなかった。体を、悪寒とともにあるビジョンが走り抜けていた。自分も含め、今ここにいる六人が倒れている、みんな頭がばかんと割れている、そして七原秋也がナタを手ににやっと笑っている――

いや。いや。今はもういい。七原秋也はもう、起き上がれないはずだ。

「ええ」顔を上げ、祐子は頷いた。はるかの言っていることは、実のところさっぱりわからない。だがとにかく、七原秋也が二度と起き上がらないのなら、チームの和をわざわざ乱すことはないのだ。何かはるかが納得しそうな言葉を探した。口に出した。

「そう、そうね。あたし、どうかしてたのよ、きっと。疲れてたし」

それではるかは少し安心した様子で、言った。

「七原くんっていいこじゃない。あたし、あんないい男の子そんなにいないと思うわよ」

祐子は、博物館でさらしものになっているミイラでも見るような表情で、はるかの顔を見つめた。

そう、祐子もまたこれまではそう思っていたのだ、七原秋也はちょっと変わったところはあるけれど、大体のところとても好感の持てる男の子だと。それどころか、ちょっとかっこいいなとすら、思っていたのだ。

しかし、今の祐子の頭から、自分がかつてそんなふうに思った記憶など、すっかり抜け落ちていた。いや、あのばかんと割れた頭のシーンの向こうに、その記憶は隠れて見えなかったと言った方が正しいかも知れない。

何？　何言ってるの、はるか？　いい男の子ですって？　何言ってるの？

はるかがその祐子の目を覗き込んで、またけげんそうな表情になったが、続けた。「ね、だから、彼が目を覚ましてもけんかしたりしないでね」

祐子はぞっとした。目を覚まされてたまるものか。もし――もしそんなことになったら――

しかし、やはり部分的に残された思考回路をめぐらせて、祐子は頷き、言った。

「大丈夫。そんなことないって」

「うん。安心した」

はるかは頷き返すと、座ったまま知里の方に体を向け、声をかけた。「いい匂いじゃない」

コンロの上の鍋から、白い湯気と一緒にシチューの匂いが立ちのぼっていた。

知里が首を振り向かせ、いつもの大人しい、やや細い声で答えた。「うん。悪くなさそう。昨日のスープよりはいいかも知れない」

三村信史のことでだいぶ長いこと泣いていた知里だったが、今はまずまず、大丈夫そうだった。そのぐらいのことは、今の祐子にもわかった。

ちょうどそのとき、廊下側に通じるドアが開き、内海幸枝が入ってきた。幸枝らしい背筋のぴんと伸びた感じ、しゃきっとした足取りだった。祐子がここに入ってからも幸枝は見事にみんなを統率していたけれど、どこか元気がなさそうに見えた。七原秋也がここに運び込まれてからは、どういうわけかますます顔をくもらせていた（より正確に言えば、それは、秋也に会えた喜びと、しかしその秋也が死に瀕するほどの怪我をしていることへの心配が入り交じった複雑な表情だったのだが、祐子はそこまでは考えなかった）。だから――そんなふうな元気な幸枝の姿を見るのは、随分久しぶりのような感じがした。そして何より――顔が輝いていた。

もちろん、普通ならそれを見てこちらも元気づけられたところだろう。しかし――

祐子の背中を、毛虫が這うようなざわざわした感じが走り抜けた。今、このときばかりは。

幸枝は足をぴたっと止め、腰に両手を当てて、みんなを見回した。それから、ちょっとおどけた感じで口のところに両手でメガホンをつくってみせた。

そして、言った。「七原くん、目を覚ました」

はるかや知里がわあ、と声を上げ、聡美もソファ

から腰を上げる横で――
祐子は青ざめていた。

61

【残り14人】


「ほんと？　話はできるの？」はるかが訊いた。

「うん。ごはんも食べたいって」

幸枝が頷き、それから、祐子の方を見やって言った。

「大丈夫よ。部屋のカギはかけてきたわ、あなたが心配するといけないから」

皮肉な言い方ではなかった。リーダーとして必要なことをやった、という口調だった。

しかしそんなことはさておき、祐子は、一瞬のうちに考えていた。いや、夜の間に、何度も何度も考えていたのだ、そのことは。七原秋也がもう目を覚ますまいと確信する一方で、もし目を覚ましたら？

ということを。その対処方法を。そして――祐子は鼻腔に届いてくる匂いを確認した。

――ちょうどよかった。食事どきだ、今は。そして――死にかけていた男だ、状態が急に悪化してもおかしくないだろう？

祐子は笑顔をつくって（まさにつくった。可能な限り完璧に）、首を振った。

「心配なんてしてない」続けた。「ごめん、昨日はあたしちょっと、おかしかったのよ。もう七原くんのこと、疑ったりしてない」

それを聞いて、幸枝がほっとした表情で息をついた。

「なんだ。なら、カギかけてくることなかったわね」

祐子に笑顔を向けて、続けた。

「大木くんのことはやっぱり事故だったたって。そう言ったわ、七原くん」

大木立道の名前が出たことでまた祐子の脳裏をあ

のシーンがかすめ、背筋を凍らせたが、祐子は笑顔を保って頷いた。事故。そりゃまあ、大木立道にとっては、それはひどい事故だったことだろう。

　幸枝がそれから、はるかに言った。

「ねえはるか、有香を呼んできてくれない？　食事しながら、ちょっと相談したいことがあるの」

　はるかが聞き返した。「見張りいなくていいの？」

「うん」幸枝が頷いた。「どうせ建物は封鎖してるわけだし、大丈夫よ。しばらくだから」

　はるかが頷き、灯塔への上り口に当たる部屋の方へ消えた。かんかんかんかん、と鉄の階段を上る音が届いてきた。

　聡美と知里が「どんなぐあいなの？」「食べ物ってあたしたちと同じでいいのかしら？」と立て続けに幸枝に訊いているうちに、祐子はそっと席を立ち、流しの方へ動いた。

　湯気が上がるシチューの鍋の横、ちょっと深めの白い陶皿が数枚積み重ねられていた。知里とはるかが食器だなから出したものだ。

　祐子は、右手をスカートのポケットに入れ、中のものを握り締めた。祐子自身がデイパックの中に見つけた武器は伸縮式の特殊警棒だったのだけれど、一緒に〝特別付録〟というラベル付きで入っていた、それを。およそこのゲームでの使い途などないと思われた、それを。ここに迎えられた後も、最初は特にみんなに言う必要もないと思い――そして七原秋也が現れてからは、このことを考えて、ついに誰にもその存在を告げなかった、それを。

　かつて――自分の家で吹き荒れた父という暴力は、ふいの偶然で終わりを告げた。そして、自分たちには安息が戻ってきた。

　今、祐子がいるこの場所に、また別の暴力の影が存在していた。そして、今度は祐子自身が、それを止めなければならない。そうすれば――また安息が戻ってくる。もう、怯えなくて済む。

　迷う必要などなかった。祐子は奇妙に冷静だった。

ポケットの中、祐子は片手だけを使って、小さな小さな瓶のコルク栓を、そっと、外した。

【残り14人】

62

「ねえ」

祐子は幸枝に呼びかけた。聡美、知里の二人と話していた幸枝が、顔を向けた。

祐子は続けた。「先に七原くんにごはん持っていってあげたらいいんじゃない?」

幸枝がぱっと笑んだ。

「そうね、そうしようか」

祐子はさらに続けた。ごく何げなく。「じゃあ、シチュー、もうできてるみたいだから、よそろうか?」

皿を握った。その皿を。

「うん――ああ、そうだ」幸枝は何事か思い出した様子で言った。「そこの机の抽出しに薬箱入ってたでしょ。鎮痛剤、あったと思うから出してくれる? 七原くんに、ごはんと一緒に持ってってあげなきゃ」

「――ああ」

祐子はそれで、皿を離した。流しに当たってかたっと音をたてた。「わかった。ちょっと待って」

流しとは反対側の部屋の隅、パソコンや電話が載せられた書き物机だった。祐子はテーブルを回り込み、そちらへちょっと歩いた。

かんかんかん、と鉄の階段を踏む音が響いて、部屋の中にはるかと中川有香が姿を見せた。中川有香は、オートマチック拳銃を大きくして後部をぐっと引き伸ばしたような短い銃身の銃を(ウージー九ミリ・サブマシンガンだった。もともとは野田聡美に支給された武器だったが、一番威力がありそうなので、見張りの者がそれを持つことにしたのだ)、肩から吊っていた。

「七原くん、目、覚ましたんだって?」

ウージーをテーブルの上に置くと、有香がいつもの元気な調子で訊いた。やや太めで、テニス部の屋外コートのおかげでよく日焼けした有香は、こういう状況でも明るさを失っていなかった。

「うん」幸枝がうれしそうに頷いた。

「よかったね、委員長」

有香が思わせぶりに言うのを聞いて、幸枝がちょっと赤くなった。

「何よ、それ」

「またまた。うれしいくせに」

幸枝がちょっと顔をしかめ、首を小さく振った。それで、有香があ、と気づいたように知里の方に顔を向け、口を閉じた。好きな男の子を——三村信史を失った知里は、ただ少し俯いているだけだった。

祐子はそのやりとりをほとんど聞き流しながら、机の抽出しの中に探し当てたかなり大きめの、木製の薬箱を引っ張り出した。机の上に置いてから、開いた。雑多な薬品類やガーゼ、湿布薬などが所狭しと入っている。ただ、包帯ばかりはほとんどすべて七原秋也に巻きつけたため、なくなっていた。

鎮痛剤——鎮痛剤ってどれだろう? ——もちろん、意味はない、意味はないけれど。なぜなら——「わあ、いい匂いね」気分を変えるように有香が言うのが、祐子にも聞こえた。それもほとんど、聞き流した。

鎮痛剤——ああ、あった、これだ。薬効は頭痛、生理痛、歯痛——。ああ——あたしもちょっとおなか痛かったのよね、今。後で飲もう。いろいろ、終わった後で、そう、いろいろ終わった後で。

「それで、話ってなんなの?」ちょっとハスキーな声、今度は聡美が幸枝に訊くのが聞こえた。

「ああ、そうよ。それを話してくれなきゃ」とはるか。

「ああ、うんそれはね、えーと何から話せばいいかな」と幸枝。

祐子がびくっと顔を上げたのは、「どれどれ、ちょっと味見」という有香の声を聞いたからだった。

顔を振り向けた。そして祐子は見た、流しの前、有香がシチューの皿を片手で取って、それに口を付けているのを。味見ならおたまからすればいいのに、わざわざ〝その〟皿によそって口を付けているのを。あの半透明の粉がぱらっと入ったその皿に。

祐子の顔から血がひいた。声を上げようとし――しかし、その前にそれはやってきた。

有香が皿を取り落とし、がしゃんとそれが割れる音とともに、床にシチューが飛び散った。全員の目が有香に集中した。

有香がのどを押さえ、ごぼっと今飲み込んだばかりのシチューを吐き出していた。さらに激しく吐き、それが白いテーブルの上に飛び散った。今度のそれは、真っ赤な色をしていた。白いテーブルの上、丸い固まりから放射状に飛び散った赤は、まるで大東亜共和国の国旗のようだった。そして、一瞬のうちに有香は、シチューがこぼれた床の上にくずおれていた。

「有香！」

全員が――声を失った祐子以外の全員が――声を上げ、有香に駆け寄った。

体を折って横ざまに倒れ込んだ有香は、もう一度血を吐いた。日焼けした顔がみるみる青くなっていた。口の端から赤い泡がこぼれ出した。

「有香！　有香！　どうしたの？」

幸枝がその体を揺すったが、有香はもう、口の端からただ、真っ赤な泡をこぼしているだけだった。その目はほとんど限界まで見開かれ、飛び出しそうになっていたが、その白目の部分も、真紅に染まっていた。何かの原因で急速に充血し、あるいは毛細血管が破れたためなのか、青い顔の中にも赤黒い斑点がいくつも浮き出して、有香の面貌は、もはやすっかりグロテスクな怪物のお面みたいに、成り果てていた。

もう一つ、はっきりしていることがあった。見ればわかった。

有香はもう、息をしていなかった。

誰も何も言わなかった。幸枝が震える手で有香ののどに手をふれた。言った。

「死んでる――」

有香のそばに座り込んだ幸枝とはるかの少し後ろ、祐子は立ち尽くし、青ざめていた。全身が震えていた（もっともこの点は、ほかの四人も一緒だったかも知れないが）。

ああ、なんてこと――なんてことが――間違いが――間違いなのよ――こんな――ひと口しか飲まなかったじゃない――こんなに強力なものだったなんて――こんな――これは間違い――殺してしまった――殺して――間違いで――あたしはこんなつもりは――あたしが狙ったのは――

「これって――食中毒じゃないよね――」幸枝の震える声が、そう続いた。

それを受けて、知里。「あたし――さっき味見した。何ともなかったよ――こんなの――こんなの――これって――」

はるかが引き取った。「何かの毒――？」

それがひきがねだった。全員が（正確に言うと祐子を除く全員だが、ほかの四人はそのことには気づかなかった）顔を見合わせた。

がたっと音がした。野田聡美が、テーブルの上にあったウージーサブマシンガンを手にして、ほかのみんなに向けて構えていた。祐子も含め、四人が反射的に有香の死体から横や後ろへ動いた。

聡美が叫んだ。眼鏡の奥の目が、丸くこわばっていた。「誰よ！　誰がやったの！　誰が毒を入れたの？　あたしたちを殺そうとしたのは誰？」

「やめなさい！」幸枝が叫んだ。その手が一瞬、スカートの後ろに差した拳銃（ブローニング・ハイパワー九ミリ。これは幸枝自身の支給の武器で、一応チームリーダーということもあり、そのまま持って

いた）の方に動きかけ、踏みとどまってもとの位置に戻るのを、祐子は見た。「銃を降ろして。これは何かの間違いよ」

「間違いじゃないわ」聡美は首を振った。いつもはクールな感じのする聡美が、すっかり逆上していた。「さっきの放送で残りが十四人だって言ったじゃない。もう残り少ないじゃない。味方のふりしてたやつが正体現してもおかしくないころだわ」

それから、はるかを見やって言った。「あなたが料理してたわね」

はるかがぶるぶる首を振った。「あたしだけじゃないわ、知里が――」

「ひどい」知里が言った。「あたし、そんなことしてない。それに――」少し躊躇した様子だったが、言った。「聡美だって祐子だって毒を入れる時間はあったじゃない」

「――そうよ」はるかが聡美に向き直った。陰うつな口調だった。「大体、そんなふうにムキになるのっておかしいんじゃない？」

「はるか！」

幸枝が制したが、遅かった。聡美が血相を変えていた。

「何ですって？」

「そうよ」はるかが続けた。「大体、あなたずっと眠ってなかったじゃないの。あたし、知ってるのよ。あたしが夜中に目を覚ましたとき、あなた、起きてたわ。みんなを信用してないってことでしょ、それって？　何よりの証拠じゃないの？」

「はるか！　やめてってば！」幸枝がもう一度言った。ほとんど絶叫していた。「聡美！　銃を降ろしなさい！」

「何よ」聡美がウージーを幸枝に向けて構えた。

「リーダーぶらないでよ。みんなに毒を盛るのを失敗したんで、そうやってごまかすの？　そうなの？」

「聡美――」幸枝が愕然と口を開けた。

祐子は、口のところに手を上げて二歩、三歩後ろへ下がり、ただ茫然としていた。一瞬のうちに起こった事の成り行きに、体が麻痺していた。しかし――言わなければならない、真相を説明しなければ――このままでは、何か――何かめちゃくちゃな、とてもめちゃくちゃなことになってしまう。

ふいに、知里が動いていた。流しに向かって右手の壁際、サイドボードへ。そこには、六人に支給された武器の中でのもう一つの銃器――チェコ製CZ・M75が（もともとは有香に支給されたものだったが）置いてあったのだ。

ぱぱぱ、と撃発音が部屋にこだまし、知里の背中にまとめて三つ穴が開いていた。知里はそのままサイドボードにぶつかり、サイドボードの端に抱き着くようにずずっと滑って、俯せに床に転がった。確かめるまでもなく――絶命していた。

「聡美！　何するの！」幸枝が目を見開いて叫んだ。声がうわずっていた。

「何よ」聡美がまだ煙を吐いているウージーを構えたまま、幸枝をにらんだ。「わざわざ銃を取ろうとしたのよ。犯人だったからよ」

「あなたも銃をとったわ！」はるかが叫んだ。「幸枝！　撃ってよ、聡美を！」

ちゃっ、と聡美がウージーをはるかに向けた。聡美の顔がもはやどす黒く変色していた。今にもはるかに向けて引き金をひきそうだった。

祐子の目に映る幸枝の横顔が、何かの痛みに耐えているような感じに見えた。そして、次の一瞬には、その手がスカートの後ろのブローニングにかかっていた。きっと――、幸枝は迷った挙げ句、聡美の腕か何かを狙おうとしたのに違いない。

すっ、と聡美がウージーの銃口を泳がせた。幸枝に向いていた。

ぱぱぱ、という撃発音とともに、幸枝は後ろに吹っ飛んでいた。セーラーの胸に開いた穴から血が噴き上げ、仰向けに倒れた。

はるかが一瞬だけ立ち尽くし、次の瞬間には幸枝が取り落としたブローニングに走っていた。聡美のウージーがその体を追い、ぱぱぱ、と吠えた。セーラーの脇腹が弾け、繊維と一緒に血が飛んだ。ずるっとはるかの体が床を滑った。

それから、聡美は、テーブルを挟んだ位置にいる祐子にウージーを向けた。言った。

「あなたは——？　あなたは違うわね？」

祐子はただ、ぶるぶる震えていた。震えながら、聡美の顔を見つめていた。

その聡美の額の左側に、ぱん、という音とともに穴が開いた。聡美は口を開き——左手を見た。額の穴から血がつっ、と流れ出し、眼鏡のレンズの奥、目じりのところで一度止まった。そこからまた下へ降りた。

祐子も、もはや機械仕掛けのようになったぎこちない首を動かしてその聡美の視線を追い、そして見た、はるかが倒れた姿勢から苦しそうに上半身を上げ、しかしその右手にしっかりとブローニングをつかんでいるのを。

聡美のウージーがぱらららららら、と吠えた。意識して撃ったのか、けいれんだったのかはわからない。ただ、その弾痕の列は床を助走した後見事にはるかの体を通過し、はるかの体が半回転して跳ね飛んだ。血の霧が舞い散り、はるかの首が、あの首輪の上で半分ちぎれかけていた。

それから、ゆっくりと、聡美の体が前に倒れた。ちょうど中川有香の死体に半ば折り重なるようにどさっと突っ伏し、もう、ぴくりとも動かなかった。

今やただ一人部屋に残された祐子は、ただ、ぶるぶると震えていた。石のように硬直した体がぶるぶると震え、その目が、何か奇矯な博物館に紛れ込んだ子供のように、五人のクラスメイトが倒れた床を、眺め回していた。

【残り9人】

63

何か、がしゃんという音が耳に届いてきたとき、秋也は、ああ、どじなこがお昼ごはんの準備をしていて皿でも落としたんだな、などと平和なことを考えていたのだけれど、それに続いて何やら言い争う声が聞こえてきたので、がばとベッドから身を起こした。

左脇腹と肩口にぎしっと痛みが落ちてきた。秋也は少しうめいたが、何とか無事な右腕を使って体をベッドから出し、素足を床に着けた。今や学生ズボンしか身につけていなかった。何か言い争う声が続いている。幸枝の叫ぶような声が聞き分けられた気がした。

秋也はドアまで歩き、ノブに手をかけた。ノブはくるっと回り、そのまま押すと——がたっと何かに阻まれて止まった。一センチほど開いたドアの隙間から、斜交いに渡された角材らしきものが見えた。幸枝は言った通り、カギを——急ごしらえのかんぬきをかけていったのだ。

秋也はドアノブを右手でつかんで何度かがたがたと揺すったが、ドアはそれ以上びくともしなかった。ドアの隙間に指を突っ込んでもみたが、どういう固定の仕方をしているのか、角材は全く動かなかった。

ため息をつき、あきらめかけた秋也の耳に、そのドアの隙間からぱぱぱ、というもはや耳慣れた音が届いてきた。複数の叫び声が続いた。

秋也の顔から血がひいた。襲撃か——それにしては——とにかく、何かとても異常なことになっている！

秋也は傷ついた体で何とかバランスを取って右足を上げ、かつて杉村弘樹に教えてもらった前蹴りの要領で、素足の底をドアに叩きつけた。しかし、ドアは頑強にその蹴りを撥ねつけ、秋也はバランスを失って床にしりもちをついた。脇腹の傷に痛みが跳

ね上がった。ついでに小便がしたいのにも気づいたが、とにかく、そんな場合ではなかった。

また、ぱぱぱ、という音がした。さらにぱぱぱ、という音。

秋也は首を、自分が寝ていたベッドにばっと振り向け、立ち上がって、右手でその、鉄パイプでできたベッドの端を持ち上げた。がたっと音がしてベッドは横倒しになり、毛布やシーツが滑り落ちた。

秋也はそのベッドを引きずって一端をドアに当てると、後ろに回って力いっぱい、ドアに向かって叩きつけた。めきっと音がして、ドアがかしいだ。もう一回。

ぱん、という銃声。今度は単発。

ベッドが木製のドアにめり込み、ばきっと音がして、半ばから半分折れ曲がったドアが、廊下側へ開いた。秋也は右手一本でベッドを乱暴に引き、ドアの前から床へ倒した。

ぱらららららららら、というタイプライターのような銃声が、今や開け放されたドアからはっきり聞こえてきた。

秋也は廊下へ出た。窓に打ちつけられた角材の向こう、シェードが降りており、もちろん照明もない廊下は、薄暗かった。左手が玄関口、右手に廊下が長く続き、ドアが三つ並んでいる。一番向こうのドアだけがわずかに開いていて、そこから漏れる光が廊下に反射し、冷たい感じの光の水たまりをつくっていた。

秋也はドアの前で折れた角材のうち、一メートルぐらいの長い方を拾い上げると、ぎしぎしする体を引きずり、廊下を進んだ。もはや、何の音もしなかった。一体何が起こったのか？　誰かが襲撃してきたのか、それとも？

秋也は慎重にそのドアに近づき――その隙間に目を当てて――そして見た、キッチンの設備がある部屋の中、中央のテーブルの脇に内海幸枝と谷沢はるかが、その向こうに中川有香が（何だあの顔は！）、

右手の壁際に松井知里が、そしてテーブルの陰にも誰かが俯せに倒れているのを。その誰かとは、結局野田聡美だということになるだろう、なぜなら秋也に背中を見せて立ち尽くしている比較的細身の体、肩までさらっと落ちる髪は、秋也の目に間違いがなければ、榊祐子のものだったから。

倒れている幸枝たちの間に、何丁かの銃が転がっていた。床のそこここに飛び散った血の匂いが、つんと鼻をついた。

秋也は、驚愕に全身を硬直させていた。その、一瞬、何もかもが麻痺する感じは、あの分校の前、天堂真弓の死体を見たときと、全く同じだった。

一体――何だ？　何が起こったっていうんだ？　幸枝が――　〝あなたにホレてる女の子の言うことを聞きなさいよ〟と秋也に言ったあの内海幸枝が、倒れている。ほかに四人も倒れている。――死んで、いるのか？　死んでしまったのか？

秋也に背を向けた祐子は、銃を手にしていなかった。ただそこに、何か突然冥王星に放り出された金星人でもあるかのように、立ち尽くしていた。

秋也はほとんど茫然としながら、ゆっくりとドアノブをつかんで開き、部屋の中に足を踏み入れた。

それで、祐子がくるっと振り返った。秋也を血走った目で一瞬凝視したかと思うと、幸枝とはるかの間、床に転がっていた拳銃に飛びつきかけた。

同時に、秋也の方の呪縛も解けた。無事な右腕に力を漲らせ、手にした角材を投擲した。かつてのリトルリーグ（もはやそんなものが地球に存在したこと自体疑わしかった。遠い、遠いアンドロメダ星雲辺り、五本の手のうち三本を使って野球をする国の話だ。ちなみに、最終回だけはしっぽの使用を特別に許す）、たまのマウンドで渾身のストレートを投げこんだときのように。

おかげで体がぎしっときしみ、秋也は顔を歪めたが、角材は祐子の眼前でばん、と床に当たって跳ね、祐子は両腕で顔を覆って踏みとどまると、そのまま

血が飛び散った床にしりもちをついた。

秋也はその銃の方へ走った。この何がなんだかわけのわからない状況で、祐子が銃を拾ったら、ますます話がややこしくなることだけは、間違いなかった。

祐子がそれで「ひっ」と叫んで後退すると、上半身を起こし、体を一転させて、部屋の向こう側へ走りだした。テーブルの横を走り抜けると、その奥にもう一つ開いたドアへと姿を消した。かんかんかん、と金属的な音が聞こえた。階段——か？

秋也はその祐子の消えた後を一瞬見つめていたが、しかし、それよりも、まず内海幸枝に駆け寄った。傍らに膝をついた。

幸枝のセーラー服の胸に、穴が開いているのがわかった。体の下に、血が広がり始めていた、その目は眠っているように穏やかに閉じられていた。わずかに口が開いていて——

もう、息をしていなかった。


「あ——」

秋也は無事な右手をその穏やかな顔に伸ばし、そして、このゲーム開始以来、初めて自分の目に涙があふれてくるのを感じた。ほんの数分前に言葉を交わしたから？　それとも——

〝七原くんが死んじゃったらどうしようかと思った。——この意味わかる？　ねえ、わかる？〟

〝典子は名前で呼ぶのにあたしは委員長なのね〟

その涙を浮かべた、けれど安堵に満ちた顔。そのどこか寂しげな顔。そして、今、目の前の、不思議に穏やかな顔。

秋也は周りを見回した。確認するまでもなかった。中川有香の顔は変色し、口から血の泡がこぼれていた。俯せになった野田聡美の頭の下には血だまりができている。松井知里は背中に穴が開いており、谷沢はるかは——首がちぎれかけていた。

なんて——なんてこった——

秋也は幸枝に目を戻した。それから、ほとんど感

覚が麻痺した左腕に何とか右腕の手伝いをさせて、内海幸枝の上半身を抱き上げた。それは、意味のない行為だったかも知れない。でも、秋也はただ、そうせずにはいられなかった。

体を持ち上げると、胸から背中へと抜けた穴から、血がぽたぽたっと、床に滴る音がした。その首はがっくりと後ろへ倒れていて、三つ編みの髪が、秋也の腕に触れていた。

〝ねえ、この意味わかる？〟

秋也の目から、ぼろぼろと涙が落ちて、幸枝のセーラー服の上で小さくはじけた。

「く――」秋也は唇を引き結んで幸枝の体をそっと床に降ろすと、さっき祐子が手を伸ばしたブローニングを拾い上げた。祐子が消えた部屋の突き当たりのドアへ歩いた。実際に体が傷ついているということ以上に、無闇に体が重かった。ブローニングを持った裸の右腕で、目元を拭った。

ドアの向こうは、コンクリートが剝き出しになった円筒形の空間だった。灯台だ。これが灯台なのだ。中央に太い鉄の柱があって、その周りを鉄のらせん階段が取り巻いている。窓はなく薄暗い中、上方からわずかに光が落ちていた。

「榊！」秋也は叫び、叫びながら階段を上がり始めた。「何があったんだ、榊！」

階段の上、祐子の姿は見えなかった。しかし――そのとき、「きゃっ」という榊祐子の声が、灯台の円筒形の空間に反響して聞こえた。秋也は眉を寄せ――そして、階段を上がる足を速めた。脇腹の傷が、じくじくと痛み出していた。再び出血が始まったのか、包帯が湿り始めた気が、する。


【残り9人】

64

榊祐子は、息を切らせて灯台のてっぺんまで駆け上がった。何か巨大な一つ目の化け物のようなフレ

ネルレンズを中心に、周りを歩けるだけのスペースがあり、その灯室を囲む風防ガラスの向こうに、曇った空が見えた。左手に、狭いベランダへ通じる背の低いドアがあり、祐子は必死の手つきでそれを開けると、外へ出た。

少し高いところにあるせいか、思ったより強い風が吹いていた。それに乗って、潮が強く香った。

すぐ正面に海が見えた。藍色で、白い波がその中に、何かの織物のように綾をなしている。祐子は右側へ回り込んだ。北の山が手前まで迫っており、灯台施設の前に小さな広場ができている。少し左手から、その山すそを回り込むように未舗装の道が伸びてきていて、その手前にある形ばかりの門の脇に、白いライトバンが一台、放置されていた。

祐子は、ベランダを囲む鉄製の手摺りに取り付いた。眼下に、さっきまで自分がいた部屋がある、灯塔に付設された平屋建ての建物の屋上が見えた。そのまま手摺りに沿って灯室の周りを回ったが、あるはずと考えていたもの——鉄梯子は、なかった。祐子はまだ灯台上での見張りをしておらず、灯台の外がどうなっているのかよく知らなかったのだ。行き止まりだった。自分は、空に向けて突っ立った袋小路に入ってしまったのだ。その事実に一瞬祐子はパニックに陥りかけたが、しかし、歯を食いしばってそれを押さえつけた。梯子が無いのなら——飛び降りるしかない。

ぜえぜえと息をしながら、結局、もとの位置に戻り、そして、あらためて下を見下ろした。

高かった。直接地上まで飛び降りるよりは短いが、それでもかなり高い。いや、本当はそんなことができる高さではなかったのだが、正確な判断を下す前に、祐子の頭の中、またあのイメージが跳び上がった。今度はもう自分一人だけ、ばかんと割れた頭。噴き上げる血。その血を顔に浴びている七原秋也。逃げなければならなかった。何としても。逃げない

わけにはいかないのだ。そして、時間の猶予は無い。

　祐子は屈み込み、その、随分おおざっぱな鉄柵、大きく開いた鉄柱の隙間に、体を滑り込ませた。抜けられた。柵をつかみながら慎重に、その外、わずかに幅十センチ余りのベランダの縁に立ち――

　足元にのぞけたその視界は、しかし、祐子の頭をくらくらさせることになった。高い――これは――飛び降りるなんて、できるわけがない――高い、これはあまりに――

　途端、ぐらっと視界が揺れ、足が滑った。ひだスカートの下、すねの横がベランダの縁のコンクリートに当たり（ずるっと皮がむける感触があった）、祐子の体は中空に踊っていた。「ひっ」と声が洩れた。同時に、両手がもがいて、鉄柵の下端、その細い鉄柱の一本を抱え込んでいた。祐子の体は、ぶらんとベランダの縁からぶらさがった。

　手摺りを抱え込んだ祐子の口から、はあはあという息が洩れていた。危うく――危うく死ぬところだったのだ。

　祐子は、しかし、ごくっと唾を飲み込み、手に力を込めた。とにかく、そう、とにかく、体を引き上げ、手摺りの向こうに戻るのだ。そして、何とか七原秋也と対決する方法を考えるしかない。もうそれしか――

　風がひゅっと強く吹き、祐子の体が揺れた。「きゃっ」と声を上げたが、意味はなかった。しっかり鉄柱をつかんでいた筈の手がずるっと滑って、今や、両てのひらがベランダの縁にかろうじてかかっているだけだった。もはや、鉄柱に手を伸ばすことすらできなかった。

　そして、そのてのひらには、あろうことか汗がにじみ出していた。恐怖と狼狽で、祐子は恐慌を来たした。なんでなんでなんでこんなときに汗なんてかくの？　手が――手が滑って――

　右手の小指が、コンクリートの縁からずるっと落ちた。

「いやああっ」

祐子は絶叫した。次いで薬指。するともうずるっと右手全体が手摺りから落ち（人差し指の爪が引っかかったと思ったが、ばりっと爪がはがれて、それでおしまいだった）、左手を支点に体がぶうんと揺れた。そしてその左手も——

「あああああああああああああ」

絶叫とともに、体が落下する、なぜか夢見るような感覚が、祐子の体を領した。

しかし、がくっという衝撃が腕から肩の辺りへと突き抜け、その落下はほんの数十センチで止まっていた。

上方へ伸びた左腕だけを支えに振り子のように揺れながら、祐子はほうけたように顔を上げ——そして見た、七原秋也が柵の向こうから体を出し、右手を伸ばして、祐子の手首をつかみとめているのを。

ほんのひと刹那、祐子はその秋也の顔をぼうっと眺め、しかし次の瞬間、「いやーっ！」と叫んでいた。

そう、もちろん、手を離されたら死ぬ、しかしその手をつかんでいるのは七原秋也なのだ！

「いや！　いや！」

目を見開き、髪を振り乱して叫び続けながら祐子は思っていた、なんで？　なんであたしを助けようとするの？　あたしを何か、自分が生き残るために利用したいから？　それとも、ああ、そうなのね？あたしを自分の手で殺したいんだ！

「いや！　離して！」祐子は叫んだ。もう、わずかに残っていた論理的な思考も、ばらばらになっていた。「いやよ！　あなたに殺されるぐらいならここで死んだ方がマシだわ！　離してよ！　離して！」

それを聞いて何を思ったのか、それとも思わなかったのか、とにかく、七原秋也は表情を変えることもなく、「暴れるな！」と一喝した。

それで祐子はまたぼうっと秋也の顔を見上げ——そして気づいた、秋也の首の右側の傷、あの銀色の

首輪のすぐ下の包帯に血がにじんで、はだかの肩口にそれが流れ出していることに。

その血がゆるゆると秋也の腕を伝って、祐子の左手にまで届いてきた。

「くっ」と秋也が声を上げ、祐子の手をさらに強く握った。秋也の顔に脂汗が浮いていた。そう、その首だけじゃない、全身にあれだけの傷を負っていたのだ、右腕一本で自分の体重を支え、そしてあまつさえそれを引き上げようとするなら、その傷はめちゃくちゃな痛みを秋也に伝えているに、違いなかった。

祐子はぽかんと口を開いた。どう――して？　どうしてそんなに痛いのに、あたしを――あたしを助けようとするの？　それは――

不思議にそれは、唐突に訪れた。さっと風が吹いたかのように（それはちょうど今祐子の体に吹きつけている潮風のように）、祐子の頭を覆っていた、黒い霧が晴れた。あの、大木立道の死体を見下ろして血染めのナタを握っていた秋也の映像がその風に吹きちぎられるように消え、かつての（といってもほんの二日前までそこにいたのだが）三年B組の教室、陽気な秋也の表情が戻ってきた。国信慶時や三村信史辺りと冗談を飛ばし合って笑っている表情、音楽室で難しいギターのフレーズを繰り返すときの真剣な表情、体育の時間、女子はバレーボールで体育館、グラウンドをふと見やったとき、見事な一打を三塁線に飛ばして二塁ベース上でガッツポーズをつくっていた笑顔、そして授業中、祐子が重い生理痛で青くなっていたとき、隣の席から「どした、榊。顔色悪いぞ」と優しく声をかけ、慌てて英語の山元先生のリーディングを遮って保険委員の藤吉文世を呼んでくれた、そのときの、心配そうな、顔。

――ああ。祐子は今ようやく、目の前の事態を正確に把握した。七原くんだ。七原くんが、あたしを助けてくれようとしている。あたし――なんで？　なんで七原くんのことを殺さなきゃなんて、思って

たの？　どうしてそんなことを考えてたの？　七原くんは、七原くんなのに。あたしが何度も何度も、ちょっとかっこいいな、ほんとに、ちょっといいなと思った、七原くんだったのに？

それから、別の思考の脈絡が訪れた。自分のとった行動と、それが招いた結果について。祐子はあらためて、青ざめた。

あたし――あたし心がおかしくなっていたんだわ――そして――そしてそのせいでみんな――。

ぼろぼろと、祐子は泣き出していた。それを見て、秋也がけげんな表情になるのがわかった。

「七原くん！」祐子は叫んだ。「あたし――あたしなの！　あなたを、あたし、殺そうとした！」

秋也は自分の腕の先、目に涙をためて必死に上を見上げる祐子の顔を、ちょっとびっくりして見やった。

祐子が続けた。「あたし、あなたが、大木くんを殺したと思って――それを見て――怖かったの。とても怖かったの。それで、あなたの食べ物に毒を入れようとして――それを有香が食べてしまったの――それでみんな――みんな――」

秋也はそれで、すべて了解した。自分が大木立道と格闘し、立道の顔からナタを抜き出したあの場面を、祐子はどこか近くの茂みの中で見ていたのだ。そのあと元渕恭一や川田が現れた場面は見ておらず、そこだけを見ていたのだ。もちろん秋也の正当防衛と解することも、事故と解することもできただろう。けれど、祐子の脅え切った心は、秋也を恐れないわけにはいかなかったのだ。そして秋也を殺そうと毒を盛り――中川有香がそれを間違えて口にし――誰が毒を盛ったのかと、全員が疑心暗鬼になってしまったのだ。そして毒を入れた本人、祐子だけが残った――。

「もういい！」秋也は叫んだ。「もういいから動くな！　今引き上げてやる！」

このとき秋也はほとんどベランダに寝そべるよう

な姿勢で柵の間から体を出していたのだが、左腕が使えないため柵をつかむことができなかった。しかし、体をひねり、ようやく右膝だけを体の下まで引きつけて、背筋に力が入る姿勢を整えた。祐子の手首をしっかり握ったまま、力を込めた。脇腹、左肩、右の首筋、傷という傷に痛みがぐんと圧力を増した。しかし――

涙に濡れた祐子の顔が、左右に振られた。「だめ。だめ。あたしのせいでみんなが――みんなが――」

言ったと思うと、祐子の手が、秋也の手をもぎ離すように動いた。せっかくしっかりつかんでいた手がゆるみ、秋也は焦ってさらに力を込めたが――ずるっと、秋也の首から伝い降りた血が、その手の中で滑った。

秋也の手から、祐子の手が離れた。秋也の腕にかかっていた重力が、ふっと消失した。

秋也の方を見上げた祐子の顔が遠ざかり――

ばたん、と音がして、眼下の平屋建ての建物の上、祐子が仰向けに倒れていた。自分の手の中から落ちていったというより、ふいにコマ落としでそこに現れたように、秋也は錯覚した。

そしてその体、セーラーとひだスカートに包まれた体が大の字に伸び――首が変な角度に曲がっていた。そのせいで体から妙に離れて見える頭の右上から、何か、細長くデフォルメしたカエデの葉のような形の、赤いしぶきが、伸びていた。

「あ……」

秋也はベランダの下に右腕を投げ出したまま、しばらくそれを、見つめていた。

【残り8人】

65

杉村弘樹（男子十一番）は、息を呑んでいた。

激しい銃声を聞きつけたのが、約十分前のことだ。

弘樹はそのときは北の山の中をさまよっていたのだ

けれど、音から判断し、急いで東に向った。そして──後はすっかり静寂が落ちてしまった中を、島の北東端の灯台に、行き当たった。地図に表示があるのはわかっていたけれど、よもやそんな目立つところに琴弾加代子が一人で隠れているわけはないと思い、これまで調べていなかった場所だった。果たして銃声の発生源はそこだったのかどうか──それはともかく、その灯台を囲む崖の上から見て最初にわかったのは、灯塔に付設されたレンガづくりの建物の上に、誰か女の子が倒れている、ということだった。遠目にも頭の下に赤い色が見え──死んでいるとわかった。そのショートカットは、比較的小柄な体は、江藤恵の死体を見つけたときと同じように、またしても、琴弾加代子に似ているように見えた。

それで、崖の端を滑るようにして降りた。降りるうちに、もう屋上の死体は見えなくなったが、とにかく灯台の正面入口に回った。開け放された玄関の向こうには、椅子や机が乱雑に積まれていた。誰かがバリケードをつくり、しかし、それをどういう理由でか解いたという風情だった。そして、角材が打ちつけられた窓を見ながら廊下を慎重に進むうちに(玄関からすぐのところにベッドが入った部屋があり、そこのドアはどういうわけか壊されていた)、例の探知機に反応が現れた。六つ。弘樹は慎重に歩を進め──

そして、今、血だまりができた部屋に、立ち尽くしていた。

キッチンの設備があるその部屋に、五人の女の子が、転がっていた。中央のテーブル脇に仰向けになっているのは、女子委員長の内海幸枝。その右側に首のちぎれかけた(!)谷沢はるか。奥には顔がどす黒く変色した中川有香。右手のサイドボードの前には松井知里が俯せに倒れ、既に青白くなった顔を、こちらに向けている。そしてもう一人、これまた血に汚れたテーブルの陰にも、誰かが俯せに倒れていた。

顔が見えている幸枝ら四人は、明らかにもう、死んでいた。だが、顔の見えないもう一人は——

弘樹は部屋の中をもう一度慎重に見回した。部屋の奥に開いているもう一つの扉に向けて、耳を澄ました。だが、誰かほかの者が身をひそめている気配は、どうやらなかった。

それで、左手の銃を再びズボンの後ろへ仕舞うと、内海幸枝と谷沢はるかの死体の間を歩き、中川有香の死体の脇も通過して、テーブルを回り込んだ。靴の底が床のそこここに飛び散った血で、ぴしゃぴしゃ音を立てた。とにかく、そこに俯せに倒れたもう一人の脇に腰を落とすと、右手に持っていた棒を床に置き、その体に両手をかけた。力を込めると、相馬光子にやられた右肩の傷がひどく痛んだ。織田敏憲に撃たれた腿はかすり傷で、出血も、痛みもさほどではなかったのだが。しかし、弘樹はその痛みには構わないことにして、その体を裏返した。

野田聡美だった。額の左側に赤い穴が一つ開き、ずれた状態でそれでもまだ顔にかかっている眼鏡の左のレンズが、これは倒れたときにそうなったのか、割れていた。——もちろん死んでいた。

弘樹はその死体を横たえ直すと、部屋の奥に開け放されたドアの方に視線を移した。灯塔がある方だった。あそこから、灯台の上へ上がれるのだ。

探知機に反応しているもう一人は、もちろん、屋上のあの誰かだった。それももはや間違いなく死体だが、それが誰なのか、確かめなくてはならない。とりわけ——琴弾加代子に、それが似ていたからには。

弘樹は再び銃を構えてそのドアを抜けた。鉄の階段があった。急いで、それでも音を立てないよう、忍び足でそれを上った。まだ誰か上にいるかも知れなかった。右手には、棒と一緒に探知機を握りっぱなしにして、それを確かめながら進んだ。

結局、灯室部分に出るまで、新たな反応はなかった。弘樹は探知機をポケットに仕舞い、銃もまたズ

ボンの後ろへ仕舞って、灯室を囲むベランダへ出た。

　鉄製の手摺りに手をかけ、ごくっと唾を飲み込んでから、一気に顔をその外へ出した。

　セーラーを着た死体が見えた。首が変なふうにねじ曲がり、その頭の下から血が噴き出している死体はしかし——琴弾加代子ではなかった。榊祐子だ、とわかった。

　それにしても——

　顔に当たる潮風を感じ、ぼんやり海の方を眺めながら、弘樹は考えた。六人の女の子たちが、ここでいっぺんに死んでいたわけだ。部屋に銃器は見あたらなかったが、傷口からして、そして壁や床に穿たれていたいくつもの穴からして、あの銃声はやはりここだったのに、違いない。シナリオとしては——彼女たちはどうにかして集まり、ここに立てこもっていたが、しかし、誰かの襲撃を受けた、というのが妥当なところだろう。まず下で五人が殺され、榊祐子もここまで逃げてきたが、襲撃者が手を下すまでもなく、転落して、死んだ。そしてその襲撃者は、弘樹がここにたどり着くまでの間にもう去った——。

　しかし、玄関のバリケード——窓に角材を打ちつけ、恐らくはすべての出入口を封鎖しながら、襲撃者が現れて、なぜ女の子たちはそのバリケードを解いたのだろう？　襲撃者が出ていったときにどけていったのか——だがそれでは、どうやってそいつが入ったかという説明にならない。まさか——本当はそもそも、彼女らは〝七人〟で、誰か一人が突然裏切った、いや、正体を現したとでも、いうのだろうか？　いや、まさか。——それにもう一つ、あの中川有香の死に方も、銃で撃たれたようには見えなかった。首を絞められたとか——そんな感じに見えた。テーブルの上に飛び散っていた血も解せない。あんなところにあんなに大量に血が飛ぶだろうか？　まだある。あの玄関からすぐの部屋のドア。なぜ壊されていたのか？

　——考えても、仕方のないことだった。弘樹は首

を振ると、もう一度建物の屋上を確かめ、灯室の中に戻った。

薄暗い灯塔の中を巡る鉄のらせん階段をぱたぱたと降りるうち、その灯台の内壁を見るともなく見やりながら、弘樹は、まるでその、自分が動いていくらせんの軌跡が体の中に入り込んだかのように、軽いめまいに近いものを覚えた。もちろんそれは、疲れていたせいかも知れないが――

これで、六人マイナスだ。正午の放送で、残り十四人と坂持が言っていた。するとこれで残り八人。多くとも、ということだが。

琴弾加代子は、まだ生きているのだろうか？　正午から今までの間に、どこか自分の与かり知らないところで、もう死んでしまったりはしていないだろうか？

――しかし、弘樹は、いや、きっとまだ生きているだろう、と思った。

何だかそれは、なんらの根拠もないにかかわらず、確信に近くなっていた。残り八人、あるいはそれ以下。しかし、自分が生きている、そしてきっと、琴弾加代子も生きている。時間は――かかり過ぎだ、ゲーム開始からまるまる一日半を経過して、自分はまだ琴弾加代子にたどりつけない。しかし――きっとたどり着けるだろう。それもまた、もう確信に近かった。

それから、七原秋也たちのことを考えた。秋也たち三人もまた、まだ放送で名前を呼ばれていない。川田章吾が言った、〝気が向くなら俺たちの列車に乗れ〟。

――ほんとうに、助かる方法なんてあるんだろうか？　そして自分は、加代子と一緒に、その駅まで行けるだろうか？　その点はまだ、わからない。――けれど、加代子だけは何としても、その列車に乗せてやりたかった。

必要なら手を貸しましょうか、マドモアゼル？

――は、これはまるで、三村信史が言いそうなこ

とだ。そう——信史が瀬戸豊と仲が良かったのは、何となくよくわかる。信史は冗談をよく言った。もちろん、豊が口にするようなそれとはちょっと違っていて、もっと皮肉な、時に辛辣な冗談だったけれど、それでも、信史は〝笑って済ませることの重要さ〟みたいなものを知っていたのだ。信史がいつか、そう確か二年の正月前の終業式、政府地区教育委員のつまらない話が進む間に、弘樹と雑談を交わしていて言った、〝俺の叔父貴が昔言ってた、笑いっていうのは調和をもたらす重要なファクターで、俺たちの逃げ道はそこ以外にはないのかも知れないって。この意味わかるか、杉村？　俺にはまだ、よく飲み込めない〟。

　弘樹にも、それはやはり、何となくわかるような気がするにせよ、いまいちうまく飲み込めない。自分がまだ幼いせいかも知れない。しかし、いずれにせよ、その三村信史も瀬戸豊も、もう死んでしまった。信史の質問に答えてやることは、もうできない。

ぼうっとした頭でそんなことを考えるうちに、いつの間にか、五つの死体が転がったキッチンに戻っていた。弘樹はあらためて、その血に染まった部屋を見渡した。

　強烈な血臭に紛れて気づかなかったが、ガスコンロのところに鍋がかかっていて、そこからおいしそうな匂いが流れ出していた。当然ガスは止まっているだろうから固形燃料か何かで炊事をしていた最中だったのか、覗き込むと、鍋の下にもう火はなかったが、中のシチューらしきものからは、まだ湯気が立ち上っていた。

　ゲーム開始以来支給のパンしか食べていなかったし（水は足りなくなって民家の井戸で汲んだが）、腹は減っていたが、弘樹は首を振って、鍋から目を引きはがした。とても食べる気にはなれない、こんな部屋では。それよりも早く——琴弾加代子のところにたどり着かなければならない。早くここを——出よう。

ふらふらと、廊下に出た。随分長いこと眠っていないせいで、足元がおぼつかない感じがした。

長い廊下の奥、玄関口に誰か立っていた。廊下が薄暗いせいで、その誰かは、光の入る玄関を背に、シルエットになって見えた。

弘樹は、目を見開くより早く、横ざまに跳び、キッチンの中に再び飛び込んでいた。同時にシルエットの手の辺りが激しく火炎を噴き上げ、まだ廊下に残っていた弘樹の足のすぐ先を弾着の列が通過した。

弘樹は一気に緊張に歪んだ顔で起き上がると、そのドアをばたんと閉め、低い姿勢からノブをひっつかんで、カギをかけた。

聞き覚えのある銃声だった。あのものすごい爆発音と、それは前後して聞こえた銃声だった。夜中に織田敏憲とやりあって逃げた後、背後から聞こえた――つまり織田敏憲を仕留めた、銃声だった。あるいは、日下友美子と北野雪子が死んだときにも、聞こえた銃声だった。ほかにも何度か、聞こえた銃声だった。それは即ち、あの〝誰か〟だった。恐らく――弘樹同様、銃声を聞きつけてここを調べにきたのだろう。あるいは、内海幸枝たちをやった襲撃者を狙ってきたか。それともあるいは――その襲撃者本人が、舞い戻って来たのか。

床に膝をついた姿勢のまま、弘樹は左手を背後に回して、再び銃のグリップを握った。光子が残していったデイパックから弾は見つかったし、今もフル装弾してあったが、予備のクリップだけは、光子がポケットにでも入れていたのか、無かった。コルト・ガバメント、シングルアクションオートマチック。装弾数はたったの七プラス一発だ。弾を詰め替えている余裕はないだろう。そんなことをしている間に、相手はマシンガンを――あるいはそれ以外にも銃器を持っているのだ、あっさりやられてしまう。

ドア脇にぴったり張りついて、弘樹は女の子たちの死体が転がったキッチンを見渡した。まずいことに、窓には内側から角材が打ちつけてあった。あれ

を引きはがして外に飛び出すのには時間がかかる。灯塔に通じるドアの方も見た。——いや、あれも無理だ。灯台の上は、飛び降りるには高すぎる。そんなことをしたら、榊祐子と並んで屋上で日光浴をすることになるのが関の山だ。いや——今、あの〝誰か〟はどうしようとしているのだろう？　足音をひそめてこのドアの向こうに迫っているのか、それとも外でゆっくり弘樹を待ち伏せするのか？　いや、向こうにもそんな余裕はないはずだ、早くケリを付けなければ、自分もまた、今の銃声を聞きつけた誰かに背後から狙うチャンスを与えることになるのだから——

その通りだった。ノブの周りを中心にドアの板が弾け飛んだ（ついでにドアを抜けたその弾の何発かが、ちょうど正面に当たっていた松井知里の死体から、肩と脇腹辺りの肉を引きちぎった）。

ばん、とドアが開いた。

次の瞬間には、黒い固まりが部屋の中へ飛び込んできた。

一転して起き上がったときには、それは学生服を着た桐山和雄（男子六番）だとわかった。部屋の中のほかの死体などには目もくれず、死角になっていたドア脇の方へ、まっすぐマシンガンを向け、向けたときにはもう撃っていた。

五、六発の弾丸が壁に穴を穿ち——撃発音が止まった。そこには誰もいなかったので。

機を逃さず、弘樹は棒を振り上げ、桐山和雄に上から飛びかかっていた。一瞬の判断で、ドア脇につくりつけられた高い棚のてっぺんまで這い上がっていたのだ。慣れない銃はもう頼りにせず、再び仕舞い込んであった。必要なのは、相手に——もうわかった、桐山に、撃たせないことだった。

桐山がそれに気づいて顔を上げ、銃口を持ち上げかけたが、その前に、弘樹が手にしたかつてのほうきの柄が、ばしっと桐山の手首を叩いていた。イングラムM10・九ミリモデルががしゃっと床に落ち、

滑って、テーブルの向こう、野田聡美の死体のところで止まった。

　桐山がズボンの前からもう一丁の銃を（大きな自動拳銃だった。織田敏憲が持っていたリボルバーとは違っていた）抜き出しかけたが、着地して姿勢を整えた弘樹はすかさず棒の先を動かし、それも叩き落とした。

　連打だ！　一気にダウンまで追い込んでやる！

　再び振られた棒の先、しかし、桐山和雄はすっと上半身を後ろへ倒すと、そのままとんぼを切っていた。まるきりカンフー映画を思わせる優雅さで内海幸枝の死体を飛び越え、一転すると、部屋の中央、テーブルの前に立っていた。立ったときには、右手にリボルバーを抜き出していた。織田敏憲が持っていた、あの拳銃だとわかった。

　しかし、弘樹の動きはその桐山にとっても、多少の驚きであったに違いない。弘樹は一瞬のうちに前へ出て、ぴったり桐山の眼前八十センチの間合いまで、詰めていたのだから。

「せいあっ」

　弘樹が棒を回転させ、桐山の手から、銃が三たび弾かれた。それが宙を舞い、床に落ちる前に、棒の反対側が桐山の顔面を襲っていた。桐山の後ろにはテーブルがあった。もう後退することはできない。

　しかし――棒は、桐山の顔面数センチ手前で、止まっていた。次の瞬間には、棒の先三分の一ばかりが桐山の頭をかすめて空を舞っていくのが見えた。めきっ、という棒が折れる音は、弘樹の耳に、奇妙に遅れて聞こえた。桐山が顔の前に上げた左の掌底で棒を叩き折ったのだ、とわかった。

　次の瞬間には、桐山の右手が貫手の形を取って、まっすぐ弘樹の顔面に向かっていた。弘樹の眼を狙っていた。

　頭を下げ、それをよけられたのは奇跡的だったかも知れない。それほどに、恐ろしく速い一撃だった。

　しかし、弘樹はとにかくそれをよけた。よけたと

きには、棒を放した両手で、その手首をつかみとっていた。つかみとった次の瞬間には、逆関節を決めていた。同時に、右膝を、桐山の腹へ向けて思い切り跳ね上げた。全く無表情の桐山の口から、短い息が洩れた。

弘樹は、左手は桐山の腕をきめたまま、もう右手に拳銃を抜き出し、その撃鉄を起こしていた。桐山のみぞおちの辺りに押し当てると、引き金をひいた。

――全弾を撃ち尽くすまで、引き金をひき続けた。一発ごとに、桐山の体が小刻みに揺れた。

最後に銃の遊底がホールドオープンすると、八発目の薬莢が、からん、と床に落ちて転がり、先に落ちていた別の薬莢に当たって、かちっと音を立てた。

桐山の右腕を握った弘樹の左手に、桐山の体からゆっくり力が抜け落ちる感じが、伝わった。オールバックの髪――桐山の頭が、がっくり落ちた。弘樹が手を放せば、その体はテーブルの角を滑って床にくずおれるだろう。

しかし今しばらくは奇妙なダンスを踊るように、その桐山と向かい合って立ち尽くしたまま、弘樹はぜえぜえ、肩で息をしていた。

――勝った。

勝ったのだ、あの桐山和雄に。あるいは三村信史よりも、そして七原秋也よりも恐らくは優れた身体能力を誇り、聞きかじる限りでは、格闘において負けたことがない、と言われたあの桐山和雄に。

その桐山に、俺は――

途端、弘樹の右脇腹に鋭い痛みが突き刺さった。

弘樹はうっ、と息を吐き――そして、目を剥いた。

桐山和雄が、弘樹を見上げていた。そしてその左手――ナイフを握った左手が、弘樹の腹に食い込んでいた。

弘樹はゆっくり、その手から、再び桐山の顔へ視線を戻した。桐山和雄は、相変わらず美しい、しかし冷たい目で、弘樹をじっと見ていた。

なぜ――まだ――生きていたのか？

もちろんそれは、桐山和雄が織田敏憲の防弾チョッキを着ていたからなのだが、それは弘樹の与かり知るところではなかったし、今この瞬間には、考えても仕方のないことだっただろう。

桐山がナイフをこじり、弘樹はうめいた。桐山の右手首をつかんだ左手のホールドが、緩みかけた。

ああ——まずい。これは。とても。

しかし、弘樹は力を振り絞ると、もう一度その手に力を込めた。もう弾のない銃を握ったままの右手を、振り上げていた。

直角に曲げた右肘が桐山の下あごをとらえた。

桐山が吹っ飛び、血に汚れた白いテーブルの上を滑った。大東亜共和国の国旗に似ていたその血痕が、今度は合衆国のバナーに模様を変えた。同時に、弘樹の腹に刺さっていたナイフが弘樹の肉を三十グラムばかり抉り取って抜け、血を噴き出させた。弘樹の肺の奥から、息が洩れた。

洩れたが、次の瞬間には、弘樹は踵を返して、廊下へ通じるドアの方へ走り出していた。

ドアを出るか出ないかのところで、銃声が聞こえ、ドアの枠がぱん、と裂けた。床に散らばった銃を拾い上げる時間はなかったはずだった、桐山は四丁目の銃を（多分ズボンの下、足首かどこかにくくりつけて）持っていたのだ。

銃声は無視して、弘樹は走った。

玄関に乱雑に放り出された椅子や机を飛び越え、外に出る寸前に今度はおなじみのマシンガンの銃声が聞こえたが、身を低くしていたために、当たらなかった。

外は曇り空で今にも雨が落ちてきそうだったが、やけに明るく思えた。

ライトバンが停まっている門の向こうのやぶまで、弘樹は必死で走った。走った後、白い土の上に、点々と赤い血がこぼれていた。

またマシンガンの銃声が聞こえたが、弘樹はもう、やぶに飛び込んでいた。

――もちろん、そこでひと休みというわけには行かなかったが。

【残り8人】

66

細い雨が、落ち始めていた。島を覆う緑が洗われて、厚い雲と水滴の間から落ちてくる弱い光の中、暗く鮮やかな色に輝いている。

秋也はその緑の中を縫って、ゆっくりと移動していた。右手は開けていて、海が見えている。雨滴の白いカーテンの中に見える海は、鈍い灰色に近い色をしていた。

幸枝たちがいた部屋で見つけた自分のシャツと学生服、スニーカーを今は身につけており、その学生服を、木々を伝い落ちてくる雨垂れが濡らしていた。肩からウージーサブマシンガンを吊って右手にそのグリップを持ち、ズボンの前にはＣｚ75を差している。ブローニングは、背中のデイパックに、かき集めた弾薬と一緒に入れてあった。

秋也は結局、すぐにあの灯台を離れたのだったけれど、予想通り、と言うべきなのかどうなのか、十五分ほど経って、島の北端に近い崖の上でたき火のための木を集め始めたころ、その灯台の方角から銃声が届いてきた。屋内とは言え、何度も響き渡った銃声を聞きつけて、誰かと誰かがそこへやってきた、そして戦闘になった、といったところだっただろう。

秋也は迷った挙げ句、再び灯台の方へ戻りかけた。その銃声は、どうにも聞き覚えてしまった、あの桐山和雄のマシンガンであるように思われた。典子と川田がわざわざ銃声のしたところに駆けつけるだろうとは思わなかったが、選手の残りがそう多くいるわけでもない。一方が桐山だとしても、もう一方は杉村弘樹である可能性が、かなりあると思えた。もちろん、その一方が相馬光子である可能性だってあるが。

しかし、その銃声もすぐに止んでしまった。秋也はまた考えをめぐらせて、灯台へ戻るのは結局やめた。戻っても、もう誰もいないだろう。あるいは、幸枝たちの死体のほかに別の死体が待っているか。

雨が落ち始めたのは、秋也が崖の岩場の上で二つのたき火の準備を終えたころだった。ライターは灯台から持ち出したのだけれど、その雨のせいで、火はなかなかうまく点いてくれなかった。

雨がいささか強くなり、秋也はあきらめてそこを離れた。多分——典子と川田は、そんなに長い距離を移動していないはずだ。エリアC＝3は禁止エリアになっているが、隣接するD＝3、C＝4辺りはまだ無事だった。多分、そのへんにいるはずだ。たき火はその辺りに近づいてからでも、いいだろう。

そう思って歩き始めた秋也の耳に、遠くかすかにちち、ちち、と鳥の声が聞こえたのは、島の北岸を西側へ曲がりかけたとき、二時半ごろのことだった。秋也はしばらくそれに耳を澄まし——慌てて腕時計を見た。秒針が七目盛り分動いて、そのかすかな鳥の声は止んだ。十五秒、と川田は言った。時計を見るまでの時間と考え併せて、それは確かにそのぐらいの時間、聞こえていたような気がした。それに、雨の中で鳴く鳥というのは、あまりいないのではないかとも思えた。少なくとも、ゲーム開始以来昼間時々は耳に届いていた小鳥たちの囀りは、ほかには全く聞こえなかった。

そして秋也はそのまま島の北西岸をたどる形で進み続け——再び同じ囀りを聞いた。今度ははっきりしていた。さっき聞いたそれからきっかり十五分経っており——十五秒ぴったりで、止んだ。川田だ。たき火ののろしを上げるまでもなく、川田はバードコールを鳴らしてくれていたのだった。

そしてまた、三たびその疑似の鳴き声がしたのが、つい三分ほど前だ。その声は、もう、近かった。エリアでいうと、秋也はB＝6からB＝5へと進みかけていた。

秋也はちょっと足を休め、左手首の下にウージーの銃身を突っ込んで、左腕を持ち上げた。無理に筋肉を使うより、その方が楽だった。文字盤、ガラスについた雨滴で歪んだ時計の針は、午後三時五分を指していた。

鳥の声は、海際よりはやや山寄りで聞こえたような気がした。秋也はそこでもう一度海をちらっと見ると、緩斜面の上方へと足を進めた。視線を上げると、眼前の北の山の形が少し違って見え、自分がその山すそを回り込んで、島の西岸にかなり入っているのがわかった。

もう少しだ。これまで歩いてきたのはたかだか一・五キロ足らずだったが、相当量の血を失った影響は大きく、体がふわふわしていた。全身の傷の痛みは、ほとんど吐き気を催しそうなほどだった（本来はじっとしているべきなのだ、多分）。しかし、もう少しだ。もう少しだ。

茂みの中に分け入ると、やぶをかき分ける必要があって、疲労がいっそう激しくなった。もちろん今にも――茂みの切れ目で誰かに襲われるかも知れない。しかし、そんなことを気にする余裕は、もうなかった。もしそうなったら――手にしたウージーサブマシンガンの引き金をひくだけだ。

重なり合う低木の枝がまばらになり、茂みが一旦、切れた。秋也はどきっとした。銃を構えた誰かがいたというわけではなかったが――その狭い地面の広がりに、妙なものがあったので。

最初それは、秋也の目に、二つの、ごわごわした灰色の固まりに見えた。しかもそれが、動いていた。そして目をこらすと、その二つの固まりの中からそれぞれ――黒いズボンとスニーカーの足が、のぞいていた。

死体だ、とわかった。誰か男子二人が、ここで死んだのだ。

灰色のごわごわした塊の中からひゅっと小さな赤い色が持ち上がり、〝ぎゃー〟と鳴いた。それで秋

也は、それが、頭を赤く汚したサギぐらいの大きさの鳥だとようやく認識した。死体を鳥が食っているのだ!

秋也は反射的にウージーをそちらへ持ち上げ、引き金にぎゅっと指をかけて――やめた。そっちへ歩み寄った。

それで、鳥たちがばさばさと羽を動かし、二つの死体から飛び立った。

雨が落ちる中、秋也はその二つの死体のそばに立ち尽くし――思わず、口元にウージーを握った右手を持ち上げた。吐き気が突き上げたのだ。

それは、おぞけをふるうようなしろものだった。二つの死体とも、剥き出しの顔を鳥についばまれて、赤い肉が皮膚のそこここに飛び出し、血にまみれていた。

しかし、秋也はその吐き気をこらえて何とかそれを観察し、それが、どうやら、旗上忠勝と滝口優一郎らしい、と判別した。それから、特にひどい忠勝の方の顔は、どうやらこれは鳥のせいではなく、骨格自体が無惨に変形しているのに気づいた。鳥のくちばしを逃れて無事に残った鼻のところも、つぶれている。

辺りを見回し、秋也は、すぐそばの草の中にバットが転がっているのを見つけた。そのバットの先、雨に洗われたにもかかわらず、うっすら赤い色がついていた。忠勝の顔と突き合わせれば、それは多分――忠勝が撲殺されたということを、示していた。何と野球には欠かせない、あのバットで。

優一郎の方は、それに比べるとまだきれいな顔をしていた。もちろん――その顔には既に唇と目玉がないような気がしたが。

ばさっ、と音がして、一羽の鳥が秋也の足元、その忠勝の顔の上に再び舞い降りた。次いで、二羽、三羽と鳥が舞い戻ってきた。秋也がじっとしているので、安全だと踏んだのだろう。

――安全だと? ふざけやがって!

秋也はまたウージーの引き金にかけた指に力を込め——やめた。今は、川田と典子のもとに戻ることが一番重要だった。

さらに鳥が戻ってきた。

島中に転がったほかの死体も、こんなふうに鳥に食われているんだろうか？ それとも、単にここが海際だからか？

二人の死体から目を引きはがした秋也は、よろよろとそこを回り込み、正面の茂みへ入った。背後でぎゃー、と声がした。

さらに歩き続けながら、秋也の中にまた吐き気が突き上げた。もう人が死ぬのには慣れてしまった、しかし、鳥に、いやったらしい鳥に食われるなんて——。俺はもう二度と、海岸にたたずんで鳥が舞うのを和やかな気分で見守ったりしないだろう、オリジナルの曲をつくっても二度と海辺の鳥のことはうたわないだろう、しばらくは鳥肉だって食いたくないかも知れない。鳥なんて——最低だ。

しかしそのときまた、ちちち、とあの鳥の囀りがした。秋也は顔を上げた。その顔を、大粒の雨が叩いた。

ああ——鳥なんて、最低なんだけど——。小鳥だけ、オーケイにしようか？

またかっきり十五秒で止んだ。今度はもう、かなり近くに聞こえたようだった。

秋也は辺りを見回した。なだらかな斜面に沿って、茂みが続いている。多分——多分このへんだ。もう、すぐ近くに、川田と典子がいるはずだった。しかし——どこだ？

考える前に、のどの奥で止めておいた吐き気がまたぶりかえした。あの、顔面をぐじゅぐじゅにされた二人の死体。そしてその柔らかい肉は、鳥の午後のごちそうになる。ごちそうさま。

吐くべきではなかった、ますます体力を失ってしまう、しかし——

秋也は地面に膝をついてもどした。もちろん、ず

っと何も食べていないのだ、胃液しか出なかった。鼻腔を、つんと酸っぱい匂いがついた。

秋也はさらに吐いた。黄色い液体に、絵の具を落としたようにピンク色のものが混じっていた。いいかげん胃もいかれかけているのかも知れない。

「七原」

秋也はばっと顔を上げた。反射的に、ウージーをそちらに向けかけた。だが、その銃口は、ゆっくり、再び、地面の方へ落ちた。

茂みの間、あの、テキ屋のお兄ちゃんみたいな顔があった。川田だった。左手に、木を切ってつくったのか弓のようなものを持ち、右手でつがえた矢を、下げるところだった。それで、ああ、そうだ、川田が張り巡らしたあの糸を、俺は引っかけたんだな、とわかった。

川田が「二日酔いか？」と言った。ふざけた言葉の内容と裏腹に、とても優しい声音だった。

ざっ、と音がして、その肩の向こうに典子が現れた。雨に濡れていく髪の下、秋也を見つめる瞳と口元が、震えていた。

半ば川田を押しのけるように、典子が脚を引きずり引きずり、走り寄ってきた。

秋也は口元をぎゅっと拭うと、ふらっと立ち上がった。ウージーから手を離し、右手だけ伸ばして典子を抱きとめた。典子の体がぶつかり、脇腹に痛みが跳ねたが、そんなことはどうでもよかった。真新しいゲロの上で再会することになったが、そんなこともどうでもよかった。冷たい雨の中、自分にすがりつく典子の体が、温かかった。

典子が秋也の腕の中で顔を上げた。「秋也くん――秋也くん――よかった――よかった――」泣いていた。まなじりからぼろぼろ涙が落ちて、顔を叩く雨粒と混じった。

秋也はにこっと笑ってみせた。それから、自分も泣きそうになっていることに気づいた。死に過ぎだ――このゲームではもう、人が死に過ぎている、だ

けどよかった、二人が無事でいて、何よりよかった。

川田が歩み寄ってくると、すっ、と右手を差し出した。秋也は一瞬その意味を測りかね――それから、了解して、典子の体ごしに右手を伸ばすと、その手を握った。その手はやはり、大きな、分厚い手だった。

「よく帰ってきたな、歓迎するぜ」

穏やかな声で、川田が言った。


【残り8人】

67

海際の方へ少し降りたところ、木々の間に岩が露出して、海に面した低い壁ができていた。川田がナイフを使ってせっせと作業したのか、その岩壁に大ぶりな枝を二本ばかり差しかけ、その上に葉のたっぷりついた枝を何本も重ねて、雨をしのぐ屋根をつくっていた。枝の端から、雨粒がぽとぽと落ちていた。

川田が診療所から持ち出した強めの鎮痛剤をまずもらった後、秋也は灯台で起きたことを話した。川田が空き缶と炭でまた湯を沸かしており、そのこぽ、こぽ、という音が、雨音に交じって続いていた。

川田は聞き終えて、「そうか」というと、ふう、と息をひとつついて、〝ワイルドセブン〟を一本咥えた。足の間に、ウージーサブマシンガンを置いている。結局、川田にそのウージーを持ってもらうことにしたのだ。あとは、秋也がCz75を、典子がブローニングをそれぞれ持った。川田は煙草に火を点けた。

秋也は首を力なく揺らした。「ひどかった」

川田が煙を少し吐き出して、煙草を口から離した。

「内海が大勢かき集めたのが裏目に出たな」

秋也は苦い気持ちで頷いた。

「誰かを信じるっていうのは――難しいな」

「そうだな」川田も視線を落として頷いた。「難し

い、とても」

　何か考え事をするように、そのまま煙草を黙ってふかした。

　それから、言った。

「しかし、とにかくおまえが生きてててよかった」

　秋也は、内海幸枝の顔を思い出した。自分は生きている、内海幸枝たちのおかげで生きている、しかしその幸枝たちはもう、ゲームから退場してしまった。

　秋也は自分の左側にいる典子を見やった。典子は、仲のよかった内海幸枝や谷沢はるかが死んだことを聞いてつらそうだったが、湯が沸いてきたことを確かめると、これも川田が確保しておいたらしい固形スープを取り出して、二粒、空き缶の中に放り込んだ。コンソメの匂いが、ゆるやかに立ちのぼった。

「秋也くん、食べられる？」典子が訊いた。

　秋也は典子の顔を見つめて、眉を持ち上げた。食べなければならないのはわかっていたが、胃の中のものを戻したばかりで、――それにそもそものその原因、旗上忠勝と滝口優一郎を取り巻いていたごわごわした灰色の塊の映像が頭にちらついて（その話は二人にはしなかった。その〝ごわごわ〟はまだほんの百メートルほど先でうごめいているはずだが――単に傷が痛んで吐いたのだと、言っておいた）、とても食欲がわかなかった。

「食っとけ、七原。俺と典子サンはもう昼飯は食った」

　煙草を咥えた川田が言い、秋也はその不精髭が濃くなった顔に視線を動かして――結局、小さく頷いた。川田がハンカチで縁をつまむようにして空き缶を持ち上げ、プラスチック・カップにスープを注いで、秋也に差し出した。

　秋也は受け取り、ゆっくり口に付けた。口中にコンソメの味が広がり、次いで、温かい液体がゆるっと食道を胃まで降りていくのがわかった。思ったほど、悪い感じではなかった。

典子がパンを差し出し、秋也はそれを受け取って、かじった。かじり出すと、案外食えた。結局、瞬く間に全部平らげてしまった。精神的にはともかく――体の方は、ほんとに随分、腹をすかせていたようだった。

「おかわりする？」

典子が訊き、秋也は頷いて「スープをもう少し」と空のカップを持ち上げた。今度は典子が注いでくれた。

カップを受け取りながら、秋也は「典子」と声をかけた。典子が視線を上げて、秋也を見た。

「何？」

「体の具合、もういいのかい？」

「うん」典子が笑んだ。「風邪薬の方を続けて飲んでるの。大丈夫よ」

秋也は川田の顔を見た。川田が煙草を咥えた横顔のまま、小さく頷いた。川田は抗生物質の注射薬一式も診療所から持ち出していたのだが、結局それは不要だったということなのだろう。

秋也は典子の方に再び向き直り、笑み返した。

「よかった」

典子はそれから、何度も繰り返した質問をもう一度した。

「秋也くんはほんとに傷、大丈夫？」

秋也は頷いた。「大丈夫だ」

実際のところ大丈夫ではなかったが、ほかに答えようがない。学生服の袖口からのぞいた左手の色が、右手と少し違っていた。肩の傷のせいなのか、肘の上の傷のせいなのか、よくわからない。あるいは単に、肘のところできつく包帯を巻いているせいかも知れない。ますます、左腕が硬直してきたような感じだった。

スープをまたひと口飲んで、秋也はその容器を足元に置いた。それから、「川田」と呼びかけた。

ウージーの具合を確かめていた川田が、片方の眉を持ち上げて秋也を見た。

「何だ？」

「桐山のことだ」

　そう──昨日からのことをつらつら思い出すうち、川田や典子と別れるはめになる直前に頭を占めた疑問が、ふとまた、浮かんできたのだった。つい先刻、灯台を出てから聞いたあの銃声のこともある。つまり──自分があのとき叫んだ、〝何なんだ、あいつは！〟。即ち一体、桐山和雄がどういう人間であるのか。

　もちろん、推測するところ、桐山和雄がこのゲームに〝乗った〟唯一の人間である、というわけではない。秋也と戦ったあの大木立道も、あるいは赤松義生も、そして、杉村弘樹の言葉を信じるなら、相馬光子も、そっち側に入るのかも知れない。だが──桐山の、あの容赦の無さは。躊躇の無さは。冷酷さと冷静さは。秋也が桐山に対して常々感じていたあの奇妙な違和感は、このゲームの中、フルサイズに拡大されて、自分たちに直接迫ってきた。秋也はあらためて、マシンガンの銃口から噴き出る炎、その向こうに見えた冷たい目を思い出して、ぞっとした。

　川田が何も言わないので、秋也は続けた。

「あいつは──なんなんだろう？　俺にはそれがどうしても、理解できないんだ」

　川田は視線を下げ、フルオート／セミオート切り替えスイッチを兼ねたウージーの安全装置を、指先でいじった。

　そう言えば、川田はもうずっと前に、わかる必要なんかないんだ、と言った。またそう言われるかな、と秋也は一瞬予想した。

　しかし、川田の答は違った。

「そうだな」すいと顔を上げた。「俺はあいつに似たやつを、見たことがあるぞ」

「──前のゲームで？」

「いや、そうじゃない」

　川田は首を振った。

「別のところでだ。全く別のところで。スラムで医者の息子なんかやってるとな、いろんなやつを見るもんさ」

川田はまた、煙草を出して火を点けた。煙を吐き、それから言った。

「とても——空虚なタイプの人間だと思う」

「空虚？」典子が訊いた。

「そうだ」川田は頷いた。「倫理とか愛情とかに対して、いや、いかような価値観に対しても、根をはる部分が心の中にないんだ。そういうタイプだ。しかもそれに——多分、理由がない」

——理由がない。秋也は思った、それは、生まれつきそうだった、という意味なのだろうか？　それは——

川田はまた煙を吸い込み、吐いた。

「杉村が、相馬光子のことを言ったな」

秋也も典子も、頷いた。

「あいつがほんとにやる気になってるかどうかは、俺たち、確認したわけじゃないから知らない。しかし、クラスでちょっと見てただけでも、相馬と桐山は似てるよ。ただな、相馬の場合は倫理や愛情を敢えて排除してるだけだ。あいつには、きっと理由があるのさ。それが何かは知らないがな。しかし、桐山には、理由がないんだ。——この差は大きいぜ。桐山には、理由がない」

秋也はその川田の顔を見守ったまま、「恐ろしいな」と呟いた。

「そう、恐ろしい」川田が同意した。「考えてもみろ。それは多分、あいつのせいじゃないんだ。いや、なんだって誰のせいでもないとはいえるが、少なくともあいつは、〝まだわからない未来〟ってもんを、持つことができなかったのかも知れない。人のカタチをして生まれてきて、そんな恐ろしいことがほかにあるか」

川田はそれから、「てのはだ」と続けた。

「俺みたいな凡人でも、ときどき、何もかもが無意

味に思えることがある。なぜ俺は朝起きてメシを食っているのか。そんなもん食ったってそのうちクソになるだけじゃないか。なぜ俺は学校へ行ってお勉強なんかしているのか。それで万一将来成功したところで、いずれは死ぬんだ。いい服を着て、人の羨望を集めて、あるいは金をもうけたところで、何の意味もない。全く無意味だ。もっとも、このクソみたいな国にはそういう無意味さはふさわしいかも知れないがな。だが、しかし、だ。俺たちには、楽しいとか、うれしいとか、そんなふうな感情もまた、あるはずだろう。ささいなことには違いないさ。だが、俺たちの虚無を埋めてくれるのは、それなんじゃないのか？　少なくとも俺は、それ以外の答を知らない。それで——桐山には多分、そういう感情が欠落してるんだ。だからあいつには、価値基準ってもんがない。従って、選ぶだけだ。自分が何をするのか。確固とした基準があるわけじゃない。ただ、行き当たりばったりに選ぶだけだ。——あるいは今回だって、あいつが、このゲームに乗らないことを選ぶ可能性だって十分あったのかも知れない。でも、乗ることを選んだんだ。これが俺の仮説だ」

そこまで一気に喋り、それから、言った。

「——そう、恐ろしいよ。そんな人生がありうるのかも知れないということも、そして、今、俺たちがそんなやつを相手にしなきゃならないということもな」

沈黙が落ちた。川田が短くなった煙草からもう一度だけ煙を吸い込むと、地面に押しつけて消した。秋也はまたスープのカップを取り上げ、ひと口飲んだ。

秋也はそれから、川田がつくった木の枝の屋根の端から、曇り空を見上げた。

「杉村は——大丈夫かな」

灯台を出た後で聞こえた銃声のことは典子たちとも話していたが、やはりいささか、気がかりだった。

「きっと大丈夫よ」典子が言った。

秋也は川田の方を見やった。

「煙が上がったら、見えるかな」

川田が頷いた。「心配するな。ここだと、島のどこから煙が上がっても見える。時々チェックする」

それで秋也は、あのバードコールのことを思い出した。それが自分をここまで導いてくれもした、しかし、なんで川田がそんな妙なものを持っていたのか。――それを訊こうとしたが、その前に典子が言った。

「杉村くん、もう、加代子に会えたのかしら」

「会えたんなら煙が上がるさ」川田が答えた。

典子は頷き、それからまた呟いた。

「杉村くん、加代子に用ってなんだったのかな」

それは、診療所を出る前にも話したことだった。秋也はそのときと同じように、「さあ」と答えた。

「特に親しいようにも見えなかったけどな」

しかし、そのとき、典子が「あ――」と言った。何かに気づいたように。


秋也は顔を上げた。

「何？」

「わかんない」典子は首を振った。「けどもしかしたら――」

語尾を引っ張った。秋也は眉を寄せた。

「もしかしたら？」

「そいつはちょっと」と川田が割り込み、秋也はそっちへ視線を動かした。

川田は新しい煙草のパッケージを切っており、それに目を落としたまま、続けた。

「センチメンタルに過ぎる、このクソゲームの中では」

「でも――」典子が続けた。「杉村くんだから、多分――」

秋也は、わけがわからず、二人の顔を、交互に見つめた。


【残り8人】

68

琴弾加代子（女子八番）は、茂みの中で膝を抱えていた。エリアでいうと、北の山の中腹、南側斜面のE＝7に当たる。

夕方が近づいていたが、茂みの中に射し込む光は、特に変化を見せていなかった。ただ、暗い。昼過ぎから厚い雲に覆われ、二時間ばかり前にはついに雨が降り出していた。

加代子は、頭の上にハンカチをかぶって、雨をしのいでいた。頭上の梢のおかげで直接雨粒が叩きつけてくることはなかったが、それでも、セーラーの肩はもうびっしょり濡れていた。寒かった。そしてもちろんそれ以上に――恐ろしかった。

加代子が最初に隠れていたのが、北の山の頂上すぐ東側――エリアC＝8だった。当然――日下友美子と北野雪子が殺されるのも、ほとんど目の前と言える距離で、見た。そして、ただ、息を殺していた。二人を殺した誰かがそばにいるのはわかっていたが、動くと逆に危険だという直感だけがあった。息を殺し――そして、誰にも襲われることなく、昼を過ぎ、夜を過ごした。

そのあと、禁止エリアの放送に従って、移動を二度、繰り返した。二回目に動いたのは、今日、正午を過ぎてすぐのことだ。山頂南側のD＝7も、午後一時から禁止エリアに入るということだったので。それで、北の山の山頂付近は三つの禁止エリアに覆われてしまった。動ける範囲は、確実に狭まってきていた。

これまで誰にも、出会っていなかった。遠くに、そしてあるときにはかなり近いと思えるところに、何度も銃声を、そして何かの爆発音すら聞いたが、加代子はただじっと、息をひそめていたのだ。ただ、六時間ごとの放送が、クラスメイトが確実に減り続けていることを、告げていた。

お昼の時点で、あと十四人、残っていたはずだった。そしてそのあとも銃声。今はもう——十二人か、それとも十人か?

加代子は右手の重い拳銃を(スミスアンドウエスンM59オートで説明書もついていたが、もちろん加代子は銃の名前などには気を留めなかった)足元に置き、左手を使って右手の指をそらすように伸ばした。ずっとその拳銃を握り締めていて、指の筋肉がおかしくなりそうだった。てのひらを返してみると、赤く、くっきりと、拳銃のグリップの形がついていた。

体全体も、疲労の極みに達していた。ほとんど全く眠っていないこともあるし、誰かがいるかも知れないどこかの家に入るのも恐ろしかったので、食事を支給のパンと水だけで済ませているための空腹と渇きもある。そもそも水の摂取量が絶対的に不足していた。支給の水を節約しようとして、ゲーム開始からこれまで、わずかに一リットル強の水しか飲んでいないのだ。雨がもたらした唯一の幸運、先刻から空になった水ボトルの一つを雫のしたたる枝先の下に置き、水を集めてはいるのだが、それはまだ三分の一もたまっていない。時々頭の上のハンカチをとっては、乾いた唇を湿らせもしていたが、そんなことでは無論、全身の渇きをいやせるわけもなかった。

加代子はのどの奥から力なく息を吐き出し、肩までのショートヘアを、これは無意識に耳の上にかき上げると、再びM59を握った。頭がぼうっとしていた。

そのぼうっとした加代子の頭の中に、再びある面影がよぎった。このゲームが始まって以来、何度も何度も現れた面影だった。同様に思い浮かべた両親や姉の顔ほどに、それが自分にとって身近なものであったというわけではないけれど、それでも、それは加代子にとって重要なイメージだったのだ。

——〝そのひと〟を初めて見たのは、加代子が通

っている茶道教室の流派のイベント、加代子がお茶を始めたばかりだった、中学一年の秋のことだ。

そのイベントは会場の県政府指定公園の依頼を受けて、秋の祭日のその日、観光客の人たちにお茶をふるまう野だての会だった。実際に点前を披露するのは大人の人たちばかりで、加代子たちはもっぱら野外の席の設営やら茶菓子の用意やらといった雑用に追われていたのだけれど、その茶席の亭主を務めた中に、そのひとがいたのだ。

そのひとは、イベントのスタートから随分遅れて、昼ごろにやってきた。ハンサムだったけれどまだ少年の面影が残っていて、大学生ぐらいに見えた。加代子は、ああ、このひとも手伝いなのかな、と思ったのだけれど、そのひとは、「やあ、遅れまして」と、亭主の席にいた加代子の先生（四十二歳になるおばさんだ）に声をかけると、すいと交替して、茶を点て始めた。

見事な点前だった。茶巾の捌き方、茶筅を扱う鮮やかな手つき、ぴしりと決まった姿勢。その歳にもかかわらず、和装に全く違和感がなかった。

しばらく自分の用事をうっちゃってそのひとをじっと見つめていると、後ろから肩を叩かれた。振り向くと、加代子をそもそも茶道教室に引っ張り込んだ、城岩中の茶道部の先輩がいて、「どう、かっこいいでしょ、あれ」と言った。「家元の孫なのよ。正確に言うと妾の孫なんだけどね。あたしもファンなの。あのひとに会いたいんで茶道教室通い続けてるようなもんよ」

先輩は、そのひとが十九歳で、高校卒業後、既に〝師範代〟みたいな立場で何人ものお弟子さんがいるのだ、と教えてくれた。加代子はああ、違う世界の人だなあ、こういう人もいるんだなあ、とそのときは思っただけだった、のだけれど——。

加代子は、流派のイベントのたび、あるいはときたま、加代子の通う教室にそのひとがゲストで顔を見せると聞くたび、鏡を覗き込む時間が増えるよう

になってしまった。歳が歳だから化粧できるわけでもなかったのだけれど、和服をびしっときめて、髪にくしを通して、お気に入りのダークブルーのヘアクリップを、完璧な位置にそっと差し込んで——。すっと流れる眉、さして大きくないけれども切れ長の目、低いけど形は悪くない鼻、幅広のきゅっと引き締まった口、うん、大方十人並みだけど、でも、あたしって結構大人びて見えるな——。

　年ごろの少女たちからおばさんたちまで、めちゃくちゃにファンの多いそのひとに、加代子もまた次第に熱を上げるようになってしまったことに、さほどの理由は必要なかったかも知れない。何せそのひとは顔もよければ頭もよく、快活でありつつ周囲の人への心配りも忘れないという、おおよそ信じがたいような理想的な男性だったのだから。おまけにどういうわけだか、付き合っている女性はいないようだときているではないか。

　それでも加代子には二つばかり、そのひとにまつわる特別な記憶があった（とは言っても他人からみたらたいしたものではなかっただろうが）。

　一つは、加代子が二年に上がった春、流派の定例茶会でのことだ。城岩町からもほど近い、志度町内にある流派の本宅でその茶会は行われたのだが、始まって間もなく、問題が起きた。来賓として呼ばれていた中央政府の地区文化委員が突然、茶席の運営に難癖を付け始めたのだ。よくある話ではあった。〝清廉潔白にして国家に奉仕し——〟などというスローガンで語られる政府の役人ではあるが、実際にはその特権をふりかざして利権をあさる者も多い。あるいは、共和国伝統文化補助金の割り当てを増やすよう取り計らってやるからマージンを寄越せなどというケチな取り引きを、家元が丁重に断りでもして、それの腹いせだったりしたのかも知れなかった。

　問題は家元が入院中で不在だったことだ。留守を預かっていた家元の嫡男、そのまた嫡男ともおろおろするばかりで、対応によっては、流派の活動停止

みたいなことにもなっていたかも知れない。そこでその場を収めたのが、そのときなお十九歳だった、実にそのひとだったのだ。問題の役人を別室へ案内し、しばらくすると一人で戻って、「政府の方は帰られました。ご機嫌を直されたようですので、みなさん、ご心配なく」と言った。

そのひとはそれ以上何も言わなかったし、居並んだ流派のエラい人たちも、どうだったかなどと訊くこともなく、後はただ、和やかに茶会の催しが続いた。だが、加代子は気が気ではなかった。そのひとのこと、「今日の席は私の責任で行っておりましたから」とか何とか、自分一人で問題を背負いこんだのかも知れないし、――だとしたら、その役人は、それを理由に腹いせで報告書をでっちあげ、そのひとを反政府精神汚染容疑（いわゆる〝再教育キャンプ送り〟というやつだ）で逮捕するよう手を回したりするかも知れない――。

それで、滞りなく茶会が終わった後、茶会のあとかたづけが進むうち、自分も率先して座布団やら何やらを運んでいるそのひとが廊下で一人になったところを見計らい、後ろから、意を決して「あの――」と声をかけた。そのひとは座布団を抱えたまま、歩を止めて、すい、と加代子の方に振り返った。涼しげな眼差しに見つめられて、加代子はどきどきしたが、しかし、何とか続けた、「あの――大丈夫、だったんですか？」

そのひとは、加代子の質問の意味を察したらしく、口元に笑みを浮かべた。そして、「ありがとう、心配してくれたんですね。でも、大丈夫ですよ」と言った。心配、なんかはどこへやら、加代子はむしろ、初めてまともに言葉を交わしたというそのことだけでもはや舞い上がってしまっていたのだが、とにかく、続けて訊いた。「でも、でも、あの政府の人、意地が悪そうだったし、もし――」

しかし、そのひとは、その加代子を遮ると、いささか諭すような口調で難しいことを言った。「あの

政府の方だって、好きであんなふうなことをやってるわけじゃないんですよ。もちろん世界のどんなところにだって同じようなことはあるでしょうが——殊にこの国の仕組みは……人を歪めてしまうようです。——僕たちは本来調和を求めるべきだし、そもそも茶道だってそういうものでしょうが——この国ではそれが、とても、難しい」と。最後の方はむしろ、独り言のような感じだった。

それから、また加代子に目を戻して、続けた。

「茶などというのは無力なものです。しかし、それほど悪いものだ、というわけでもありませんよ。まあ、できればあなたも、楽しめるうちは楽しんでください」と。にこっと笑って。それで、踵を返すと、またすたすたと歩んでいった。

加代子は、ぽうっとなって、しばらくそこにたたずんでいた。屈託のないそのひとの話しぶりに安堵もしたし——それに、そのひとの言ったことがすっかりわかったわけではなかったにせよ、ただ、ああ、何か、ほんとにオトナだなあ、このひとは、とすっかり感服していたのだ。

とにかく、それで加代子はそのひとに何ほどかの印象を残したのかも知れない、そのあと、何かの折りに目が合うと、そのひとはいつもにこっと笑ってくれるようになった。

そして二年の冬のこと、加代子にとってはこれが決定的だった。加代子はやはり茶会の会場の、これは古風な寺の庭に出て、椿の花をぼうっと見ていたのだけれど（実のところそのときもそのひとのことを考えていた）、ふいに後ろから「きれいですね」と、もはや耳になじんだ、透明な感じの声がしたのだ。一瞬、そら耳かと思ったが、振り返ると、実に信じがたいことにそのひとがいて——加代子に向かって、ふっと微笑した。点前の指導でも事務打ち合わせでもないのに声をかけてくれるなど、初めてのことだった。

それで少し、話をした。

「どうです、お茶、おもしろいですか?」

「え、はい。とても。でも、中々うまくできません」

「そうですか? でも、点前のとき、あなたはいつもとても姿勢がいいんで感心してるんですよ。いや――単に背筋が伸びてるとかいうんじゃなくてね。なんとなく、凛としてるっていうかな」

「ええっ? そんな、とんでもないです、あたしなんか――」

そのひとは袂に手を入れたまま、穏やかな笑顔のまま、すいと椿を見上げて言った。「いえ。ほんとうにそう思いますよ。そう――ちょうどその花みたいな感じです。どこか張り詰めた――でも、それがとても美しい、というようなね」と。

もちろん――自分はまだまだ子供だったし、そのひとは、流派の一茶道愛好者にお世辞を言ったに過ぎなかったのかも、知れない。しかしそれでも、加代子が、やったぜ! と思ったのも無理はなかった(指を鳴らして喜ぶのは後で手洗いで一人になってからにした)。

加代子はますます、稽古に身を入れるようになった。思った。やるぞー、そりゃあ、あたしはまだ子供だけど、あたしが十八になったら、あの人は二十四だもの。十分釣り合うもの――。

そのような、それは、記憶だった。

加代子はひだスカートの膝に顔を埋めた。雨滴とは違う、熱い液体がじわっとスカートの膝こぞうを濡らして、加代子は自分が泣いているのだとわかった。拳銃を握った手が震えた。なんでこんなことになってしまったのだろう?

無性に、そのひとに会いたかった。そりゃあ、自分はまだ子供に過ぎない。それでも、子供であるなりに、自分はほんとうにあのひとのことが好きだったのだと思う。生まれてこの方、真剣に誰かを恋したことなど、ほんとうに初めてだったのだ。ひと目でいいから、会ってそのことを告げたかった。たと

え茶席でのことを言ってくれたのであるにせよ、自分を〝美しい〟というような言葉で形容してくれたあの人に、言いたかった。〝私まだ子供です、だから、誰かを好きだという気持ちをまだよくわかってないかも知れません、でも、多分きっと、私はあなたのことが好きです。とても好きです〟——そんなふうにでも。

がさっと茂みが揺れる音がして、加代子は顔を上げた。左手でぎゅっと目を拭い、すっと腰を浮かせた。ひとりでに足が動いて、音のした方の反対側へ一歩後退した。

その茂みの隙間に、学生服の男が——杉村弘樹（男子十一番）が顔と、上半身を出していた。学生服とシャツの袖がとれ、右腕が剝き出しになっていた。肩口に巻いた白い布に、赤い血がにじみ出し、雨のせいかそれがピンク色に広がっている。そしてその腕の先に——拳銃が見えた。

弘樹の口がわずかにぽかんと開いたが、それよりも、加代子の目は、土埃に汚れたその顔の中、二つの目に引き寄せられた。ぎらぎらと光って見えた。

加代子の中に、恐怖が跳ね上がった。どうしてこんなに接近されるまで気づかなかったのだろう、どうして——

「琴弾——」

加代子はひっと叫んで、スニーカーの踵をくるっと返していた。茂みの中に突っ込んだ。顔や髪が枝葉に引っ掻かれるのも、それについた雨滴で全身がずぶ濡れになるのも、構わなかった。ただ、逃げた。逃げなければ——殺される！

ざっ、と茂みを割って出た。幅二メートルぐらいの山道が、だらだらと曲がりながら続いている。加代子は一瞬の判断で、その道を駆け降りる方を選んだ。上りなら間違いなく追いつかれる、でも、下りなら——。

背後でざっ、と音がした。「琴弾！」と、弘樹の声がした。——追ってきている！

加代子は疲労した体に鞭打って、懸命に足を走らせた。なんてことだろう、こんなことになるならお茶なんかじゃなくジョギングでもやっとくんだった。

「琴弾！　待ってくれ！　琴弾！」

それは、もっと冷静に聞ける状況で聞いたなら、即ちそれが映画のひとコマで、自分はポップコーンでも頬張りながら役者が演じるのを眺めているというようなことでもあったのなら、哀願の口調に間違いなかった。だが、今の加代子には、もちろんこう聞こえた。

「琴弾！　待ちやがれ！　ぶっ殺してやる！」

もちろん、待つわけがなかった。前方で、山道が二手に分かれていた。左を選んだ。

視界の左側が開けた。紗のような雨を通過してくる鈍い光の中、ミカン畑が段々になって続いている。その向こうに、また低木の密生した雑木林が見えた。あそこまで逃げ込めば――。

無理だ、と思った。その林まで、五十メートルたっぷりあった。絶望的な距離だった。不規則に並んだミカンの木を躱して自分がよたよた走るうち、杉村弘樹は自分に追いすがり、その手にした拳銃から、銃弾を自分の背中へと撃ち込むだろう。

ぎりっと加代子は奥歯を噛みしめた。やりたくなかった。でも、やるしかないのだ。相手は自分を殺そうとしている。

右足に力を込めて、加代子はスピードを殺した。左回りに、くるっと体を反転させた。

反転させたときには、銃を両手で構えていた。安全装置、というやつは説明書を見て以来、ずっと外しっぱなしだった。撃鉄は起こさなくても引き金をひくだけでいいと、説明書には書いてあった。あとは――自分がほんとうにこんなものを扱えるかどうかという問題だけだ。

スロープになった道、ほんの七、八メートル向こう、杉村弘樹が目を丸くして立ち止まるのがわかった。

もう遅いわ、あたしが撃てないとでも思ったの？

加代子はしっかり腕を伸ばして、引き金をひき絞った。ぱん、と音がして銃口から小さな火炎が伸び、腕が反動で跳ね上がった。

その銃の向こう、弘樹の大柄な体が弾かれたようにくるっと回った。仰向けに倒れた。

加代子は銃を握り締めたまま、たたっとその体に走り寄った。とどめを刺さなければならない、とどめを！　もう二度と起き上がれないように！

加代子は、弘樹から二メートルほど離れたところで立ち止まった。弘樹の学生服の左胸に（腹を狙ったつもりだったのだけれど）小さな穴が開いていて、その回りがどす黒く変色し始めていた。しかし、地面に投げ出された右腕の先には、まだ拳銃が握られていた。まだその銃を持ち上げる可能性がある。頭だ、頭を狙わなくてはならない。

その弘樹がぐるっと首を回し、加代子を見た。加代子は銃を下に向けて構え、引き金を――

ぴくっとその指が動きを止めていた。弘樹が、銃を手から投げ出したからだ。それだけの余力があれば引き金をひくこともできたはずなのに、どういうわけか。

拳銃はくるっと一度回転し、それから、がしゃっと横倒しになった。

――え。

雨がショートカットの髪を濡らしていく中、加代子は両手に銃を構えたまま、立ち尽くしていた。

「いいか」弘樹がその、ところどころに水たまりのでき始めたひどい道に横たわったまま、苦しそうに、しかし、しっかり加代子を見据えて言った。「生の木を燃やせ。たき火を――二つ。俺のポケットにライターが入ってる。だから――そしたら、どこかで、鳥の声が聞こえる」

加代子の耳にその弘樹の言葉は届いていたけれど、加代子には、弘樹が何を言っているのか理解できなかった。いや、状況それ自体が理解できなかった。

弘樹が続けていた。「その鳥の声の方へ進め。七原と——中川典子と、川田がいる。おまえを助けてくれる。わかったか?」

「え……え?」

弘樹がかすかに笑んだようだった。辛抱強く、繰り返した。「たき火を二つ。それから、鳥の声の方へ」

弘樹がぎこちなく右腕を動かし、学生服のポケットから百円ライターをつかみ出して、加代子の方に放った。それから、苦しそうに目を閉じた。

「わかったら、早く逃げろ」

「え——?」

弘樹がかっと目を見開き、叫んだ。「早く逃げろ! 誰かが銃声を聞いたかも知れない、逃げろ!」

それで、ろくでもなくピースの多いパズルがかちっと噛み合って絵ができるように、ようやく、加代子の頭の中に状況が認識された。今度は正しく。

「あ——あ——」

加代子は拳銃を取り落とした。がくっと、弘樹のそばに膝をついた。膝こぞうが擦り剝けるのがわかったが、そんなことは問題ではなかった。

「杉村くん! 杉村くん! あたし——あたしなんてことを——!」

それと意識しないまま、加代子の目から、ぼろぼろと涙がこぼれ出した。それは——確かに、杉村弘樹は、ちょっと怖い感じのする男の子だった。拳法の道場だかなんだかに通っているとかで乱暴なイメージがあったし、いつもあまり喋らず、喋ったときにはぶっきらぼうだった。男の子——そう、三村信史や七原秋也なんかと話しているときには、ちょっと笑顔をみせることもあったけれど、それ以外は大抵、ぶすっとしていた。あの千草貴子と付き合っているという話も聞いたことはあったし、二人はとても仲がよさそうに見えたけれど、加代子は、貴子の趣味ってわからないなあ、あれぐらいきれいだと、

あんなふうなちょっと怖そうな男の子がいいのかなあ、と思ったぐらいだった。とにかく――そんなふうなイメージがあったのは間違いない。そしてこの状況で――クラスメイトが間違いなく死に続けているという状況で、自分はとても、杉村弘樹が恐ろしかった。けれど――けれど。

「いいよ」

また目を閉じて、弘樹が言った。笑んでいた。とても幸せそうに。

「どうせ、もうすぐ、死ぬとこだった」

加代子はそれでようやく、自分が今撃った傷とは別に、弘樹の学生服の右脇腹から下が、雨とは違う液体にべったり濡れているのに気づいた。

「だから――早く逃げてくれよ。――お願いだ」

加代子はしゃくりあげ、弘樹の首の横にそっと手をふれた。

「一緒に、一緒に逃げましょう。ね。立って」

弘樹が目を開き、加代子を見た。笑んだようだった。

「俺はもういい」と言った。「おまえに会えたんだから、満足だ」

「――え？」

加代子の、涙に濡れた目が見開かれた。――え？今、なんて？　なんて言ったの？

「それ――それ、どういう――」

加代子の声が、震えていた。

弘樹が痛みに耐えるように、それともそれはあるいは長いため息ででもあったのか、ふうっと息を吐き出した。「それ聞いたら、逃げてくれるか？」と言った。

「何？　一体、何？　答えてよ、ねえ！」

弘樹が言った。いともあっさりと。

「俺、琴弾のこと、好きだぞ。ずっと、とても、好きだったぜ」

加代子は、またしても、弘樹が何を言っているのか理解できなかった。なんなの、何を言っているの、

このひとは？

弘樹が続けた。視線は、雨の落ちてくる空を見上げていた。

「それだけ言いたかった。早く——逃げろ」

ほとんど無意識に、加代子の唇が言葉を押し出した。

「あなた——だって——貴子と——」

もう一度、弘樹が加代子の目を覗き込んだ。「俺はおまえが好きなんだ」と言った。

それでようやく、弘樹の言葉が了解されたのかも知れない。何かが、がん、と加代子の頭をぶちのめした。ものすごい一撃だった。古びたビルを壊す、クレーンの先に吊り下げられたあの巨大な鉄球で殴られたら、こんな感じかも知れなかった。

好きだ、ですって？　言いたかったって——もしかして、あたしを探してたの？　それはほんとうなの？　だとしたら——あたしは一体、何をしたの？

かすれた息が何度か、加代子ののどを出入りした。声が何度かつっかえ、それから、ようやくこぼれ出した。

「杉村くん——杉村くん！」

「早くしろ」

言うそばから、ごふっと弘樹が咳をし、血を吹いた。霧のようになったそれが、加代子の顔にぱらっと散った。弘樹が再び目を開いた。

「杉村くん——あたし——あたし——あたし……」

あまり水を飲んでおらず、体が乾き切っていたはずなのに、後から後から、涙がこぼれだした。

「いいから」弘樹が優しく言った。静かに目を閉じた。「加代子に……」加代子のファーストネームを、何かとても大事な宝物のように、口にした。多分、弘樹が加代子をそう呼ぶのは、初めてだった。「加代子に……殺されるんならてんで構わないから。だから、お願いだ、早く逃げてくれ、そうでないと」

加代子は目からぼろぼろ涙をこぼしながら、弘樹の次の言葉を待った。そうでないと？

弘樹が何も言わないので、加代子はそろそろと弘樹の学生服に手を伸ばした。肩をつかんで、揺すった。「杉村くん！　杉村くん！」

ドラマだと——誰かが死ぬときは、言葉が途中で途切れるものだ。「そうでな……」とか。でも、弘樹は「そうでないと」と、苦しそうに、でもはっきり言ったのだ。続く言葉があるはずだった。そうでないと——？

「杉村くん！　杉村くんってば！」

加代子はもう一度弘樹の体を揺すった、そしてようやく悟った、弘樹がもう、死んでいることを。

そう認識した途端、加代子の中で感情の奔流を押しとどめていたダムがばきっと壊れた。のどの奥から、「あ……あああ」と声が絞り出されるのがわかった。

「わああああああああああっ」

加代子は地面にひざまずいたまま、弘樹の体に覆いかぶさって、泣いた。

加代子のことが好きだった——。弘樹はその気持ちだけに従って、自分を探していたのだ、誰に狙われるかわからない危険の中を。それはどんなに困難な作業だっただろう？　誰かに出くわしたら、その相手が自分を襲ってくるかも知れないというのに？

いや——弘樹のこの脇腹の傷は——肩の傷は——まさに、そのためについたものなのだ。ただ、加代子を探すために。

いや——そうじゃない。加代子のしゃくり上げる声が一瞬、止まった。

自分こそ、まさに弘樹を襲ったのだ。最後の最後、弘樹がようやく目的を遂げたそのときに。

加代子は目を思い切りつぶり、また、泣いた。

加代子のことが好きだった——。そう、自分が〝あのひと〟にひとこと思いを告げたいと思ったのと同じように、弘樹もきっと考えて、ずっと自分を探していたのだ。それほどまでに自分のことを想ってくれる男の子が、クラスの中にいたのだ。なのに

——なのに——。

ふいに、加代子の中に、あるシーンが蘇った。いつかの掃除の時間、加代子が黒板を濡れぞうきんで拭いていて、上の方まで手が届かなかったとき、さぼってほうきを杖みたいに立て、組んだ手の上にあごを乗せていた弘樹が〃チビだな、琴弾〃と言った——そして、すいとぞうきんを加代子の手から取ると、加代子の手が届かなかったところを拭いてくれた——。

こんなときになって、蘇った。

どうして——どうして、あたしはこのひとの優しいところが、見えなかったんだろう。そんなにも自分を愛してくれるひとの気持ちに、気づけなかったんだろう?

——考えてみたらわかったはずだ、弘樹が自分を殺すつもりだったとするなら、持っていた銃でなぜすぐに自分を撃たなかったのか。でも、自分にはそれがわからなかったのだ、自分はそれをわかってあげることができなかったのだ。なんてばかなオンナだろう、あたしは——。

またシーンが蘇った。

〃あのひと〃のことをいつかクラスの友達にきゃあきゃあ言いながら話していたとき、そばにいた弘樹が窓の外を見ながら、「はしゃいでるとばかに見えるぜ」とぼそっと言った。自分はそれに腹を立てたことがあったけれど、その通り、自分は本当にばかだったのだ。なのに——なのにそのばかな女の子に、杉村くんは言ってくれた、ずっと、とても、好きだったぜ。

泣き止むことなどできなかった。まだ温かい弘樹の頬の温度を自分の頬に感じながら、加代子はぼろぼろ泣き続けた。弘樹は逃げろ、と言ったけれど、そんなことなどとてもできなかった。あたしは泣き続ける、自分を愛してくれた男の子の誠実さ(ああ、何ものにも代え難い、それは)と、自分の愚かさ(ああ、あたしはほんとうに子供だった、〃あのひ

と〃なんかに、釣り合うわけもなかった〉のために泣き続ける、ここでずっと泣き続ける。たとえそれが今、このゲームの中で自殺行為であってもだ。

心中するつもり？　頭の中で誰かがささやいた。

そうよ、そう、あたしは心中する。杉村くんがあたしを好きでいてくれたその気持ちと、そして自分の愚かさとともに、心中する。

「じゃあ——すれば？」誰かが言った。

びくっと体を震わせ、加代子は首を振り向かせた。そして見た、長い、美しい黒髪を雨に濡らした相馬光子（女子十一番）が自分を見下ろし、その手が拳銃を構えているのを。

ぱん、ぱん、と乾いた音が二度鳴り、加代子の右こめかみに二つ穴が開いた。加代子の体が、杉村弘樹の体の上に、そのまま折り重なった。

それから、加代子の額の穴から、ゆっくり血が流れ出した。洗い流そうとする雨に抗するように、後から後からあふれ出して、顔を伝った。


光子は、旗上忠勝から手に入れたスミスアンドウエスンM19・357マグナムを降ろして、言った。

「あなた、ほんとおばかさんよ、加代子。どうしてわかってあげなかったの」

視線を移して、弘樹の顔を見やった。

「杉村くん、久しぶり。満足した？　大好きなこと一緒に死ねて」

やれやれというように頭を振ると、加代子が取り落としたスミスアンドウエスンM59と、弘樹が放り出した（これはかつて光子が持っていた）コルト・ガバメントを拾い上げるために足を進めた。

折り重なった二人の死体を見下ろし、唇にちょっと指を当てた。「——たき火って言った——のかしら？」

また軽く首を振った。M59の上に半分かぶさっている加代子のスカートを足で払いのけ、その青い銃に手を伸ばしかけて——光子は、ぱららららら、という古びたタイプライターのような音を聞いた。

【残り6人】

69

同時に、背中にいくつもの衝撃が跳ねた。セーラー服の胸の布が大きく裂け、血が噴き出していた。足がよろけるのがわかり——すぐに、体の中に焼けぼっくいを押し込まれたような熱の感覚が膨れ上がった。

頭を占めたのは、しかし、その痛みによるショックよりも、そんなばかな——という気持ちだった。この足元がぬかるんだ中、背後に忍び寄る誰かの足音が全く聞こえないなんて、そんなばかなことがあるだろうか?

既に十分な量の銃弾を浴びていたにもかかわらず、しかし、光子は振り返った。

学生服の男が立っていた。襟足を長く伸ばした特徴的なオールバックの髪形、端正に整った顔立ち、ただその瞳だけがさえざえと冷たい男——桐山和雄(男子六番)が。

光子はM19を握った右手にぎゅっと力を込めた。自分の筋肉がすっかり萎えてしまっているのがわかったが、残りの力を総動員して、銃を持ち上げようとした。

そのとき——生きるか死ぬかの戦闘の最中だというのにもかかわらず、光子の意識は突然、全く別のところへと滑り込んでいた。もちろん、それは一瞬のことだったかも知れないが。

今、自分の足元で倒れている男、杉村弘樹に話したこと——

〝あたしは、奪う側に回ろうと思っているだけよ〟。自分がそう言った。

いつから——そうやって暮らしてきたのだろう? 弘樹に話した通り、九歳のとき、三人の男に強姦されてから? あの町外れのごみごみした一角、古びたアパートの部屋で、ビデオカメラを持ったその男

たちに強姦された日から？　それともむしろ——その部屋に自分を連れていったのが自分の飲んだくれの母親で（そもそも父親はいなかった）、彼女が、〝それ〟が始まる前に、男たちから分厚い封筒を（それにしたってたいした厚さではなかったと思う）受け取って部屋の外に出たときから？　そのときから？　あるいは——そのことで心にひどい傷を負って、ほとんど感情を無くしたようになっていたとき、たったひとり信頼していた小学校の先生が優しく声をかけてくれ——ついにあったことをそのまま話したとき、その先生の目つきが変わって、自分をやはり、強姦したときから？　あの放課後の、暗い、狭い資料室で？　それとも——一番親しかった友達がそれを（少なくともその一部を）見ていて、自分を慰めるどころか、すっかり噂にしてしまったときから（おかげでその先生はいなくなったが、どこかに）？　あるいはその三ヶ月後、もう一度〝それ〟に連れていこうとした母親に抵抗し、偶然から母を殺した日から？　完全に証拠を消し、強盗のように見せかけることも忘れずに細工して、公園でひとり、ぶらんこに乗っていたときから？　それともそのあと引き取られた遠縁の家、繰り返し繰り返しその家の子にいじめられ、その子が古びたビルの屋上から誤って落ちたとき、一緒にいた自分が殺したと、その母親に言われた日から？　しかしともかくも父親の方がそれを何とかいさめてくれ、ところがしばらくすると、その父親がまた自分にいたずらを繰り返すようになってから？　それとも——

——みんなが少しずつ、いやはやたっぷり、光子から奪っていった。誰も光子に、与えてくれなかった。そして光子は、抜け殻になってしまった。いやしかし——

どうでもよかった。

あたしは、正しい。絶対、負けない。

光子の腕に力がこもり、銃が持ち上がった。セーラーの袖口、手首の鍵がバイオリンの弦のように浮

かび上がっていた。そして引き金を――。

桐山和雄の手にしたイングラムM10がぱららら、ともう一度火を噴き、光子の胸から顔の真ん中にかけて縦一列に四つ、穴が開いた。光子の、上唇が半分ちぎれた口から血が噴き上げ――上半身が後ろに反った。

それでも、光子は、にやりと笑ったのだった。態勢を立て直し、引き金をひいた。立て続けに。

弾倉に残っていた四発の弾丸は、間違いなく桐山和雄の胸を抉った。

だが――桐山はわずかにみじろぎしただけで、動じたふうもなかった。その理由は、光子にはわからなかった。ただ、桐山のイングラムがもう一度だけ火を噴いた。

光子の美しかった顔が弾け、まるきりストロベリイ・パイを投げつけられたような状態になった。今度こそ光子の体が吹っ飛び――次の瞬間、背中が濡れた地面にどっと当たった。当たったときには、事切れていた。いや、もうとっくに死んでいたのかも知れない。肉体的にはその数秒前に、精神的には、はるか遠い昔に。

桐山和雄はゆっくり歩を進めると、ただ、冷静に、光子の手から銃を引きはがした。杉村弘樹の手の先に転がったコルト・ガバメントと、加代子が放り出したM59も拾い上げた。雨に叩かれる三つの死体には、目もくれなかった。

【残り5人】

70

稲田瑞穂（女子一番）は、茂みの陰からそっと顔を出した。雨がひっきりなしに落ちていて、きれいに切りそろえた髪が、額に張りついていた。

茂みの向こうは狭い畑になっていて、その真ん中に、雨の薄い膜を通して、学生服の背中が見えていた。その、オールバックの髪をもまた、雨が濡らし

ている。――桐山和雄（男子六番）だった。

桐山和雄は何か木の枝の山のようなものを二つこしらえて、今はその一つの前に腰を下ろし、山の形を整えているようだった。

瑞穂は息を整えた。寒かったし、疲れてもいたが、特に気にはならなかった。何しろ、彼女にとって、最大の使命を果たすときがきたのだから。

――宇宙の戦士として。

覚悟はいいですか、戦士プリーシア・ディキアン・ミズホ？

頭の中、光の神アフラ・マズダが訊いた。その声は、セーラーの下、彼女が身に着けた紡錘形の神秘の水晶（通販で買った実はガラス玉の、しかし瑞穂は水晶だと信じているそれ）から届いてくるようだった。

もちろんです。ミズホは答えた。私はあの悪魔が、日下友美子と北野雪子が死んだ後、現場から立ち去るのをこの目で見ていたのです。そのあと見失いはしましたが、ついさっき、再び発見しました。そして、琴弾加代子を殺したもう一人の悪魔、相馬光子を殺すのを見ました。あの男こそ、倒すべき敵なのです。そして今度は、ここまで、あの男を追ってきました。

よろしい。あなたは、自分の使命をわかっていたのですね。

もちろんです。あのまちの占い屋さんで、私はあなたからのメッセージを受け取りました。私が、いずれ、地球のために悪と戦うことになる人間だと。でも、そのときは意味がよくわかりませんでした。でも、今ははっきりわかります。

よろしい。怖くはありませんか？

いいえ。あなたの導きに従い、私には何も恐れるものがありません。

よろしい。あなたは聖なる部族ディキアンの生き残り、選ばれた戦士です。勝利の光があなたを包むでしょう。――ん？　何か？

いえ。いえ。ただ、アフラ・マズダ様。私と同じく戦士だったローレラ・ローザス・カオリは死んでしまいました（かつてのB組の教室、多少瑞穂と付き合いのあった南佳織は、瑞穂が「あなたは戦士ローレラよ」と言うたびにあくびを隠していたのだが、まあとにかく）。彼女は――

彼女は最後まで戦いましたよ、ミズホ。

ああ。ああ。やっぱり。けれど、けれど、彼女は敗れたのですね、悪に。

ああ、まあ、そうです。えーと、それはしかしですね、彼女が所詮平民の出身に過ぎなかったからです。あなたとは違います。とにかく、細かいことは気にしないように。何より、彼女のためにも、戦うのです。そして、勝つのです、ミズホ。よいですね。

――はい。

オーケイです。光です。宇宙の光を信じるのです。あなたを包む光を。

ミズホの中に光が満ちた。温かい、すべてを包み込む大宇宙の力が。

ミズホは安息の中でもう一度頷いた。はい。はい。はい。

それから、両刃のナイフを（デイパックの中にそれを見つけたとき、これこそ戦士にふさわしい武器だと彼女は思った）鞘から抜き出した。顔の前に両手で構えた。その青い刃に白い光が満ち、ミズホはその光ごしに、桐山を見た。

桐山の背中が見えていた。がらあきだった。

今です。今こそ、あの敵を討ち倒すのです！

はい！

ミズホは音を立てないように茂みを躱し、だっ、と桐山の方へ走った。わずか刃渡り十五センチのナイフの周りに光が噴き上がり、それは長さ一メートルたっぷりの伝説の剣に変わった。光の剣は邪悪な怪物を一直線に貫き通すだろう。

桐山和雄は左手で枝の具合を整えながら、右手ですっとベレッタM92Fを抜き出すと、振り返ること

もなく腕だけを背後へ伸ばして、二度、引き金を絞った。

一発目が瑞穂の胸に当たってその動きを止め、二発目が正確にその頭を撃ち抜いた。

緩やかにカーブした赤い線をその傷口から空に曳きながら、瑞穂はどっと、後ろに倒れた。すぐにその血を、雨が洗い始めた。戦士プリーシア・ディキアン・ミズホの魂は光の国へ旅立った。

桐山和雄は、相変わらず瑞穂の死体に背中を向けたまま銃を仕舞い、枝の形を整える作業を続けた。

【残り4人】

71

雨が続いていて、秋也は湿った岩壁にぐったり背を預けたまま、木の枝でできた屋根の端から落ちる雨粒を見ていた。二十分ほど前に、ひと続きの激しい銃声が聞こえていた。そして、五分ほど前にももう一度、今度は単発の銃声が、二発、した。いずれも、近くではなかったが、そう遠くでもない距離だと思えた。多分――秋也たちがいるのと同じ北の山の、どこかだ。

つるっと大きな雨粒が〝屋根〟の葉の一枚を滑り、滴った。秋也が伸ばした右脚、ケッズのスニーカーのすぐ横に落ちて、ぴしゃっと泥の混じった水滴を跳ね上げた。

〝杉村くんは、加代子のことが好きなんじゃないかしら〟

典子がそう言った。〝あたしなら――そうする〟秋也をちらっと見た。〝好きなひとを、探す〟

――そうなんだろうか？　弘樹は、あの琴弾加代子が好きだったんだろうか？　またどうして――千草貴子なんていうB組ナンバーワンのビジンと付き合いがあったのに、どうして加代子みたいな、ごくごく普通の女の子を好きになったんだろうか？

でもまあ、そんなものかも知れない、誰かを好き

だというのは。ビリー・ジョエルがうたっている、〃あまりに平凡だなんて自分で思い込む必要はないよ。僕はありのままの君がいい〃。

そして——ついさっきの二度の銃声は、一体誰と誰が撃ち合ったものだったんだろうか（もっとも、後の方は一方的に誰かが誰かを撃ったという感じだったが）？　秋也が灯台を出た直後に聞いたそれと合わせて、既に零時から（内海幸枝たちのそれは別にして）三度銃声が聞こえたということになる。普通に考えるなら——それでもう、最低三人が死んでいてもおかしくない。すると残り五人？　死んだその三人とは誰か？　それとも、誰も死んだわけではなく、単にやりあった双方がそれぞれ逃げ延びて、まだ、自分たちを含めた八人が残っているのか。

「疲れたか、七原」

秋也たちは三人並んで座っていたのだけれど、川田が典子の向こうからそう声をかけ、秋也は目を二人の方へ戻した。

「眠っとくか、しばらく？」

「いや」秋也は笑んでみせた。「俺はもう、昼までさんざ寝たから。そっちこそ眠ってないいんじゃないのかい？」

川田は肩をすくめた。

「俺は大丈夫だ。けど、典子サンがな。おまえを待ってて、ほとんど眠ってない、ずっと」

それで、秋也は典子の顔をあらためて見やったが、典子はてのひらを秋也の方に向けて両手を顔の前へ上げると、笑ってそれを動かした。

「そんなことないのよ。あたしはうつらうつらでも、したと思う。川田くんこそ、あたしのために、ずっと眠ってないのよ」

典子はそう言って、視線を秋也から川田の方へ動かした。

川田は笑って肩をすくめた。それから、大仰に右手を胸の前に掲げて、言った。

「いつでもお守りしますよ、お姫様」

それで、典子もちらっと笑うと、川田のその手に自分の左手を重ねて「ほんとにありがとう、川田くん」と言った。

秋也は眉をちょっと持ち上げて、そのやりとりを見守った。何と言うか、典子と川田が、とても親密に見えたので。ゲームが始まって、川田に遭って、それから典子はほとんど秋也を介してしか川田と話していなかったのだけれど、今は、ちょっと違って、二人だけでもすっかりいいチームに見えた。まあそりゃ、秋也がいない間、大方半日以上二人でいたんだから当然だろうけど。

川田が、すいと秋也を指さした。言った。

「ほらほら、七原が妬いてる、俺と典子サンが仲よさそうにしてるから」

それで、典子が目を丸くして秋也の顔を見た。すぐに笑顔になると、「うそー」と言った。

秋也はちょっと色めいた。

「妬いてなんか、ないぞ。何言ってんだ」

川田が肩をすくめた。眉を持ち上げ、いやはやという口調で典子に言った。「信頼してるって。愛してるから」

「――」

秋也が口を開きかけ、しかし、言葉に詰まると、川田は笑い出した。とてもおかしそうに。それで、秋也は、何か言おうとしていたはずだったのだけれど、合わせて何となく、笑った。典子も笑顔を見せていた。

それは、ごく幸福な瞬間だった。まるで、放課後、どこかなじみの喫茶店で、長い付き合いの友人どうしとして交わすような会話と、そして笑顔だった。もちろん、共通の仲間の葬式で再会した後だという感じは幾分、拭えなくても。

川田が口元に笑みを残したまま時計を見て、また杉村弘樹からの合図がないかどうか確かめるために屋根の外に出た。

典子が、ちらっと笑んで秋也の方を見た。

「川田くんてふざけてばっかりね」

秋也も笑んだ。

「そうだな。けど——」

秋也はちょっと宙をにらんだ。

妬いてたかも知れないな。

秋也は顔をまた典子の方へ戻した。ちょっと冗談めかしてでもそのことを言いかけた。〝妬いてたかも知れないよ〟。典子はまたきっと、〝うそ〟と笑うだろう、多分。

川田が屋根の向こうまで戻ってきた。不精髭の浮いた顔が、雨粒に濡れていた。

「煙だ」と言うと、すぐに踵を返した。

秋也も慌てて腰を上げた。無事な右腕で典子が立つのを手伝い、一緒に、川田が立ち止まったところまで歩いた。

幾分弱くなった雨の中、目をこらすと確かに、空に煙が流れていた。そして、川田の視線を追っていくと——北の山のちょうど反対側辺りから、白っぽい煙の柱がはっきり見えた。二本。

「イヤア!」

秋也は思わず知らず、ロックンロール流に小さく叫んでいた。典子と視線が合い、同じようにぱっと笑顔を浮かべた典子が「杉村くん、無事だったのね」と言った。

川田がポケットからバードコールを取り出し、煙の方を見ながら、それを鳴らした。ちち、ちち、という朗らかな小鳥の声が上がり、島を包む雨の中へ広がった。川田は時計を見ながら、十五秒間きっかりで、それをやめた。

川田はそれから、秋也たちの方へ顔を向けた。

「もうしばらくそっちで待とう。多分、かなり近くまでこないとこの音は聞こえない。時間がかかる」

三人で屋根の下まで戻った。

「加代子を見つけたんだわ、杉村くん」

典子がそう言い、秋也も頷きかけたが、川田が唇を引き結んでいるのに気づいて、やめた。それで、

典子も笑顔を引っ込めた。

「川田――」

秋也が言うと、川田は顔を上げ、それから、首を振った。「なんでもない。そうとは限らないって思うだけだ」と言った。

「え？　けど――」秋也は開いた右てのひらを上に向けて動かした。「あきらめるようなやつじゃないよ、杉村は」

川田が小さく頷いた。「それはそうかも知れん」

言葉を切り、視線を秋也たちから外した。

「しかし、死体を見つけたのかも知れない、琴弾の」

秋也は顔を引き締めた。もちろん、そうだった。正午の時点までは加代子は生きていたはずだが――何度も銃声が聞こえている。さっきも、また単発の銃声が耳に届いたばかりなのだ。二日間にわたって探し回ったあげく、弘樹は、琴弾加代子の亡骸を見つけたのかも、知れなかった。

「あるいは――」川田が続けた。「もっと別の可能性だってある」

典子が「――どういうこと？」と訊いた。

川田は煙草の箱をポケットから出しながらあっさり答えた。

「琴弾が杉村を信用するとは限らないさ」

秋也も典子もまた、黙った。

川田が煙草に火を点けてから続けた。

「まあ、とにかく杉村がここまで来れることを祈ろうじゃないか。琴弾と一緒かどうかはわからないがな」

言われなくても、秋也は祈った。弘樹が、琴弾加代子と一緒に戻ってきてくれるように。そしたら――五人だ。五人で逃げられる。

たった五人。

秋也はそれで、稲田瑞穂がまだ生き残っていることを、少なくとも正午までは生きていたことを、思い出した。

「川田」

川田が視線だけを秋也の方へ動かした。

「稲田がまだ生きてる。彼女に連絡を、とれないかな」

川田は軽く肩をすくめた。

「何度も言うが、あんまり人を信じない方がいいぞ、このゲームじゃ。実のところ、俺は琴弾だって信じてるわけじゃない、杉村には悪いが」

秋也は唇を噛んだ。「そりゃそうだけど――」

「まあ、状況が許せば稲田に何とか連絡をつける方法を考えてもいい、しかし」煙を吐いた。「忘れるな、俺たちの方だってそれまで生きてるとは限らない」

そう、川田がそう言った、〝最後だ。ほかのみんなが死んだときなら、逃げ出す方法がある〟。それは、いずれにしても秋也たちが桐山ともう一度、あるいは相馬光子とも対決しなければならないことを、意味していた。光子はどうかわからないが――多分、桐山とは必ずやりあうことになるだろう、あの男がそう簡単に死ぬとは思えない。そしてそうしたら――秋也たちトリオだって、全員無事で済むとは限らない。

川田が短くなった煙草をさらに吸いながら、言った。

「もう一度確認しとくぞ、七原」口の幅の煙をふうっと吐きながら、秋也の目を見て続けた。

「杉村とうまく合流できても、俺たち、桐山とはもう一度、あるいは相馬ともやり合うことになる。――容赦なくやれるな?」

そういうことだ。稲田瑞穂に何らかの呼びかけを行えるとしても、それは桐山や光子を倒した後の話だ。事情はどうあれクラスメイトを殺すという考え方にすっかり慣れっこになっている自分に嫌気はさしたが――

「わかってる」

秋也は言って、頷いた。

72

【残り4人】

川田がバードコールを鳴らした。三回目だった。雨が幾分弱くなっていて、屋根の端から落ちる水滴の間隔が長くなっている。時刻はもう、五時を回っていた。

秋也自身は、その同じ鳥の声を四回聞いた後、無事に典子、川田と合流できた。ただそれは、二人のいる位置が大方わかっていたからだ。その手がかりがない杉村弘樹には、もう少し時間がかかるかも知れなかった。

川田は屋根の下に戻ってくると、また〝ワイルドセブン〟を咥えて、火を点けた。

一つ煙を吐いたその川田がふいに、「どこへ行きたい」と言った。

秋也は典子の向こうにいる川田の方を見た。川田が顔を向けた。

「説明するのを忘れてたが、俺にちょっとつてがある。ここを出たら、とりあえず、そこに逃げ込む」

「つて?」

秋也が聞き返すと、川田が頷いた。「親父の友人だ」

続けた。

「その人が国外脱出を手配してくれる。――もちろん、異論はないだろ? 国内にいたんじゃ、いつかつかまる。殺される、ネズミみたいに」

「国外脱出って――」典子がちょっと驚いたように言った。「ほんとうにそんなことができるの?」

秋也も訊いた。「何もんなんだい? その、親父さんの友達って?」

川田はそれで、咥えた煙草に左手を添えたまま、何事か考えるように二人の顔を見つめた。

しかしすぐに、口から煙草を離すと、「そいつは

言わない方がよさそうだ」と言った。続けた。「もし――俺たちが逃げるときに何かでバラバラになって、おまえたちが政府につかまって口を割ったら困る。いや、おまえたちが政府につかまって口を割ったら困る。いや、おまえたちを信用しないというわけじゃない。しかし、政府の拷問にかかったら、いずれにしても大抵は喋っちまう。だから、案内は俺がする」

秋也は少し考えたが、頷いた。それは、正しい判断だろう。

「しかし――そうだな」川田は言い、煙草を口に挟むと、ポケットから紙を一枚引っ張り出した。

それはどうも、例の〝私たちは殺し合いをする〟のペーパーのようだった。川田はそれを二つに破り、鉛筆でそれぞれに何やら書き込んだ。両方とも小さくていねいに折り畳むと、秋也と典子に一つずつ差し出した。

「――何だい、これ？」

秋也は言い、紙を開こうとした。川田が「おっと」と言い、それを制した。

「今見る必要はない。そいつは、俺とおまえたちが万一バラバラになったときの連絡方法だ。時間と場所が書いてある。毎日、その場所、その時間に、そこへ行ってみてくれ。俺もそこへ行くようにする」

「今見ちゃだめなの？」典子が訊いた。

「ダメだ」川田が言った。「万一バラバラになったときだけにしろ。つまり――典子サンのそのメモと七原のメモは内容が違う。おまえたち二人も、お互いそれを知らない方がいい。どっちか片方がつかまった時のために」

それで、秋也は典子と顔を見合わせた。川田の方に向き直った。

「俺は、絶対典子のそばにいるようにするよ。どんなことがあっても」

「わかってるさ」川田は苦笑いした。「しかし、桐山に襲われたときみたいなことがまたないとも限らないだろう？」

秋也は唇をすぼめてその川田の顔を見やり——しかし、やはり頷いて、典子にもちらっと目くばせしてから、そのメモをポケットに仕舞った。典子もそうした。

確かに、何があるかなどわからない。そもそも、ここから脱出しようなどというのがひどく困難な話なのだ。しかし、だとしたら、自分と典子も、同じような待ち合わせの場所と時間を二人で決めておいた方がいいのだろうか？　川田には知らせることなく？　——だが、川田がもし政府につかまったりしたら、自分たちにはもう、ほとんどなすすべがないだろう。

その川田が言った。「で——どこへ行きたい？」

秋也はそれで、川田が国外脱出後の行き先を訊いていたのを思い出した。腕組みして、しばらく考えた。

それから、「やっぱ、アメリカだな」と言った。

「ロックの国だ。行きたかったよ、一度は」

逃げていくとは思わなかったけれど。

「そうか」川田は頷いた。「典子サンは？」

「特にどことも思わないけど——」

典子はそう言い、秋也の方をちらっと見た。秋也は頷き返した。

「一緒に行こう。いいだろう？」

「あ——」典子が目を大きくし、それから、ごくつつましく笑みを浮かべて、頷いた。「うん。もちろん。秋也くんがいいなら」

川田が笑んだ。煙草の煙を吸い込み、それから、また訊いた。

「アメリカに行って、どうする？」

秋也はまた少し考えた。苦笑いして、答えた。

「流しのギター弾きでもやるよ、とりあえず。それで、小銭をかせぐ」

川田も「ふん」と笑んだ。それから、「ロッカーになれよ、七原」と言った。「おまえには才能がある。あの国なら、移民だろうが亡命者だろうが大し

たハンディはない。そう聞いてる」

秋也は息をつき、苦笑いした。

「大したことないよ、俺の才能なんて。プロになれるレベルじゃない」

「そいつはわからないさ」

川田は笑んで軽く首を振り、次に典子の方を見た。「典子サンは？　何かやりたいこと、なかったのか？」

典子が唇をきゅっとつぼめた。それから、「先生になろうと思ってた、あたし」と言った。

秋也は、典子からそういう話を聞いたのは初めてだったので、ちょっとびっくりして「そうなのかい？」と言った。

典子が秋也の方へ顔を動かして、頷いた。

「こんなくだらない国で先生に？」

秋也が続けて言うと、典子が苦笑いした。

「りっぱな先生もいるわ。あたし――そう」視線を落として、続けた。「林田先生、りっぱだったと思うわ」

秋也はそれで、随分久しぶりに、あの、頭が半分砕け散った林田の死体を思い出した。自分たちのために、死んだのだ、あの〝とんぼ〟は。

「――そうだな」秋也は同意した。

川田が「亡命して先生になるのはちょっと難しいかもな」と言った。

「けど、どこかの大学の研究者にはなれるかも知れない。皮肉なことにこの国は世界の注目の的だからな。そしたら、教えることはできなくはない」

川田は二人に横顔を見せたまま、短くなった吸いさしを足元の水たまりの中に放り捨てると、また新しい一本を咥えて火を点けた。それから続けた。

「そうしろよ、二人とも。なりたいものになれ。自分の善意に従って、せいいっぱいやれ」

秋也はその言葉を、ちょっといいな、と思った。自分の善意に従って。せいいっぱい。ちょうどあの――今はもういない三村信史が、同じように、時々、

あるべき真実を言い当てるような言葉を口にしていたのを、思い出した。

いいなと思ったのだけれど——すぐに、別の考えが頭を占めた。何か欠落していた、川田の言い方には。

すぐにそれに気づいた。

「おまえは？」声にいきおい、焦った感じが混じった。「おまえはどうするんだ？」

川田が肩をすくめた。

「言っただろう。俺はこの国に借りがある。いや、そうじゃないな。いろいろ貸してる。返してもらう。何としても。おまえたちとは一緒に行けない」

「そんな——」典子が悲痛な声を上げた。

秋也はしかし、典子とは違うことを考えた。少し奥歯を噛み締めた。

言った。「何かやるんなら、手伝わせてくれ」

川田は一瞬秋也の顔を見つめ、——それから、視線を落として「は」と首を振った。「ばか言うな」

「なんでだ」

秋也の声に力がこもった。

「俺だって返してもらいたいものがある、このクソみたいな国から」

「——そうだわ」と典子が口を開いた。それは、秋也にはちょっと、意外だったが。

典子は川田を見て、続けた。「一緒にやるわ、あたしたち」

川田はその典子と秋也の顔を見比べ、それから、肩を持ち上げて、下ろしながら、はあっと深いため息をついた。

顔を上げた。「いいか」と言った。

「前に言ったかも知れない、この国はクソみたいな国だが、よく出来ている。壊すなんて、容易じゃない。いや、多分今は、壊せない。だが、俺は——」

首を回し、屋根の向こう、雨が弱まりやや白っぽくなった空を見つめた。また秋也たちの方へ戻した。

「古い言葉で言うとせめて一太刀、ってとこだな。

俺は復讐を果たす。それは自己満足だが、悪くはない」

言葉を切り、もう一度言った。「――それは、悪くはない」

「だから――」

秋也が言いかけるのを、川田が手を上げて遮った。

「最後まで聞けよ」

秋也が黙ると、また口を開いた。

「死ぬぞ、と言ってるんだ。俺なんかに同行してたら。おまえは今、言ったばかりだ、典子サンに、一緒に行こうと。それならつまり――」

典子の方を見た。秋也に目を戻した。

「おまえにはまだ、典子サンがいるわけだ。典子サンを守れよ、七原。典子サンがいつか傷つけられそうになったら、そのときに、戦え。その相手が、そこらの強盗だろうと、大東亜ファッキン共和国だろうと、宇宙人だろうと」

それから、典子の方を向いて、言った。ごく優しく。

「典子さんも一緒だ。まだ七原がいるだろ。七原を守ってやれよ、典子サン。無駄死にするなんて、ばからしいことだ」

また秋也の方に顔を向けた。「わかるか？ 俺にはもう何もないんだ。だから、自己満足でも、やってやると言ってるんだ。おまえたちとは違う」

最後は、厳しい口調だった。時計に目をやると、煙草をまた水たまりへ放り込み、立ち上がって、屋根の外へ出ていった。すぐにまた、ちち、ちち、というバードコールの音が、響き渡った。

秋也はその音を聞きながら、大陸のロッカーがうたっていたある歌を思い出した。〝一無所有――俺には何もない〟。サビはこうだ、〝何もない俺を愛してくれるっていうのかい〟。

だが、川田が何もないと言うのは――

きっかり十五秒鳴らし終えて、川田がまた屋根の下へ戻り、腰を降ろした。

その川田に、典子が訊いた。静かに。

「川田くんには、好きなひとは、いないの？」

そうだ。秋也もそう、訊きたかった。

川田はちょっと目を丸くし、それから、苦笑いみたいなものを見せた。

「話さないつもりだったが――」と言った。息をついた。「いや、俺は話しておきたいのかな」と続けた。それから、学生ズボンの尻のポケットに手を伸ばして、パスケースをつかみ出した。端が折れた写真を一枚、抜き取った。

隣の典子が受け取り、秋也と一緒に、それを覗きこんだ。

川田の胸から上が写っていた。学生服を着て今の秋也ぐらい髪が長く――、笑っていた。今の川田からはちょっと想像しがたいような、はにかんだふうな笑顔で。そして――川田の左側に、セーラーの女の子が一人、写っていた。鮮やかに黒い髪をくくって、右肩の前に垂らしている。いささか気の強そうな、でも、笑顔がとても魅力的な女の子だった。背景は、どこかの大通りみたいに見えた。イチョウか何かの街路樹、ウイスキーのビルボード、それに黄色い車が一台、写り込んでいる。

「きれいなひと――」典子が感嘆したように言った。

川田が鼻の頭を引っ掻いた。「そうかな？　一般的にはあまり美人じゃないと思うけど。俺にはとてもきれいに見えたけど」

典子が首を振った。

「ううん。とてもきれいだと思う。すごく――大人っぽい。川田くんと同い歳？」

川田が写真の中のそれにちょっと似た、はにかんだ感じで笑んだ。「うん。そうだ。ありがとう」

秋也はその並んだ、幸せそうな二人の笑顔を眺めて思った。なんだ。おまえだって、何もないわけじゃないじゃないか。

しかし秋也は忘れていたのだ、重要なことを。

「このこ、神戸にいるのかい？」

秋也が訊くと、川田はまた、苦笑いした。首を振った。

言った。「忘れたのか、七原。俺がこれと同じクソゲームに参加してたことを。そして俺が、〝優勝した〟んだってことを」

それで、秋也も気づいた。典子も気づいたのだろう、表情が、一気にこわばった。

川田が続けた。

「彼女、俺と同じクラスだった。俺は助けられなかったよ、慶子を」

沈黙が落ちた。多分ようやく、秋也はほんとうに理解した。川田の憤りを。その深さを。

「わかるだろ」川田が言った。「俺にはもう何もない。で、俺はこの国にたいへんな貸しがある。慶子を殺したこの国にな」

川田がまた煙草を一本咥えて、火を点けた。煙が流れた。

「ケイコさんっていうのか、彼女」秋也はようやく訊いた。

「そう」川田は何度か小さく頷いた。「慶びの子」

慶時と同じ字だ――。秋也はぼんやり、考えた。

「慶子さんとは……」典子が、そっと、訊いた。「一緒だったの？　最後まで？」

川田は黙って煙草をふかしていた。しばらくして、「それを訊かれるとつらいな」と言った。

続けた。

「慶子の姓は大貫っていう。そのときの順番は女子の十七番が最初だったが、まあ、それは関係ない。慶子、俺より出席番号が前だった。俺より、三人手前で出発した」

秋也も典子も、黙って聞いていた。

「俺は、彼女がどこか――出発点の近くで身を隠して待っててくれるんじゃないかと思った、俺を。もしかしたら。しかし、彼女はいない――まあ、それは仕方のないことだっただろう。今回と同じだ。出発地点でうろうろしているのは危険だった」

煙を吸った。吐いた。

「しかし、俺は何とか探し当てた、彼女を。ここと同じような島だったけど、何とかな」

煙を吸った。吐いた。それから、言った。

「逃げたよ、彼女は」

秋也はどきっとして、その川田の顔を見た。不精髭の浮いた川田の顔は、無表情だった。無理やり表情を押し殺している感じだった。

「俺は追いかけようとして――そのとき、別のやつに襲われた。そいつは何とか倒したが――俺は彼女を見失ってしまった」

また煙を吸い込み、また吐いた。

「慶子は俺を、信じてくれなかったんだ」

ポーカーフェイスのその顔の中で、しかし、目元がかすかに、神経質に引き攣ったように見えた。

続けた。「それでも俺は探した。もう一度見つけたときには――死体になってたよ、慶子は」

秋也はそれで、了解した。秋也がここへ戻ってきて、内海幸枝たちのことを話して、「信じることとって難しい」と言ったとき、川田が「そう、難しい、とても」と言葉を返して、ちょっと複雑な表情を見せたわけを。あるいは、杉村弘樹が、琴弾加代子の死体を見つけたのかも知れないと、加代子が弘樹を信じるとは限らないと言ったわけも。

「訊いたな、七原」

川田が言ったので、秋也は顔を上げた。

「なぜ俺たちを信じるのかと？　最初会ったとき？」

「ああ」秋也は頷いた。「訊いた」

「俺は言ったはずだ、おまえたち、とてもいいカップルに見えたと」

川田はそこまで言って、屋根をちょっと見上げた。顔を戻したときにはもう、頬のひくつきが収まっていた。

「それはほんとうだ。そう見えた。だから俺は、もう、無条件で、おまえたちを何とか助けてやりたい

と思ったんだ」

「——うん」秋也は頷いた。

　しばらくして、典子が「きっと——」と言ったので、秋也は典子の方を見た。

「きっと——慶子さんは、すごく怖くて——混乱してたんだと思うわ」

「いや」川田は首を振った。「俺——慶子のことがとても好きだった、でもきっと、俺の、ふだんの、慶子に対する接し方が悪かったんだ。そういうことだと思う」

「そんなことはないだろ」秋也は少し強い口調で言った。川田が立てた膝の前で手を組んだまま、秋也の方を見た。その手の中で、煙草が緩やかに、絹糸のような煙を上げていた。

「行き違いだ。ちょっとした行き違いだったんだ、きっと。こんなクソみたいなゲームだろ。いろんな条件が悪かったんだ、きっと。そういうことだろ?」

　川田はまた苦笑いのようなものを口元に浮かべて、「わからない」とだけ、言った。「もう、わからない」

　川田はそれから、煙草をまた水たまりに放り込んで、ポケットからバードコールをつまみ出した。

「これな」と言った。

「慶子は、都会っこには珍しく山歩きが好きだったよ。あのクソゲームがあった週の次の日曜日、俺をバードウォッチングに連れていってくれるはずだったんだ」

　その赤いバードコールを右手の親指と人差し指の間に挟んで、宝石を鑑定するような感じで、目の前に掲げて見た。「これをくれた、俺に」

　笑んで、秋也と典子を見た。

「これだけが残った。俺のお守りだな。——あまりいい想い出とは言えなくても」

　川田がそれをポケットに仕舞うのを待って、典子が写真を返した。川田はそれをパスケースに元どお

り納めると、ズボンのポケットに戻した。

それから、典子は「ねえ、川田くん」と呼びかけた。川田が顔を上げて典子を見た。

「あたしには、慶子さんがそのとき、どんな気持ちだったか、わからないわ。でも――」唇をちらっと舌の先で湿した。「でも、慶子さんは、慶子さんのやり方で、川田くんのことがすごく好きだったはずよ。そうでなかったら――だって、その写真、すごく幸せそうだわ。そうじゃない?」

「――そうかな」

「そう」典子が頷いた。「それであたしが慶子さんだったら――川田くんには生きてほしいわ。自分のために、死んでほしくなんかないわ」

川田は笑んで首を振った。「そりゃ趣味の問題だな」

「でも」典子がねばった。「それも考慮に入れてみて。ね。お願い」

川田はしばらく何か言おうとしたのか唇を動かし――それから、肩をすくめて笑った。ただ寂しそうに。

そのうち、また時計を見ると、バードコールを鳴らすために屋根の外へ出ていった。


【残り4人】

73

川田が六度目のバードコールを鳴らすころ、雨がすっかり止んだ。六時五分前になっていたが、それまでの時間からすると、ひどく明るい感じのする色合いの光が、島を包んだ。三人で、木の枝の屋根を岩壁から外した。

今は真上に空が見えるその岩壁のところに腰を下ろしてから、典子が「いい天気になったね」と言った。秋也も川田も、頷いた。

穏やかな風がさわさわと緑を揺らした。

川田はまた、煙草を咥えて火を点けた。

その川田の横顔を見ながら、秋也は口を開くべきかどうかしばらく逡巡した。しかし、やっぱり言ってみることにした。

「川田」

口の端に煙草を咥えた川田が、顔を上げた。

「おまえは？　何かなりたいもの、なかったのか？」

川田が煙を吐きながら、ふん、と笑った。

「医者になろうと思ってたよ」と言った。「親父と同じように。そう、医者ならまあ、このクソみたいな国でも、なんとなく人の役にたってる気になれるんじゃないかと、思ってたな」

秋也はそれで、幾分力を得た。

「なればいいじゃないか。素質、あるじゃないか」

川田は煙草の灰を落としながら、首を振った。もうその話は済んだ、といった感じだった。

典子が「川田くん」と呼んだ。川田が典子の方に顔を動かした。

「あたし、同じことだけど、もう一度言う。もしあたしが慶子さんだったら、きっとこう言う」

典子はオレンジ色の光がやや交じり始めた空へ視線を上げるように、続けた。「どうか生きて。喋って、考えて、行動して。時々音楽を聴いたり、ちょっと言葉を止めた。続けた。「絵を見たりして、感動して。よく笑って、たまには涙も流して。もし、すてきな女の子を見つけたら、そのこをくどいて、そのこと愛を交わして」

詩のようだった。まるきり。

そして、秋也はああ、と思った。これは典子の言葉だ。そして言葉というのは、音楽と並ぶ偉大な神の力だ。

川田は黙って聞いていた。

典子が続けた。「きっと、それでこそ、あたしがほんとに好きだったあなただと思う」

それから、川田の方を見て、ちょっぴり照れたようだったけれども、言った。

「そう思うな、あたしだったら」

川田の手にした煙草の灰が、長くなっていた。

秋也は口を開いた。

「なあ川田。生きてたって、この国をぶっ壊す方法はあるだろう？　それは遠回りかも知れないけど」

秋也はさらに続けた。

「俺たち、せっかく友達になったじゃないか。おまえがいないと、寂しいよ。一緒に行こうぜ、合衆国まで」

川田は、随分長いこと黙っていた。それから、煙草がフィルターまで焦げているのに気づいたらしく、それを放り捨てた。

そして、秋也たちの方に顔を上げた。何か言いかけた。

秋也は思った。そうだ。一緒に来てくれよ、川田。ずっと一緒だ。俺たち、チームなんだから。

『うらー』

もはやすっかりおなじみになった坂持の声が響き渡った。

秋也は慌てて左腕を右手で持ち上げ、時計を確認した。泥で汚れた文字盤の秒針が六時ちょうど、五秒の目盛りを回っていくところだった。

『聞こえるかーおまえたちー。と言ってももう残り少ないなー。それじゃ死んだひとを報告しまーす。男子はあ』

秋也は既に考えをめぐらせていた。男子の残りはもう、秋也、川田と杉村、桐山の四人だけだった（もちろん女子も、典子と琴弾加代子、相馬光子、稲田瑞穂の四人だけだった）。桐山がそう簡単に死ぬとは思えない。そして、弘樹は合図を送ってきた。男子は——死んでないはずだ、多分。しかし——

『一人だけでーす。十一番の杉村弘樹くん』

秋也の目が見開かれた。


【残り４人】

第4部　フィニッシュ

Now 4 students remaining.

74

『えーとそれから女子は、多いなあ。一番の稲田瑞穂さん。二番、内海幸枝さん、八番、琴弾加代子さん、九番、榊祐子さん、十一番、相馬光子さん、十二番、谷沢はるかさん、十六番、中川有香さん、十七番、野田聡美さん、それと、十九番、松井知里さん』

典子と視線がかちあった。典子の目が、震えていた。幸枝たちのことは織り込み済みだったが、弘樹も、加代子も？　そして、相馬光子と――それに稲田瑞穂も。要するに――残っているのは秋也たちと桐山だけということなのか？

「そんなはずは――」

秋也の口から言葉が洩れた。合図の煙が上がった後、銃声は聞こえていない。それとも、弘樹は、何かナイフのようなものでやられたというのか？　それとも――秋也が今、坂持が言うのを聞き違えたのか？　そら耳か？

聞き違いではなかった。坂持が続けていた。

『はーい。これで残り四人になりましたー。聞こえてるかあ、桐山。川田。七原。中川。よくがんばってきたなあ。先生、おまえたちのこと、誇りに思う。はい、それじゃ、これからの禁止エリアを報告しまーす』

秋也がとにかくそのメモをとりかける前に、川田が「荷物をまとめろ」と言った。

「え？」

秋也は聞き返したが、川田は急げ、というように手を振った。坂持が『七時から――』と続けている。

「ぼんやりするな。桐山だ。やつがどうにかして、俺たちと杉村の連絡方法を知った可能性がある。俺たちは、ずっと桐山に合図を送っていたかも知れないんだ」

それで、秋也は慌てて腰を上げた。典子が自分の

デイパックを肩に担ぎ上げた。そして、坂持が『はーいそれじゃ、がんばるんだぞー。あともう少しだからなー』と言い終わるか終わらないか、そのとき、秋也は見た、川田の視線がすっと、例の〝防犯装置〟――目の前の細い木の幹に傷を付け、そこに挟み込んだ糸のところに動くのを。

そして、その糸の一本が、雨で湿った木の幹からぽろっと離れるのを。

「伏せろ！」

川田が叫び、同時にぱらららららら、という音が響いた。秋也と典子が頭を下げたすぐ上、岩壁にばばば、と火炎の花が咲き、削り取られた岩の細片が頭の上に降りかかった。

川田が腰を低くした態勢から、ウージーを構えて茂みの中へ撃ち込んだ。

当たったのか、そうでないのか、とにかく、桐山は（ほかの誰だというのか？）撃ち返してこなかった。川田が「こっちだ。早く！」と言い、秋也たちは、三人で、桐山が撃ってきた反対側、岩壁に沿った南側へ逃げ出した。

川田がずっとバードコールを鳴らしていた岩壁の向こうへ出ると、後ろからまたぱららら、という音がした。当たらなかった、秋也たちはその先の茂みに飛び込んだ。

地面に、腰ぐらいの深さ、幅一メートル弱の岩の裂け目ができていた。底に土や木の葉がたまり、ずっと南へ続いている。秋也はこんなものがあるのを知らなかったが、川田は多分これも考慮にいれてこの場所を選んでいたのだろう、それはまるきり、自然の塹壕といった按配だった。川田に促され、秋也も典子もそこに飛び降りた。川田が後ろへ向けてまたウージーを連射し、後に続いた。川田が撃ったのとは別のぱらららら、という音がまた聞こえ、秋也の頭のすぐ脇、岩の裂け目の端に根を張っている細い木の幹がぱん、と裂けた。

「走れ！」

川田が叫び、秋也たちはその裂け目の底を走り出した。秋也は一度、裂け目の底に転がった枯木に足をとられかけたが、なんとか態勢を立て直し、典子の背中を追った。後方で、二つの銃声が交互に響いた。

突然、前を走っていた典子が何かに弾かれたように止まり、「うっ」とうめいて、うずくまった。川田の方を振り返りかけていた秋也は、慌ててその典子に駆け寄った。何かにつまずいたのか？

そうではなかった。秋也を見上げた典子の左目の下がすっぱり横に裂け、頬に血がざあっと流れ出していた。それに、右の手も切ったのか、軽く握った拳の中からも血が滴っている。手にしていたブローニングが、足元に落ちていた。

秋也は典子の肩に右手を置いて、空間を見上げ――そして見つけた、ちょうど、この岩の裂け目を走っていたら顔の高さにあたる部分に、細い、ねじれたワイアが張られているのを。それをどこで入手したのかはともかく（恐らく、何かを固定していたワイアロープをばらしたのだ）、桐山は、秋也たちがここを通って逃げることを見越していたのだ。秋也の身長だったら、大方そのワイアは首へまっすぐ切り込んでいたに違いない。典子はそうはならずに済んだが――しかし、へたをしたら目を失っていたかも知れない。

秋也の頭の中が怒りで赤く染まった。桐山が何者なのか知らない。〝やつは選ぶだけだ〟と川田が言った、異常なのか正常なのかある種の天才なのか狂人なのか知らない、しかし、典子を傷つけたというのは、論外だ。――ぶっ殺してやる！

とにかく、典子を立たせようと、秋也はＣｚ75をズボンへ押し込むとブローニングを拾い上げ、それを握ったその手で典子の肩を抱いた。典子がよろめきながらも立ち上がりかけた。

川田が撃ちながら後ろへ追いついてきた。ちらっと二人に視線を落とし、すばやくまたその視線を動

かしてワイアを見つけたのか、歯噛みするような表情が口元に浮き上がった。そして、秋也は、すぐに後ろへもう一度振り返ったその川田の向こうに見た、岩の裂け目の端に、学生服姿の桐山和雄が飛び込むのを。

川田が、秋也たちに「頭を下げろ！」と言いながら撃った。入り組んだ裂け目の側面にマシンガンを手にした桐山がすっと体を引っ込め、そのカーブの上をなぞって、川田が撃った銃弾が岩を削り取った。土煙が上がった。

「走れ！」

川田がもう一度言い、秋也は典子を抱き起こすと、ワイアをくぐって走り出した。またワイアが張られていやしないかと気になり、スピードが鈍った。

秋也はもどかしかった。両腕が使えれば、典子の体を支える一方で、桐山の体に銃弾をぶちこんでやれるのに。

川田が相変わらず撃ち続けながら、後ろにぴったりくっついていた。一方の桐山の方も、撃ち返しながら少しずつ前進してくる。

たっぷり五、六十メートルばかり続いたその裂け目が行き止まりになり、秋也は典子より先に上の地面へ飛び上がった。典子の、傷ついていない左手をとって、引っ張り上げた。典子は気丈に顔を引き締めていたが、その顔の左半分は、今やべったり血に覆われていた。

「止まるな！」

川田の声が銃声にかぶさって耳に届き、秋也は典子の手をひいて、目の前の茂みに突っ込んだ。

茂みを抜けると、山肌にへばりつくように建っている民家の庭先に出た。古びた平屋建ての家だ。玄関の前、引き込み道路のすぐ脇に白い小型トラックが止まっている。荷台に、どういうわけか年代ものの洗濯機と冷蔵庫が一つずつ、横倒しになって積まれていた。粗大ゴミとして捨てに行くところだったのだろうか？

「車の陰だ！」川田の声が、また背後から聞こえた。

秋也と典子は、雨でぬかるんだ土を踏み、手に手をとってそのトラックの陰まで走り込んだ。

川田が続いて滑り込んでくるまでに、秋也は典子を座らせ、ブローニングを構え直した。ちらっと茂みの中に黒い影が動いた。そこへ向けて連射した。銃弾が残っている左肩に衝撃が伝わって、ねじこむような痛みがエコーバックしたが、構っている場合ではなかった。

川田がその間にウージーのマガジンを換え、秋也に差し出した。「撃ってろ。やつを足止めしろ」と言った。

秋也はブローニングを足元へ置き、それを受け取って、もう一度桐山が見えた辺りへ撃ち込んだ。

桐山は撃ってこなかった。トラックの荷台の上、目だけを出している秋也のすぐ横に、典子が体を寄せた。血が流れ出している右手に、秋也が地面に置いたブローニングをしっかり握っていた。

「大丈夫か、典子」

桐山が茂みの中を動かないかどうか目をこらしながら、秋也は訊いた。

「うん。大丈夫」典子が答えた。

秋也はちらっとその典子の向こう、川田の方へ視線を飛ばした。川田は、開いたドアの中、運転席に上半身を突っ込んで、何かごそごそやっていた。

突然、ぶるん、という音とともに、秋也と典子が身を寄せているトラックに揺れが伝わった。すぐにもっと低い唸りに変わり、そのかすかな震動で、トラックのボディを濡らした水滴が流れ始めた。

川田が顔を出した。「乗れ！　逃げるぞ！　典子サン、早くしろ！」

典子が川田の手を借りて、そのトラックの中に這い上がった。続いて、川田が運転席に飛び込んだ。

「七原！　助手席だ！」

川田が叫び、ぐっとトラックがバックする方向へ動いた。桐山がいた方に尻を向けるように川田がハ

ンドルを切り、そのままぐるっと回って、助手席側が秋也の方を向いた。典子がドアを開けた。

秋也がそこに上がろうと右手を伸ばしたとき、ぱららら、という音がした。ただし今度は、がんがんという音が同時に聞こえた。秋也の目の前で、トラックの狭いキャビンの天井に穴が開き、貫通した弾がちょうど川田の目の前のガラスを内側から吹き飛ばすのを見た。秋也はぐっと体をトラックに寄せ――もう気づいていた、上へウージーを向けると、引き金を絞った。民家を囲む山肌の上、茂みの中に、またも黒い影がすっと引っ込んだ。桐山は上へ回り込んでいたのだ。

秋也は間を置かず、助手席に飛び乗った。同時に川田が車を出した。トラックは、未舗装の引き込み道路の方へ滑り出した。またぱららら、という音が響き、荷台に積まれていた洗濯機からホースが引きちぎられた。ヘビのように身をくねらせて舞い上がり、トラックの後ろに転げ落ちて――すぐに遠ざかった。

銃声が途絶えた。

「典子、大丈夫か？」

秋也が訊くと、秋也と川田の間に座った典子は、真っ赤に染まった顔を動かして、「うん」と頷いてみせた。それでもその体はこわばっていて、まだ両手にしっかりブローニングを握っていた。秋也は右手のウージーを膝の間に置くと、ポケットからバンダナをつかみ出して、その典子の顔を拭いてやった。ピンク色の肉がのぞいた傷口から、すぐにまた血があふれ出した。この傷は――多分、ちょっとやそっとの手術では消えないかも知れない。典子は――女の子なのに。

「ちくしょう」秋也は、ハンドルを切る川田に目を向けた。「あいつ、ずっと早くにあの近くに来てたんだ。それで、俺たちの逃げる道筋を読んでたんだ」

しかし、川田は「いや」と首を振った。曲がりく

ねった道を抜けるために、ギアを忙しく切り替えながら、言った。

「正確にはわかってなかったはずだ。わかったのは最後の最後さ。でなきゃ、やつは坂持の放送の前に現れるべきだったんだ。俺たちが杉村だと思って安心して迎えに出たら、やつは簡単に俺たちを片づけられたんだからな。あのワイアは、俺たちの場所がわからなくて、俺がバードコールを鳴らす合間にひまつぶしに仕掛けたのさ。多分、あそこだけじゃない」

秋也は、そうか、と思った。それは、その通りかも知れなかった。ひまつぶし。しかし、そのおかげで、典子はひどい怪我をしてしまった。

「典子、右手、見せてくれ」

典子がそれでようやく銃を放し（そのグリップも真っ赤だった）、右手を秋也に差し出した。随分小さくきゃしゃな感じのするその手は、ちょうど小指と薬指の付け根を斜めに横断する形で、ざっくり裂けていた。銃のグリップの滑り止めのパターン通りに、血が網目の模様をつくっていた。多分、ワイアはまず典子の顔を傷つけ、そのあと、倒れるときに典子が思わず伸ばしたこの手を切り裂いたのだ。銃を握っていた分、小さな傷で済んだのかも知れない。

秋也はバンダナを巻いてやりたかったが、左手が使えないことを思い出した。

典子が「大丈夫。自分でやる」と言い、秋也からバンダナを受け取ると、左手で振って広げ、右手に巻きつけた。端を織り込んで固定すると、またブローニングを握った。

弾痕のヒビが入ったフロントガラスの向こう、ふいに、ぱっと視界が開けた。トラックが山を下ってきたのだ。夕暮れの空のもと、山の緑に挟まれるように、畑が平地の方へ向けて広がっている。

秋也は気づいて、言った。「川田。禁止エリアに――」

「大丈夫だ。考慮してる」

川田が前を見ながら答えた。

「それと、聞いてたか、七時からB＝9、九時からE＝10、十一時からF＝4だ。地図に追加してくれ」

秋也もそれは何とか記憶していた。もうぼろぼろになってきた地図をポケットから引っ張り出し、がたがた揺れる中、膝の上に広げて鉛筆で乱暴にチェックした。

トラックは、民家の脇を下って、同じぐらいの太さだが、今度は舗装された道路に入った。畑が続くその向こうに、南の山が見えている。右手にはまだ北の山から続く低い丘が迫っていた。左手、二百メートルばかり先に民家が一つ（そこは確か、既に禁止エリアになっているはずだ）。前方やや左に二つ。そしてその向こうにもぱらぱらと家が散らばり、その先は、島の東岸の集落までつながっている。その少し手前、低い丘の陰になって見えないところに、秋也たちが桐山と最初に出くわした畑もあるはずだ。さらに、もう一つ丘を挟むと分校になるが、それもこの位置からは見えない。

川田は今はスピードを幾分落として、車を進めていった。さらに視点が下がった。前方に、島を東西に横切る太い道路がはっきり見えてきた。

畑の中を抜けて、すぐに、その道路にたどりついた。川田がハンドルを切り、また戻して、車を道の中央に停めた。エンジンはかけっぱなしだった。川田はヒビの入ったフロントガラスを乱暴に拳で叩き、窓枠から丸ごと車の前へ落とした。がしゃっと音がした。

「地図を確認してくれ」

手をハンドルへ戻した川田が言い、秋也は地図をもう一度取り上げた。

「俺の記憶だとこの道はまだ、このままずっと東まで通れる。間違いないか？」

秋也は典子と一緒に、その地図を確かめた。

「ああ、そうだよ。――けど、この先のF＝4は十

一時にはふさがる」

「それは関係ない」川田が前をにらんだまま言った。その視線の先、雨に濡れた黒いアスファルトが、両端を縁取る白線とともに一直線に続いていた。「すると、この道路は東の集落の手前までは大丈夫だな?」

「うん。カーブの手前までは。大丈夫だ」

川田はそれを聞いて頷いた。

秋也は、また窓から首を出して、もと来た方を振り返った。

「桐山は——」

ようやく、川田が秋也の方へ顔を向けた。

「来るさ。来ないわけがない。よく見て——」

その言葉が終わらないうちに、秋也たちがやってきたその山から下る道、カーブを曲がって、一台の車が現れた。薄ぼけた黄緑色の、古びたライトバンだった。秋也にはそれが、秋也たちが横を通り過ぎた民家に停まっていた車だと、わかった。

バックミラーを動かしてそれを確認し、川田が「ほらな」と言った。

それがすうっと近づき、秋也の目にも、運転席に座っているのが桐山だとはっきりわかったとき——その顔の前から、激しい火炎が噴くのが見えた。秋也は窓から顔を引っ込めた。銃弾がトラックのどこかに当たって、かんかん、と音がした。川田がギアを入れ、トラックがぐっと動き出した。広い道路を、東へ向けて。

秋也が再び窓から半身を乗り出した後方、すぐに、同じ道路へ桐山のライトバンが入ってきた。秋也はウージーの引き金をひいた。ライトバンは、あたかも桐山自身の反射神経が乗り移ったかのようにすっと右へ動いて、それを躱した。

「よく狙え、七原」

川田が言ううちにも、桐山のライトバンがぐっとスピードを上げて追いすがってきた。

「川田!　もっとスピード出ないのか?」

「まあそう焦るな」

川田は言うと、ハンドルをゆっくり左右に動かした。タイヤを狙われないようにしているらしかった。また桐山が撃ってきて、秋也は頭を引っ込めた。どうやら、桐山もフロントガラスを割り落として、銃を構えやすいようにしているとわかった。秋也はすぐに顔を出すと、その桐山の上半身に向けて引き金を絞った。桐山がまたハンドルを切り、すっとそれをよけた。ほとんど、頭を下げもしなかった。イジェクション・ポートから飛び出す薬莢の列が止まり、ウージーの撃発機構ががちっと音を立てて、弾がなくなったことがわかった。

川田が典子の体ごしに、ウージーの予備マガジンを差し出した。秋也がそれを受け取る前に、桐山のライトバンがぐっと接近してきた。秋也はズボンの前からCz75・九ミリを抜き出して、撃った。桐山はものともせずに突っ込んできた。

「ち」川田が言うのが聞こえた。その横顔に、かすかに笑みが浮いていた。「クルマで俺と勝負するってのは甘いよ」

途端、川田がぐっとハンドルを切った。同時に左手でサイドブレーキを思い切り持ち上げ、秋也の体にぐっと重力がかかった。映画のカーチェイスさながらのやり方で、道幅いっぱいに、トラックが半回転した。

なお回転が続く中、目の前に、桐山のライトバンが迫っていた。その運転席から、おなじみのぱらら、という音とともに火炎が噴き上がった。典子の頭のすぐ前、ルームミラーが消し飛んだ。

「伏せてろ！」

川田の叫びが聞こえたが、秋也はその前にCz75からその桐山目がけて撃ち込んでいた。奇跡的だったと言えるだろうか、桐山のマシンガンの弾は秋也に当たらなかったが、秋也の連射も桐山をとらえることはなかった。トラックのフロントバンパーがライトバンの左フロントからドアの辺りをこするよう

な形で擦れ違ううち、秋也は間近に見た、あの桐山和雄の変わらない、冷たい目を。

濡れた路面にきいいいいいいっとタイヤがきしんでようやくトラックの回転が止まり――止まったときにはもう、追う者と追われる者の位置が逆転していた。実に川田は桐山のライトバンを鼻先で躱しながら、三百六十度のスピンターンをやってのけたのだ。桐山のライトバンが前方に見えた。間髪入れず川田がギアを入れ、車を出した。どこにそんな力があったのかというような感じでエンジンがごおっと唸り、一旦離れかけたライトバンの尻がぐうっと迫った。桐山が後ろを振り返るのがわかった。

「撃て、七原！　ありったけだ！」

川田が叫び、叫ばれなくても、秋也はマガジンを詰め替えたウージーの引き金を思い切り絞り、フルオート射撃した。焼けた薬莢が典子の方に降りかかるのがわかったが、気にしている余裕はなかった。ライトバンのリアガラスが砕け散った。ばん、という音とともに、リアハッチが浮き上がった。次いで、右のタイヤがばん、という爆発音を立ててつぶれた。そこまでで弾は尽きたが、ライトバンが傾ぎ、路肩の方へふらっと流れた。

川田がアクセルを踏み込んだ。一気にライトバンの左側へ車を寄せ、ぎゅっとハンドルを切って、トラックの右サイドをライトバンに叩きつけた。

それで、秋也たちにもひどいショックが来たが、桐山のライトバンはそれどころではなかった。コントロールを失ったと思うと道路の右側に進路が流れ、路肩から飛び出した。――一瞬後に一段低くなった畑に飛び込み、ざあっと音を立てて土の中に鼻先を突っ込んだ。何かコマツナに似た菜っ葉を中空に撒き散らして、止まった。

川田が急ブレーキを踏み、そのライトバンのほぼ真横、ルーフを見下ろすような形でトラックを停めた。

「銃貸せ、七原」

川田が言い、秋也は川田にウージーを手渡した。川田はマガジンを詰め替え、窓から腕を出すと、その、桐山がまだ中にいる車へ向かって、引き金を絞った。銃を握った川田の手が上下に小刻みに揺れ、秋也のいる助手席の位置からでも、ライトバンが穴だらけになるのがわかった。

川田がまたマガジンを換え、さらに撃った。さらにもう一本の予備マガジンを押し込み、それも撃ち尽くした。その間に典子が傷ついた手で空になったマガジンにばら玉を詰め込んでおり、待っていた川田がそれを受け取り、さらに撃った。典子が次々に弾を詰めた。秋也はやや腰を浮かせる感じで、視線をその典子へ、川田の手元へ、また標的のライトバンへと、動かしていた。

もう一度、さらに一度、二度とそれが繰り返された。ウージーの弾は九ミリで秋也のCz75も典子のブローニングも同じなので、最後にはその弾がつぎ込まれた。

そして、ウージーの撃発機構が弾切れを示して、またがちっと音を立てた。もう弾は無かった。川田が肘を曲げて持ち上げたウージー、短い銃身の先から青い煙が流れ、トラックの狭いキャビンの中を、硝煙の匂いがすっかり満たしていた。川田は何発撃っただろう？　秋也が幸枝たちのもとから持ち出したウージーには、五本の予備マガジンとともにそもそも弾が多めに付けられていたが、それにCz75とブローニングの分を合わせて、優に二百五十発？それとも三百か？

秋也たちの位置から左サイド、助手席の左端とルーフが見えるライトバンは、正しく蜂の巣状態になっていた。網の目、いや、自動車の形をした奇妙な虫カゴと言ってもいいかも知れない。

すっかり、空がオレンジ色になっていた。見ているヒマはなかったが、光線の具合からすると、さぞや西の空にはきれいな夕焼けが広がっているはずだ。

「――やったのか？」

秋也が訊いた。川田が口を開きかけ——

ライトバンが動いた。バックの方向へ。一気に畑の端を横切ると、尻から路肩へ這い上がった。再び、秋也たちの後ろへと。

秋也は驚愕していた。車のエンジンがまだ生きているということもさりながら、桐山和雄がまだ生きて、それを動かしているということに。川田が勝負をかけて弾丸のすべてをつぎ込んだのに、桐山はまだ——まだ生きている!

穴だらけのボンネットの向こう、運転席に、びっくり人形のように下から桐山の上半身が現れた。マシンガンと一緒に。ぱららららら、という音が聞こえ、典子の頭の上にあった小さな窓が吹き飛んだ。ついでに、その横の鉄板にも二つ、穴が開いた。国産車の薄いボディで、今まで開かなかったのが不思議なぐらいだ、と秋也は思った。あるいはそれは、荷台に転がった洗濯機と冷蔵庫のおかげだったのかも知れない。いやもしかしてその洗濯機と冷蔵庫こそ、そもそも川田がこういう事態を見越してこの車に積んであったのかも知れなかった。

「くそ!」

川田がギアを入れ、車を出した。

「撃て、七原! 応戦しろ!」

すぐに秋也たちを追って動き出した桐山の車へ向けて、秋也はCz75の引き金を立て続けに絞った。桐山も撃ち返し、秋也の顔のすぐ横に当たって、トラックのスチールのフレームから火花を噴き上げた。

すぐに弾が尽きた。秋也はマガジンを換えて、さらに撃った。撃ちながら、気づいた。もう弾がない、これを撃ち尽くしたら、あとは典子が持っているブローニングと予備のマガジンが一つだけ、それですべてだ。

逡巡するうちに桐山が撃ってきた。マシンガンのぱらららっという音が届いた。ちゅんっとまた、荷台の冷蔵庫に火花が跳ねた。その、フリーザー側の小さなドアが開き、転げ落ちていった。

「川田！　もう弾がない！」

川田は落ち着いてハンドルを切っていた。「向こうもマシンガンはもうだめさ。あいつには、マガジンに弾を詰め替えるヒマがない」

その言葉通り、今度は単発の銃声が連続した。どかっ、ばん、と音がして、典子の肩のすぐ横のシートが爆発したように見えた。

「典子！　体を下げてろ！」

秋也は言い、右腕を窓の外に突き出して、今は拳銃を片手にしている桐山へ向けて、撃った。弾が尽きた。典子の手から、ブローニングを受け取った。撃った。

車の前方左手、民家と畑の間に、破壊され、黒こげになった倉庫みたいなものが見えた。あれは――川田が言っていた、夜中に爆発音とともに燃え出した建物だろう。そして――島の東端の集落へと曲がるカーブまでは、もうほんの二百メートルもなかった。

「おい川田そっちは――」

川田が「わかってる」と答え、左にハンドルを切った。秋也の体の下、トラックの左側が浮き上がったように思え――しかし、何とか立ち直ると、未舗装の道路へ飛び込んだ。北の山へ向けて、またも畑の中をうねうねと曲がって上る道だ。桐山は、正確なハンドルさばきで追ってきた。

秋也は狙いを定めて撃った。桐山が頭を下げ、立て続けに撃ち返してきた。今度は、川田の頭の横の鉄板に穴が開いた。

「七原！　いいから弾がなくなるまで撃ち続けろ！　やつに撃たせるな！」

ハンドルの上におおいかぶさるような姿勢で、川田が言った。その川田の学生服、左肩が裂けて、血が流れ出しているのに秋也は気づいた。桐山の撃った弾が当たったのだ。

秋也は、けど――と言いかけ、しかし、窓から身を乗り出して、撃った。川田は、再び山へ逃げ込む

つもりなのかも知れない。だったら、それまで桐山に撃たせないことだ。それとも、あわよくば倒すか――。

撃った。

そしてついに、ブローニングがホールドオープンした。弾が尽きたのだ。

眼前に、山が迫っていた。そして見覚えのある光景。おかしなことにブロック塀で囲まれた農家が一つ。それに畑。その中にトラクター。

秋也は気づいた。これは、秋也たちと桐山が最初にやり合った場所だ。ただし、今は反対側から見ている。

「川田、もう弾がない！　山へ逃げ込むのか？」

川田の横顔に、ちらっと笑みが浮いたような気がした。「あるさ、弾なら」と言った。秋也はわけがわからず、眉を寄せた。

トラックは農家までの引き込み道路を外れ、畑の細いあぜ道へ突っ込んだ。トラクターの脇を通り過ぎた。その先は、もう道が細くなっていて、車は入れない。

委細構わず、川田はその中に車を突っ込んだ。桐山はぴたりと同じ距離――ほんの二十メートルばかり――で追ってくる。その運転席から、さらに銃撃。

トラックが畑の中に突っ込んで、止まった。秋也の座っている助手席側が、桐山の方へ向いた形になった。川田がドアを蹴り開け、「降りろ、こっちからだ！」と叫んだ。車の外へ飛び出した。

秋也は典子を促し、身を低くしてそのあとを追った。ちらっと振り返った。桐山の車が近づいてくる――！

どん、という銃声がすぐ近くでした。

桐山のライトバンの、左フロントのタイヤが吹っ飛んだ。もう、秋也たちのほんの十メートル手前だった。

ゆっくりとライトバンがバランスを失い――大波に挑むサーフボードのように、高くなっている左側

の畑のあぜに沿って、その鼻先を中空に持ち上げた。次の瞬間、ルーフを下にして、畑の上に転がった。

その運転席から、しかし、車の動きが完全に止まるか止まらないかのうちに、黒い影が飛び出した。一転して膝立ちに起き上がったときには、それが桐山なのだとわかった。その手元から、ぱん、ぱん、という音とともに火花が噴いた。同時に、もう一度、どん、という音。

秋也はまだトラックの中にいて、首を振り向ける形で、助手席側の窓枠を通してそれを見た。桐山和雄が、体をくの字に折って、後ろへ吹っ飛ぶのを。

どっ、と桐山が背中から畑に落ちた。ぴくりとも動かなかった。

秋也の脳裏に、いつかの元渕恭一の死にざまが蘇った。あの、ソーセージ工場のクズカゴみたいな腹。今はやや距離があって、桐山の腹がどうなっているかはよく見えなかったが。それでも、散弾をまともに浴びたのでは、もはや生きているはずがなかった。


それから秋也はようやくトラックを降り——見た、やはりそう、川田があのショットガンを——秋也が桐山から逃げ出すとき、畑に放り出していったショットガンを構えて、ゆっくりトラックの荷台の陰から立ち上がるのを。

〝あるさ、弾なら〟。川田は秋也が捨てていったショットガンを拾い上げ、まだ持っていたショットガンの弾を一瞬のうちに込め（多分時間的に、撃った二発だけだったはずだ）、撃ったのだ。そして、正確に桐山を撃ち倒した。

「最初のところで——」川田がゆっくり言った。「やつは俺たちを不意打ちするチャンスを失った。それで、やつの負けだ。こっちは何だかんだって三人いるんだからな」

それから、ふう、と息をついた。トラックの荷台、冷蔵庫の脇にショットガンをがたっと置き、ポケットから〝ワイルドセブン〟の箱を取り出した。一本抜き出して火を点けた。

「血が出てる、川田くん」

典子が川田の左肩を指して言った。

「ああ」川田が傷口をちらっと見て、それから笑んだ。「たいした傷じゃないさ」煙を吐いた。

ばん、と音がして、川田の体が傾いだ。口元から〝ワイルドセブン〟が落ちて煙がゆるりと宙に流れた。不精髭の浮いた顔が歪んでいた。その目は、どこか、秋也の足元の辺りをうつろに見ていた。

そして秋也は見た、その川田の向こう、一段低くなった畑の上、桐山和雄が上半身を持ち上げ、右手に拳銃を構えているのを。生きていたのだ！　確かに腹にショットガンの一撃をくらって吹っ飛んだのに！

川田の体がゆっくり沈んでいた。桐山が、銃口をすっと秋也に向けた。秋也は、自分の体が、川田同様、すっかりトラックの陰から外れているのに気づいた。そして、手元に銃はない。いや、弾がない。荷台の上のショットガンに弾を詰め直すのでは、間に合わない。到底、間に合わない。

十メートルたっぷり向こうにある、桐山の拳銃の小さな銃口が、巨大なトンネルのように見えた。何もかも吸い込む、かのブラックホール。

ばん、と音がして、秋也は一瞬、目を閉じた。胸の辺り、きゅんと何かが食い込む感じがして、秋也はああ、俺は死んだんだ、と思った。

目を開いた。

死んでいなかった。

暮れかかる陽のオレンジ色の斜光線の中、桐山和雄の鼻の横に、赤い点がぽつりと刻まれていた。手から拳銃が落ちた。すぐに、体が再び後ろへ傾いだ。倒れた。

秋也は、首をゆっくり左へ振り向けた。典子が、スミスアンドウエスン三八口径リボルバーを、両手で構えて、立っていた。

ああ。そうだったのだ。川田がショットガンに装弾するうちに、典子もまた、秋也が捨てていった三

八口径に、残っていた三八スペシャルの弾を詰め込んでいたのだ。

典子の、銃を持つ手が、がたがた震えていた。

「くっ」

川田の声がした。秋也が手を貸すまでもなく、立ち上がった。

秋也は慌てて訊いた。「大丈夫なのか?」

川田は応えず、ショットガンを取り上げると、ポケットから弾を出して込めながら、桐山の方へ歩いた。きっかり二メートル手前で止まると、その頭へ向けて引き金をひいた。桐山の頭が一度だけ大きく揺れた。

川田は踵を返すと、秋也たちの方へ戻ってきた。

「大丈夫か?」秋也はもう一度訊いた。

「たいしたことないさ」

川田は典子の方へ歩くと、まだスミスアンドウエスンを構えている典子の手をそっと握って、銃を降ろさせた。

静かに言った。「やつは死んだよ。殺したのは俺だ、典子サンじゃない」

それから、桐山の方を振り返った。

「防弾チョッキだったんだな」と言った。

秋也はそれでようやく了解した。桐山和雄は、防弾チョッキを着ていたのだ。

「川田くん」典子がちょっと震えるような声で訊いた。「大丈夫?」

川田はにこっと笑って頷いた。

「大丈夫だ。ありがとな、典子サン」

それから、あらためて煙草の箱を取り出した。どうやらそれが空だとわかったらしく、辺りを見回して、さっき自分の口から落ちた煙草を拾い上げると、まだ火のついているそれを、ゆっくり口に咥えた。

秋也は、首を動かして、夕焼けの光に染め上げられた島の風景を見渡した。終わったのだ、少なくとも、かの幸せゲームに関しては。そして、今、島には、目の前の桐山をはじめ、三十九人のクラスメイ

トの死体が転がっている。

秋也はまた、めまいに似た感じに襲われた。空虚な感じに思考が麻痺した、と言ってもいいかも知れない。一体これはなんだったのか?

次々に、顔が蘇った。〝ぶっ殺してやる〟、叫んだ国信慶時の顔。秋也が出発するとき、かすかに笑みを浮かべていた三村信史の顔。目を血走らせてナタを振り上げてきた大木立道の顔。〝俺、琴弾にどうしても会わなきゃならない〟、診療所の外の闇に消えていった杉村弘樹の顔。南佳織を撃ち倒し、秋也の眼前から逃げ去った清水比呂乃の顔。〝あなたが死んだらどうしようかと思った〟、内海幸枝の、涙を浮かべた顔。〝だめ。だめ。あたしのせいでみんな死んでしまった〟、秋也の手をもぎ離した榊祐子の顔。そして、つい今の今まで秋也たちを追い詰めてきた、桐山和雄の冷たい目。

みんな失われた。存在それ自体も失われたし、多分、それ以外にもいろいろ失われた。


しかし、これで終わりじゃない。

「川田」

秋也が声をかけると、川田が短くなった煙草を手に顔を上げた。

「とにかく、傷の手当てをしよう」

川田が笑んだ。「俺はいい。かすり傷だ。典子サンの傷をみてやれ」と言った。

それから、「桐山の武器をかき集めてくる」と言って、短くなった煙草をなおも吸いながら、ひっくり返ったライトバンの方へ、足を進めた。


【残り3人】

75

川田は、先にたってどんどん山道を上っていった。肩にかけたデイパックの中に、桐山が持っていた中から見つくろった武器をざっと放り込んである。特に、それを秋也や典子に持たせることはしなかった。

当座、もうその必要がないのだ。

秋也は、左側から典子の体を支える形で、その川田について行った。典子の頬の傷は、とりあえず水で洗った後、ばんそうこうを四枚並べて貼った。下手に縫わない方がいいと、川田が言ったのだ。手の傷も、水洗いしたうえでもう一度バンダナを巻き直した。川田は、自分でざっと手当てをしたようだった。

既に薄暗い山の中だったが、もうやぶの中を突っ切る必要もないので、比較的楽に上っていけた。枯れ葉がうずたかく積もって腐葉土になった足元は、午後いっぱい続いていた雨で湿っている。

それにしても、川田が〝山へ登るぞ〟とだけ言ってすたすた歩き出してから、随分長い距離を歩いていた。

「川田」

秋也が声をかけると、川田が振り返った。

「どこまで行くんだい？」

川田がにやっと笑った。

「もう少しだ。いいからついてこい」

それで、秋也はまた典子の体を支え直すと、黙って後に従った。

北野雪子と日下友美子が死んだ、あの展望台のある山頂、それにその南側も、とっくに禁止エリアに入っていた。川田が足を止めたのは、そこに入るほんの少し前、中腹、やや高めといったところだった。そう言えば、清水比呂乃が南佳織を撃つのを見たのは、この少し下辺りだ。

「ここでいいだろう」川田が言った。

斜面に段差があるため南側で木立が切れていて、見晴らしのいい場所だった。城岩中学三年B組の生徒たちが激闘を繰り広げた島が、今は日没後のブルーに沈んで、眼下に見渡せた。ただ、最後の敵、坂持たちがいる分校は、起伏の陰になっていて、見えない。

秋也は息をついた。それから、訊いた。

「こんなところに何があるんだい？　どうやって逃げ出すんだ？」

川田は秋也の顔を見ることなく笑んだ。

それから、言った。「まあいいからあっちを見ろよ」

秋也は典子と一緒に、川田が指さした方へ顔を向けた。

南の山の向こうだった。薄闇に沈みかけてはいるけれど、海、いくつかの島、そして、彼方にはもっと大きな陸地の影が横たわっている。陸地の中のところどころ、光のもやのようなものがうかがえた。もっと近くで見たならきっと、あれはネオン、あれは湾岸道路の照明灯と、判別できるのだろう。

今では、秋也にもこの島が、高松市沖に浮かぶ沖木島だということがわかっていた。ほかに女木島、男木島という島があって、三つ南北に並んでいるのだが、沖木島は一番沖合い、一番北になる。だとすると、南の山の向こうに見える小さな島は男木島、その向こうが女木島、そしてあの陸地は四国、香川県だ。

川田が言った。「俺にはまだそうなじみがないが、おまえたちの暮らしてきた場所だ。城岩町はそう、あっちの方になるのかな。見納めになる。よく見とけ」

それは、秋也たちが国外脱出する以上、二度とあそこに帰ることはないのだという意味だろうか。それにしても――

秋也は川田の方へ目を戻した。

「まさか、このためにここまで来たんじゃないだろう？」

川田はふん、と笑った。「まあそう急ぐな」と言った。

それから、典子に「銃を見せてくれ。チェックしとかなきゃならない」と言った。

典子が、まだ手にしていたスミスアンドウエスンを川田に差し出した。川田がそれを受け取った。シ

リンダーを開き、弾を確かめた。確か、典子が桐山に向けて一度だけ撃ったあの後、また弾を込め直したはずだ。

川田はそれを典子に返すことはせずに、そのまま右手に提げ、息を一つつくと、口を開いた。

「憶えてるか、二人とも。俺は何度か言った、俺は単に仲間が欲しいだけで、結局、いつかおまえたちを殺そうとするかも知れないと」

秋也は眉を持ち上げた。確かにそういう話はした、しかし――？

「言ったよ」答えた。「けど、――？」

「だから」

川田が言った。

「おまえたちの、負けだ」

川田は手にしたスミスアンドウエスンを、すっと秋也たちに向けた。


【残り3人】

76

秋也は、奇妙な表情が自分の顔に浮かぶのを感じた。笑っているのと、不思議がっているのと、同時にやっているような感じだ。多分、隣にいる典子もそうだろうと思えた。

「なんだい、そりゃ？」秋也は言った。「ここまで来て冗談か？」

「冗談じゃないさ」

川田が言い、撃鉄をかちっと起こした。それで、秋也の顔から笑みがひいた。右腕の中、典子の体がこわばるのがわかった。

川田がさらに言った。

「よかったら、もう少し風景を眺めててもいいぞ。言ったろ、見納めになる」

不精髭の浮いた川田の口元に、薄い笑みが貼りついていた。これまで見せたこともない、酷薄な感じ

の笑みだった。

どこかでカラスの鳴く声がした。夕闇の落ちかける上空を、舞っているのだろうか？

秋也はようやく言った。感情が状況に対応しきれていないためか、我ながら、泣きそうな声になっていた。

「なんだって？　何を言ってるんだ、一体？」

「わからないやつだな」

川田は肩を少しそびやかして答えた。

「俺はおまえたちを殺す、優勝するのは俺だ。二連覇ってことになるな」

秋也の口元が震えた。うそだ。こんなのはうそだ。言葉が転び出た。「ばか――言うなよ。じゃあ――じゃあ、今までのは全部芝居だったってのか？

おまえ――おまえ、俺たちを気遣ってくれたじゃないか。俺たちを何度も助けてくれたじゃないか？」

川田は冷静に答えた。「おまえたちこそ、俺を助けてくれたよ。おまえたちがいなければ、俺は桐山にやられていただろう」

「おまえ――じゃあ、慶子さんの話も全部嘘だったってのか！」語尾が震え、その震えを押さえ込もうとする分、声が強くなった。

「嘘だよ」

川田はあっさりそう答えた。

「俺が去年の兵庫県のプログラムに参加してたのは本当だし、大貫慶子っていう女がいたのも事実だな。しかし、俺はその大貫とはなんの関係もない。写真の女は俺のオンナだが島崎京香っていうてんで別人だ。今も神戸にいる。頭はパーだが――まあ、どうしても俺に写真を持ってろって言うぐらいでな。しかしとにかく、ベッドの中じゃそれなりのもんだぜ」

秋也は唾を飲み込んだ。肌に当たる、初夏に近づいたかすかな風が、なぜかことさら冷たく感じられた。それから、ようようという感じで、言葉を継いだ。

「けど、あのバードコールは――」

川田はそれにも、あっさり答えた。「たまたま例の雑貨屋で見つけたのさ。何かの役に立つと思ったんでな。役には立ったよ。とにかくな」

闇がますます、濃くなりつつあった。

川田が続けた。

「わかったろ。俺を信じた時点でおまえたちの負けだったんだ」

川田はそう言ったが、秋也はまだ信じられなかった。そんなはずはない。そんなはずは――ない。

ようやく、秋也の頭を何かがかすめた。これは――要するに――

口にする前に、典子が先に言った。

「川田くん――あたしたちが、あなたをほんとうに信じるかどうか、試したいの？　慶子さんに信じてもらえなかったことを、まだ気にしてるの？」

川田は肩をすくめた。

「やれやれ、最後まで作り話を信じてるんだな」

と言った。

それが最後の言葉だった。川田章吾は、軽い動作で銃をもう一度構え直すと、おもむろに引き金をひき絞った。

二発の銃声が響いた後、しばらくして完全に夜が落ちた。


【残り1人／ゲーム終了・以上城岩中学三年B組プログラム実施本部選手確認モニタより】

77

川田章吾（男子五番）は、柔らかいソファに腰を下ろしていた。体がかすかに揺れている感じは、波がやや高い中を船が航行しているためだ。

小さな哨戒艇の中にあるにしては、ごくゆったりした船室だった。天井こそ低いが、広さは四畳半ぐらいもあるだろうか。部屋の中央に低いテーブルがあり、それを挟んで二脚のソファが置かれていて、

川田は、ドアから遠い方の一脚に座っていた。

　部屋は甲板下にあるため窓がいっさいなく、外のことはわからなかったが、もうそろそろ午後八時半を回るぐらいの時間だ。天井のやや黄色っぽい照明がテーブルの上のガラスの灰皿に映り込んでいたが、川田にはもう、吸うべき煙草がなかった。

　ゲーム終了時点で島の禁止エリアがすべて解除され、川田は坂持の放送に従って分校まで歩いた。分校の前には赤松義生と天堂真弓の、教室の中には国信慶時と藤吉文世の死体が、それぞれまだ手つかずで放置されていた。

　そこでようやく銀色の首輪を外され、ニュース用のビデオ撮影を行った後、兵士たちに囲まれ港へ移動した。港には、二隻の船が碇泊していた。優勝者専用船――この船と、分校に詰めていた兵士たちが帰途につくための兵員輸送船だ。うぞうぞいた兵士たちの大半はその船に乗り込み、坂持がルール説明をしたときに教室にいた例のトリオだけが、坂持と一緒に、川田と同じこの船に乗った。そして、島に残された生徒たちの死体は明日、指定の清掃業者が片づけにくることになる。島のあちこちに設置されたスピーカーや分校のコンピュータも、二、三日うちには撤去されるはずだ。もっとももちろん、ゲームを統括するソフトウェアやデータは、とっくにコンピュータから抜き取られたことだろう。当然ながらすべて――川田が十カ月前、神戸市立二中のプログラム終了後に経験したのと同じ手順だった。

　そして、今、ここで待たされている。もう、沖木島の南に出たころあいだった。この船は高松港へまっすぐ戻るが、兵員輸送船の方は基地に向けて、西方に進路を変更したことだろう。

　がちゃっと音を立てて、棒状のドアノブが回った。ドアの前に見張りに立っていた兵士（あの〝野村〟とかいう影の薄いやつだった）が覗き込み、すぐに脇にひいて、坂持金発が顔を出した。坂持は湯呑みを二つ乗せた盆を抱え、「よお、待ったかあ？　川

田？」と言うと、部屋に入ってきた。野村がその背後で、廊下側からドアを閉めた。

坂持はそのまま短い足を動かして歩を進め、テーブルの上に盆を置いた。「ほら。お茶だけど、遠慮なく飲めよ」と言った。それから、左脇の下に挟み込んでいたA４用ぐらいの事務封筒を手にとり、川田の正面のソファに腰を下ろした。封筒をテーブルの端、自分の前に放り出すと、肩までの長い髪を耳の上にかき上げた。

川田はその封筒に関心なさそうにちらっと目を落とした後、坂持を見据えて口を開いた。

「何か用なのか？　しばらくほっといてほしいがな、疲れてる」

「ほらー」坂持が湯呑みを口に運びながら、苦笑いした。「大人に対してあんまりえらそうに喋るもんじゃないぞお。先生、昔、加藤っていう生徒にずいぶんてこずらされたけど、今はあいつも立派にやってる」

「おまえに飼い慣らされた連中と俺を一緒にするな」

坂持は、おやおやというように目を少し大きくしてみせ、それからまたにやっと笑った。

「まあそう言うなよ、川田。先生、おまえと少し話がしたいんだよ」

川田はただソファの背にゆったりともたれ、脚を組んで頬杖をついたまま、黙っていた。

「何から話そうかなあ」

坂持は湯呑みを置き、開いた両手をこすり合わせた。

「そうそう」目を輝かせた。「プログラムでトトカルチョをやってるのは知ってるか、川田？」

川田は汚物を見るように目を細め、それから、言った。

「あってもおかしくないな、おまえら趣味の悪い連中なら」

坂持が笑んだ。

「それでさ、先生、桐山に賭けてたんだ。二万円。先生の給料からしたら、結構大きいんだよ。けど、おまえのおかげで負けちゃったよ」

「そりゃ気の毒だな」

全然気の毒がっていない口調で川田が言った。

坂持はまた笑んだ。それから、言った。

「あの首輪で先生には、おまえたちそれぞれの居場所がずっとわかってた、これは全員に説明したよな？」

それはわかり切っていることだったし、川田も特に何も答えなかった。

坂持が川田の目を覗き込んだ。「おまえ、七原と中川とはずっと一緒にいただろ。それで、最後にあの二人を裏切った。そういうことになるなあ？」

「悪いか？」川田は即座に答えた。「ルール無用のはずだ、この幸せゲームは。まさかおまえがそれを非難するっていうんじゃないだろうな。だとしたら笑うぜ、俺は」

それで、坂持がまたにっこりと笑みを広げた。髪をかき上げ、茶をひと口飲み、手をこすり合わせた。

それから、今度はいささか内緒話をするような調子で言った。

「あのさ、川田。これ、ほんとは言っちゃいけないんだけどさ、実を言うとほら、あの首輪にはマイクが内蔵されてるんだよ。だから、ゲーム中に生徒が喋ってることは、先生たちに筒抜けなんだ。——知らなかったろうけどさ」

けだるげに受け答えしていた川田が、それでようやく反応を見せた。眉を寄せ、唇を少しすぼめた。

「知るわけ——ねえじゃねえか」と言った。「——じゃあ、あれか、俺があいつらをどんなふうに騙したかも全部聞いてたってわけか」

「うん、そうそう」坂持が頷いた。「けど、あれはひどいよ、川田。〝万一そんなことができたとしても、政府は坂持なんか平気で見殺しにするぞ、多分〟だったっけ、おまえ言ったけど。これでも結構

エラいんだよ、プログラムの担当官ってのはさ。誰でもできる仕事じゃないし」

川田はしかし、その坂持の文句は無視するように、「なんで俺にそんなことを話すんだ？」と訊いた。

「いやぁ別にぃ」坂持は答えた。「ただまあさ、おまえの名演技に感心しただけだよ。だから、特別に教えてやろうかなって」

「くだらねえ」

川田はそっぽを向いたが、坂持が「名演技だったけど」とやや語調を強めると、その顔を戻した。

坂持が続けた。「なあ先生、ちょっとだけ気になるなあ」

「——何がだ？」

「おまえさ、何で桐山を倒した後すぐにあの二人を撃たなかったんだ？　やれたはずだろ？　先生、ちょっとそれだけが腑に落ちないんだよ」

「それは俺があいつらに言った通りだ」川田は淀みなく答えた。「ちょっと、自分の住んでたところぐらい見せてやろうと思ったのさ。冥土の土産ってやつにな。俺はこれでも、礼儀は重んじる方なんだぜ。何せ、あいつらのおかげで俺は優勝することができたんだ」

それで、坂持は、相変らず笑みをたたえたまま「う〜ん」と妙な唸り声を上げげた。それから、また茶を口に運んだ。湯呑みを持ったまま、背もたれに寄りかかると、再び口を開いた。

「あのな、川田。先生、去年おまえが参加した神戸市立二中のプログラムの記録を取り寄せたんだ」

言って、またしばらく川田を見つめた。川田はただその坂持を見つめ返して、何も言わなかった。

「——それでさあ、どうもその記録から見る限り、おまえと大貫慶子が特別な関係にあったということは読み取れないな」

「大貫だと？　だからそれは俺のつくり——」

川田が割り込んだが、坂持はさらにかぶせるように「おまえが」と続けた。川田は口を閉じた。

「――おまえが七原たちに話した通り、おまえは二度大貫と出くわしてるけど――最初は一瞬だし、二度目はおまえの優勝寸前、しかも、大貫の方は死んでいた。盗聴の記録を見ても――おまえはさ、大貫の名前すら呼んでいない、一度も。――そのことは憶えてるかな？」

「憶えてるかよ、そんな――だから――俺と大貫は何の関係もない。聞いてたんだろう？」

「けどさあ、少なくとも、二度目のとき、おまえはそこで二時間も足を止めてるじゃないか、川田」

「たまたまさ。身を隠して休むにはいい場所だったんでね。いや、むしろ、だから俺は大貫の名前を覚えてたんだ。ひでえ死に様だったぜ、あの女は」

坂持は、やはり口元に笑みを貼りつけたまま、ふんふん、と頷いた。

「それと――おまえは十八時間のゲーム中――早いよな、これは。会場がちょっと狭かったせいかな。とにかく、誰とも言葉を交わしていない。いや、〝よせ〟とか〝俺は敵じゃない〟とは言ってたみたいで――」

「それも方便さ」川田が割り込んだ。「当然じゃねえか」

坂持は笑んでその川田の言葉を聞き流した。

「――だからおまえがどういうつもりでゲームに臨んだのかはわからない。やたら動き回ってもいるけど――」

「初めてだったもんでな。よくわからなかったのさ、賢いやり方ってやつが」

坂持はまたふんふん、と頷いた。何かとてもおかしいことがあるように、唇の端に笑みがたまっていた。茶を一口すると、湯呑みをテーブルに戻した。

再び顔を上げると、「ところでさ」と言った。

「ほら――写真さ、よかったら見せてくれよ」

「写真？」

「ほらー、七原と中川には見せたんだろ？　大貫の写真だって。えーと、ほんとは、シマザキとかいう

んだったっけ?」

川田は唇を曲げた。「なんでおまえにそんなもの見せなきゃならない?」

「いーからさ。見せてくれよ。先生仲間外れにするなよー。おねがいだよ。なっ。なっ。この通り」

言って、坂持はテーブルの端に両手をつき、頭を下げてみせた。

それで、川田は不承不承、といった様子で手を後ろに回し、学生ズボンの尻の辺りを探った。眉を持ち上げた。手を振り戻した。何も握っていなかった。

「ねえな」と言った。「落としちまったらしい、桐山とやりあったときに」

「落とした?」

「ああ。ほんとうさ。ケースごと落とした。まあ、そんなに大事なもんでもねえさ」

途端、坂持が大声で笑い出した。笑いながら、「なるほど」と言った。腹を抱え、膝を叩いて笑い続けた。

川田はとまどったようにその坂持を見守っていたが――しかしそのとき、すっと目を細めた。窓が一つもない部屋、天井の方へ顔を上げた。

軍用船の分厚い隔壁に遮られていても、小さく、しかし確かに、何かの爆音が届いていた。船のエンジン音とは、明らかに違っていた。

その音は徐々に大きくなり――そして、ある一点を超えると、今度はまた小さくなった。すぐに、ほぼ完全に聞こえなくなった。

川田は唇をかすかに歪めた。

「気になるか、川田」

坂持が言った。もう笑っていなかった。ただ、その口元に、いびつな笑いの形だけがへばりついていた。

「ヘリだよ、あれ」言って、もう一度茶に手を伸ばすと、ずるずると残りをすすった。空になった湯呑みをテーブルに置いた。

「島に向かってる、おまえたちが戦った島に」

川田はわずかに眉を寄せたが、それにはいささか、それまでとは違う感じが混じっていたかも知れない。しかし、坂持はそんな川田にはお構いなく、ソファにふんぞりかえって腕を組むと、全く違う話を始めた。

「なあ川田さ。もう一度あの首輪の話をしようよ。ああ、あれな、ほんとの名前は〝ガダルカナル二十二号〟っていうんだ。まあ、どうでもいいけどさ。で、おまえ、確か、あれが壊れるわけないいんだってことを、七原に話してたよな」

川田が何も答えないのを見て、坂持は続けた。

「実のところ、おまえの推測でぴったりなんだ。あれは、一つ一つに三系統のシステムを積んでて、つまり、仮に一システムに一パーセントの故障可能性があっても、三系統あれば百万個に一個しか故障しないことになる。実際はもっと低いけどなあ。――だから、おまえの言った通りなんだよ。誰もあれから逃げることなんてできない。外そうとしたら爆発するんだしな。そいつは死んじゃうんだ。まあ、そんなことするやつめったにいないけどさ」

川田は、なお何も言わなかった。

「けど、だよ」坂持が身を乗り出した。「先生、ちょっと気まぐれでさ。あれを設計してる防衛軍の装備品研究所に問い合わせてみたんだ、今回。そしたら――」川田の目を見た。「なんと、ちょっと電気回路をいじれるやつだったら、そのへんのラジオに入ってるような部品を使って簡単にロックを外せるって言うじゃないか。もちろん、内部構造を知ってたらってことだけど」

川田はなお黙っていた。だが、坂持の目にじっと見つめられるうち、ふと思い出したように、「そいつは――」と相づちを打った。奇妙に表情のない声音で。「誰も知らないんだから、問題ないだろう?」

「うん」坂持は軽く笑んで頷いた。「まあ、とにかく、それでさ。単純きわまりないことなんだけど、あの首輪はそんなふうにロックを解除されてしまっ

たら、そいつが死んだという信号を送ってくるだけなんだよな。つまり、もし、もしだよ、あれを爆発させることなく外せる生徒がいるのだとしたら、そいつはまんまと生き残れるんだよ。ゲームが終わるのを待って、見張りが引き上げた後、ゆっくり逃げればいい。そうだよ、おまえが七原に言った通りだ、午後にゲームが終わった場合、規定で清掃業者が来るのは翌日だし。時間はたっぷりあるじゃないか。まあ、特にこの時期だったら泳げなくもないしさ」

坂持は意味ありげなまなざしで川田の目を覗き込んだが、川田は、今度は即座に「は」と言うと、再びソファにふんぞり返った。

「意味のない話だな。その首輪の内部構造ってやつは機密なんだろう。中学生がそんなこと知るわけないじゃねえか」

しかし、坂持は「いや」と言った。それで、川田が再び坂持の顔を見た。

「そこだよ、問題は。先生、そんなこともこんなこともさ、うん、おまえの記録のこともさ、そのガダルカナルのこともだよ。普通だったら調べたりなんかしなかったよ。ああ、川田ってかしこいやつだなあって、それで終わりだったと思うよ。でも、今回、ゲームが始まる前にさ、総統官房と防衛軍から連絡が来てたんだ。直前だったよ。二十日だったんだから」

川田が、じっと坂持の顔をみつめていた。

坂持が続けた。「三月ぐらいに、政府の中央演算処理センターに、ハッキングをかけたやつがいるって」と。

ちょっと間を置いた。さらに言った。「もっとも、忍び込んでたやつはバレずに逃げおおせたって思ったんだと思うよ。そいつはえらく技術レベルの高いやつでさ、ハッキング中に管理者に出くわしたくせに、急いで逃げる前にアクセスログを消すことだけは忘れなかったんだ。けど――」

坂持はまた間を置いた。川田は何も言わなかった。

「——政府のシステムってのはそんなに甘いもんじゃない。きちんともう一段階、全体の動作を記録する隠しログがあったんだ。もっとも、そんなもの普通は調べないしさ、管理者もそのときは異常なしと思ったから、発見が随分遅れたんだ。でも、バレた。バレたんだよなあ」

川田はじっと唇を結び、坂持の顔を見ていた。だがそのときかすかに、その喉仏が動いた。外から見てわかるかわからないか、ほんのかすかに。

「言っとくがな」と言った。「死体の始末の話はほんとうに業者に聞いたんだぞ。たまたま酒飲んでるとこで一緒になったときに、世間話の話題になっただけだ。それに、プログラムで時間切れが滅多にないってのは、前のゲームでおまえと同じ担当が言ってたことだ。なんならそいつに問い合わせてみろ」

坂持が自分の右拳を鼻の下に当て、川田を見つめた。「何でそんなこと言うんだ？　先生別にそんなこと訊いてないぞ、何も」

それで、川田の喉仏がもう一度動いた。今度は幾分、はっきりと。

坂持はふふん、と笑い、話を戻した。「それで、だよ。どうも、やられた情報の中に、プログラムの情報もあったって。つまり、あの首輪、ガダルカナルの技術情報も。——なんでそんなつまらない情報拾っていったんだろうな？　意味がないだろ？　そいつがそれを国民一般に公開したって、政府としては新しい首輪を設計したら済むだけのことだ。まあ今のところそういう形跡はないけどな。けどつまり、こうは言えるんじゃないかな？　つまり、侵入したやつは何かの理由でそれにすごくこだわってたんじゃないかって。違うかな？」

川田は何も答えなかった。坂持はふう、と息を吐き出し、さきほど放り出した封筒を取り上げた。片手で逆さにして振り、中身を引っ張り出した。テーブルの上、川田の前に並べた。

二枚の写真だった。モノクロームだが、大きさは

両方ともB5版ぐらいある。うち一枚はほとんど明暗がなく何がなんだかよくわからないが、もう一枚には、これははっきりと、トラックが一台と、それを取り囲むように散らばる三つの黒い点が映っていた。トラックが真上から見た形になっていることからして、当然、黒い点は人の頭だとわかった。

「わかるだろ」坂持が言った。「ついさっきのおまえたち三人だよ。桐山をやった直後だ。人工衛星から撮ったんだよ、こんなこと普通しないんだけど。それで、先生がおまえに見てほしいのはもう一枚だ。どうだ？　ほとんど何も写ってないだろ？　でもそれは、山の一部だよ。おまえがあの二人を撃ったとき、撃った場所の写真だよ。光がちょっと足りなくなってるし、大体木の陰に隠れてるから、何も見えない。そう、いいかあ、見えないんだよ」

沈黙が落ちた。船が少し揺れたが、川田も坂持も、ただ見つめあったまま、みじろぎもしなかった。

それから、坂持が、はあ、と息をつき、また髪を耳の上にかき上げた。にこっとほほえむと、奇妙に親密そうな口調で、「なあ、川田さ」と言った。

「先生ずっとこのゲームの記録をとってたんだよ。な。でさ、おまえが七原と中川を――とにかく撃った後、七原が死ぬまでに五十四秒、中川が死ぬまでには一分三十秒もかかってる。普通なら即死のはずだろ、一発ずつで仕留めたんだから。このタイムラグはなんだろうな？」

川田は黙っていたが、本人が意識しているかどうか、今や幾分、その頬の辺りがこわばっていた。しかし、なお、口を開いた。「そういう場合だってあるんじゃないのか。俺には即死したように見え――」

「もういいじゃないか、川田」

ついに、と言うべきだっただろうか、坂持がそこで遮った。これは幾分、強い調子で。

「な。終わりにしようよ」と続けた。川田の目を覗き込み、諭すように小さく頷いた。

そして、言った。

「七原と中川はまだあの島にいるんだ。生きているんだろ。山の中で息をひそめてる。政府のコンピュータに入ったのはおまえさ。あるいはおまえの仲間か。おまえは、あの首輪の外し方を知っていた。先生たちが盗聴してることも知ってて、おまえが二人を撃ったというラジオドラマをやってみせたんだよな。そのあと、二人の首輪を外した。――違うか？　名演技だった、じゃないよ。今の今まで名演技をしてたのさ」

川田はただ、坂持の方を凝視していた。奥歯を噛み締めているせいで、その口元がはっきりと歪んでいた。

坂持は、相変わらずにこにこしながら続けた。

「おまえ、二人に連絡場所のメモだかなんだか渡してたろ。それで、落ち合うつもりだったんだよな？　でもさ、もうだめだ。さっきのヘリさ、島に毒ガス撒きにいったから。最近開発した中毒性とびらん性の混合ガスで、大東亜圧勝2号ってやつだよ。見張りの船も残ってる。七原と中川は、助からないよ」

坂持を見つめる川田の両の手の指が、ソファのひじ掛けの合成皮革にぎゅうっと食い込んでいた。坂持はふう、と再び息をつくと、ソファに深く体を沈めた。髪をかき上げた。

「前例のないことだからさ。正確に言うとおまえは優勝したわけじゃないよな。けどまあ、先生のお世話になってる教育委員会の役員がさ、おまえに随分賭けてたんだ。先生、内々で処理することにしたよ。あのひとに顔売っとくと、あとあと都合がいいんだ。――だから、記録ではおまえの優勝ってことになる。あの二人は、おまえが殺したことになるよ。――満足か、ん、川田？」

川田の全身が今や極度に緊張しており、今にも震え出しそうに見えた。しかし、坂持が眉をひょいと持ち上げてみせると、何かを振りきるようにぐいっと首を動かし、その視線を坂持から床の方へ動かし

た。

「俺は――そんなことは知らない――」と言った。神経質に、両手の拳を握ったり開いたりしていた。坂持にばっと目を戻し、やや興奮した調子で続けた。

「やめとけ、ガスを撒くなんて。税金の無駄遣いだ」

　坂持がふふん、と笑った。「無駄遣いかどうか、後で調べたらわかるよ」

　それから、「そうそう」と言った。懐から、すっと小形の自動拳銃を抜き出した。川田に向けた。川田は目を見開いた。

「おまえのことも内々で処理することにしたよ。思想が危険過ぎるからなあ。先生、おまえみたいなやつを生かしといたらこの国のためにならないと思うんだ。腐ったミカンは箱の中からつまみ出すんだよ、それも早い方がいい。ゲーム中の怪我がもとで病院に着くまでに死亡。どうだ？　ああ、心配するなよな、おまえに仲間がいても絶対調べ出してやる。おまえにわざわざ事情聴取する必要はないよ」

　川田がその銃口からゆっくりと、坂持の顔に視線を動かした。「おまえ――」と口を開いた。ついに、歯を剥いていた。それで、坂持がにやっと笑った。

「くそったれめ！」

　川田が吼えた。ありったけの憤りと、絶望と、そして恐らく、理解しがたいものに対する若干の恐怖が込められた、そんな声で。本当ならつかみかかりたいのだろう、しかし、銃口の前ではそれもかなわず、両の拳を膝の上で握り締めていた。

「おまえ――おまえには子供はいないのか？　こんなクソゲームが、おかしいとは思わないのか？」

「そりゃいるさあ」坂持は余裕たっぷりに答えた。

「先生もあっちの方、ほら、好きだからさ、もう三人目ができるよ」

　川田はその冗談には反応せず、喚いた。

「それならどうして――どうして平気でいられるんだ？　おまえの子供だってこのクソゲームに参加す

ることになるかも知れないんだぞ！　それとも――それとも、そうなのか？　おまえぐらいな高級官僚の子供だとそれを免れられるっていうのか？」

　坂持は驚いたように首を振った。「とんでもないよ。何言い出すんだ、川田。きちんとプログラムの実施要項も読んだんだろ？　例外なんかあるもんか。そりゃあさ、先生だって、ちょっとはこずるいことか、やってるよ。コネ使ってうちの子供有名小学校に入れたりとかさ。人間だもんな。でもさ、人間だからこそ、守らなきゃならないルールってのがあるんだよ。――ああそうか、あれはおまえ、盗めなかったんだよな、最高機密条項にもプログラムのこと書いてあったんだけど？　だったら言うけど、プログラムは、この国に必要なんだよ。いやいや、実験なんてウソに決まってるじゃないか。ほら、なんでローカルニュースで優勝者の映像を流すと思う？あれ見たらさ、確かにかわいそうだって思うかも知れないよ、そいつはそんなゲームはほんとうはいやだったのかも知れないって。しかし、そいつは結局、ほかのやつと闘うしかなかったんじゃないか。つまり、最後は誰も信じられやしない、みんなそう思うだろ？　そしたら、力を合わせてクーデターを起こそうなんて誰も考えなくなるだろん－？　大東亜共和国とその理想は永遠に存続するんだよ。だったら、だよ。そんな崇高な目的のためなら、当然みんな平等に死ななきゃならない。うちの子供にはちゃんとそのことは教育してあるよ。上のやつがさ、今小学校二年生で女の子なんだけど、いつも言ってるよ、わたしは、共和国に命を捧げますって」

　川田の頬が、ひくひくと震えた。「おまえは――おかしい」と言った。「異常だ！　どうしてそんなふうでいられるんだ！」その声が、ほとんど泣きそうな感じになった。「システムなんていうのは便宜でしかないはずだ。俺たちはシステムのために生きてるわけじゃない。この国が正しいと思っているんなら、――おまえは異常だ！」

坂持は全部聞き終わるまで待った。それから、言った。

「あのなあ、川田。おまえはまだ子供なんだよ。おまえたちも少し話してたみたいだけどさ、もう一度じっくり考えてみろよ。この国は立派な国だぞ。世界中に、これぐらい繁栄している国はない。そりゃあ、海外旅行だけはちょっと制限されてるけど、工業輸出品の優秀さじゃ世界一だ。国民一人当たりの総生産だって、政府の宣伝文句はうそじゃない、世界一だよ。けどさあ、いいかあ、そうやって繁栄できるのも、強力な政府と、それを中心にした国民の結束があってこそなんだよ。ある程度の統制っていうのは、常に必要なんだ。そうでなければ――いずれ三流国に成り下がるだけだよ、あの米帝みたいになあ。知ってるんだろ？　あの国は麻薬やら暴力やら同性愛やらでもうめちゃくちゃだ。今はまだ過去の遺産でなんとかなってても、すぐにダメになるに決まってる」


川田は、しばらく黙っていた。歯を食いしばっているようだった。それから、幾分静かに言った。

「一つだけ言わせろ」

坂持は眉をひょいと持ち上げた。「なんだ？　言ってみろよ」

「おまえたちがそれを繁栄と呼ぶとしても――」川田は言った。それは、どこか疲れたような声だったが、しかし、その底には、なお力がこもっていた。

「それは、永遠に、ニセモノだ。おまえが今、俺をここで殺しても、その事実は変わらない。おまえは、永遠にニセモノだ。それを――憶えておけ」

坂持は肩をすくめた。

「演説はそれで終わりか、ん？」

言うと、川田の眉間へ真っ直ぐ銃を向けた。川田は唇を引き結び、銃口よりも、その向こうの坂持の目をじっとにらんでいた。いい覚悟だ、と言えたかも知れない。

「じゃあなあ、川田」

坂持は小さく一度、川田に目礼をするように頷いた。そして引き金の指が動き出し――

ぱらら、という軽い、タイプライターのような音が、空気を震わせた。

坂持の指が一瞬止まっていた。ドアの方に、ひと刹那、視線と――そして注意が逸れた。

そして、坂持が目を振り戻したときにはもう、その眼前に川田の姿があった。間にテーブルがあったにも拘わらずぴったり十センチ手前、ほとんど魔術か、それでなければ超能力者のテレポーテイションといった按配、そういうスピードだった。

ぱらら、ぱらら、と音が部屋の外から続いた。

銃を握った坂持の右手を、川田の左手が押さえ込んでいた。坂持は、奇妙に凝固したように、ほとんどキスの距離に迫った川田の顔を、見上げていた。長い髪もさほど乱れているわけではなく、川田の手を振りほどこうとするわけでもなく、ただ、口を閉じて川田の顔を見ている。

また、ぱらら、という音がした。

ドアが開いた。兵士野村が「敵襲で――」と言いかけ、状況を見て取って、すぐにライフルを構えかけた。

川田は、坂持の右手の銃を左手でつかんだまま、タンゴを踊るように坂持の体を回した。回したときには、坂持の人差し指ごと引き金を絞り、撃っていた。兵士野村は心臓の真上に三発を打ち込まれて、あう、とのけぞり、その場にくずおれた。ぱららら、という音が、今度はドアが開いたせいか、幾分大きく聞こえた。

それから、川田はまた坂持の目を覗き込んだ。密着させた体の間、坂持のあごの下にあてがっていた右拳に、少しひねるような動きを与えた。

それで、見開いた目を川田の顔に向けたまま、ごぼっと坂持が血を吐いた。唇からこぼれてあごへと流れ、床に滴った。

「言ったろ。無駄遣いだと」

川田章吾は、拳をさらにひねった。それにつれて、坂持の目が川田の顔を離れた。ゆっくりと、上に回転した。

　川田の体が坂持から離れると、坂持はどう、とソファの上にくずおれた。露わになったあごの下、喉笛の部分に、何か奇妙な装飾品のように、茶色い棒が突き出していた。よく目を凝らしたならその尻に、〝HB〟という金色の刻印も、きちんと確認できたはずだった。無論のことこれはあの鉛筆、川田も秋也もみんなが〝私たちは殺し合いをする〟と書いたあの鉛筆だったが、恐らく坂持金発は、それが鉛筆であることすら認識できないままだっただろう。

　川田は一瞬だけその坂持に視線をとどめていた後、これだけは手の中に残した拳銃をズボンの前へ差し込んだ。仰向けに倒れた兵士野村のところへ走り、ライフルを拾い上げた。ベルトから予備弾倉も奪い、ドアを出た。通路右側の二つのドアを次々に開いたが、中は二段ベッドが左右に並んだ寝室で――誰もいなかった。

　またぱらら、という音が今度は間近に聞こえ、狭い廊下の向こう、階段から、一人の兵士が転げ落ちてきた。ゲームが終わって安全な船内だと思っていたのか、武装を解いて拳銃だけを握り締めたその死体は、近藤と呼ばれた兵士だった。

　それで、川田はその近藤を躱すと階段に体を入れ、上を見上げた。

　イングラムM10を手にした七原秋也（男子十五番）と中川典子（女子十五番）が、並んで川田の方を見下ろしていた。頭からつま先まで、二人ともずぶぬれになっていた。

78

「川田！」

　階段の下に無事に川田が現れたのを見て、秋也は安堵の声を上げた。自分が撃ったのとは別に銃声が

聞こえていたので、もしかしたらタイミングが遅すぎたかと思ったのだ。

川田は兵士から奪い取ったらしいライフルを手に、階段を駆け上がってきた。

「大丈夫だったのか？」

「ああ」川田は頷いた。「坂持センセは死んだよ。それより、全員片づけたか？」

「上にいたのは全部やった。けど野村ってやつが見あたら――」

「それで全員だ。野村は俺が倒した」

言うと、川田は秋也と典子の脇を擦り抜け、狭い通路を先に立って操舵室のある船橋の方へ駆け出した。

船橋に至るまでの通路に一人、操舵室下のブリーフィングルームの内外に二人、兵士の死体が転がっていた。うち一人は田原と呼ばれた兵士、残りは船の乗員の海軍兵だが、銃を持っていたのは田原だけ、それも、拳銃だけだった。秋也はイングラムの一斉射で、その兵士たちを撃ち倒したのだ。ほかに、デッキにも二人、これは最初に倒した海軍兵が転がっている。

その田原の死体にちらっと目を落とし、操舵室へ続く階段の手摺りに手をかけながら、川田が「容赦なくやったな、七原」と言った。

「ああ」秋也は頷いた。「やった」

階段を伝って操舵室へ上がると、その隅にも、秋也が先程撃ち倒したばかりの船の乗員が二人、転がっていた。流れ弾か、それともその乗員たちを貫通した弾か、闇と秋也たちを隔てるガラスに、いくつか穴が開いている。

船は人家の明かりが灯る島の一つの脇を（これは多分女木島だ）通過しつつあった。銃声がその島や、四方の海のかなり遠くまで聞こえたのではないかと秋也は思ったが、まあ、唐突に銃声のすることが珍しくない国だ、そう気にする必要はないかも知れない。

川田は前方に眼をこらしていた。秋也と典子もその視線を追うと、ちょうど、砂利運搬船のような船が進路右側から接近しつつあった。川田が操舵輪を握り、その横に突き出したバーのようなものを微妙に動かした。

そうしながら、川田が訊いた。「風邪ひいてないか、二人とも?」

「ああ」

「典子サンは?」

「大丈夫」典子が頷いた。

川田がなお前方をにらみながら言った。視界に、だいぶその砂利船が迫ってきた。「悪かったな、俺だけ楽な役回りだったようだ」

「そんなことないよ」秋也は川田の手元と前方の船を交互に見やりながら答えた。「今の俺じゃ武器なしに銃を持った坂持はやれなかった。適材適所だ」

見守るうちにも、砂利船の船影がますます大きくなった。しかし――ほどなく、無事に擦れ違うことができた。砂利船の灯火が、遠ざかっていった。

「ふう」

川田は息をつくと、操舵輪から手を離した。それから、秋也にはよくわからない計器の一つ、複雑に並んだボタンをいくつか続けて押した。しばらくそのパネルを眺め、ダイオードの光が一つ消えたのを確認した後、今度は無線機を手にとった。スピーカーから、相手の声が流れ出した。『こちら備讃瀬戸海上交通センター』そんなふうに聞こえた。

川田が応じた。「こちら防衛軍海軍船籍DM245-3568。こちらの所在確認を願いたい」

『DM245-3568、確認できません。何かトラブルが?』

「DPS航行装置に異常があるようだ。修理のため一時間ばかり停船する。他の船舶にその旨連絡願いたい」

『了解しました。現在位置をお願いいたします』

川田がさっきの計器の表示を見ながら、口頭でそ

れを伝えた。無線を切った。

もちろんそれは、どこかへ船を移動させる間の時間稼ぎだっただろう。川田は再び舵輪に手をかけると、今度はぐっと左へ回した。大幅な進路転換に伴う揺れが、秋也の体にも伝わった。

川田がなお慎重に舵輪を動かしながら、言った。

「坂持の野郎、やっぱり気づいてたよ。おまえたちに船に乗るように言っといてよかった」

秋也は頷いた。それに伴って、前髪の先から水滴が落ちた。

そうだった。川田はあの山の中で空に向けて二度引き金を絞った後、目をぱちくりしている二人に、昼の前に指を立てる仕草をしてみせた。ポケットから出した地図の裏に鉛筆で走り書きした。随分暗くて読みにくかったが、秋也たちはそれを読み——それから、川田が二人の首輪を外した。どこから持ってきたのかラジオの部品みたいなものとそれにつながれたコード、あとはナイフと小さなマイナスドライバーを一本、使っただけだった。そして、そのあと川田は、これまたいつの間にそんなものを用意していたのか、竹とロープでつくった簡単な縄梯子をデイパックから取り出したのだ。さらに書いたメモにはこうあった、〝俺が乗る船にもぐり込め。夜だから大丈夫だ。海から港まで回り込むんだ。イカリを下ろしてるチェーンがあるからそれにこれをひっかけて、つかまってろ。イカリが上がって船が動き出したらデッキに登って、船尾の救命用具の陰に隠れるんだ。ころあいを見計らって、飛び出せ〟。

もちろん——船が波を蹴立ててスピードを上げていく中、そんなチャチな縄梯子につかまってひきずられていくのが楽だったとは言わない。梯子の上端から数十センチ上のデッキへ移るのも難しかった。秋也は左手が使えない状況では、どうしてもその軽業をこなすことができなかったのだ。しかし、典子が手の傷にもかかわらず先に上がると、秋也を半ば引き上げてくれたのだった。秋也は典子の意外な体

力にびっくりしたがとにかく――やってのけた。自分たちは。

「けど――」秋也は言った。「こういうことなら、もっと早くに言ってくれてもよかった」

川田が舵輪を右へ戻しながら、器用に肩をすくめた。

「どうしても不自然になるからな。悪かったよ」

言って、舵輪から手を離した。今は、船の進行方向、黒々とした海が広がっているばかりだ。当座、擦れ違いそうな船の影はない。川田はさらに、幾つかのゲージみたいなものをチェックし始めた。

「でも、すごいわ」典子が言った。「政府のコンピュータに侵入するなんて」

「そうだよ」秋也も同意した。「からきしなんて、全然ウソだったんじゃないか」

それで、川田が横顔を二人に見せたまま、ちらっと笑った。「結局バレてたんだからな。当たらずとも遠からずさ」

川田は計器の表示に納得したらしく、ようやくそこから離れた。倒れている兵士の方へ歩いた。秋也と典子が何をするのかと見守っていると、そのポケットを探り始めた。

「ち」と言った。「防衛軍の連中まで禁煙してるのか、最近は」

それで、川田が煙草を探しているのだとわかった。川田はしかし、もう一人の兵士の胸ポケットから、くしゃくしゃになった〝バスター〟の箱を見つけ出した。その箱も血に染まっていたが、お構いなしに一本抜き出して口に咥え、火を点けた。舵輪のあるスタンドの脇にもたれ、目を細めると、うまそうに煙を吐き出した。

その川田の顔を見ながら、典子が言った。

「あまり大勢だったら――こんなふうには逃げられなかったわね」

川田が小さく頷いた。

「そうだな。それも、夜でなければ。しかし、もう

それを考えても仕方がない。俺たちは生きている、それでいいだろう？」

　秋也は頷いた。「その通りだ」

　それから、川田は「シャワーでも浴びてこいよ、二人とも」と言った。

「階段の前だ。狭いが、湯が出るはずだ。こいつらの服でもひっぺがして着てればいい」

　秋也は頷き、イングラムを壁際の低い机の上に置くと、典子の肩を抱いた。「そうしよう、典子。先に入れよ、風邪がぶり返したら困る」

　典子が頷き、それで二人とも、階段の方に足を向けかけた。

「七原」川田が呼び止めた。「やっぱりちょっと待て」と言った。煙草を操舵スタンドの下に押しつけて消した。「先に船の動かし方を教える」

　秋也はちょっと、眉を持ち上げた。船の操作は川田がやってくれるものと思っていたこともある。しかし、考えてみたら、川田だってシャワーぐらい浴びたいはずだ。その間は、秋也と典子で船を動かさなければならない。

　秋也はもう一度頷き、典子と一緒に、川田のいる操舵スタンドの前へ戻った。

　川田が息を一つつき、操舵輪を手で軽く叩いた。

「今、船は手動で動かしてる。下手にオートパイロットにしない方がわかりやすいだろ。それでこれが」川田がスタンドの横のレバーを示した。「アクセル兼ブレーキみたいなもんだ。前へ倒すとスピードが上がる、後ろが減速。簡単だろ？　それと、だな。これを見ろ」

　川田が舵輪の真上に設けられた丸いゲージを示した。細い指針が、左斜めに傾いていた。その周りに、数字と方角を示すアルファベット。

「こいつがジャイロコンパスだ。方角はこれでわかる。で、そこに海図があるだろう」

　それで、川田は、女木島東方の現在位置から、島々の間を抜けて本州側へと向かうルートを示した。

目的地は、岡山県のどこか目立たない海岸がいい、と言った。さらにレーダーや測深器の使い方も、簡単に説明した。

それから、ちょっとあごに手を当てた。「まあ、いいかげんだがそれだけわかってりゃ動かせる。いいか、海の上は右側通行だぞ。それと、すぐには止まらない、船ってのは。沿岸部に近づく前に、十分スピードを落とせ。わかるな？」

秋也はまた眉を持ち上げた。なぜ、接岸するときのことまで説明するのだろう、と思ったのだ。しかし、とにかく頷いた。

川田がさらに言った。「俺が渡したメモ、まだちゃんと持ってるな？　ほんとはあれに、きちんと連絡先が書いてある」

「ああ――持ってる。けど――一緒に行くんだろ？もちろん？」

川田はその秋也の問いにすぐに答えることはせず、ポケットに押し込んでいた煙草を取り出し、一本口に咥えてライターの火を近づけた。火はすぐに点いたが、しかしそのとき――、秋也はおかしなことに気づいた。ライターを持つその川田の手が、微妙に震え出していたのだ。

隣にいる典子もそれを認めたのか、目を見張るのがわかった。

「川田――」

「おまえたち、言ったな」

川田が咥え煙草のまま、秋也の言葉にかぶせるように、言った。その震える手で、ライターを操舵輪の脇に放り出した。

「一緒に合衆国まで行かないかと」今やぶるぶる震え出した手で煙草を口から離し、煙を吐き出した。

「考えてたんだ、そのことを。しかし――」

川田は言葉を切り、また口に煙草を咥えた。離した。ふうっ、と煙を吐いた。

「もう返事をする必要がないようだ」

途端、川田の体がずるっと滑った。頭ががくっと

落ちて床に膝をついた。

79

「川田！」

秋也は川田に駆け寄り、右腕を川田の同じ右腕にからませて、その体を支えた。典子が同じようにだっと駆け寄って、反対側から川田の左腕をつかんだ。

川田の体は力を失って、重かった。それで秋也は初めて、川田の学生服の背中がべっとり湿っているのに気づいた。背中側、首のすぐ下に小さな小さな穴が開いていた。桐山だ。桐山が撃ちこんだあの一発だ。〝かすり傷だ〟、川田は言った。なんで――なんですぐに治療しなかったのか。それとも、もう致命傷だとわかっていたとでもいうのか。いやあるいは――秋也たちを予定通りこの船に乗せるために、敢えてそれを避けたのか。

川田は、二人の手の中でそのままゆっくりと体を落とすと、ぺたんとしりもちをついた。

「寝たい。寝かせてくれ」と言った。

「だめだだめだだめだ！」秋也は叫んだ。「そこらへんの病院でいい！　そこで怪我を――」

「無理言うな」川田は笑い、部屋の端に転がっている二人の兵士と同じように、そのままごろんと横になった。

「頼むよ」秋也は床に膝をついて、川田の肩に手をふれた。「起きてくれよ」

「川田くん」典子が泣いていた。

「典子！」秋也は強い口調で典子に言った。典子がびくっと秋也の顔を見た。「泣かないでくれ！　川田は死んだりしない！」

「七原。くだらないことで典子サンを叱るなよ」川田が穏やかな声音でたしなめた。「女の子には優しくしろ」付け加えた。「それに、まあ、俺、し死ぬよ、悪いけど」

言うそばから、どんどん川田の顔が白くなってい

った。それにつれて、左眉の上に走る傷痕が、ムカデのように赤黒く浮かび上がった。

「川田――」

「おおまえたちの誘いにどどうするか――」川田が言った。頭が小刻みに震え出していた。しかし、唇を動かして、続けた。「お俺、まだま迷ってる――け、けけけど、れ、礼を、い言う、あり、ありがとう」

秋也は首をぶるぶる振って、ただ、その川田の顔を見つめた。何も言えなかった。

震える右手を、川田が持ち上げた。「さささよならならだ」

秋也はその手を握った。

「ののの典子さサンも」

典子が目に涙をためて川田の手を握った。

秋也はもう、川田が死にかけていることを悟った。いや、とっくにわかっていたのだが、それを認めた。認めるよりほかなかった。言うべき言葉を探した。一つあった。

「川田」

川田の目が典子の方から秋也の方へどろんと泳いだ。

「俺がこの国をぶっ壊してやる、おまえの代わりに！　俺がぶっ壊してやるぞ、ちくしょう！」

川田はふっと笑った。典子の手から、その手が力無くぱたんと胸の上へ落ちた。典子がその手を追って、川田の胸の上でぎゅっと握り締めた。

川田は目を閉じて、またかすかに笑ったようだった。それから、言った。「いいい言ったろなな七原。そそそんなことしないでいいいいいいよ。いいいいかいいかいいかからふふふ二人でどどうかいい生き延びてくれよ。ここ今回とおな同じようにおおおおた互い信じうう敬いこここれこれをたす助けてくれよ」

川田はそこまで言って、すうっと息を吸い込んだ。もう、目を開けなかった。

「――それが俺の望みだ」

　はっきり言った。

　それが最後だった。川田はもう、息をしていなかった。操舵室の天井から落ちる奇妙に黄色っぽい光が、真っ白になったその顔を照らしていた。穏やかな表情だった。

「川田！」秋也は叫んだ。言うべきことがまだあった。「おまえは慶子さんに会えるよ！　おまえは彼女と幸せにやれるよ！　おまえは――」

　遅かった。川田の耳にはもう何も、届いていないだろう。それでも、その顔は、あまりにも安らかだった。

「ちくしょう」秋也の唇が震え、それが伝わって、語尾が震えた。「ちくしょう」

　典子が、川田の手を握ったまま、泣いていた。

　同じように川田のその分厚い手に自分の手を重ねかけ、それから、秋也は思いついて、川田の学生服のポケットを探った。あった。――あの赤いバードコールが。それを川田の右手に押し込み、握らせた。そして自分の手でそれを包み――それから、秋也はようやく泣き出した。

エピローグ

大阪・梅田で

それぞれの理由で忙しく大阪梅田の私鉄ターミナルを動いていく雑踏の中、幅広の階段を挟んで二基並んだエスカレーターの一つから降りたとき、七原秋也（香川県城岩町立城岩中学校三年B組男子十五番）の耳に、『香川県で起こったプログラム担当教諭殺害事件の続報です』という音声が届いてきた。隣にいる中川典子（同女子十五番）の体にかけた右腕にそっと力を込め、秋也は足を止めた。

エスカレーター脇、そのエスカレーターと同じだけの高さがある巨大なテレビスクリーンに、髪を七三にわけた五十年配のアナウンサーが大写しになっていた。

秋也と典子は、一緒にそのスクリーンの前に進んだ。月曜日の午後六時過ぎ、学生もスーツ姿のサラリーマンも、待ち合わせの連中が大勢たむろしている。秋也も典子も今は制服ではなく、秋也はジーンズとプリントシャツ、デニムジャケットを、典子もジーンズにダークグリーンのポロシャツ、その上に薄手のグレイのパーカを羽織っていた（ただ、スニーカーだけはそれぞれ元のものを洗って履いていたが）。秋也の首には包帯が巻かれているが、立てたジャケットのえりに隠れているし、典子の左頬には大きなばんそうこうが貼られているが、それも目深にかぶった黒い皮の野球帽のおかげで、そう目につくこともないだろうと思えた。典子はまだ右脚を引きずっていたけれど、それももう、さほど目立ちはしなかった。秋也は、これはまだ動かない左腕の上、肩にかけたショルダーバッグのストラップの位置を、右手で直した。

川田が残してくれたメモには、一人の医者の名前と、神戸市内のその住所が書かれていた。恐らく川田の生家も同じような感じだったのではないかと思わせる、それは、市街の裏通りにある小さな医院だったが、まだ二十代と見えるその医者はともあれ快く二人を迎えてくれ、それぞれの傷の手当てもしてくれた。〃川田くんのお父さんがうちの死んだ親父

と大学の先輩後輩でね。僕も川田くんのお父さんにはすごく世話になったんだ〟、その医者は言った。いろいろと顔も広いようで、二人を自宅にかくまった次の日、つまり昨日には、国外脱出の手はずを整えてきた。〝章吾くんからいざってときのためにお金を預かってた。それを使うからね〟。和歌山の小さな漁村から漁船でまず大平洋へ出て、そこで韓半民国の船に乗り換えるのだという。〝韓半民国からアメリカへは問題ないけど――その船にうまく乗り換えられるかどうか〟。医者は心配そうな顔でそうも言ったが、秋也たちにはもちろん、ほかに選択肢はなかった。

今日、その医者の家を出る前に、典子は自宅へ電話した。正確に言うと、典子が別のクラスの仲のいい友達に一旦電話をかけ、友達に家へメッセージを運んでもらって、公衆電話を使い家族の方から、医者の家へかけてもらった。盗聴を警戒したのだ。秋也はその間少し典子から離れていたが、その医者の家、電話のある廊下から、典子の泣き声が、ずっと聞こえていた。秋也自身は、もう慈恵館に連絡はしなかった。ただ、胸のうち、安野先生らに礼を言って、別れを告げることにした。そして、新谷和美にも。

アナウンサーが続けていた。『この事件でプログラム会場となった香川県の沖木島では、防衛軍のヘリが散布した毒ガスのため現場検証が遅れていましたが、事件の発生から二日たった今日午後になってようやく検証が行われ、生徒二人が行方不明になっていることが判明しました』

映像が変わった。あの島――秋也たちが死闘を繰り広げたあの島を警察官と兵士たちが調べるのを、海上からの望遠カメラがとらえていた。同じようなロングショットで、港の映像が出た。死体が山積みになっていた。一瞬だったが、秋也にはそのうちの少なくとも二人が識別できた。学生服とセーラーの黒い山の端でカメラの方に顔を向けているのは、内

海幸枝と、国信慶時だった。毒ガスの散布にもかかわらずきれいな顔をしていたのは、二人とも屋内で死んだからに違いない。秋也は無事な右手の拳をぎゅっと握った。

『行方不明になっているのは、香川県城岩中学三年生の七原秋也くんと中川典子さんの二人です』映像がまた変わり、二人の顔写真が並んで大写しになった。生徒手帳に貼りつけられているのと同じ写真だった。秋也は視線を動かしたが、周りでスクリーンに見入っている連中が、秋也たちに気づいた様子はなかった。

次に、山が海際すぐにまで迫った、人家のほとんど見えない海岸線の映像が出た。カメラがズームインすると、軍の塗装を施した小形の哨戒艇が砂浜近くの浅瀬に乗り上げ、それをまた警察官と兵士が砂浜からうかがっているのが、はっきりわかった。もっとも、これは発見直後の様子だから、こちらの方が古い映像だ。『この事件では二十四日早朝、岡山県牛窓町の海岸で香川県のプログラム実施担当だった坂持金発教諭の船が座礁しているのが発見され、その中で坂持教諭と専守防衛軍の田原時彦一等陸士ら九人の兵士、それに、今回のプログラムで優勝した川田章吾くんの死体が発見されたものです』坂持の顔写真が出た。長い髪。『警察と防衛軍では何らかのトラブルが起きたものとみて捜査していましたが、今日、二人の生徒の行方不明が判明したことで、この二人が何らかの手がかりを握っている可能性もあるとみて、行方を――』

アナウンサーが続けていたが、秋也は画面の方に目を奪われていた。

〝優勝者の川田章吾君→死体で発見〟という字幕付きの、短いムービーだった。ほんとうなら、単に〝優勝した男子生徒〟とそっけない字幕を付けられて、香川のローカルニュースの短いクリップに流れるだけだったはずのしろものだ。秋也たちは神戸の医者の家で何度かニュースを見たが、川田の顔は写

真で出るだけで、そのムービーを見るのは初めてだった。

　両脇を兵士に固められた川田は、じっとカメラを見つめていた。そして――

　その十秒ほどの短い映像の最後、にやっと笑うと、親指を突き出した右拳を、カメラの前に掲げたのだ。

　周りで同じようにスクリーンに見入っている雑多な人たちの間に、非難めいたざわめきが広がった。多分、川田が優勝を誇っていると見えたのだろう。

　しかし、もちろん、そうではない。秋也は、もうアナウンサーの顔に戻った画面をぼんやり見ながら考えていた。

　あれは、秋也と典子へのメッセージだろうか。川田は、自分が死ぬことも、政府のカメラの前に立ったそのとき、既にわかっていたのだろうか。それとも、あの、独特の皮肉だろうか。

　――もうわからない。いつか、川田が言ったように。


　すぐに、もう一度秋也と典子の顔写真が出た。

『人民の通報を――』

「行こう、典子。急いだ方がいい」

　秋也は小さく声をかけ、右手で典子の左手をとると、典子と一緒にスクリーンに背を向けて歩き出した。

「川田くんが――」手をつないだまま歩きながら、典子が口を開いた。「秋也くんが戻ってくる前――秋也くんが幸枝たちのところにいたとき、あたしに言ったの」

　秋也は首を傾け、右側にいる典子の顔を見た。

　典子が秋也の方に顔を上げた。帽子のひさしの下、陰になった目が濡れていた。「いい友達ができてよかったって」

　秋也はさっと前へ顔を向け――頷いた。ただ、頷いた。

　学生らしい六、七人のグループが横切るのをやりすごし、それからまた歩きながら、秋也は言った。

「典子。ずっと、君と一緒だ。川田に約束した」

典子が頷く気配がした。

「今は、逃げる。――けど、いつか、俺はこの国をぶっ壊したい。川田との約束をやぶるわけじゃない。ぶっ壊したい、川田のために、君のために、俺のために、慶時のために、みんなのために。そのときは、手を貸してくれるかい？」

典子が秋也とつないだその手をきゅっと握り――はっきり言った。

「もちろんよ」

二人で雑踏を抜けた。しばらくして自動券売機の前に出ると、典子が券売機の上の掲示板を見上げ、ポケットから小銭を出して数えると、二人分の切符を買うために、券売機の前の列に並んだ。

秋也は一人立ち尽くしたまま、典子の順番がくるのを待った。すぐに順番が来た。典子がコインの投入口に、硬貨を押し込んだ。

秋也は何げなく、左へ首を回した。

自分の目がすっと細まるのがわかった。そっちは駅コンコースの入口の方で、タクシーや乗用車が行き交う道路の向こう、大阪の高層ビル群の足元が見えていたのだけれど、それを背景に、黒い制服の長身の男が、まっすぐこっちへ歩いてきていた。流れていく人波を器用に躱し、ただ、まっすぐに、秋也の方へ視線を据えて。

もちろん、その制服は、警察のものだった。頭の上の帽子の中央、金色の桃のマークが光っている。

秋也はそっと、ジャケットの下、ジーンズの背中に押し込んだベレッタM92Fに右手を伸ばしながら、逃走経路を探した。警官が来るのと反対側のコンコース入口にも道路が走っている。あそこまで出られれば、車をつかまえて――。

ちょうど切符を持って戻ってきた典子に、秋也はささやいた。「列車はヤメだ、典子」

それで、典子は事情を了解したようだった。さっと首を回し、警官を認めたのか、目を見開いた。

「あっちへ出よう」

秋也が言ったとき、警官が走り出した。

「走るぞ、典子！　せいいっぱいでいいから走れ！」

そのように言い、典子と一緒に一気に走り出しながら、秋也は思っていた。どこかで聞いたような言葉だと。

ちらっと後ろを振り返ると、警官が銃を手にしていた。秋也はベレッタを抜き出し——すぐに、警官が撃った。ぱん、ぱん。二発。既に水平射撃していたが、それは幸いにも秋也たちにも、そして駅を流れていた人波の誰にも、当たらなかった。ただ、いくつもの悲鳴が上がり、群衆の何人かは床に伏せ、何人かは、どこで銃声がしたのかもわからないまま、てんでばらばらの方向に逃げまどった。それで、銃を下ろして再び走り出した警官が、買物袋を抱えた太ったおばさんにぶつかり、ぶざまに転んだ。おばさんも転び、買い物袋から野菜や何か惣菜のようなパックが転げ出して、床を滑った。

秋也はそれだけ確認すると、また前方に顔を戻した。

そして典子と並んで走りながら、一瞬、ある想いにとらわれた。悲鳴も、自分たちの走る足音も、停止を求めて叫んでいる警官の声もすうっとどこかへ遠ざかり、失われ、ただその想いが頭を満たした。

それは、場違いに静かな想いだったかも知れない。それに——盗作だった、いやはや。

でも思った。

典子、二人一緒なら哀しみを抱えていても生きていけるだろう。俺は君を愛したい。いつか——いつとは知らないけれど、俺たちは俺たちがほんとうに望んでいる場所へたどり着けるだろう、そしてそこで、陽の光りの中を歩けるだろう。でも、それまでは——俺たちはどうも、走り続けなければならない。

すぐに悲鳴が、怒号が、戻ってきた。典子のやや荒い息遣いも、自分の心臓の鼓動も。

これは続いている、まぎれもなく続いている。
――オーケイ、今度は乗ってやるぜ。
こっちが勝つまで、続けてやる。

（終わり）

一九九六年六月――一九九九年三月
一三二二枚書き下ろし

Now, again, “2 students remaining”.
But of course they’re with you all.

バトル・ロワイアル

一九九九年 四 月一五日印刷
一九九九年 四 月二一日第 一 刷発行
二〇〇一年 一 月一八日第三九刷発行

著者　高見広春
発行者　高瀬幸途
編集制作　並木智子
発行所　株式会社太田出版
東京都新宿区荒木町二二
エプコットビル一階
電話　〇三-三三五九-六二六二
ファクシミリ　〇三-三三五九-〇〇四〇
振替　〇〇一二〇-六-一六二一六六
印刷・製本　図書印刷株式会社
定価　カバーに表記あり

ISBN4-87233-452-3 C0093

右上にある「ＢＲマーク」を官製ハガキに貼り、下記までお送り下さい。
抽選で500名様に、映画「バトル・ロワイアル」劇場招待券（公開期間中のみ有効）をプレゼントいたします。
〒160-8571 東京都新宿区荒木町22 エプコットビル1F
太田出版 「バトル・ロワイアル」劇場招待券プレゼント係
締切り：2000年12月10日当日消印有効

●From Editors●

本書『バトル・ロワイアル』は、実は、本来なら、小社から刊行される予定の本ではなかったのです。

作品そのものは、'97年３月には一応完成されており、その時点で、某社のミステリー小説賞に応募したところ、一次予選さえ通過しなかった、と聞きました。

一年後、そこに若干の手直しを施し、某社のホラー小説大賞に再度応募したところ、最終候補までは残ったものの、選考委員全員から「非常に不愉快」「嫌な感じ」「賞のためには（入選させることは）絶対にマイナス」等々、酒鬼薔薇事件の余波もあってか、きわめて内容が反社会的であるとのレッテルと共に、全面的に批判を浴びせられ、再度、落選。

しかし、このとき、本作の衝撃度と破壊力が、口伝てにミステリ関係者に伝播したようで、『このミステリーがすごい!!』（宝島社）の匿名座談会で言及されたり、枡野浩一氏が主宰した新人賞をめぐるシンポジウムで、先の選考委員らが語った選考会のコピーが配布されたりと、『バトル・ロワイアル』は「すごい問題作」という噂が、水面下に於て、一人歩きしていました。

その時、縁あって、'98年10月、小社刊『クイック・ジャパン』編集部を通じ、『バトル・ロワイアル』私家版コピーを、著者である高見広春氏より入手することが可能となり、一読、ただちに出版決定した……という経緯があったのです。ちなみに、小社では、これまで純文学を除き、エンタテイメント系の小説の出版は、前例がありませんでした。しかし、社内からも「この小説は、絶対、世に出すべきだ」との声が起こり、難なく出版決定しました。

このように、出版に至るまで、一筋縄では行かなかったわけですが、こうした話を聞くと、新人賞の選考委員が、はたして信用に値するのかと、疑問も生じてしまいました。もしかすると、今では、書き手と選考委員の感覚が、はなはだしく乖離しているような気もします。

そこで――小社では、『バトル・ロワイアル』の出版を契機にして、若い世代の書き手による、埋もれた「凄い小説」を出版していきたいと強く考えています。

ジャンルは、ミステリ、ホラー、パニック、SF、スプラッタ――のいずれかで、願わくは、過去に存在しなかったタイプの新しいエンタテイメントを切望します。枚数・形式は自由。原稿を下記まで御郵送ください（原稿返却は不可。コピーをお取りください）。優秀作品は、小社より単行本化、もしくは『クイック・ジャパン』誌上にて発表させていただきます。

宛先：〒160-8571 ㈱太田出版 エンタテイメント投稿小説係
（電話によるお問い合わせはご遠慮ください）

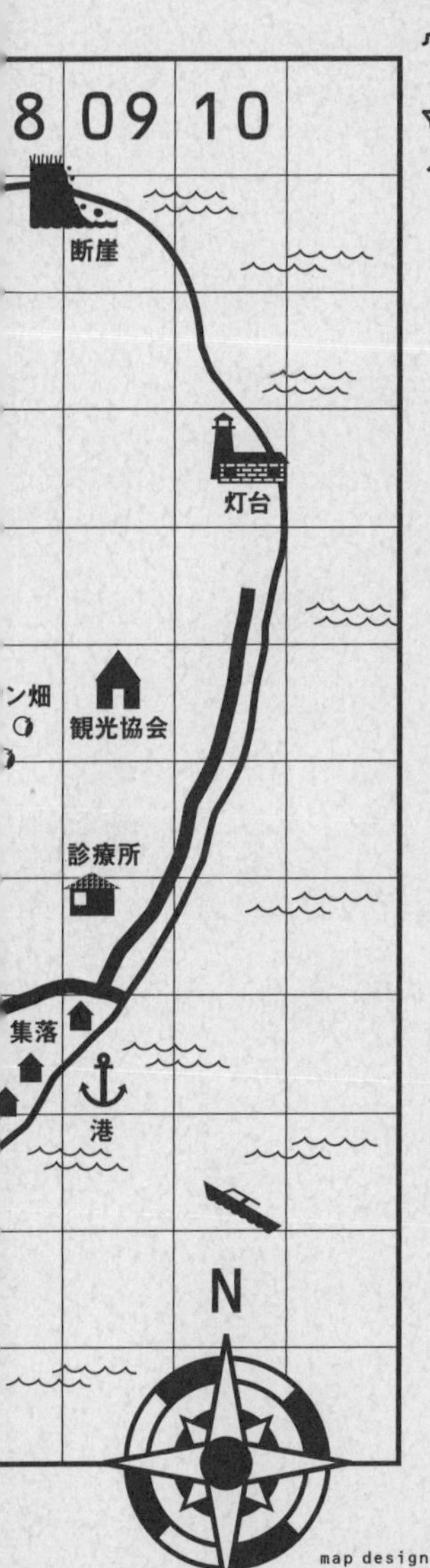

沖木島

高松

徳島

和歌山

"禁止エリア"の進行
22日
0308AM~;G=07
0700AM~;J=02
0900AM~;F=01
1100AM~;H=08
0100PM~;J=05
0300PM~;H=03
0500PM~;D=08
0700PM~;G=01
0900PM~;I=03
1100PM~;G=09
23日
0100AM~;F=07
0300AM~;G=03
0500AM~;E=04
0700AM~;C=08
0900AM~;D=02
1100AM~;C=03
0100PM~;D=07
0300PM~;H=04
0500PM~;F=09
0700PM~;B=09
0900PM~;E=10
1100PM~;F=04

map design by yasushi nakayama + yuka kimura (nyc)